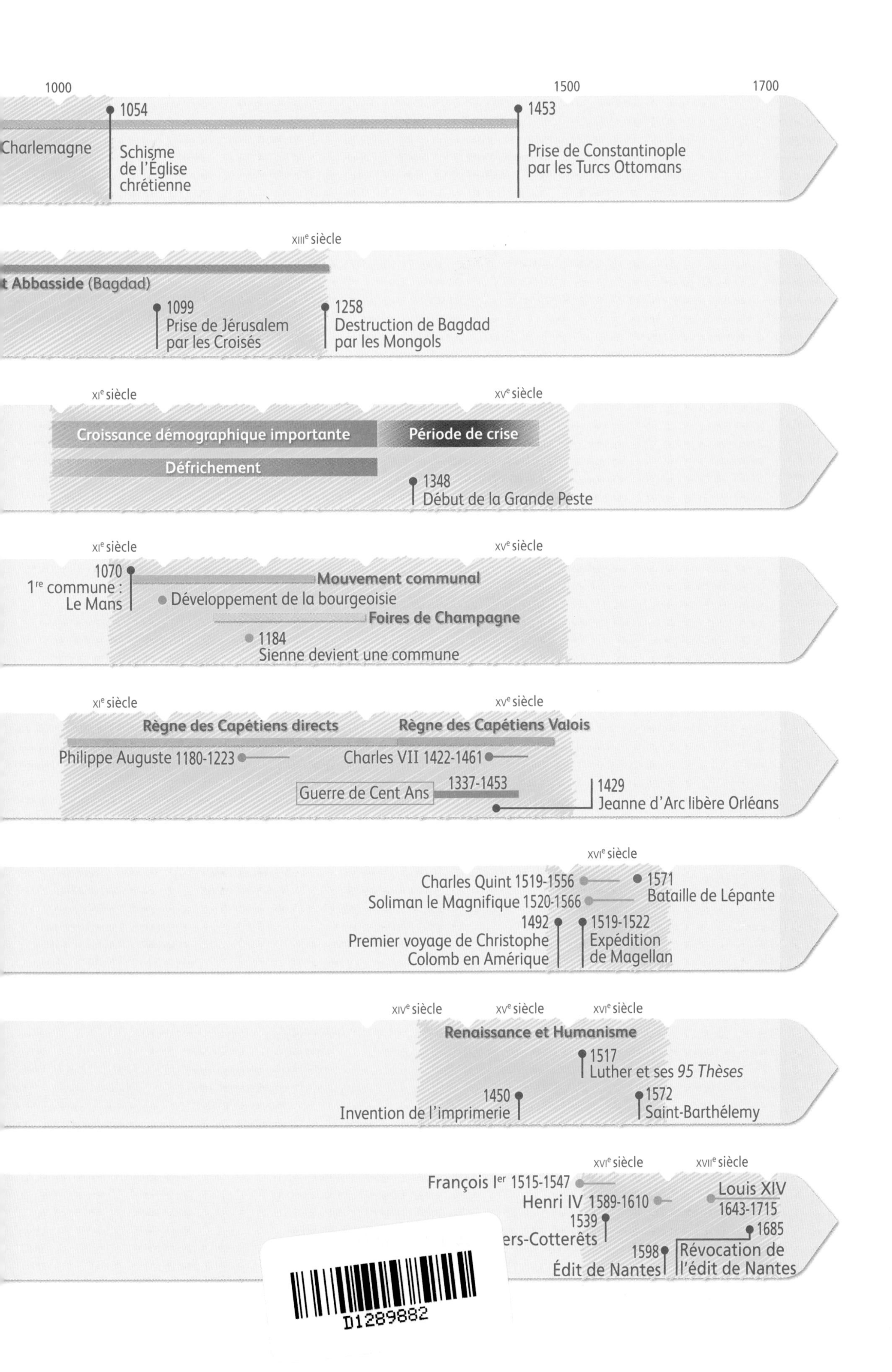
1000
1500
1700
1054
Charlemagne
Schisme de l'Église chrétienne
1453
Prise de Constantinople par les Turcs Ottomans
XIIIe siècle
t Abbasside (Bagdad)
1099
Prise de Jérusalem par les Croisés
1258
Destruction de Bagdad par les Mongols
XIe siècle
XVe siècle
Croissance démographique importante
Période de crise
Défrichement
1348
Début de la Grande Peste
XIe siècle
XVe siècle
1070
1re commune : Le Mans
Mouvement communal
Développement de la bourgeoisie
Foires de Champagne
1184
Sienne devient une commune
XIe siècle
XVe siècle
Règne des Capétiens directs
Règne des Capétiens Valois
Philippe Auguste 1180-1223
Charles VII 1422-1461
Guerre de Cent Ans
1337-1453
1429
Jeanne d'Arc libère Orléans
XVIe siècle
Charles Quint 1519-1556
1571
Bataille de Lépante
Soliman le Magnifique 1520-1566
1492
Premier voyage de Christophe Colomb en Amérique
1519-1522
Expédition de Magellan
XIVe siècle
XVe siècle
XVIe siècle
Renaissance et Humanisme
1517
Luther et ses 95 Thèses
1450
Invention de l'imprimerie
1572
Saint-Barthélemy
XVIe siècle
XVIIe siècle
François Ier 1515-1547
Henri IV 1589-1610
Louis XIV
1643-1715
1539
ers-Cotterêts
1685
1598
Édit de Nantes
Révocation de l'édit de Nantes
D1289882

HISTOIRE GÉOGRAPHIE EMC

DIRECTRICE D'OUVRAGE
Nathalie PLAZA,
collège Le Haut-Gesvres, Treillières (44)

DIRECTEUR SCIENTIFIQUE
Stéphane VAUTIER,
Académie de Rouen

AUTEURS
Nicolas BARTHELEMY, collège Paul-Riquet, Béziers (34)
Renaud BOULANGER, collège Émile-Chartier, Darnétal (76)
Thomas DEGUFFROY, lycée Guy-Mollet, Arras (62)
Laurence FOUACHE, collège Franklin, Lille (59)
Stéphane GUERRE, collège Auguste-Delaune, Bobigny (93)
Marielle HÉLAND, collège Toulouse-Lautrec, Langon (33)
Sonia LALOYAUX-LUCOTTE, collège Jules-Verne, Neuville-en-Ferrain (59)
Vanessa TANT, collège du Pays de l'Allœu, Laventie (62)
Michaël TIERCE, collège Evariste-Galois, Meyzieu (69)
Ludovic VANDOOLAEGHE, lycée Robespierre, Arras (62)

www.hachette-education.com
I.S.B.N. 978-2-01-395307-8

Histoire

Je suis un apprenti historien 8
Je suis un apprenti géographe 12

Thème 1 ▪ Chrétientés et islam (VIe-XIIIe siècle), des mondes en contact

1 Byzance et l'Empire carolingien 16

Contexte L'ancien monde romain, un monde chrétien 18
Étude Justinien, empereur byzantin 20
Étude Constantinople, capitale de l'Empire chrétien d'Orient 22
Étude Charlemagne, empereur d'Occident 24
L'atelier de l'historien L'amitié entre un empereur chrétien et un calife musulman 26
Histoire des Arts La chapelle impériale d'Aix-la-Chapelle 28
Étude 1054, la chrétienté se divise 30
Leçon Byzance et l'Empire carolingien 32
J'apprends, je m'entraîne 34
Enquêter Qui sont les responsables de la disparition de l'Empire carolingien ? 37
L'atelier d'écriture 38
Géohistoire La chrétienté d'hier à aujourd'hui 39

2 L'Islam, pouvoirs, sociétés et cultures 40

Étude La naissance d'un nouveau monothéisme, l'islam 42
Contexte Un empire qui se crée, un empire qui se divise 44
Étude Les Abbassides, les califes de Bagdad 46
Étude Le Caire, une capitale musulmane 48
L'atelier de l'historien Saladin et Richard Cœur de Lion, deux adversaires 50
Étude La Méditerranée, un espace d'échanges 52
Histoire des Arts L'Alhambra de Grenade 54
Leçon L'Islam, pouvoirs, sociétés et cultures 56
J'apprends, je m'entraîne 58
Enquêter D'où viennent les chiffres arabes ? 61
L'atelier d'écriture 62
Géohistoire L'islam d'hier à aujourd'hui 63

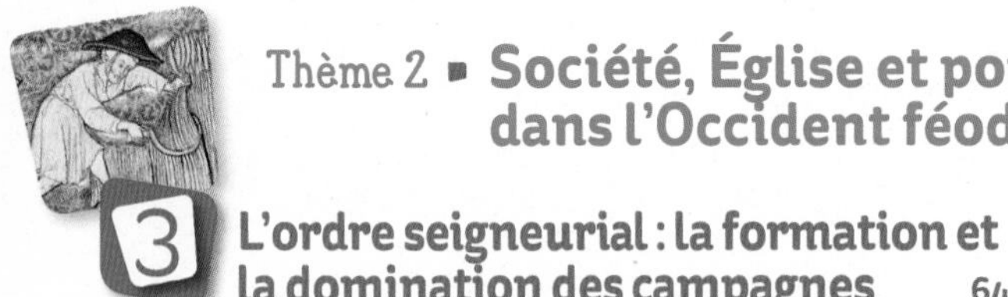

Thème 2 ▪ Société, Église et pouvoir politique dans l'Occident féodal (XIe-XVe siècle)

3 L'ordre seigneurial : la formation et la domination des campagnes 64

Étude Guillaume de Murol, un seigneur en Auvergne 66
L'atelier de l'historien Des paysans écrasés par leur seigneur ? 68
Histoire des Arts Conques, des valeurs chrétiennes mises en images 70
Étude Les abbayes transforment les campagnes 72
Contexte Une période de conquête de terres agricoles 74
Leçon L'ordre seigneurial : la formation et la domination des campagnes 76
J'apprends, je m'entraîne 78
Enquêter 1358, pourquoi la révolte des Jacques échoue-t-elle ? 81
L'atelier d'écriture 82
EMC Comment l'impôt permet-il d'être solidaire ? 83

4 L'émergence d'une nouvelle société urbaine 84

Contexte Le renouveau des villes en Europe (XIe-XVe siècle) 86
Étude Sienne, une cité marchande 88
Étude Datini, un « homme d'affaires » italien 90
Étude L'essor des villes drapantes 92
Histoire des Arts La cathédrale de Chartres 94
L'atelier de l'historien La commune de Laon se révolte (1112) 96
Leçon L'émergence d'une nouvelle société urbaine 98
J'apprends, je m'entraîne 100
Enquêter Paris au « temps des malheurs » 103
L'atelier d'écriture 104
EMC Qui gère une ville ? 105

5 L'affirmation de l'État monarchique dans le royaume des Capétiens et des Valois 106

Histoire des Arts Le sacre de Louis VIII 108
Étude Philippe Auguste, seigneur et roi de France 110
L'atelier de l'historien Jeanne d'Arc et la guerre de Cent Ans 112
Étude L'État renforcé après la guerre de Cent Ans 114
Contexte Une société féodale qui disparaît 116
Leçon L'affirmation de l'État monarchique dans le royaume des Capétiens et des Valois 118
J'apprends, je m'entraîne 120
Enquêter Pourquoi les femmes ne peuvent-elles pas accéder au trône de France ? 123
L'atelier d'écriture 124
EMC Être une femme, être un homme en politique 125

Thème 3 ▪ Transformations de l'Europe et ouverture sur le monde aux XVIe et XVIIe siècles

6 Le monde au temps de Charles Quint et Soliman le Magnifique 126

Étude Charles Quint, monarque universel ? 128
Étude Soliman le Magnifique, un grand conquérant 130
Étude Charles Quint et Soliman s'affrontent en Méditerranée 132
Histoire des Arts Les portraits de Soliman 134
Étude L'Expédition de Magellan 136
Étude Le « Nouveau Monde », au cœur d'une première mondialisation 138
L'atelier de l'historien La conquête de l'Empire aztèque 140
Contexte Première mondialisation et naissance du monde 142
Leçon Le monde au temps de Charles Quint et Soliman le Magnifique 144
J'apprends, je m'entraîne 146
Enquêter La controverse de Valladolid (1551) : « Les Indiens d'Amérique sont-ils des barbares » ? 149
L'atelier d'écriture 150
EMC Comment faire accepter les différences ? 151

7 Humanisme, Réformes, conflits religieux 152

Étude Érasme, un modèle d'humanisme 154
Étude Florence, un centre humaniste 156
Histoire des Arts L'affirmation de l'individu 158
Étude Luther et la réforme de l'Église 160
L'atelier de l'historien La Saint-Barthélemy 162
Contexte L'Europe de la Renaissance, un monde en plein changement 164
Leçon Humanisme, réformes, conflits religieux 166
J'apprends, je m'entraîne 168
Enquêter Meurtre à la cour de France : Henri III assassiné ! 171
L'atelier d'écriture 172
EMC Comment la caricature favorise-t-elle la liberté d'expression ? 173

8 Du prince de la Renaissance au roi absolu 174

Étude François Ier, un roi de la Renaissance 176
Étude Henri IV, roi pacificateur 178
Étude Louis XIV, un roi absolu ? 180
Histoire des Arts La galerie des Glaces 182
L'atelier de l'historien Vivre à la cour du Roi Soleil 184
Contexte Le royaume de France au XVIIe siècle, « un roi, une foi, une loi » ? 186
Leçon Du prince de la Renaissance au roi absolu 188
J'apprends, je m'entraîne 190
Enquêter Pourquoi Louis XIV révoque-t-il l'édit de Nantes ? 193
L'atelier d'écriture 194
EMC La citoyenneté dans une démocratie 195

Retrouvez des exercices numériques pages 35, 60, 68, 80, 102, 122, 148, 157, 163, 170, 173, 177, 182, 192.

L'atelier d'écriture

Ch. 1 Une religion, deux Églises à partir de 1054 38
Ch. 2 Comment les Francs et les musulmans vivent-ils ensemble à Saint-Jean d'Acre ? 62
Ch. 3 La vie des paysans au XIIIe siècle 82
Ch. 4 L'industrie du drap et les villes 104
Ch. 5 La bataille de Bouvines (1214) 124
Ch. 6 La prise de Tunis en 1535 par Charles Quint 150
Ch. 7 Les réformes religieuses en Europe au XVIe siècle 172
Ch. 8 Le pouvoir du roi en France, un pouvoir qui s'affirme aux XVe-XVIIe siècles 194

L'atelier de l'historien

Ch. 1 L'amitié entre un empereur chrétien et un calife musulman 26
Ch. 2 Saladin et Richard Cœur de Lion, deux adversaires 50
Ch. 3 Des paysans écrasés par leur seigneur ? 68
Ch. 4 La commune de Laon se révolte (1112) 96
Ch. 5 Jeanne d'Arc et la guerre de Cent ans 112
Ch. 6 La conquête de l'Empire aztèque 140
Ch. 7 La Saint-Barthélemy 162
Ch. 8 Vivre à la cour du Roi-Soleil 184

Propositions d'EPI Histoire

Votre mission EPI 1 Un carnet de voyage 196
Votre mission EPI 2 Un reportage 197
Votre mission EPI 3 Une exposition 198
Votre Mission EPI 4 Un guide touristique 199

Géographie

Thème 1 • La question démographique et l'inégal développement

9 La forte croissance démographique et ses effets 206

Étude L'Inde, le défi d'une population jeune et nombreuse ... 208
Étude La Chine face au défi de la croissance démographique ... 210
Géohistoire Maîtriser la croissance démographique : l'exemple de la Chine ... 212
Étude Démographie et développement : le Nigeria ... 214
Mise en perspective La croissance démographique dans les pays développés ... 216
Changement d'échelle La croissance démographique dans le monde et ses effets ... 218
Leçon La forte croissance démographique et ses effets ... 220
J'apprends, je m'entraîne ... 222
Enquêter Pourquoi défricher la forêt amazonienne ? ... 225
Histoire des Arts La croissance démographique vue par la caricature ... 226
L'atelier du géographe Lire et étudier un graphique ... 227
L'atelier d'écriture ... 228
EMC Le système des retraites est-il solidaire ? ... 229

10 La répartition de la richesse et de la pauvreté dans le monde 230

Échelle mondiale Une inégale répartition des richesses ... 232
Étude Vivre à New York, une métropole riche ... 234
Géohistoire L'Inde, un pays riche qui compte le plus de pauvres au monde ... 236
Étude Vivre au Kenya ... 238
L'atelier du géographe Construire un croquis de paysage : les inégalités à Nairobi, Kenya ... 240
Leçon La répartition de la richesse et de la pauvreté dans le monde ... 242
J'apprends, je m'entraîne ... 244
Enquêter Richesses et pauvreté au Congo (RDC) ... 247
L'atelier d'écriture ... 248
EMC Est-il possible de se soigner dans un monde inégal ? ... 249

Thème 2 • Des ressources limitées, à gérer et à renouveler

11 L'énergie et l'eau : des ressources limitées à gérer et à renouveler 250

Étude Conflits d'usage pour l'eau en Californie ... 252
Étude La gestion de l'eau à Dubai ... 254
Étude L'énergie éolienne dans l'Aude, France ... 256
Géohistoire Le charbon, une énergie fossile ancienne toujours très utilisée ... 258
Changement d'échelle L'énergie et l'eau dans le monde ... 260
Leçon L'énergie et l'eau : des ressources limitées à gérer et à renouveler ... 262
J'apprends, je m'entraîne ... 264
Enquêter Le solaire, une ressource énergétique durable ? ... 267
Histoire des Arts Le Pont du Gard, un ouvrage antique pour gérer l'eau ... 268
L'atelier du géographe Réaliser une carte à partir de données statistiques ... 269
L'atelier d'écriture ... 270
EMC S'engager pour que tous aient accès à l'eau ... 271

12 Nourrir une population toujours plus nombreuse 272

Étude Se nourrir en Allemagne ... 274
Étude Se nourrir au Mali ... 276
Géohistoire Produire davantage pour nourrir l'humanité ... 278
Changement d'échelle L'alimentation dans le monde ... 280
Leçon Nourrir une population toujours plus nombreuse ... 282
J'apprends, je m'entraîne ... 284
Enquêter De nouvelles solutions pour nourrir les hommes ? ... 287
Histoire des Arts L'art et l'alimentation ... 288
L'atelier du géographe Réaliser une carte de géographie : la faim dans le monde ... 289
L'atelier d'écriture ... 290
EMC Comment lutter contre le gâchis alimentaire ? ... 291

Thème 3 ▪ Prévenir les risques, s'adapter au changement global

13 Le changement global et ses principaux effets géographiques régionaux 292

Étude Comprendre le changement global 294
Étude Un effet du changement global : la montée des eaux dans le Pacifique 296
Étude Un effet du changement global : la dengue en Asie 298
Géohistoire Une succession de changements climatiques 300
Changement d'échelle Le changement global et ses principaux effets géographiques régionaux 302
Leçon Le changement global et ses principaux effets géographiques régionaux 304
J'apprends, je m'entraîne 306
Enquêter Comment lutter contre les effets du changement global ? 309
Histoire des Arts L'évolution du climat vue par le documentaire *Les Saisons* 310
L'atelier du géographe Faire un schéma à partir d'un texte et d'une photographie 311
L'atelier d'écriture 312
EMC Comment mieux se déplacer ? 313

14 Prévenir les risques industriels et technologiques 314

Étude Un accident industriel à Tianjin (Chine) 316
Géohistoire Éviter les accidents majeurs en France 318
Étude Une coulée toxique au Brésil 320
Étude L'accident nucléaire de Fukushima 322
Changement d'échelle Prévenir les risques industriels et technologiques 324
L'atelier du géographe Réaliser un croquis d'un espace à risque, Mardyck (Nord) 326
Leçon Prévenir les risques industriels et technologiques 328
J'apprends, je m'entraîne 330
Enquêter Aspects positifs et négatifs du nucléaire 333
L'atelier d'écriture 334
EMC Comment réagir en cas de risques majeurs ? 335

Retrouvez des exercices numériques pages 213, 224, 245, 266, 268, 286, 301, 332, 335.

L'atelier d'écriture

Ch. 9 La croissance démographique dans les pays en développement 228
Ch. 10 La pauvreté dans le monde 248
Ch. 11 La gestion durable de l'eau 270
Ch. 12 La sécurité alimentaire dans le monde au XXIe siècle 290
Ch. 13 Imaginer des solutions face au changement global 312
Ch. 14 Prévenir les risques industriels et technologiques en France 334

L'atelier du géographe

Ch. 9 Lire et étudier un graphique 227
Ch. 10 Construire un croquis de paysage : les inégalités à Nairobi, Kenya 240
Ch. 11 Réaliser une carte à partir de données statistiques 269
Ch. 12 Réaliser une carte de géographie : la faim dans le monde 289
Ch. 13 Faire un schéma à partir d'un texte et d'une photographie 311
Ch. 14 Réaliser un croquis d'un espace à risque, Mardyck (Nord) 326

Propositions d'EPI Géographie

Votre mission EPI 1 Un recueil de caricatures 336
Votre mission EPI 2 Une enquête 337
Votre mission EPI 3 Un questionnaire 338
Votre Mission EPI 4 Un diaporama Pecha Kucha 339

Atlas 200
EMC (voir sommaire page 6) 340
Lexique 362
Lexique des verbes de consignes 367

Partie EMC de fin d'ouvrage

Partie 1 - L'égalité et le respect des autres et de soi-même

EMC Préserver ses données personnelles sur le Net 340
EMC Être une fille, être un garçon 342
EMC Combattre le racisme 344
EMC La fraternité, une valeur républicaine 346

Partie 2 - La liberté et la pluralité des opinions

EMC La laïcité en France 348
EMC Être libre 350
EMC Peut-on limiter les libertés fondamentales en démocratie 352

Partie 3 - La citoyenneté, l'engagement, la responsabilité

EMC S'engager pour le développement durable 354
EMC Le virus Zika, un nouveau risque majeur 356
EMC Encourager le vote 358
EMC La liberté de la presse 360

Pages EMC de fin de chapitres d'histoire et de géographie

Chapitre 3 Comment l'impôt permet-il d'être solidaire ? 83
Chapitre 4 Qui gère une ville ? 105
Chapitre 5 Être une femme, être un homme en politique 125
Chapitre 6 Comment faire accepter les différences ? 151
Chapitre 7 Comment la caricature favorise-t-elle la liberté d'expression ? 173
Chapitre 8 La citoyenneté dans une démocratie 195
Chapitre 9 Le système des retraites est-il solidaire ? 229
Chapitre 10 Est-il possible de se soigner dans un monde inégal ? 249
Chapitre 11 S'engager pour que tous aient accès à l'eau 271
Chapitre 12 Comment lutter contre le gâchis alimentaire ? 291
Chapitre 13 Comment mieux se déplacer ? 313
Chapitre 14 Comment réagir en cas de risques majeurs ? 335

PROGRAMME

Classe de cinquième - cycle 4	
Repères annuels de programmation	**Démarches et contenus d'enseignement**
Thème 1 **Chrétientés et islam (VIe-XIIIe siècles), des mondes en contact** ■ **Byzance et l'Europe carolingienne** ■ **De la naissance de l'islam à la prise de Bagdad par les Mongols : pouvoirs, sociétés, cultures**	Dans la continuité de la classe de 6e, qui aborde la période de la préhistoire à l'Antiquité, la classe de 5e couvre une vaste période, du Moyen Âge à la Renaissance. Elle permet de présenter aux élèves des sociétés marquées par la religion, au sein desquelles s'imposent de nouvelles manières de penser, de voir et de parcourir le monde et de concevoir l'exercice et l'organisation du pouvoir séculier. La période qui s'étend du VIe au XIIIe siècle, de Justinien à la prise de Bagdad par les Mongols (1258), est l'occasion de montrer comment naissent et évoluent des empires, d'en souligner les facteurs d'unité, ou au contraire, de morcellement. Parmi ces facteurs d'unité ou de division, la religion est un facteur explicatif important. Les relations entre les pouvoirs politiques, militaires et religieux permettent par ailleurs de définir les fonctions de calife, de basileus et d'empereur. L'étude des contacts entre ces puissances, au sein de l'espace méditerranéen, illustre les modalités de leur ouverture sur l'extérieur. La Méditerranée, sillonnée par des marins, des guerriers, des marchands, est aussi un lieu d'échanges scientifiques, culturels et artistiques.

Thème 2 **Société, Église et pouvoir politique dans l'Occident féodal (XIe-XVe siècles)** ■ **L'ordre seigneurial : la formation et la domination des campagnes** ■ **L'émergence d'une nouvelle société urbaine** ■ **L'affirmation de l'État monarchique dans le Royaume des Capétiens et des Valois**	La société féodale, empreinte des valeurs religieuses du christianisme, se construit sous la domination conjointe des pouvoirs seigneuriaux, laïques et ecclésiastiques. Les campagnes et leur exploitation constituent les ressources principales de ces pouvoirs. En abordant la conquête des terres, on envisage, une nouvelle fois après l'étude du néolithique en 6e, le lien entre êtres humains et environnement. Le mouvement urbain qui s'amorce principalement au XIIe siècle fait toutefois apparaitre de nouveaux modes de vie et stimule l'économie marchande. De son côté, le gouvernement royal pose les bases d'un État moderne, en s'imposant progressivement face aux pouvoirs féodaux, en étendant son domaine et en développant un appareil administratif plus efficace pour le contrôler.
Thème 3 **Transformations de l'Europe et ouverture sur le monde aux XVIe et XVIIe siècles** ■ **Le monde au temps de Charles Quint et Soliman le Magnifique** ■ **Humanisme, réformes et conflits religieux** ■ **Du Prince de la Renaissance au roi absolu (François Ier, Henri IV, Louis XIV)**	Aux XVe et XVIe siècles s'accomplit une première mondialisation : on réfléchira à l'expansion européenne dans le cadre des grandes découvertes et aux recompositions de l'espace méditerranéen, en tenant compte du rôle que jouent Ottomans et Ibériques dans ces deux processus historiques. Les bouleversements scientifiques, techniques, culturels et religieux que connait l'Europe de la Renaissance invitent à réinterroger les relations entre pouvoirs politiques et religion. À travers l'exemple français, on approfondit l'étude de l'évolution de la figure du XVIe au XVIIe siècles, déjà abordée au cycle 3.
Thème 1 **La question démographique et l'inégal développement** ■ **La croissance démographique et ses effets** ■ **Répartition de la richesse et de la pauvreté dans le monde**	L'objectif de cette première partie du cycle est de sensibiliser les élèves aux problèmes posés aux espaces humains par le changement global et la tension concernant des ressources essentielles (énergie, eau, alimentation). Il s'agit de faire comprendre aux élèves la nécessité de prendre en compte la vulnérabilité des espaces humains, mais sans verser dans le catastrophisme et en insistant sur les capacités des sociétés à trouver les solutions permettant d'assurer un développement durable (au sens du mot anglais sustainable, dont il est la traduction) et équitable. Pour ce premier thème, on part des acquis du dernier thème de la 6e pour aborder la problématique posée par la croissance démographique, notamment dans les pays en développement et en émergence, où elle rend difficile le développement durable et équitable et l'accès de tous aux biens et aux services de base. Le premier sous-thème sera abordé à partir de deux études de cas : une puissance émergente (la Chine ou l'Inde) et un pays d'Afrique au choix. On mettra en perspective ces cas avec les États-Unis et l'Europe, où la question démographique se pose de manière très différente. Mais on montrera aussi les points communs, comme, par exemple, celui du vieillissement. On abordera ensuite, à grands traits, la géographie de la richesse et de la pauvreté à l'échelle du monde. L'objectif est de sensibiliser les élèves à l'inégale répartition des richesses. Ils découvrent aussi que les différents niveaux de richesse et de pauvreté et donc les inégalités sociales sont observables dans tous les pays. L'outil cartographique est important pour aborder les questions liées à ce thème, qui est en lien très évident avec le suivant.
Thème 2 **Des ressources limitées, à gérer et à renouveler** ■ **L'énergie, l'eau : des ressources à ménager et à mieux utiliser** ■ **L'alimentation : comment nourrir une humanité en croissance démographique et aux besoins alimentaires accrus ?**	La question des ressources est aujourd'hui une des plus importantes qui soient et la géographie l'aborde de façon efficace. On peut ainsi insister sur l'importance des espaces ruraux et agricoles, en tant qu'ils contribuent à la fourniture des ressources essentielles, notamment alimentaires, alors qu'une partie de l'humanité est toujours sous-alimentée ou mal alimentée. On montre les enjeux liés à la recherche de nouvelles formes de développement économique, susceptibles d'assurer une vie matérielle décente au plus grand nombre, sans compromettre l'écoumène et sans surexploitation des ressources. Ce thème autorise aussi une présentation de type géo-histoire, qui donne de la profondeur à l'analyse et offre la possibilité de bien connecter la partie histoire et la partie géographie du programme de C4. Chaque sous-thème est abordé par une étude de cas au choix du professeur, contextualisée à l'échelle mondiale.
Thème 3 **Prévenir les risques, s'adapter au changement global** ■ **Le changement global et ses principaux effets géographiques régionaux** ■ **Prévenir les risques industriels et technologiques**	Ce thème doit permettre aux élèves d'aborder la question du changement global (changement climatique, urbanisation généralisée, déforestation…). Il permet d'appréhender quelques questions élémentaires liées à la vulnérabilité et à la résilience des sociétés face aux risques, qu'ils soient industriels, technologiques ou liés à ce changement global. Ce thème est étudié en remobilisant les acquis des élèves construits durant le programme de géographie du cycle 3. Il est particulièrement adapté à la démarche prospective. Le sous-thème 1 est traité à partir d'une étude de cas simple, au choix du professeur, des effets potentiels d'un changement climatique et d'une politique locale, régionale ou nationale, pour les éviter, les modérer ou s'y adapter. Le sous-thème 2 est abordé à partir d'une étude de cas sur un risque industriel et technologique. Cette approche du thème, centrée sur les bouleversements géographiques prévus et sur les tentatives d'anticiper ceux-ci, permet de nouer des liens avec les programmes de SVT et de technologie et d'aborder de manière nouvelle la question du développement durable.

Je suis un apprenti historien

Lehna et Hadrien font leur rentrée en 5e. Ils se rappellent les connaissances et compétences qu'ils ont construites, comme vous, en cycle 3.

A. Vous avez construit des repères historiques

3500 av. J.-C. 1500 1000 500 J.-C. 500

PRÉHISTOIRE ANTIQUITÉ 476

3500 av. J.-C.
753 av. J.-C.
VIIIe siècle av. J.-C.
587 av. J.-C.
313 ap. J.-C.

Consigne

- **Associez chaque événement ou personnage historique suivant aux dates ou périodes de la frise.**

Tablette de comptes, fin du IVe millénaire av. J.-C., musée du Louvre, Paris.

a. L'apparition de l'écriture

Bronze du XIIIe siècle (reproduction d'un modèle du Ve siècle av. J.-C.), les enfants furent ajoutés au XVIe siècle, musées du Capitole, Rome (Italie).

b. La fondation de Rome selon la tradition

c. *Iliade* d'Homère

Vase en céramique (cratère), vers 500-480 av. J.-C., Athènes, British Museum, Londres (Royaume-Uni).

d. Constantin, un empereur romain qui autorise le christianisme

Pièce d'argent frappée, 315 ap. J.-C., musée des monnaies, Munich (Allemagne).

e. L'exil à Babylone des habitants de Jérusalem

Campagne d'Élam, albâtre, VIIe siècle av. J.-C., musée du Louvre, Paris.

B. Vous avez appris à dissocier histoire et fiction

Consigne

- **Parmi les événements ou personnages suivants, indiquez s'il s'agit d'histoire ou de croyances.**

a. • En 753 av. J.-C., Romulus, fils du dieu Mars et descendant d'Énée, fonde la cité de Rome sur le Palatin. Il devient alors le premier roi de Rome.

b. • Des traces de cabanes et d'un mur datant du VIIIe siècle avant J.-C. prouvent la fondation d'une cité sur le Palatin.

c. • Le pharaon Ramsès II est un roi d'Égypte.

d. • Ramsès II a tenté d'empêcher Moïse et les Hébreux de quitter l'Égypte. Son armée est engloutie dans la mer Rouge.

e. • Héraclès combat Géryon lors de ses 12 travaux.

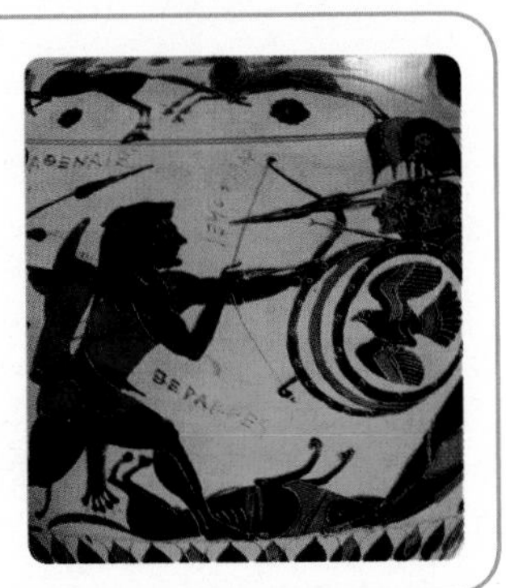

f. • Les Grecs s'affrontent lors des Jeux olympiques pour la gloire de leur cité.

g. • Jésus est mort sur la croix. Il est à l'origine d'une religion (le christianisme).

h. • Jésus est ressuscité.

C. Vous avez découvert les sources de l'historien

Toutes sortes de documents peuvent renseigner sur les populations du passé.
Lehna et Hadrien, en 6e, ont également étudié l'Antiquité.
Voici les sources sur lesquelles ils ont travaillé :

Vue aérienne de l'Acropole, Athènes (Grèce).

Amphore attique, céramique à figures rouges, Athènes, VIe siècle av. J.-C., musée du Louvre, Paris.

Les sources de l'historien

- **Les objets du quotidien (poterie, pièces…)**
- **Les monuments (acropole, temple…)**
- **Les traces archéologiques (fonds de cabanes du Palatin, nécropoles…)**
- **Les documents écrits (les rouleaux de Qumran, les parchemins…)**

Rouleau d'Isaïe (fac simile), Qumran (Palestine), IIIe siècle av. J.-C-Ier siècle ap. J.-C.

Des cabanes du VIIIe siècle av. J.-C. sur le mont Palatin.

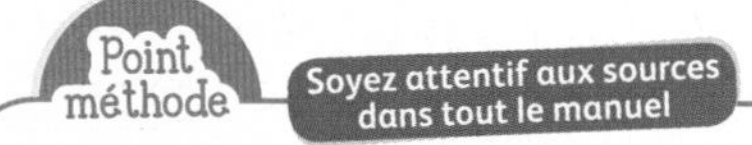

Pour chaque source présentée dans le manuel, voici les questions qu'il faut se poser :

1. Quelle est la nature de la source ?
2. L'auteur est-il contemporain des faits relatés ?
3. Quelle est son intention ?
4. L'information donnée est-elle fiable ? Peut-on la considérer comme vraie ? Peut-on en avoir une preuve ?

D. Vous avez étudié deux grandes périodes

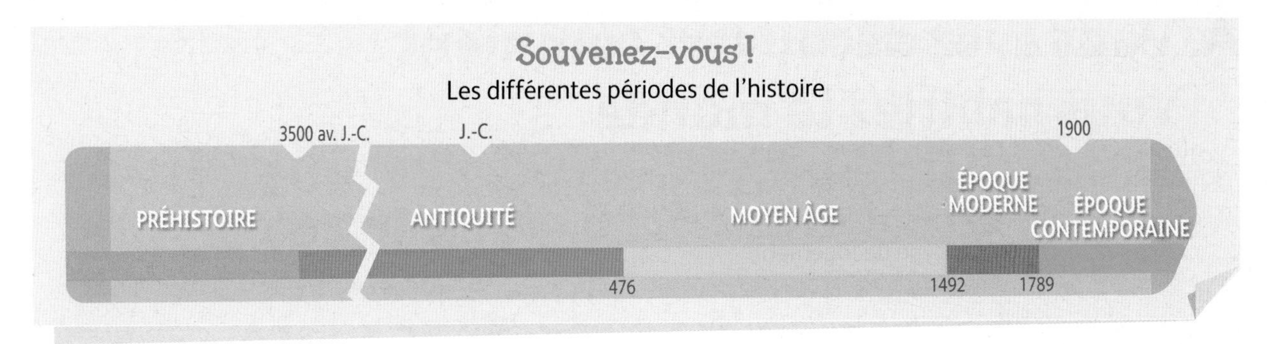

Question

- **Quelles sont les deux périodes étudiées en 6e ?**

Alors continuons d'avancer dans le temps.

Découvrons comment le regard des Européens s'ouvre au reste du monde...

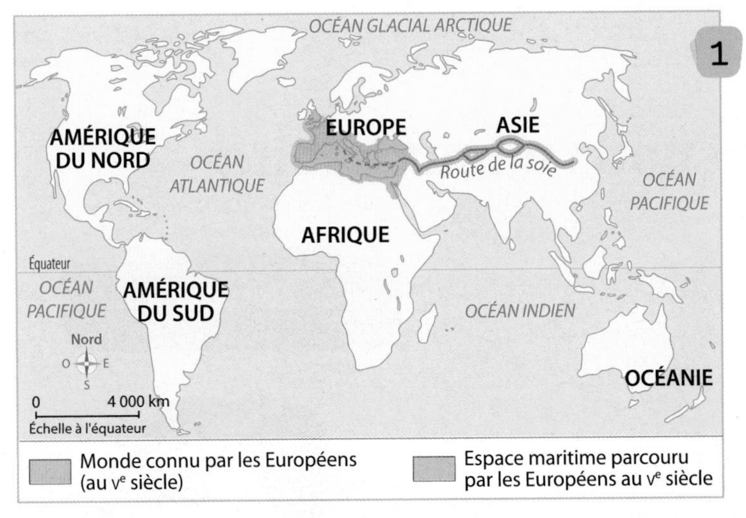

1 Le monde connu des Européens au Ve après J.-C.

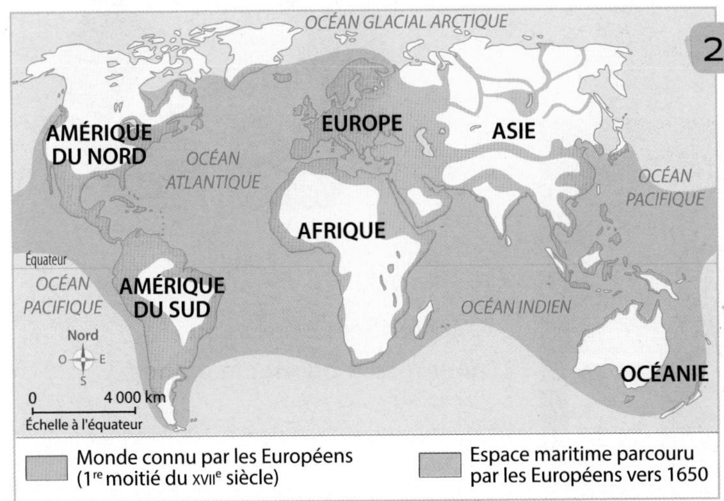

2 Le monde connu des Européens au XVIIe siècle

Questions

- **Quelle est la partie du monde connue et fréquentée par les Européens quand débute le programme de 5e ?**
- **Quelle partie du monde les Européens connaissent-ils et fréquentent-ils à la fin de la période étudiée en 5e ?**

Je suis un apprenti géographe

A. Vous avez découvert comment vous habitiez le monde

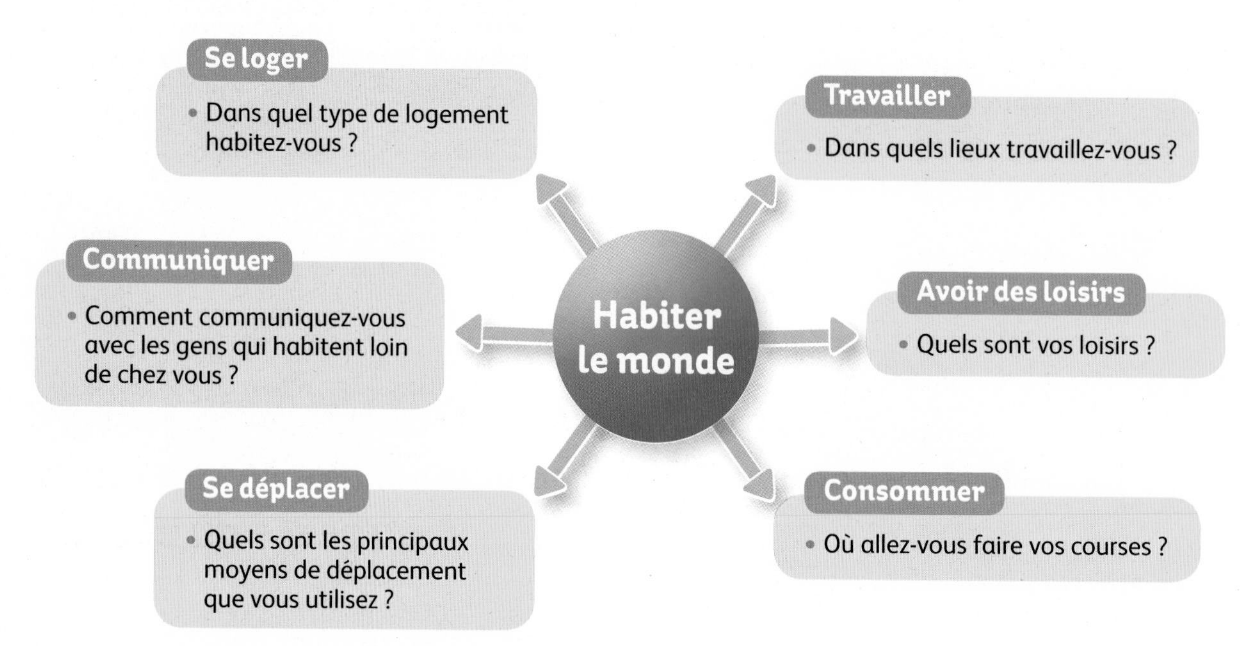

B. Vous avez réfléchi pour mieux habiter

Recycler

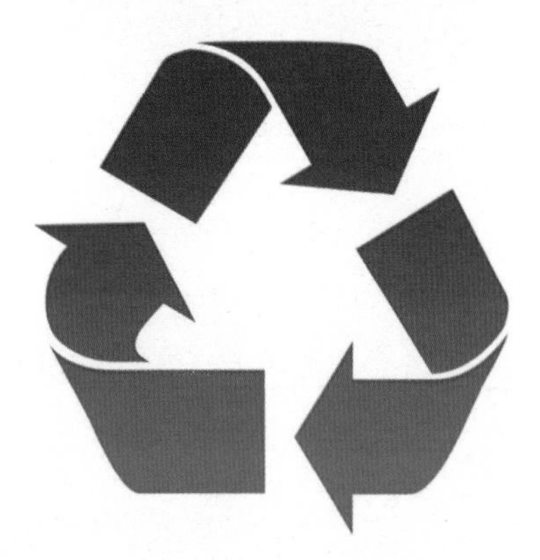

Question

- **Quelles idées auriez-vous pour mieux habiter le monde ?**

Aide
Comment respecter l'environnement ?
Comment moins polluer ?
Comment être plus solidaire ?

C. Vous avez observé différentes manières d'habiter le monde

Consigne

- Associez les paysages suivants au titre qui leur correspond :
Un paysage d'openfield aux États-Unis (Minnesota) – Shanghai, une métropole chinoise – Une zone aride en Arabie Saoudite – La ZIP (zone industrialo-portuaire) de Yokohama (Japon) – Un littoral touristique (Eilat, Israël) – Un campement nomade en Mongolie.

a. Habiter...

b. Habiter...

c. Habiter...

d. Habiter...

e. Habiter...

f. Habiter...

D. Vous avez travaillé à différentes échelles

Lehna et Hadrien habitent Clermont-Ferrand, une ville située au centre de la France.

Question

- **Et vous, où habitez-vous ?**
  Localisez et situez votre lieu d'habitation.

Souvenez-vous !
Pour localiser un lieu, c'est-à-dire sa position, on utilise les points cardinaux et la rose des vents.

N
NO
NE
O
E
SO
SE
S

Souvenez-vous !
La densité
c'est le nombre d'habitants vivant sur 1 km² (hab./km²)

1 km
Densité forte
1 km
Densité faible
1 km
1 km

Lehna et Hadrien ont appris qu'ils habitaient une région où les densités n'étaient pas très élevées à l'échelle de l'Europe (première carte) ou à l'échelle de la France (deuxième carte).

1 | L'échelle européenne

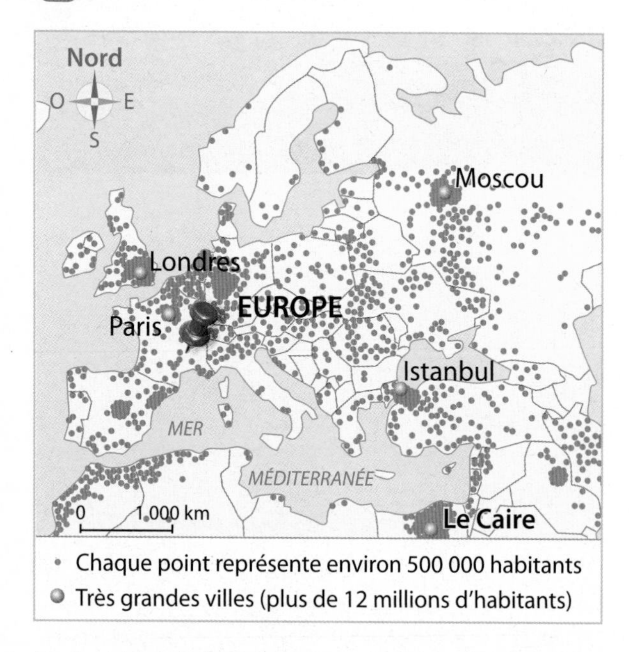

La répartition de la population en Europe

2 | L'échelle nationale

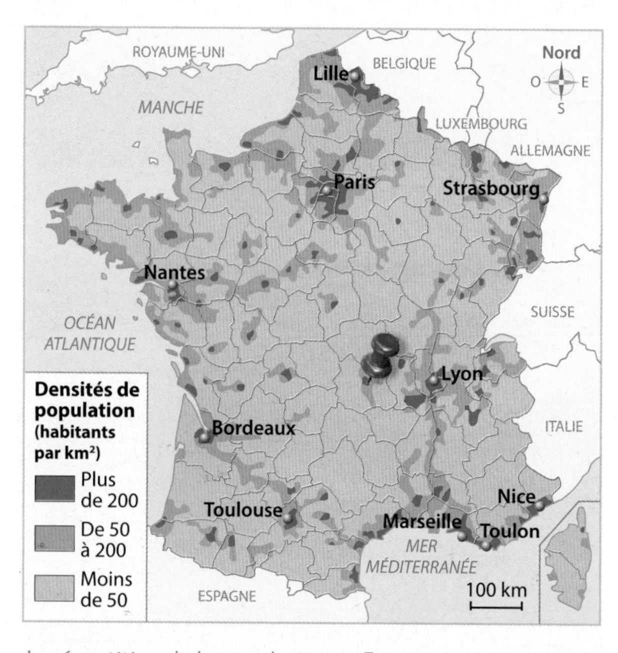

La répartition de la population en France

Questions

- **Où se situent les régions les plus peuplées d'Europe ?**
- **Habitez-vous dans un espace aux fortes densités à l'échelle de la France ?**

Vocabulaire

Développement : amélioration des conditions et de la qualité de vie d'une population.

Localiser : indiquer où se trouve un lieu.

SIG « Système d'information géographique » : présente des données géographiques sur un outil numérique.

Situer : indiquer où se trouve un lieu par rapport à un repère ou un autre lieu.

3 | L'échelle locale

Pour étudier leur ville, Lehna et Hadrien ont observé des paysages et des plans.
Ils ont utilisé un SIG comme Geoportail ou Google Earth.

Question

- **Avez-vous déjà utilisé un SIG ?**

La ville de demain d'Hadrien

Le tramway sera aérien pour faire moins de bruit.

On plantera des arbres sur la place pour absorber le CO_2.

La ville de demain de Lehna

Ma ville demain

Pour travailler
À la maison, avec Internet

Pour circuler
Plus de pistes cyclables

Pour se nourrir
Des potagers dans les parcs de la ville

Pour se loger
Des bâtiments avec des toits végétalisés

Lehna et Hadrien se sont en effet rendu compte que les aménagements humains transformaient l'environnement et qu'il s'agissait d'imaginer une nouvelle forme de développement.

Alors poursuivons
dans notre découverte des aménagements humains sur la Terre !

Byzance et l'Empire carolingien

EPI
p. 196

Comment l'héritage de Rome donne-t-il naissance aux Empires byzantin et carolingien ? Quels sont leurs contacts avec les mondes musulmans ?

Souvenez-vous !
Quel Empire est à l'origine des Empires byzantin et carolingien au Ve siècle ?

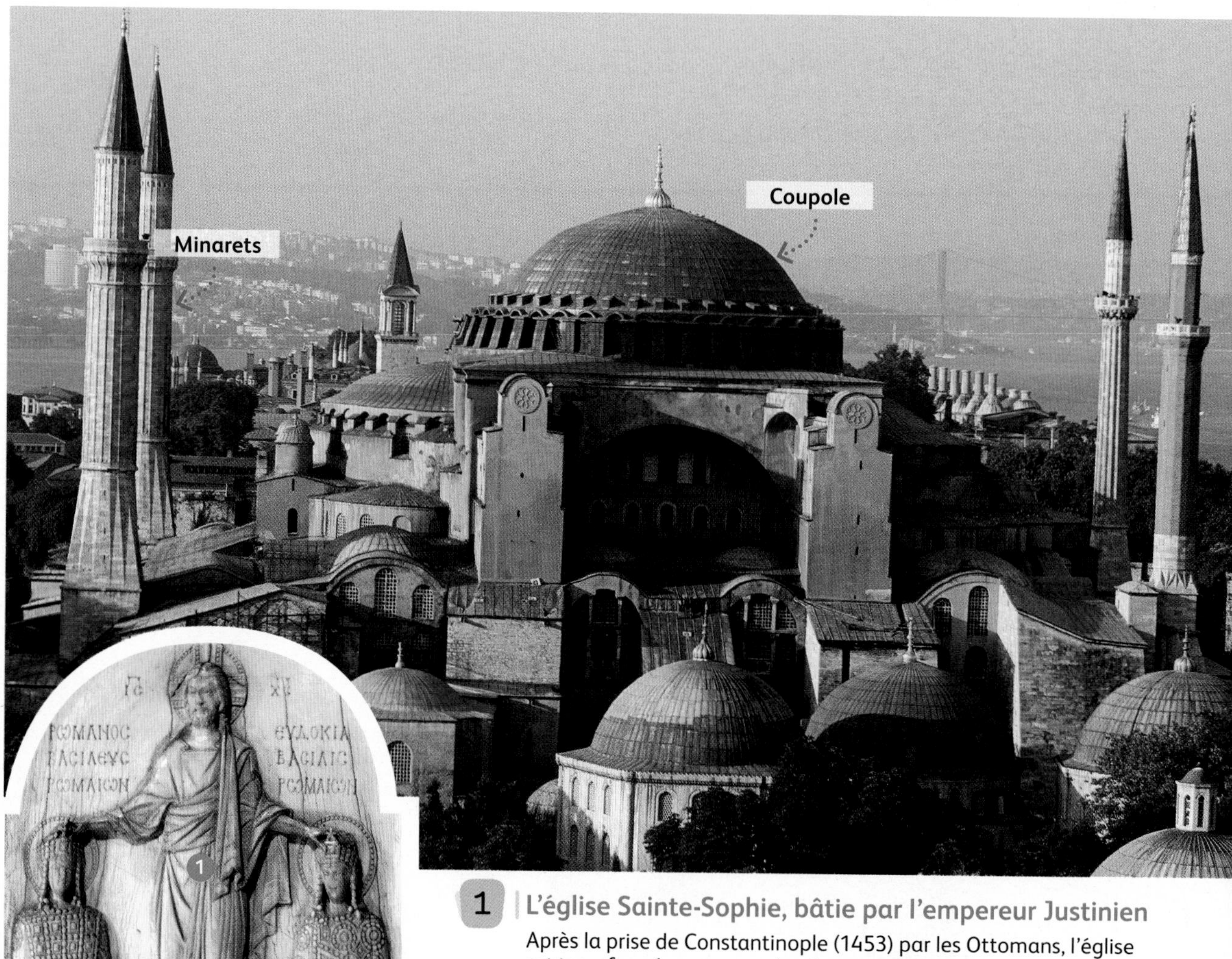

1 **L'église Sainte-Sophie, bâtie par l'empereur Justinien**
Après la prise de Constantinople (1453) par les Ottomans, l'église est transformée en mosquée et quatre minarets y sont ajoutés.

2 **Un empereur chrétien en Orient**
Le Christ (1) bénit l'empereur Romain II (2) et l'impératrice Eudoxie (3).
Sculpture en ivoire, milieu du Xe siècle, BNF, Paris.

Vocabulaire

Empire byzantin : nom donné à l'Empire romain d'Orient en référence à « Byzance », l'ancien nom de Constantinople.

Empire carolingien : nom de la seconde dynastie des rois francs ; ce sont les descendants de Charles Martel.

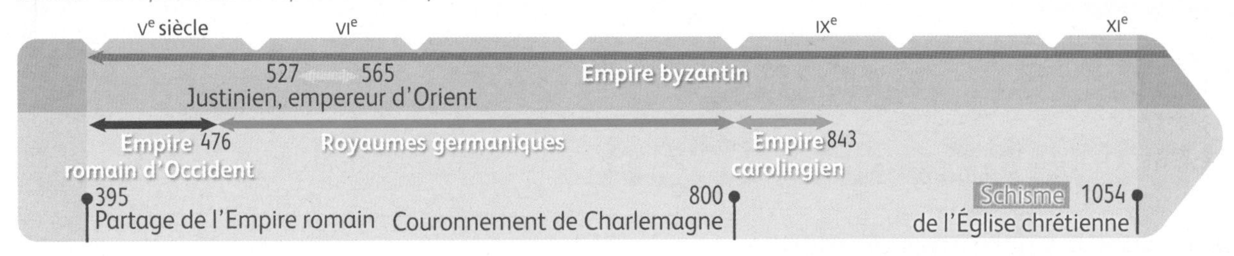

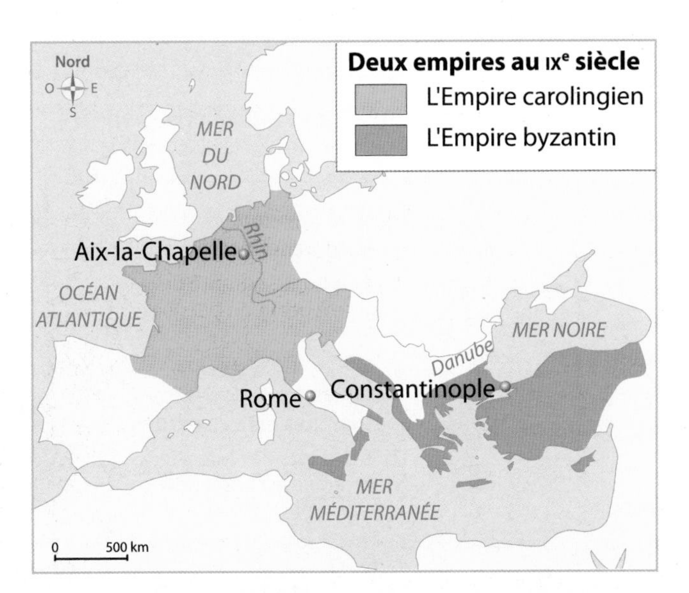

3 La chapelle palatine de Charlemagne (Aix-la-Chapelle)

4 Un empereur chrétien en Occident

Couronnement impérial de Charlemagne ① par le pape Léon III ② à Rome le 25 décembre de l'an 800.

Miniature, *Grandes chroniques de France de Charles V*, 1375-1380, BNF, Paris.

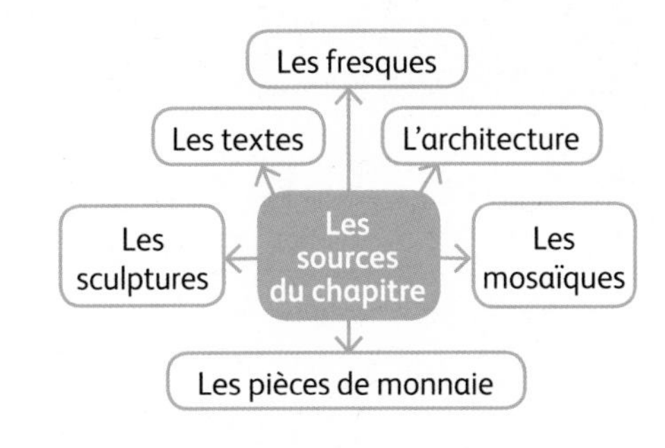

1. DOC. 2 De qui l'empereur byzantin tient-il son pouvoir ? Quels éléments de l'image en témoignent ?
2. DOC. 4 Qui couronne Charlemagne ?
3. DOC. 1 ET 3 **Émettez une hypothèse** pour répondre à la question suivante : quelle religion ces deux empires ont-ils en commun ?

Contexte

L'ancien monde romain, un monde chrétien

Quels sont les héritages du monde romain ? Sur quelles bases l'Empire romain se fracture-t-il après le Vᵉ siècle ?

Rappel 6ᵉ
Quel empereur romain a autorisé le christianisme à partir de 313 ?

1 La fin de l'ancien monde romain (476)

Les historiens en parlent

Très affaibli à partir du IIIᵉ siècle, l'Empire s'est transformé. Une aristocratie impériale, issue des provinces, domine à Rome. Aux frontières, les peuples **barbares** ne cessent d'envahir les terres de l'Empire. Pour faire face, celui-ci est divisé en deux secteurs présidés par deux co-empereurs et toute la structure du commandement est réorganisée.

Toutefois, au Vᵉ siècle, sous les coups des invasions barbares, la partie occidentale de l'Empire s'effondre. En 410, les Wisigoths d'Alaric pillent Rome ; en 455, les Vandales de Genséric la mettent à sac. En 476, le dernier empereur d'Occident est déposé par le roi germain Odoacre. Constantinople, fondée par Constantin en 330, devient alors la capitale de l'Empire d'Orient. L'Empire universel de Rome n'est plus.

D'après R. Hanoune et J. Scheid, *Nos ancêtres les Romains*, 1995.

3 Prêcher pour diffuser le christianisme

Au IXᵉ siècle, Cyrille ❶ et Méthode ❷, deux moines byzantins, mettent au point l'alphabet cyrillique ❸ pour traduire la Bible et convertir les populations de l'est de l'Europe au christianisme.

Fresque du XIVᵉ siècle, monastère de Saint-Marc Dravéco (Macédoine).

2 L'organisation de l'Église chrétienne au Vᵉ siècle

Le pape, évêque et patriarche[1] de Rome
La plus haute autorité de l'Église à partir du IVᵉ siècle

Les quatre autres patriarches et les évêques
Élus à la tête de chaque communauté chrétienne

Les prêtres
Ils enseignent la religion et dirigent les cérémonies religieuses assistés des diacres

Les moines et les ermites
Retirés du monde, ils vivent seuls ou en communauté et consacrent leur vie à la prière

Les assemblées ou communautés locales de chrétiens

Le **clergé** séculier vit au milieu des fidèles
Le **clergé** régulier vit retiré du monde

1. Jusqu'au Xᵉ siècle, patriarche est un terme équivalent à celui d'évêque au sein du christianisme.

Vocabulaire

Barbares : peuples qui ne parlent ni le latin ni le grec.

Clergé : membres de l'Église, par opposition aux laïcs qui en sont les fidèles.

Église : avec un « É », désigne l'ensemble des chrétiens catholiques ainsi que l'institution exerçant l'autorité religieuse ; **église** : avec un « é », désigne le lieu de culte des chrétiens.

Pape : évêque de Rome et chef de l'Église chrétienne à partir du IVᵉ siècle.

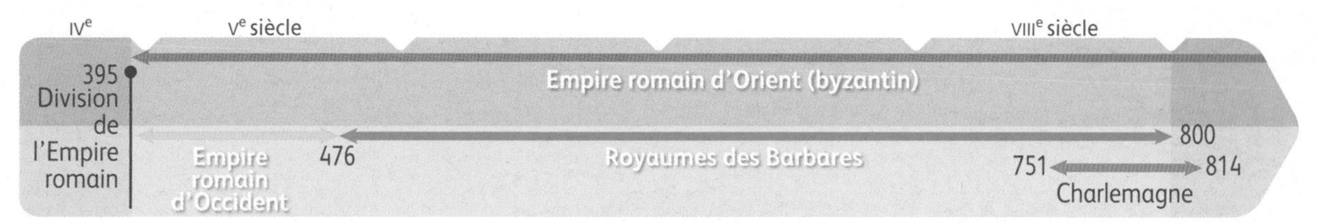

4 | De l'Empire romain aux empires d'Orient et d'Occident

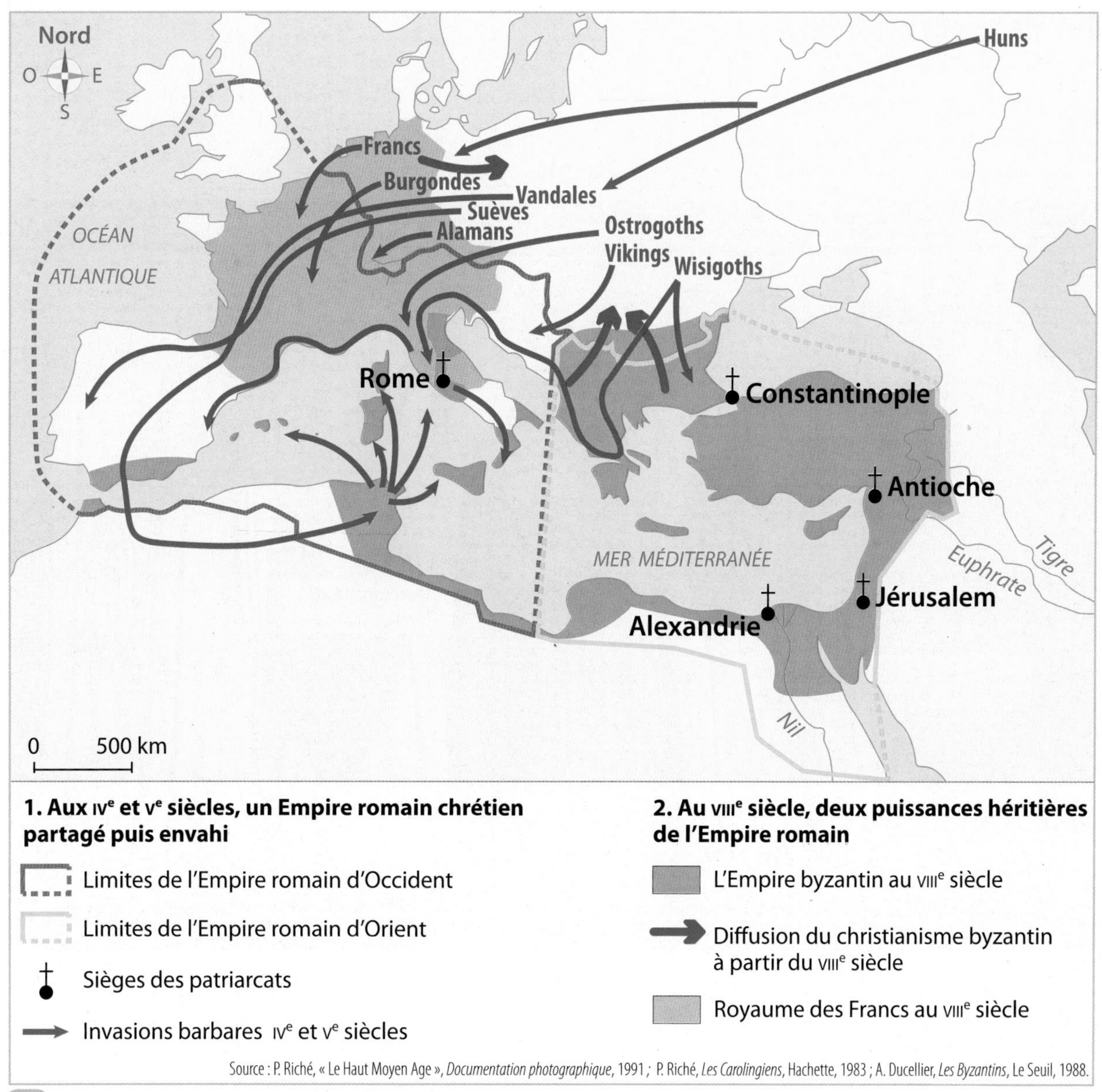

1. Aux IVe et Ve siècles, un Empire romain chrétien partagé puis envahi

- Limites de l'Empire romain d'Occident
- Limites de l'Empire romain d'Orient
- Sièges des patriarcats
- Invasions barbares IVe et Ve siècles

2. Au VIIIe siècle, deux puissances héritières de l'Empire romain

- L'Empire byzantin au VIIIe siècle
- Diffusion du christianisme byzantin à partir du VIIIe siècle
- Royaume des Francs au VIIIe siècle

Source : P. Riché, « Le Haut Moyen Age », *Documentation photographique*, 1991 ; P. Riché, *Les Carolingiens*, Hachette, 1983 ; A. Ducellier, *Les Byzantins*, Le Seuil, 1988.

5 | Des empires chrétiens à la fin du VIIIe siècle

Comprendre le contexte

Un monde chrétien

1. DOC. 2 Qui dirige l'Église chrétienne au Ve siècle ? Qui dirige les communautés chrétiennes ?
2. DOC. 3 ET 5 Vers quelles régions le christianisme se diffuse-t-il à partir du VIIIe siècle ?

Deux empires

3. DOC. 1 ET 5 Quelle évolution l'Empire romain connaît-il entre 395 et 476 ?
4. DOC. 4 ET 5 Que deviennent l'Empire romain d'Occident et l'Empire romain d'Orient à partir de 476 ?

Étude

300 — 395 Partage de l'empire — 527-565 Justinien Empereur — 600

Justinien, empereur byzantin

Quelles sont les caractéristiques du pouvoir de l'empereur byzantin ?

Biographie

Justinien Ier (483-565)

Empereur byzantin (527-565), il cherche à restaurer l'ancien Empire romain.

1 Justinien, le *basileus*, centre de tous les pouvoirs

Mosaïque de l'église Saint-Vital, VIe siècle, Ravenne (Italie).

2 Justinien, un empereur législateur

Au nom de notre Seigneur et Dieu, Jésus-Christ, l'empereur César Flavius Justinien, pieux, heureux et triomphateur. Nous avons fait rassembler les lois des anciens empereurs en un **code** qui porte son nom : le Code *Justinien*. Nous avons fait aussi réunir et résumer toutes les décisions de justice des anciens tribunaux romains, déjà dispersées et presque perdues. Que personne n'ose adjoindre à ces lois des commentaires sauf si on veut les traduire par des mots grecs, dans l'ordre même qui est celui des mots latins.

Constitution Tanta, 533.

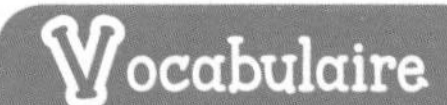

Vocabulaire

Basileus : titre donné à l'empereur byzantin, souverain sacré et tout-puissant.

Code : ouvrage compilant des textes de lois.

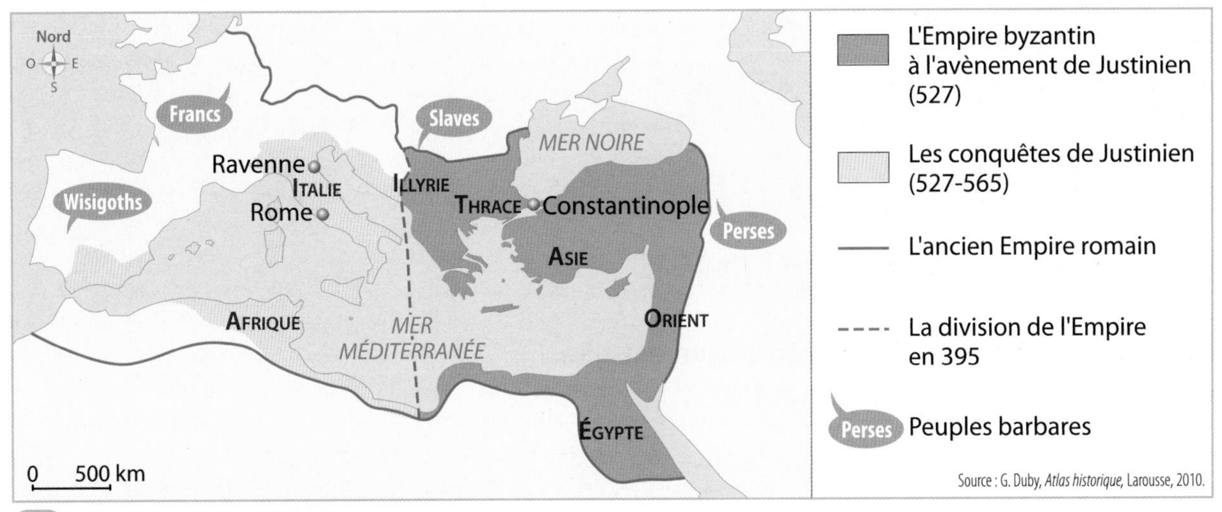

Source : G. Duby, *Atlas historique*, Larousse, 2010.

3 | Justinien, un empereur guerrier

4 | Justinien, un empereur au service de Dieu

Justinien ② offre la basilique Sainte-Sophie à la Vierge Marie et à l'enfant Jésus ①, tandis que Constantin ③ leur offre sa nouvelle capitale Constantinople.
Mosaïque de Sainte-Sophie, Xe siècle, Istanbul (Turquie).

5 Justinien, un empereur bâtisseur

L'empereur fit venir de tout l'empire les plus excellents ouvriers et il n'épargna aucune dépense. C'est ainsi que l'église Sainte-Sophie si merveilleuse a été achevée. Elle s'élève à une hauteur prodigieuse et domine toute la ville. Elle brille d'une si éclatante splendeur qu'on dirait qu'au lieu d'être éclairée des rayons du soleil, elle enferme en elle-même la source de la lumière. La coupole, superbe ornement, ne semble pas posée sur l'ouvrage, mais suspendue du haut du ciel avec une chaîne d'or. Il est impossible de décrire avec précision tous les ornements, les vases d'or et d'argent, toutes les pierres précieuses offertes par l'empereur Justinien.

D'après Procope de Césarée, *Livre des édifices*, VIe siècle.

Activités

Socle *Comprendre le sens général d'un document et raisonner*

1. DOC. 1 Relevez la date de création de la mosaïque, le lieu et la région où elle se trouve.
2. DOC. 1 À quel pouvoir chaque groupe présent sur la mosaïque peut-il être associé ?
3. DOC. 1 Pourquoi Justinien est-il représenté au centre ?

Socle *Compléter une production graphique*

Reproduisez et complétez le schéma en justifiant les trois affirmations données.

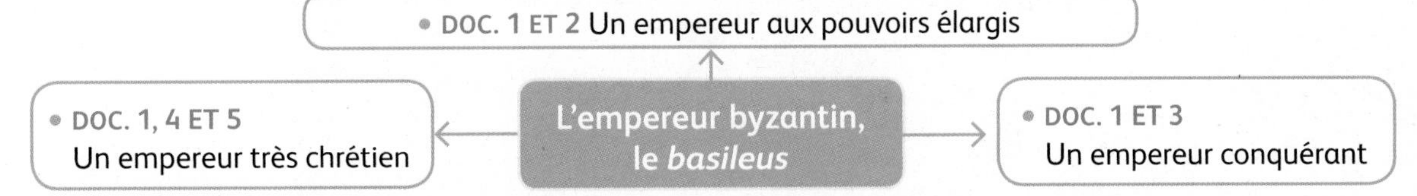

Pour conclure Présentez à l'oral une réponse à la question suivante à l'aide du schéma :

Quelles sont les caractéristiques du pouvoir des empereurs byzantins ?

Étude

Constantinople, capitale de l'Empire chrétien d'Orient

Pourquoi et comment Constantinople est-elle une capitale ouverte sur le monde ?

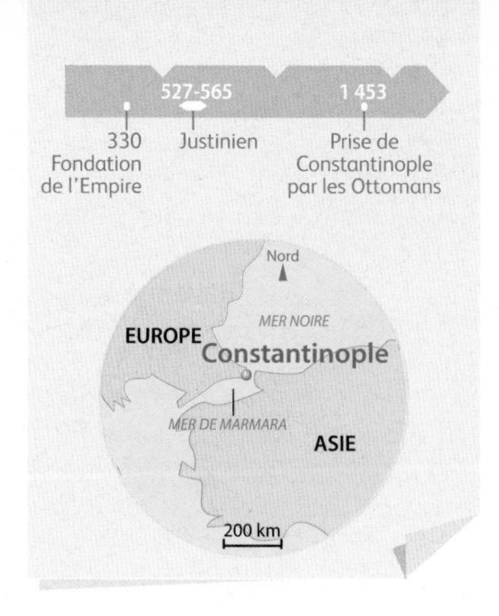

1 Constantinople à l'époque de Justinien

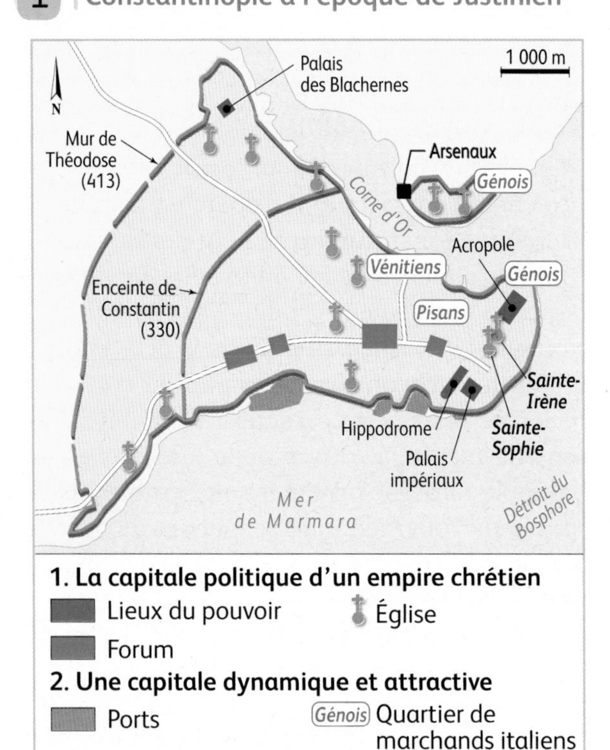

2 Un voyageur décrit Constantinople

Dans la ville de Constantinople, les marchands viennent de tous côtés, de Babylone, de Mésopotamie, d'Afrique, de Perse, de Russie, de Hongrie, de Lombardie et d'Espagne. La ville est fort peuplée, à cause de la foule des marchands qui y abondent de tous côtés, par mer et par terre, en sorte qu'il n'y a point de ville dans le monde qui puisse lui être comparée que Bagdad. C'est aussi à Constantinople qu'est le temple de Sainte-Sophie et le pape des Grecs, ces derniers n'étant point soumis aux lois du pape de Rome. Il y a aussi un lieu où le roi se divertit, appelé Hippodrome, près de la muraille du palais. On ne voit nulle part ailleurs dans le monde de tels édifices ni de si grandes richesses. Il y a beaucoup de marchands et de gens extrêmement riches.

D'après Benjamin de Tulède, *Relation de voyage*, XIIe siècle.

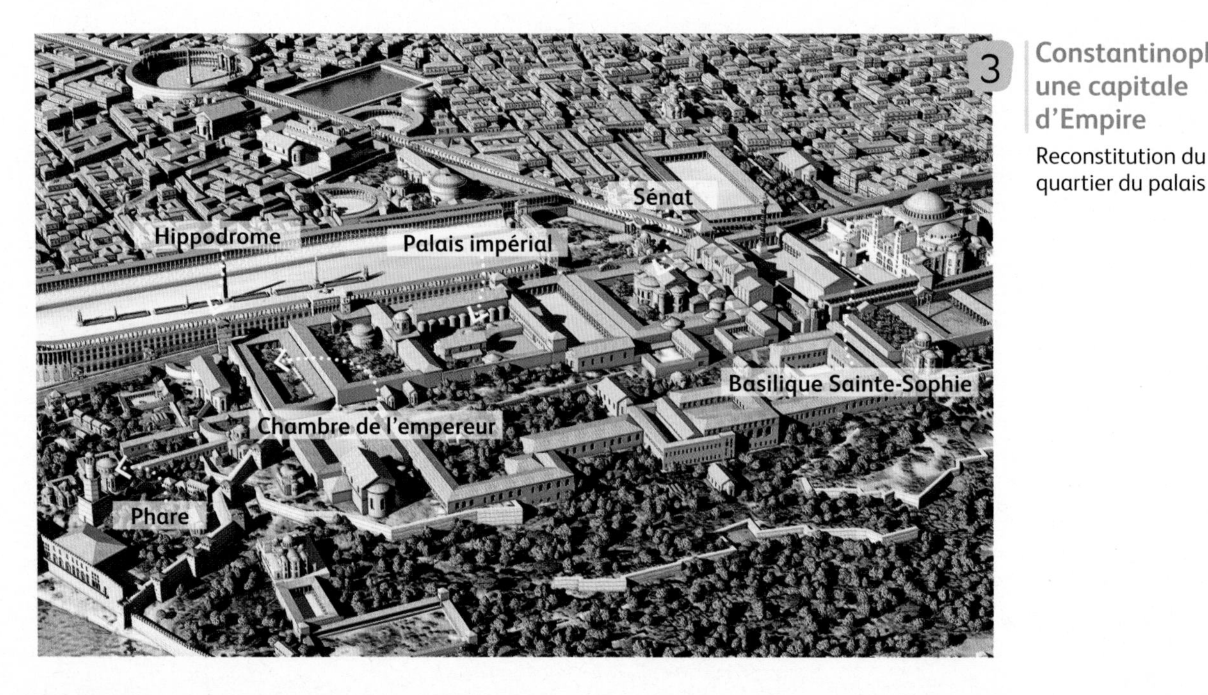

3 Constantinople, une capitale d'Empire

Reconstitution du quartier du palais

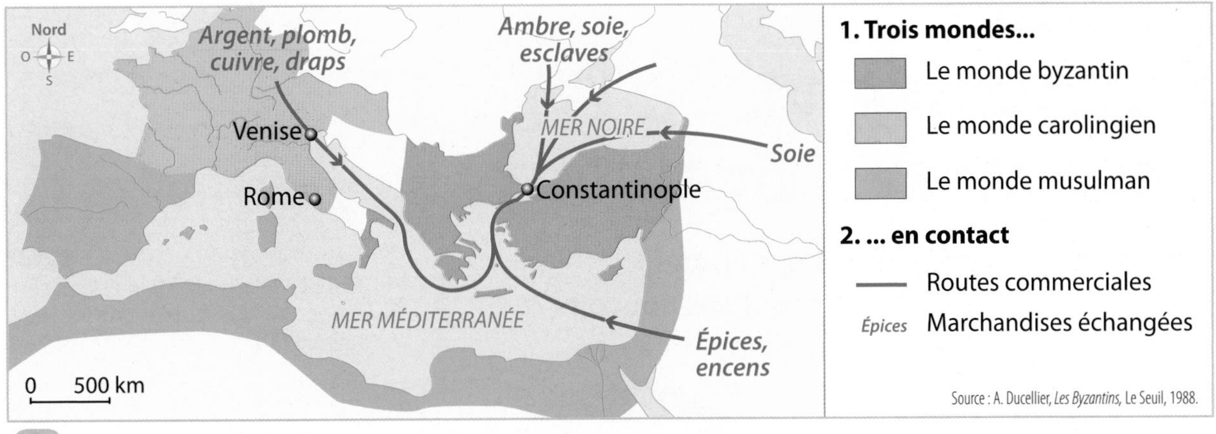

4 | Constantinople, un carrefour commercial au IXe siècle

5 | Constantinople mise à sac en 1204

En 1204, les croisés francs, en route pour libérer les lieux saints, s'emparent de Constantinople. Ils y installent un Empire latin d'Orient qui perdure jusqu'à la reprise de la ville par les Byzantins en 1261.

Miniature de la *Chronique des Empereurs* de David Aubert, 1462, Bibliothèque de l'Arsenal, Paris.

Activités

Socle *Extraire des informations pertinentes*

1. DOC. 1 ET 3 Recopiez le tableau et classez les lieux qui apparaissent sur les documents :

Fonction politique	Fonction religieuse	Fonction commerciale	Fonction de loisirs

2. DOC. 1 ET 3 Quels bâtiments font de Constantinople une ville à la fois grecque, romaine et chrétienne ?
3. DOC. 2 ET 4 Relevez les éléments qui font de Constantinople une ville dynamique et ouverte sur le monde.
4. DOC. 5 Montrez que la richesse de Constantinople attire les convoitises.

Pour conclure Rédigez un court paragraphe qui explique l'affirmation suivante :
Constantinople est une capitale politique et religieuse ouverte sur le monde.

Aide *Votre texte peut s'organiser en deux paragraphes :*
– Constantinople est une capitale politique et religieuse ;
– Constantinople est une capitale ouverte sur le monde qui attire les convoitises.

Étude

Charlemagne (768-814) 900
Couronnement (800)

Charlemagne, empereur d'Occident

Comment Charlemagne, roi des Francs, devient-il empereur et quels sont ses pouvoirs ?

Biographie

Charlemagne (vers 742-814)
Roi des Francs (768), il est sacré empereur d'Occident par le pape (800).

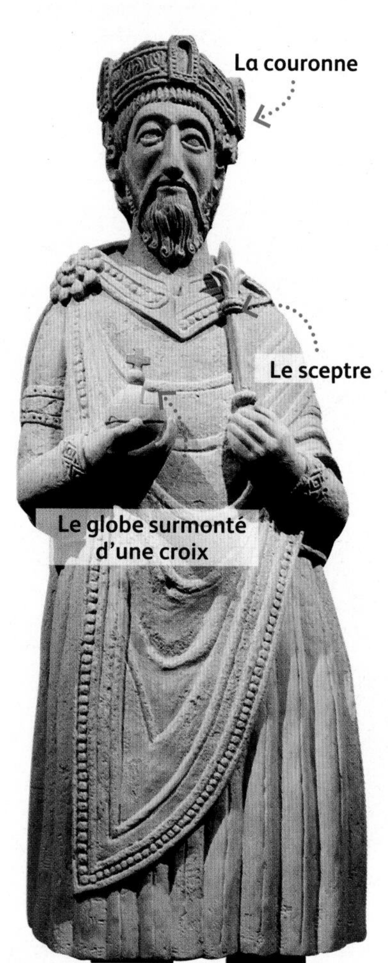

1 Charlemagne, le roi des Francs (768)
Statue de Charlemagne, monastère de Saint-Jean-Baptiste de Müstair (Suisse), IXe siècle.

2 Charlemagne, un héritier de l'Empereur romain
Denier impérial en argent de Charlemagne, IXe siècle, BNF, Paris.

3 Charlemagne, un souverain chrétien

À partir de 772, Charlemagne entreprend de soumettre la Saxe[1] et de lui imposer la religion chrétienne.

Il a plu à tous que les églises du Christ que l'on construit en Saxe soient aussi honorées que ne l'auraient été les temples païens.
Quiconque entrera par la violence dans une église et, de force ou par vol, en enlèvera un objet ou bien détruira l'édifice sera mis à mort.
Quiconque, par mépris pour le christianisme, refusera de respecter le saint jeûne du Carême et mangera alors de la viande sera mis à mort.
Quiconque tuera un évêque, un prêtre sera mis à mort.
Tout Saxon non baptisé qui cherchera à se cacher et refusera le baptême sera mis à mort.
Quiconque complotera ou luttera contre les chrétiens sera mis à mort.
Quiconque manquera à la fidélité qu'il doit au roi sera mis à mort.

1. Région germanique à l'est du Rhin, conquise par Charlemagne.

D'après le *Premier Capitulaire* saxon, 785.

4 Un empereur sacré par le pape

Comme le titre d'empereur n'était plus porté chez les Byzantins, le pape Léon estima que Charlemagne, le roi des Francs, devait recevoir ce titre. Celui-ci régnait sur Rome, où avaient résidé tous les empereurs, ainsi que sur l'Italie, la Gaule et la Germanie. Charlemagne ne voulut pas rejeter cette demande et, se soumettant humblement à Dieu et à la demande des prêtres et de tout le peuple chrétien, son sacre, par le pape à Rome, eut lieu le jour de Noël.

D'après les *Annales de Lorsch*, IXe siècle.

Vocabulaire

Sacre : cérémonie religieuse par laquelle un roi ou un empereur reçoit symboliquement ses pouvoirs de Dieu.

5 Un empereur au centre de tous les pouvoirs

Charlemagne 1 est représenté ici avec le plaid, l'assemblée des comtes qu'il nomme afin de gouverner l'empire.

Miniature, Bible de Charles-le-Chauve, IXe siècle, BNF, Paris.

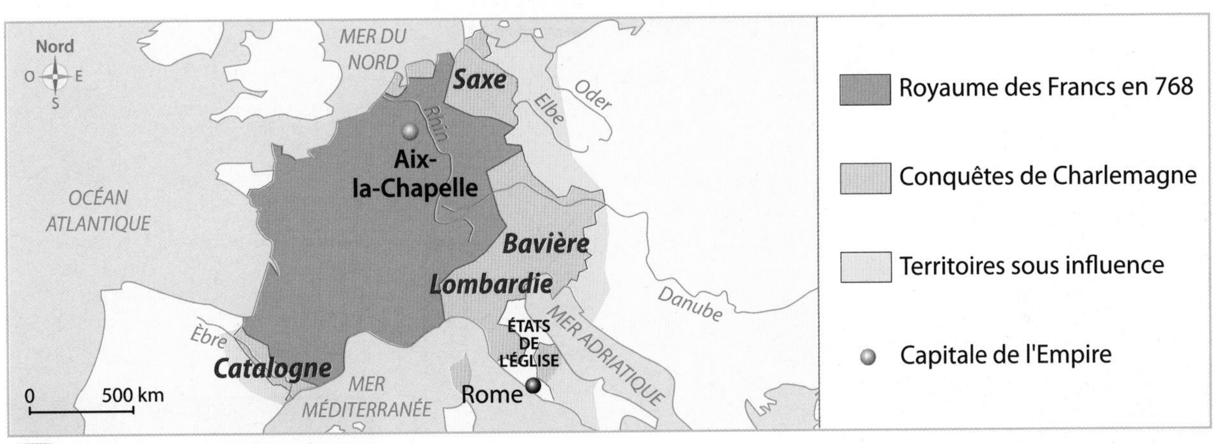

6 L'Empire de Charlemagne en 814

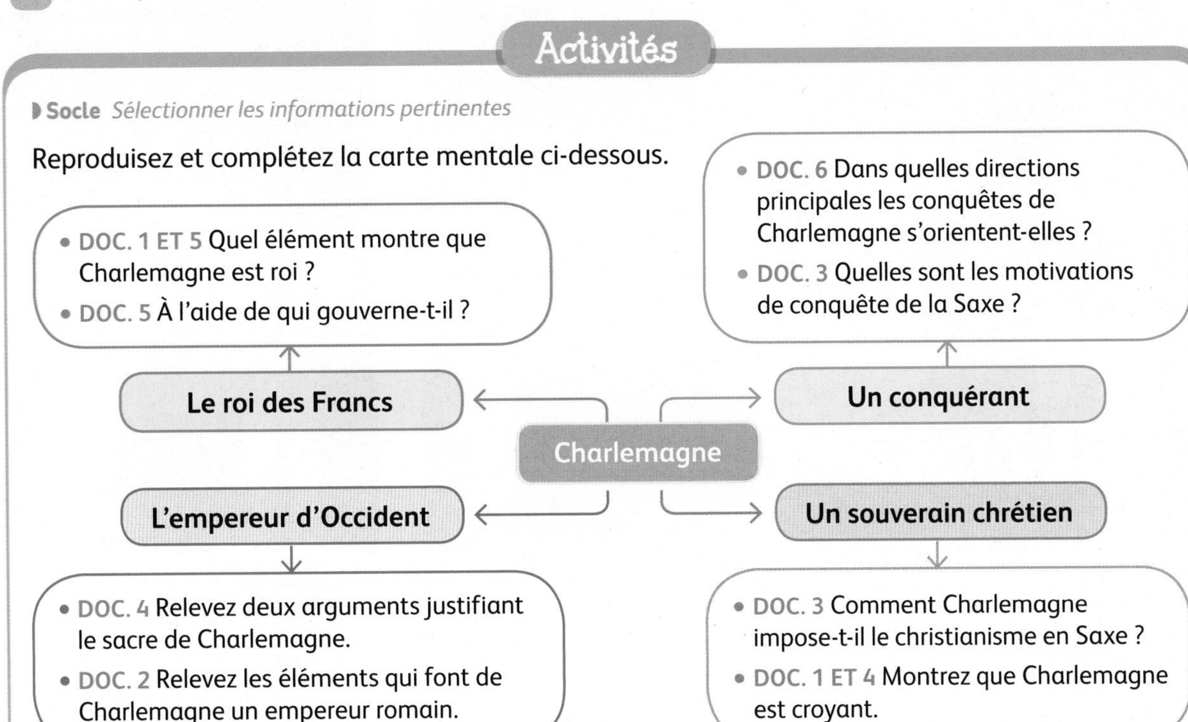

Activités

Socle *Sélectionner les informations pertinentes*

Reproduisez et complétez la carte mentale ci-dessous.

Pour conclure Rédigez une réponse courte à la consigne suivante :

Montrez que les pouvoirs de Charlemagne sont à la fois politiques, religieux et militaires.

L'atelier de l'historien

Étudier les contacts entre le monde carolingien et le monde musulman

L'amitié entre un empereur chrétien et un calife musulman

Vous êtes un historien et vous cherchez à mieux connaître les relations entre Charlemagne et le calife de Bagdad, Haroun al-Rachid, pour comprendre les contacts entre les mondes carolingien et musulman.

Biographie

Haroun al-Rachid (763-809)

Calife (786-809) de la dynastie abbasside, il dirige l'ensemble des pays d'Islam depuis la capitale Bagdad.

Source 1

Charlemagne reçoit les présents d'Haroun al-Rachid en 802

L'ambassadeur Isaac 1, marchand juif connaissant l'arabe, est envoyé à Bagdad en 797 auprès d'Haroun al-Rachid. Il revient en 802 avec de nombreux cadeaux pour l'empereur Charlemagne 3, dont un éléphant 2.

Miniature, des *Grandes Chroniques de France*, Bourgogne, XVe siècle, Bibliothèque nationale, Saint-Pétersbourg (Russie).

Source 2

Éléphant blanc de combat

Parmi les fastueux présents offerts par Haroun al-Rachid, on compte Abul-Abbas, un éléphant blanc. Seuls les monarques les plus importants peuvent en posséder dans le monde oriental.

Fresque romane (détail), XIIe siècle, musée du Prado, Madrid (Espagne).

Source 3 Les contacts entre Charlemagne et Haroun al-Rachid

On a encore des lettres de l'empereur et d'Haroun qui témoignent de leur affection. Haroun, prince des Perses et maître de presque tout l'Orient, lui fut uni d'une si parfaite amitié, que l'empereur préférait sa bienveillance à celle de tous les autres rois. Aussi quand les envoyés de Charles se présentèrent devant Haroun et lui firent connaître les désirs de leur maître, le prince des Perses ne se contenta pas de les accepter. Lorsqu'ensuite ces envoyés revinrent, Haroun les fit accompagner d'ambassadeurs qui apportèrent à l'empereur, outre des habits, des parfums, et d'autres riches produits de l'Orient, les plus magnifiques présents ; c'est ainsi que peu d'années auparavant, à la prière du roi, Haroun lui avait envoyé le seul éléphant qu'il eût alors.

D'après Eginhard, *Vie de Charlemagne*, IXe siècle.

Contexte
Le bassin méditerranéen au IXe siècle

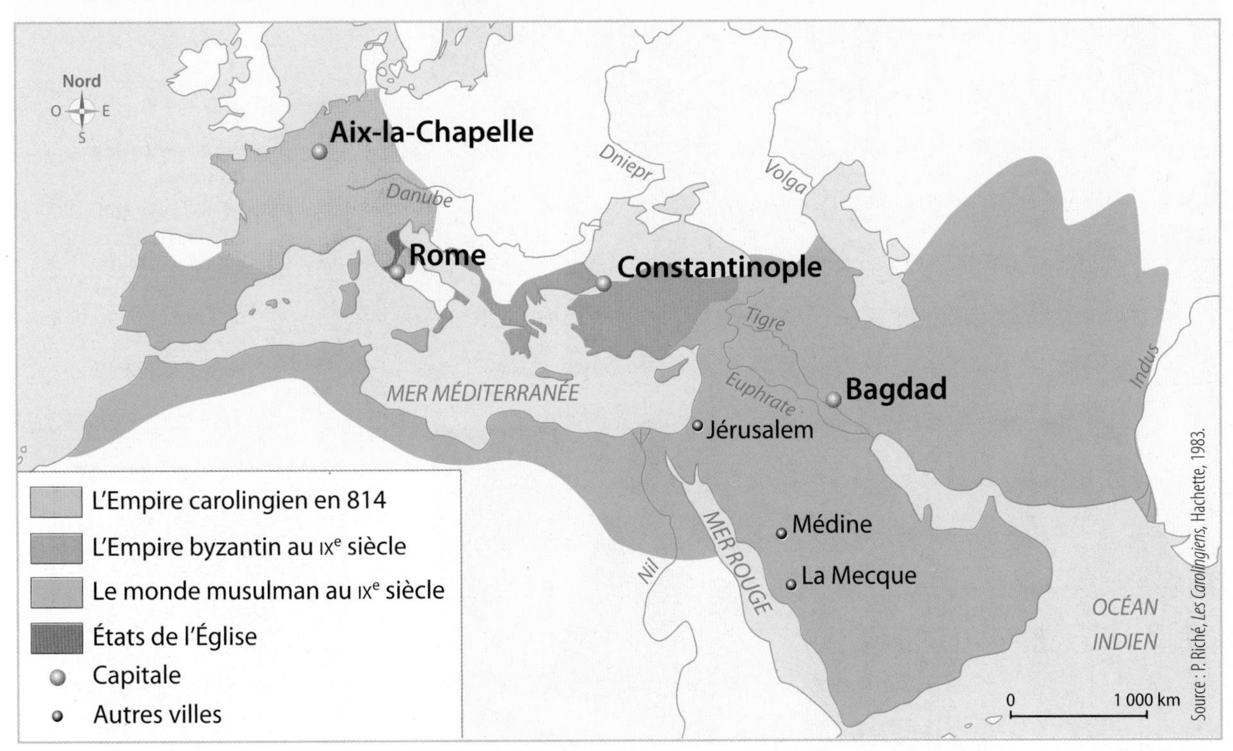

Source : P. Riché, *Les Carolingiens*, Hachette, 1983.

Point méthode

La démarche de l'historien

Étape 1 ▶ Identifier et comprendre les documents sources

1. SOURCES 1 ET 3 Pour chaque source : a. relevez sa nature et sa date ; b. citez les personnages et lieux évoqués ; c. précisez si leur auteur est chrétien ou musulman.
2. SOURCE 3 Quelle est la nature des relations entre Charlemagne et Haroun al-Rachid ?

Étape 2 ▶ Confronter les sources

3. SOURCES 1, 2 ET 3 Sur quelle(s) information(s) les sources concordent-elles ?
4. SOURCES 1, 2 ET 3 Les informations apportées peuvent-elles être considérées comme fiables ? Justifiez.

Étape 3 ▶ Conclure

Présentez à l'oral une réponse à la question suivante en précisant quelles sont vos sources : Qu'avez-vous appris sur les contacts noués entre Charlemagne et le calife Haroun al-Rachid ?

Histoire des Arts

La chapelle impériale d'Aix-la-Chapelle

Comment la chapelle du palais de Charlemagne met-elle en scène le pouvoir de l'Empereur ?

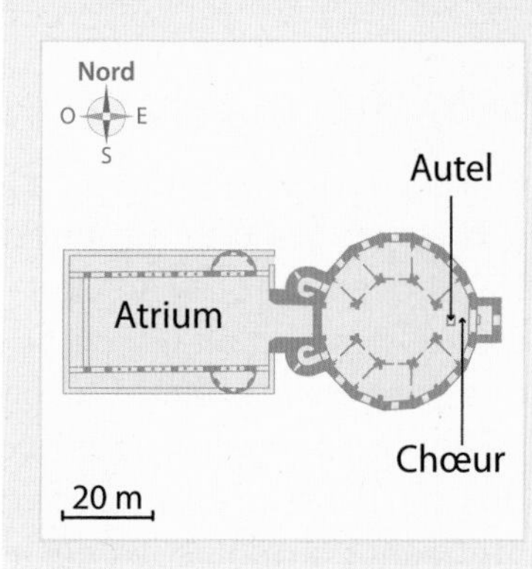

C'est à Aix-la-Chapelle que Charlemagne souhaite la construction d'un palais à l'image de sa puissance. Construit entre 792 et 805, il n'en subsiste que la chapelle palatine.

1 La chapelle palatine, l'empereur entre Dieu et les hommes
Vue intérieure de la chapelle palatine d'Aix-la-Chapelle (Allemagne), VIIIe-IXe siècle.

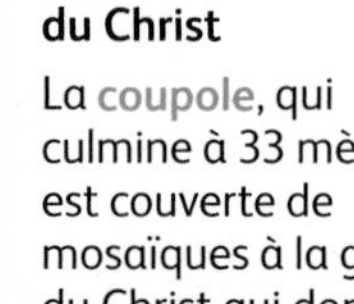

1 Représentation du Christ
La coupole, qui culmine à 33 mètres, est couverte de mosaïques à la gloire du Christ qui domine l'ensemble de la chapelle palatine.

2 Emplacement du trône de Charlemagne
Richement décoré à l'origine, le trône permet à l'empereur de suivre l'office entre la coupole et l'autel, tout en dominant le public.

Vocabulaire

Candélabre : chandelier à plusieurs branches.

Chapelle : église privée.

Coupole : architecture formant un arrondi le plus souvent richement décoré.

2 Au cœur du royaume, le palais royal d'Aix-la-Chapelle

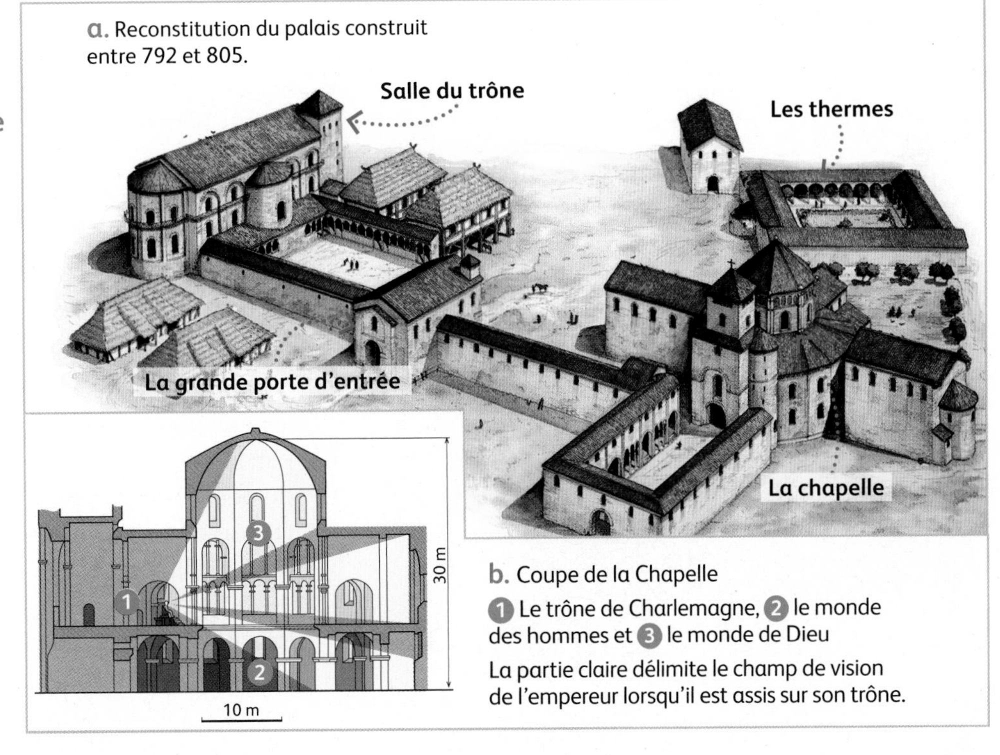

a. Reconstitution du palais construit entre 792 et 805.

b. Coupe de la Chapelle
1 Le trône de Charlemagne, 2 le monde des hommes et 3 le monde de Dieu
La partie claire délimite le champ de vision de l'empereur lorsqu'il est assis sur son trône.

3 La chapelle du palais

Charlemagne souhaita la construction à Aix d'une chapelle d'une extrême beauté, qu'il orna d'or et d'argent et de candélabres, ainsi que de balustrades et de portes en bronze massif ; et, comme il ne pouvait se procurer ailleurs les colonnes et les marbres nécessaires à sa construction, il en fit venir d'Italie.

D'après Éginhard, *Vie de Charlemagne*.

Les mosaïques

- Constituées de petites tesselles accolées les unes aux autres, les mosaïques forment des motifs ou des figures.

Mosaïque de la voûte (détail).

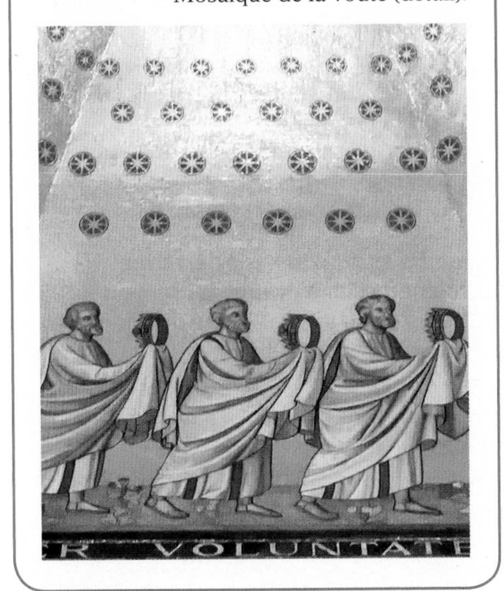

Identifier et analyser une œuvre d'art

Présenter

1. DOC. 1 ET 2 Présentez ce lieu (dates de réalisation, éléments architecturaux importants et leurs caractéristiques, etc.). Où la chapelle palatine est-elle localisée ?

Décrire

2. DOC. 1, 2 ET 3 Quels éléments de l'architecture et du décor témoignent de la richesse de la chapelle palatine ?
3. DOC. 1 Qui est placé au centre de la coupole ? Comment l'interpréter ?

Décrire et comprendre

4. DOC. 1 Où est localisé le trône de Charlemagne ? Pour quelles raisons ?

Comprendre

5. DOC. 1, 2 ET 3 Comment expliquer la construction de cette chapelle ?

Exprimer sa sensibilité et conclure

6. Quelle impression la chapelle palatine construite par Charlemagne vous donne-t-elle ? Expliquez.

Étude

1054, la chrétienté se divise

Pourquoi et comment la chrétienté se divise-t-elle en 1054 ?

1 La séparation de 1054

Le pape Léon IX exclut de l'Église le patriarche de Constantinople, Michel Cérulaire.

Le schisme des deux Églises, 1054, miniature grecque, XVe siècle, Bibliothèque nationale, Palerme (Italie).

2 Le schisme (1054) : les raisons d'une séparation

En raison de ses erreurs et de ses nombreuses autres fautes, notre seigneur le pape Léon IX avait fait des reproches au patriarche Michel[1]. Mais celui-ci a négligé de demander pardon. De plus, Michel a refusé de recevoir les envoyés du pape, il leur interdit l'accès des églises pour y célébrer la messe. C'est pourquoi, voyant la foi catholique attaquée à Constantinople, le très vénérable pape notre seigneur a décidé d'exclure Michel de l'Église, s'il ne reconnaissait pas ses erreurs.

Écrits concernant le schisme entre les Églises grecque et latine, XIe siècle, Archives du Vatican, Rome (Italie).

1. Michel Cérulaire, patriarche de Constantinople.

3 Une rupture profonde

Je ne sais pas si l'on peut trouver deux choses plus différentes que leur opinion et la nôtre. Certains des gens à Rome ont osé nous attaquer, donnant une interprétation fausse du divin Évangile, modifiant les livres sacrés suivant leur bon vouloir. Ils se sont déchaînés contre le chef de notre armée, ce père qui a montré tant de grandeur. Ils décochèrent contre nous une volée de discours, mais les flèches qui s'abattaient étaient vivement repoussées et se retournaient contre eux.

D'après M. Psellos, écrivain byzantin, *Éloge funèbre* de Michel Cérulaire, 1059.

Point méthode

Identifier des documents sources DOC. 2 ET 3

1. **Relevez l'auteur et la date de chacun des documents.**
2. **Quel sujet commun traitent-ils ?**

Identifier leur point de vue DOC. 2 ET 3

3. **Relevez dans chacun des textes un argument condamnant le camp adverse.**

Vocabulaire

Patriarche : jusqu'au Xe siècle, terme équivalent à celui d'évêque au sein du christianisme ; chef de l'Église orthodoxe après le schisme de 1054.

Schisme (*schisma*, « séparation » en grec) : séparation de l'Église en deux Églises – orthodoxe et catholique – à partir de 1054.

Église orthodoxe : voir p. 32

Église catholique : voir p. 32

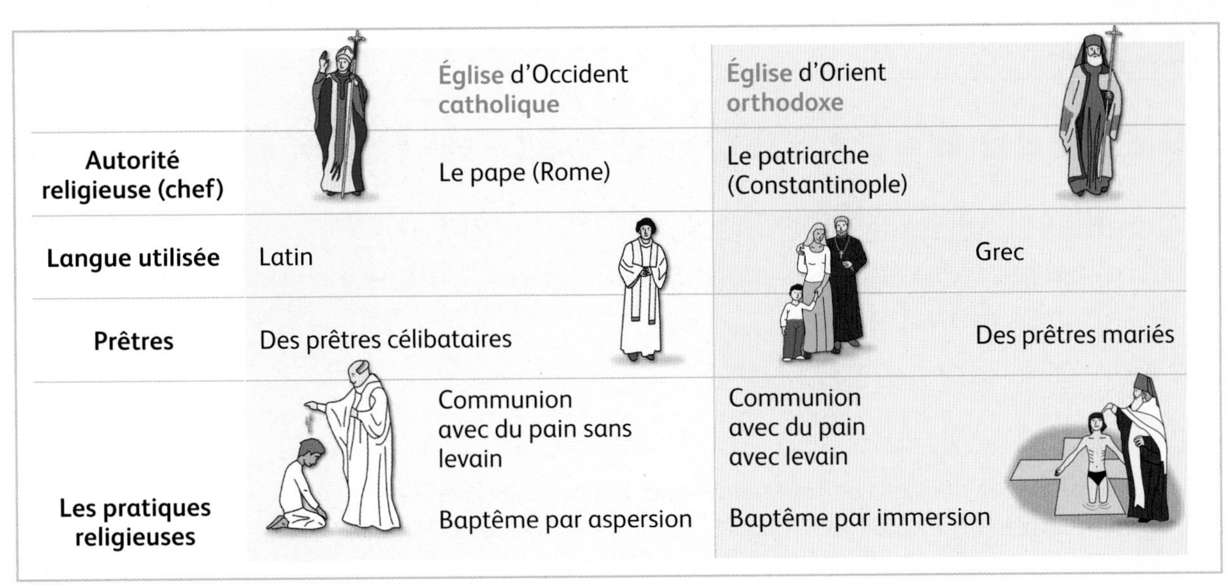

	Église d'Occident catholique	Église d'Orient orthodoxe
Autorité religieuse (chef)	Le pape (Rome)	Le patriarche (Constantinople)
Langue utilisée	Latin	Grec
Prêtres	Des prêtres célibataires	Des prêtres mariés
Les pratiques religieuses	Communion avec du pain sans levain Baptême par aspersion	Communion avec du pain avec levain Baptême par immersion

4 | Après 1054, une religion, deux Églises

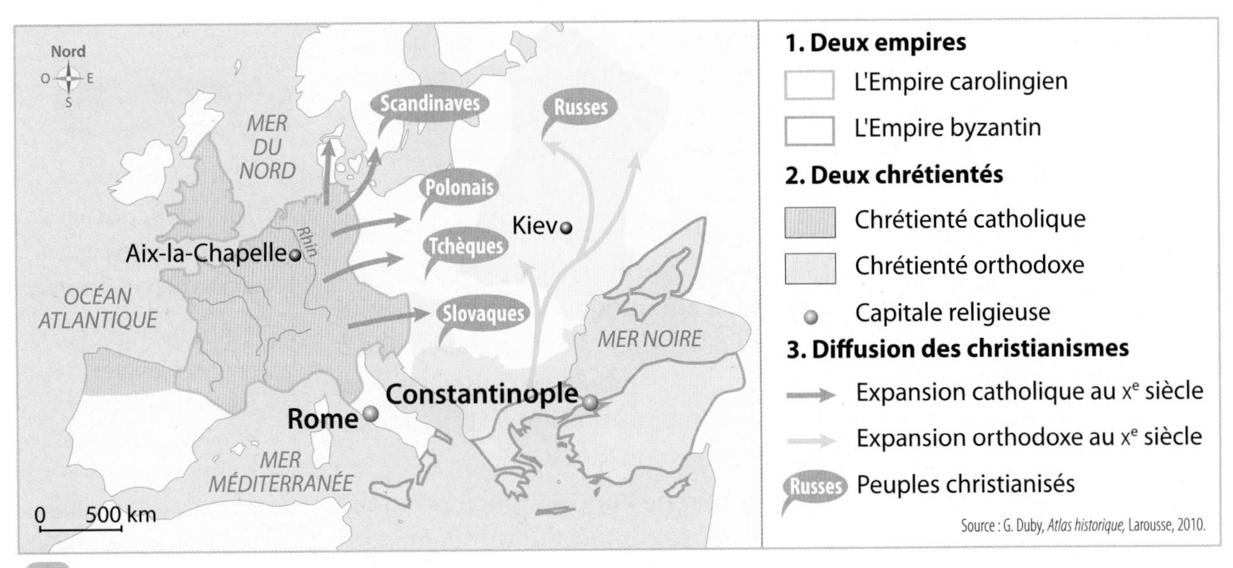

Source : G. Duby, *Atlas historique*, Larousse, 2010.

5 | Le monde chrétien au XIe siècle

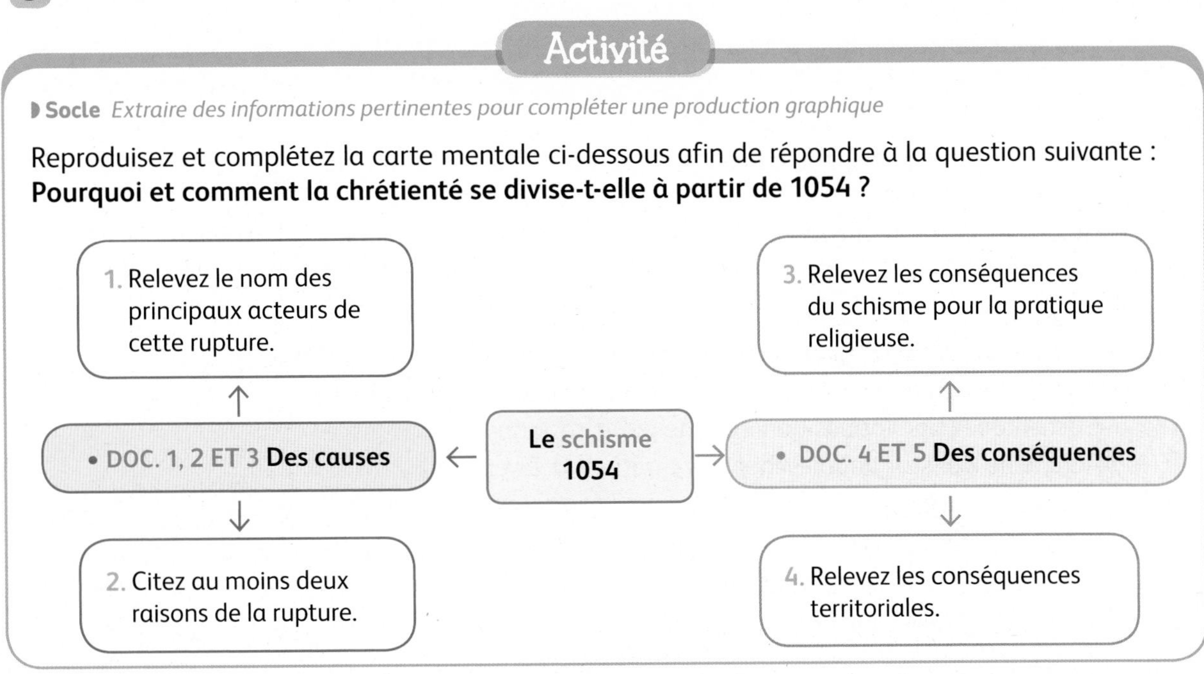

Activité

▶ **Socle** *Extraire des informations pertinentes pour compléter une production graphique*

Reproduisez et complétez la carte mentale ci-dessous afin de répondre à la question suivante :
Pourquoi et comment la chrétienté se divise-t-elle à partir de 1054 ?

Leçon

Byzance et l'Empire carolingien

Comment l'héritage de Rome donne-t-il naissance aux empires byzantin et carolingien ? Quels sont leurs contacts avec les mondes musulmans ?

I Deux Empires héritiers de l'Empire romain

- Au IVe siècle les invasions barbares provoquent **la partition de l'Empire pour mieux le défendre (395). En 476, l'Empire d'Occident s'écroule** sous les coups des peuples barbares. Seul un empire survit à l'Est : l'Empire byzantin.
- Sous le règne de **Justinien** (527-565), l'Empire byzantin est en plein essor. Il tente de rétablir l'ancien Empire romain : il gouverne en *basileus*, personnage sacré aux pouvoirs étendus ; il dirige un vaste empire à partir de Constantinople ; il unifie le droit en langue grecque dans le code Justinien. **Sur ces bases, l'Empire byzantin perdure jusqu'au XVe siècle.**
- À l'Ouest dans l'ancien Empire d'Occident, le royaume des Francs, issu des invasions des IVe et Ve siècles, est dirigé au VIIIe siècle par les Carolingiens. Leur roi **Charlemagne est sacré empereur** par le pape (en 800) dans le but de reconstituer l'Empire d'Occident. Il dirige son empire à partir de sa capitale, Aix-la-Chapelle, où il s'entoure de conseillers ainsi que d'hommes de lettres et d'église. L'empire est divisé en trois parties entre ses petits-fils lors du partage de Verdun (843).
- **Les relations sont nombreuses au sein de l'ancien Empire romain.** Ainsi, Constantinople est un carrefour de contacts entre les mondes byzantin, carolingien et musulman. Ces contacts sont parfois conflictuels (mise à sac de Constantinople par les chrétiens d'Occident, 1204, puis prise de Constantinople par les Ottomans, 1453).

II Un christianisme, deux Églises

- **Les deux Empires sont chrétiens.** Les empereurs font construire de nombreux lieux de culte (Sainte-Sophie, la chapelle d'Aix). Ils favorisent l'extension de la chrétienté soit par les conquêtes comme Charlemagne (les Saxons, les Avars), soit par l'action des moines comme Cyrille et Méthode (christianisation des Serbes, des Bulgares).
- **Chrétiens d'Orient et d'Occident ont les mêmes croyances** mais leur pratique du christianisme diffère. **Les tensions entre les deux Églises** sont accentuées par l'opposition entre le pape, résidant à Rome, et le patriarche de Constantinople, chef des chrétiens d'Orient.
- Le schisme de 1054 provoque la division de la chrétienté entre une Église orthodoxe et une Église catholique et romaine sous l'autorité du pape. Deux chrétientés se font face et la rupture est encore plus profonde après le sac de Constantinople par les chrétiens d'Occident (1204).

Vocabulaire

Église catholique : Église d'Occident, fidèle au pape qui la dirige depuis Rome.

Église orthodoxe : le mot renvoie à « authentique » et désigne l'Église chrétienne byzantine que dirige le patriarche de Constantinople.

Schisme : du grec *schisma* qui veut dire « séparation » ; terme utilisé pour évoquer la séparation de l'Église en deux Églises – orthodoxe et catholique – à partir de 1054.

Carolingiens : nom de la seconde dynastie des rois francs ; ce sont les descendants de Charles Martel.

Je retiens l'essentiel

L'essentiel en schéma

Deux empires héritiers de l'ancien Empire romain au IXe siècle

L'Empire carolingien

- Apogée sous le règne de Charlemagne

L'Empire byzantin

- Apogée sous le règne de Justinien

Le christianisme, religion des deux empires

Le christianisme se diffuse

- Conversion des peuples saxons et slaves

Le christianisme se divise

- Deux Églises : catholique et orthodoxe

Les Empires byzantin et carolingien en contact avec les mondes musulmans

Contacts commerciaux

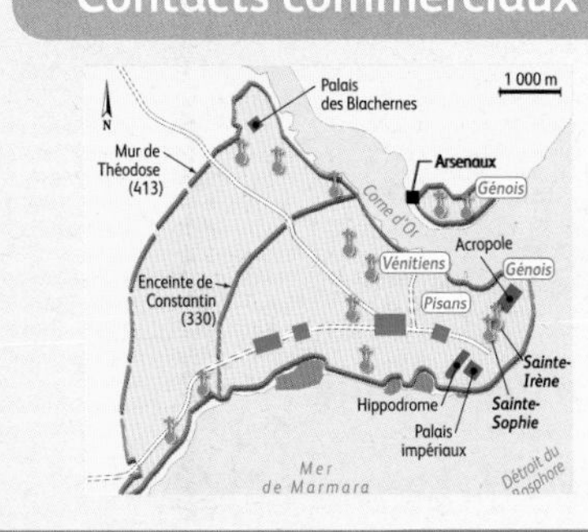

Des empires rivaux ?

IVe — Ve siècle — X^e^

Empire byzantin : 527 ⟷ 565 Justinien — (1453)

Royaumes germaniques — Empire carolingien

- 395 : Partage de l'Empire romain
- 476 : Fin de l'Empire romain d'Occident
- 800 : Couronnement de Charlemagne
- 843 : Partage de Verdun
- 1054 : Schisme

J'apprends, je m'entraîne

▶ **Socle** *Méthode et outils pour apprendre*

Byzance et l'Empire carolingien

1. Construire sa fiche de révision : notez le titre de la leçon sur votre feuille

Je connais...

Objectif 1 ▶ Les repères historiques

Reproduisez la frise chronologique ci-dessous et placez-y les périodes et événements suivants : la fin de l'Empire romain – le couronnement de Charlemagne – la fin de l'Empire byzantin – le schisme de la chrétienté – le règne de Justinien.

500 — 1000 — 1500

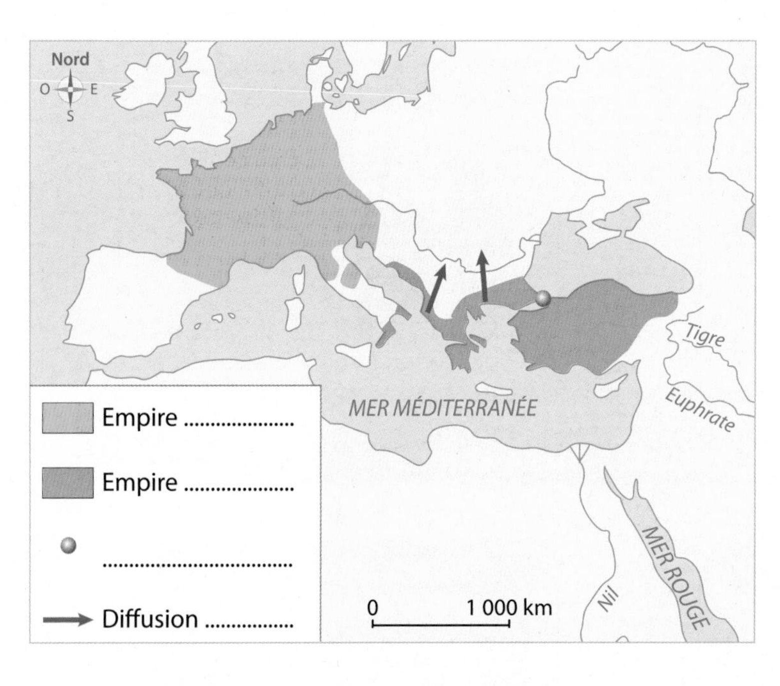

Objectif 2 ▶ Connaître les repères géographiques

Reproduisez et complétez la légende ci-contre à partir des éléments de la carte.

Objectif 3 ▶ Les mots-clés

Recopiez les mots suivants et donnez leur définition : *Basileus* – Église catholique – Schisme.

Je suis capable de...

Pour chacun des objectifs suivants, construisez une réponse à la consigne.

Objectif 4 ▶ Expliquer les caractéristiques des pouvoirs des empereurs byzantins

Aide (*Rappelez que Justinien a régné et quels sont ses pouvoirs.*

Objectif 5 ▶ Expliquer les caractéristiques du règne de Charlemagne (768-814)

Aide (*Racontez de quelle façon il bâtit son empire et comment il devient un empereur soucieux de diffuser le christianisme.*

Objectif 6 ▶ Expliquer la séparation de l'Église d'Orient et de l'Église d'Occident

Aide (*Rappelez la date et les origines de cette rupture puis montrez-en les conséquences.*

2. S'entraîner

Sceptre de Charlemagne, 1364-1380, Trésor de l'Abbaye de Saint-Denis, Musée de Louvre, Paris.

1 Construire des repères historiques

Charlemagne, empereur d'Occident

1. Associez chaque symbole du pouvoir impérial à la lettre A, B ou C qui lui convient : couronne fermée – sceptre – globe.
2. Décrivez le globe. Que peut-il représenter ?
3. Quand et où Charlemagne a-t-il reçu sa couronne d'empereur ?

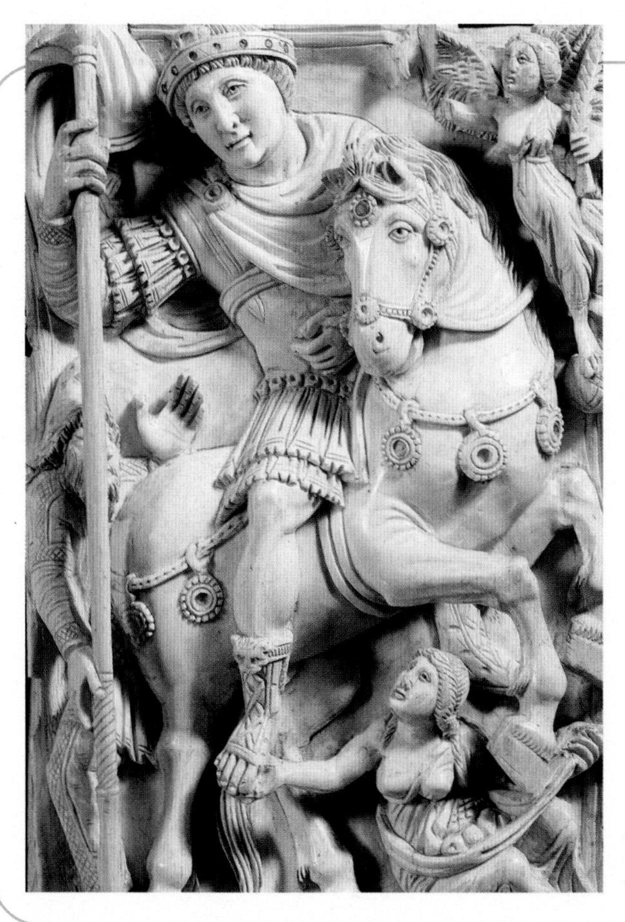

L'Empereur Justinien triomphant, dit « ivoire Barberini », vers 540-550, musée du Louvre, Paris.

2 Écrire pour construire son savoir

L'empereur byzantin, un souverain de guerre

1. Identifiez et nommez le personnage représenté.
2. Décrivez la façon dont il est représenté.
3. Quelle caractéristique du pouvoir de l'empereur est ici mise en avant ?
4. Quelles sont celles qui sont oubliées dans cette représentation ?
5. Rédigez quelques lignes présentant les caractéristiques du pouvoir du *basileus*.

3 S'informer dans le monde numérique

Lire et écrire à l'époque de Charlemagne

Rendez-vous sur le site http://expositions.bnf.fr/carolingiens/. Cliquez sur « Lire, écrire », puis lancez la vidéo afin d'écouter le commentaire.

1. Quand Charlemagne entreprend-il sa réforme scolaire ?
2. Quelles sont les matières enseignées ? Quel est le but de l'empereur ?

J'apprends, je m'entraîne

4 Analyser et comprendre un texte

Les richesses de Constantinople vues par un croisé en 1204

La croisade de 1202 vers les Lieux Saints au départ de Venise est détournée : les croisés prennent Constantinople (1204). Robert de Clari (v. 1170-1216) est un des chrétiens d'Occident qui participent à l'événement.

Constantinople est alors prise et pillée. Puis après, on commanda que tout le butin fût apporté à une abbaye qui était dans la ville. Et, le butin était si riche et comportait tant de riche vaisselle d'or et d'argent et d'étoffes brodées d'or et tant de riches joyaux que c'était une vraie merveille. Jamais, depuis que le monde fut créé, on ne vit ni ne conquit un butin aussi grand, aussi noble, aussi riche, ni au temps d'Alexandre, ni au temps de Charlemagne, ni avant, ni après. Et je ne crois pas, quant à moi, que dans les quarante plus riches cités du monde il y aurait autant de richesse qu'on en trouva à l'intérieur de Constantinople. Et ceux qui devaient garder le butin prenaient les joyaux d'or ou des étoffes de soie brodées d'or, et puis ils l'emportaient. C'est de cette façon qu'ils commencèrent à voler, si bien qu'on ne fit jamais de partage pour le commun de l'armée, sauf pour le gros argent, comme les bassines d'argent que les dames de la cité emportaient aux bains.

D'après R. de Clari, *La Conquête de Constantinople*, XIIIe siècle.

Identifier le document

1. Présentez le texte en relevant sa nature, son auteur, sa date et le sujet traité.
2. Qui est précisément l'auteur de cette description ? Pour quelles raisons se trouve-t-il à Constantinople en 1204 ?

Extraire des informations pertinentes

3. Comment l'auteur désigne-t-il les habitants de Constantinople ?
4. Proposez deux passages du texte qui permettent d'illustrer l'admiration de Robert de Clari pour Constantinople.
5. Montrez que l'auteur porte un regard critique sur les soldats de son armée.

Utiliser ses connaissances pour expliciter

6. De quel empire Constantinople est-elle la capitale ? Quelle est sa religion ?
7. Est-ce la même religion que celle de l'auteur ? Justifiez.
8. Pourquoi la prise de Constantinople illustre-t-elle la rivalité entre Orient et Occident ?

Auto-évaluation **Je me positionne sur une marche :**

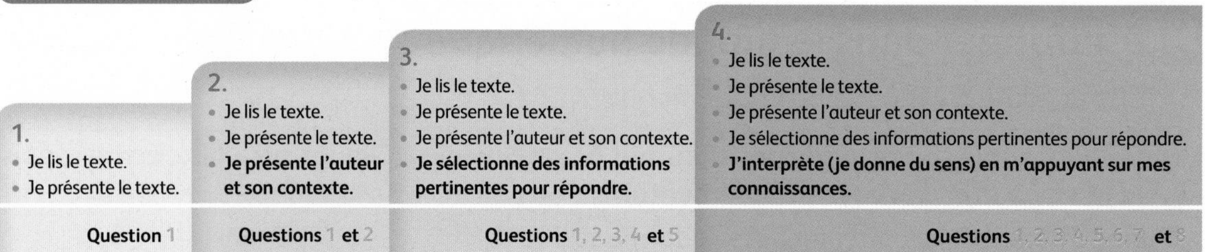

Pour progresser, j'analyse mes axes de progrès. Que devrais-je améliorer ?

Enquêter Qui sont les responsables de la disparition de l'Empire carolingien ?

Unifié sous les règnes de Charlemagne (800-814) et de son fils Louis le Pieux (814-840), l'Empire finit par être disloqué. Menez l'enquête pour en comprendre les causes.

Les faits

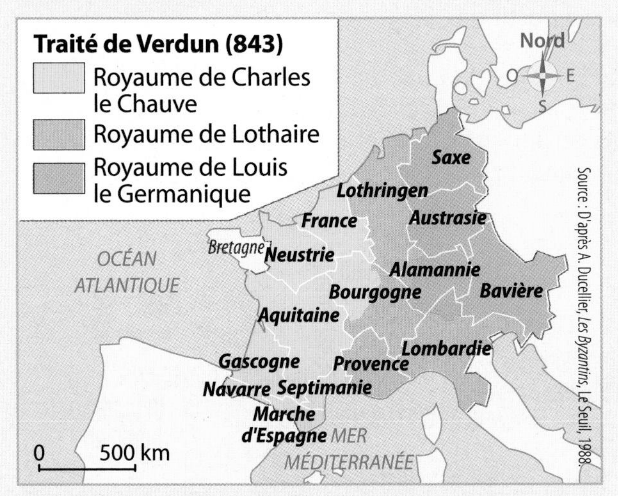

En 843, l'Empire carolingien est partagé entre les trois petits-fils de Charlemagne.

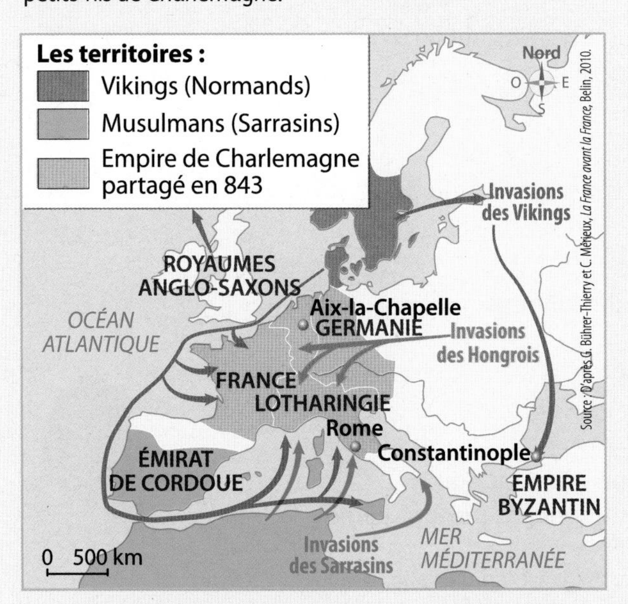

Les suspects

Les petits-fils de Charlemagne

a. Lothaire, fils aîné de Louis le Pieux, est roi d'Italie, de Lotharingie et empereur d'Occident (840-855).

b. Charles, dit le Chauve, roi de Francie occidentale (843-877) et empereur en 875.

c. Louis le Germanique est roi de Francie orientale (843-876).

Les suspects

les peuples qui envahissent l'empire au IXe siècle

Les Normands entrèrent dans notre monastère. Ils le brûlèrent ainsi que la ville et tous les villages alentour. Après avoir tué tous ceux qu'ils avaient pu trouver, ils se répandirent sur toute la terre de la Somme et capturèrent un butin d'hommes et de troupeaux.

D'après les *Annales de Saint-Vaast*, Xe siècle, Arras.

Avez-vous pris connaissance des différents éléments de l'enquête ? Quelle est votre conviction : pour vous, qui sont les responsables de la disparition de l'Empire carolingien ?

Par équipe, complétez le carnet de l'enquêteur :

1. Identité des suspects : ...
2. Leur rôle dans la disparition de l'Empire : ...
3. Preuves relevées dans les indices : ....

Rédigez votre rapport d'enquête.

L'atelier d'écriture

Une religion, deux Églises à partir de 1054

À l'aide de vos connaissances, rédigez un texte qui présente les deux Églises chrétiennes à partir de 1054.

Travail préparatoire (au brouillon)

1. Réécrivez le sujet et repérez les mots-clés :

Une religion, deux Églises à partir de 1054.

religion → Que signifie ce mot ? Églises → Quel est le sens du mot Église écrit ainsi ?

2. Recopiez le schéma ci-dessous puis repérez les mots en lien avec le sujet dans le nuage de mots. Vous les classez dans le schéma-sujet à la place qui convient :

3. Vérifiez dans votre cahier ou votre manuel si vous n'avez pas oublié d'informations essentielles. Pensez qu'il faut présenter la religion dont il est question.

Travail de rédaction (au propre)

À vous de choisir votre niveau de difficulté et votre ceinture !

Je rédige un texte **sans aide**.

Rédigez votre texte en faisant des alinéas pour chaque idée abordée.
- Le texte s'organise en deux paragraphes et commence par une introduction.

Je rédige un texte **avec un guide**.

Rédigez votre texte autour d'une introduction et de deux paragraphes qui commencent par un alinéa.
- Vous reprenez les idées du schéma-sujet : 1 = introduction, 2 = 1er paragraphe et 3 = 2e paragraphe.

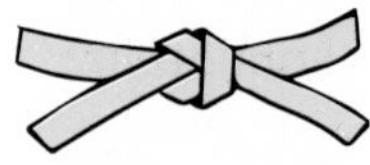

Je rédige un texte **en répondant à des questions**.

Rédigez votre texte autour de deux paragraphes qui commencent par un alinéa et qui répondent aux consignes suivantes :
- **1 = introduction :** vous rappelez ce qu'est le christianisme et comment il s'est imposé dans l'Empire romain. Vous indiquez ce qui se passe en 1054.
- **2 et 3 = 1er et 2e paragraphes :** vous présentez dans un paragraphe l'Église orthodoxe et dans l'autre l'Église catholique (espace géographique, chef religieux, langue utilisée pour le culte, pratiques religieuses…).

Soignez la présentation de votre texte et votre écriture. Évitez les ratures. N'oubliez pas de relire et de vérifier vos accords.

Géohistoire

La chrétienté d'hier à aujourd'hui

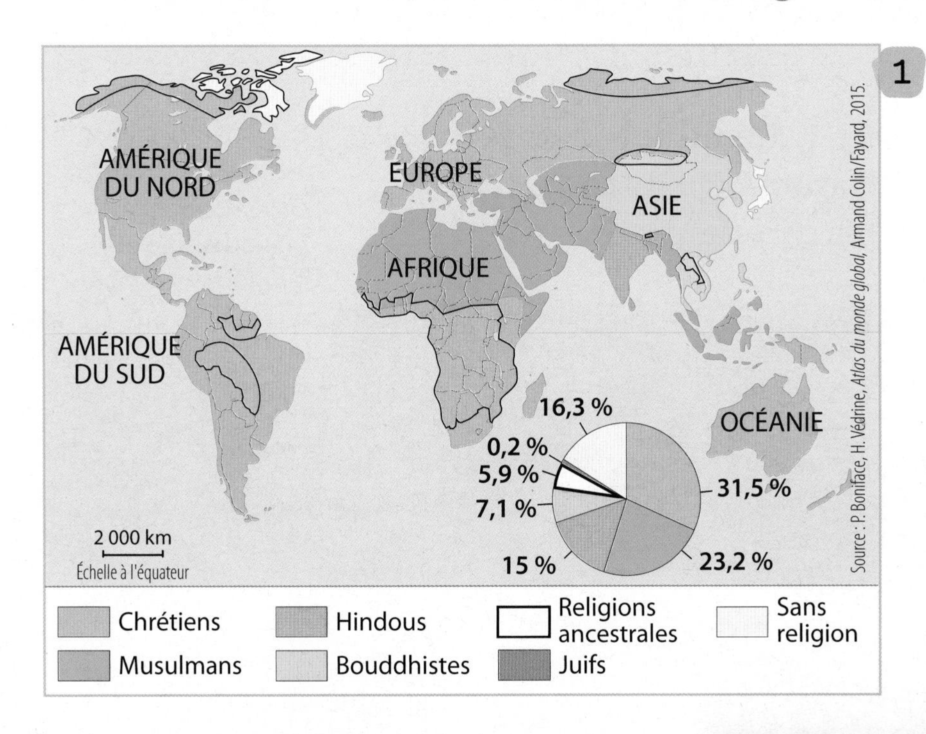

Source : P. Boniface, H. Védrine, *Atlas du monde global*, Armand Colin/Fayard, 2015.

1 | **2,2 milliards de chrétiens dans le monde**

Vocabulaire

Œcuménique : mouvement qui veut un rapprochement de toutes les Églises chrétiennes.

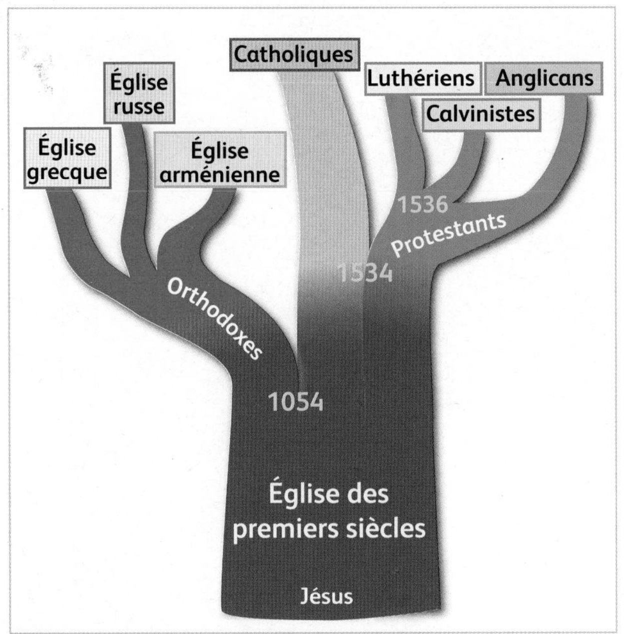

2 | **Des christianismes**

3 | **Le dialogue entre les chrétiens**

Le pape François et le patriarche de Constantinople, Bartholomée 1er. La première rencontre, depuis 1439, entre un pape et un patriarche de Constantinople a eu lieu en 1964.

« Istanbul : le pape François à la rencontre des orthodoxes », *Leparisien.fr*, le 30/11/2014.

Le droit et la règle, des principes pour vivre avec les autres

1. DOC. 1 ET 2 Montrez que la chrétienté est un ensemble très diversifié.
2. DOC. 1 Sur quels continents sont les pays où se trouvent le plus de chrétiens ?
3. DOC. 3 Quelle vision des relations entre les orthodoxes et les catholiques donne la photographie ? Expliquez comment.

Le jugement, penser par soi-même et avec les autres

En conclusion, expliquez en quelques phrases la diversité du monde chrétien dans le monde actuel.

L'Islam, pouvoirs, sociétés et cultures

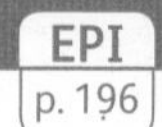

Comment l'islam a-t-il donné naissance à une nouvelle civilisation ? Quels contacts entretient-il avec les chrétientés ?

Souvenez-vous !
Qu'est-ce que le monothéisme et quand est-il apparu ?

1 La grande mosquée des Omeyyades (Damas, Syrie), 705-715

Bâtie à partir d'une ancienne église, cette mosquée renferme le tombeau de Jean-Baptiste, l'un des fondateurs du christianisme, considéré comme un prophète par les musulmans.

1. Minarets
2. Salle de prière
3. Coupole
4. Cour intérieure
5. Vieille ville

Salle de prière de la grande mosquée

Vocabulaire

Cultures : les productions artistiques et intellectuelles créées par des sociétés.

Hégire : voir p. 42.

Mosquée : lieu de prière pour les musulmans.

Sociétés : les hommes et femmes qui vivent ensemble.

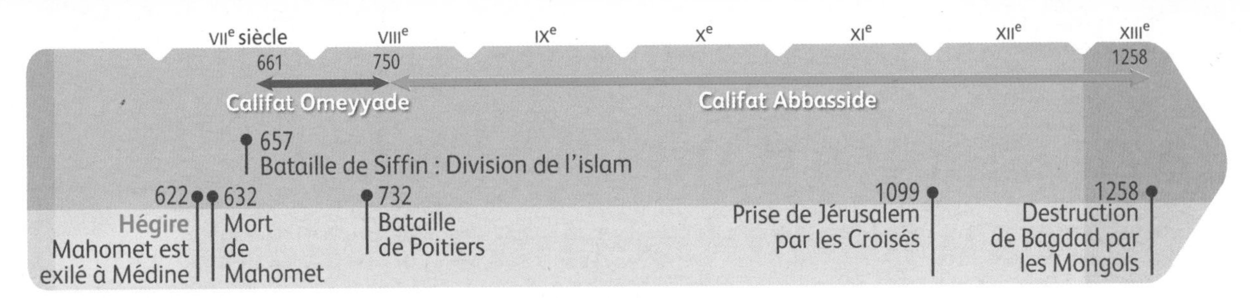

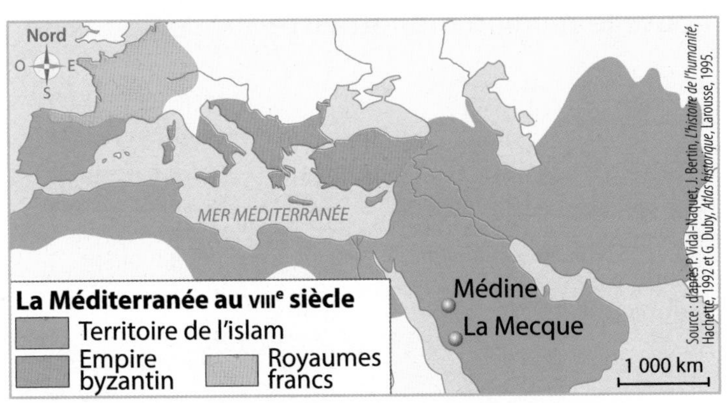

▶ **Socle** *Se repérer dans l'espace et le temps*

2 **L'audience au palais du calife**
Maqâmât, miniature, 1237, BNF, Paris.

3 **Bagdad, capitale musulmane**
❶ La mosquée
❷ Les souks
Al-Hariri, *Maqâmât*, 1237, BNF, Paris.

1. DOC. 1 Décrivez l'édifice représenté. Quelle place occupe-t-il dans la ville ?
2. DOC. 3 Pourquoi peut-on penser que la ville est un lieu d'échanges commerciaux ?
3. **Émettez une hypothèse** pour répondre à la question suivante : où la religion à l'origine de cette civilisation est-elle née et comment s'est-elle étendue ?

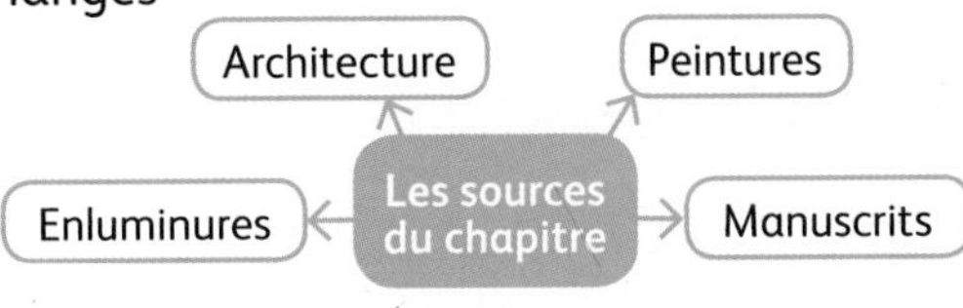

Étude

570-632 | 700 | 800 ap. J.-C.
Hégire (622) | Mahomet (632) | Expansion de l'islam

La naissance d'un nouveau monothéisme, l'islam

Quels sont les fondements de cette nouvelle religion monothéiste ? Comment est-elle apparue ?

1 L'islam, une religion révélée

Mahomet se retirait pour prier au Mont Hira chaque année pendant un mois selon la coutume de sa famille. Le mois écoulé, il quittait sa retraite et avant toute chose, il se rendait à la Kaaba[1] dont il faisait sept fois le tour ou même autant de fois que cela plaisait à Dieu.

Lorsque vint la nuit où Dieu l'honora de sa mission, témoignant par là sa miséricorde à ses serviteurs, Gabriel lui fit part de l'ordre de Dieu. « Pendant que je dormais, dit l'Envoyé, il vint à moi et me dit : Récite. Je lui répondis : Je ne sais pas réciter. Il répéta : Récite ! Je lui dis : Que dois-je donc réciter ? Il m'étreignit si fort que je pensais mourir puis il me relâcha. »

1. Lieu de pèlerinage à La Mecque.

Hadith (paroles de Mahomet) de la Sira d'Ibn Hisham, VIIIe siècle.

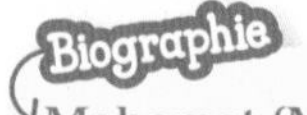

Mahomet (Muhammad) (570-632)

Prophète et fondateur de l'islam. Prêchant à La Mecque à partir de 610, il s'exile à Médine en 622 : c'est l'Hégire. De retour dans la ville (630), il y établit l'islam, une religion unique.

2 La destruction des statues polythéistes de la Kaaba

Lors de son retour à La Mecque (630), Mahomet organise la destruction des statues de la Kaaba.
Miniature persane, XIXe siècle, BNF, Paris.

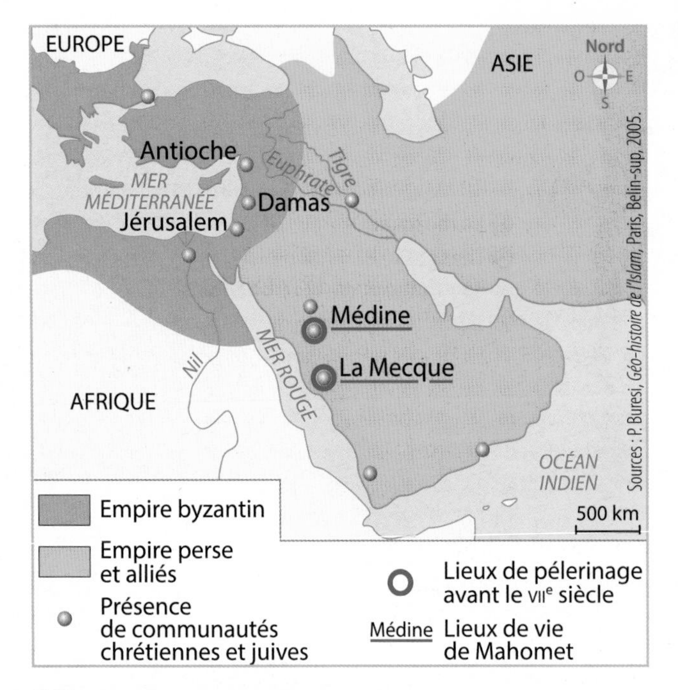

3 L'Arabie, berceau de l'islam

Vocabulaire

Coran (« récitation », en arabe) : ensemble des versets que Dieu révèle à Mahomet.

Hégire : exil de Mahomet de La Mecque vers Médine ; marque le point de départ du calendrier musulman.

Islam (« soumission à Dieu », en arabe) : écrit avec un « i », fait référence à la religion ; Islam avec un « I » renvoie à la civilisation.

Prophète : celui qui parle au nom de Dieu.

4 Les cinq pratiques fondamentales de l'islam

La profession de foi (*shahâda*)

Il n'y a de dieu que Dieu et Mahomet est l'Envoyé de Dieu.

Codifiée aux VIIe-VIIIe siècles à partir de versets du Coran.

La prière (*salât*)

Ceux qui s'acquittent de la prière, voilà ceux qui suivent une Voie indiquée par leur Seigneur. Voilà ceux qui sont heureux.

D'après le Coran, Sourate 2, Versets 3-5.

L'aumône (*zakât*)

À celui qui fait l'aumône, et qui craint Dieu ; à celui qui déclare véridique la très belle récompense, nous faciliterons l'accès au bonheur.

D'après le Coran, Sourate 92, Versets 5-7.

Le pèlerinage à La Mecque (*hâjj*)

Appelle les hommes au pèlerinage : ils viendront à toi, à pied ou sur toute monture.

D'après le Coran, Sourate 22, Verset 27.

Le jeûne (*Ramadan*)

Le Coran a été révélé durant le mois de Ramadan. Quiconque d'entre vous verra la nouvelle lune, jeûnera le mois entier. Mangez et buvez jusqu'à ce que l'on puisse distinguer à l'aube un fil blanc d'un fil noir. Jeûnez ensuite jusqu'à la nuit.

D'après le Coran, Sourate 2, Versets 185-187.

5 La Kaaba, le centre du monde musulman

La Kaaba à La Mecque, lieu ancien de pèlerinage avant l'apparition de l'islam.
Photo de la Kaaba, le 7 octobre 2014.

Activités

Socle *Extraire des informations pertinentes*

1. DOC. 1 ET 3 Quelle est la religion dominante à La Mecque à l'époque de Mahomet ? Pourquoi l'Arabie du VIIe siècle est-elle un vrai carrefour d'échanges et de rencontres ?
2. DOC. 1 Selon le Coran, pourquoi Mahomet est-il le prophète de l'islam ?
3. DOC. 1 ET 4 Quelle est la place du Coran dans l'islam ?
4. DOC. 2 ET 4 Quels éléments font de l'islam une religion monothéiste ?
5. DOC. 4 ET 5 À quoi voit-on que le pèlerinage à La Mecque est un moment important de la vie des musulmans ?

Pour conclure Reproduisez et complétez le schéma ci-dessous à l'aide des documents de l'étude.

L'islam : une nouvelle religion monothéiste à partir du VIIe siècle
- ← Un dieu unique. Un prophète : …
- ← Des lieux saints : …
- → Un livre sacré : …
- → Des pratiques religieuses : …

Contexte

Un empire qui se crée, un empire qui se divise

Comment l'islam a-t-il donné naissance à un empire ? Comment les premières divisions s'expliquent-elles ?

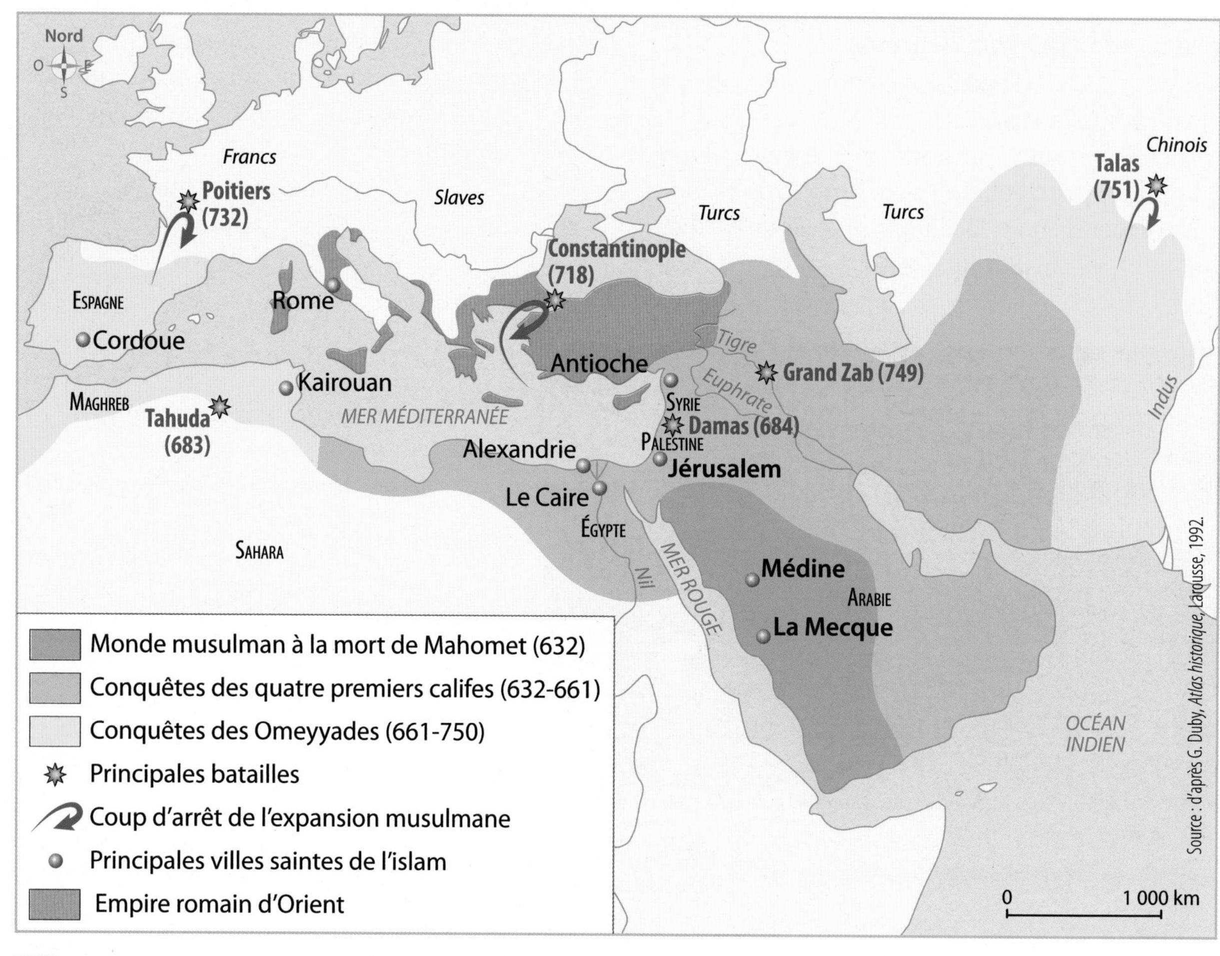

1 | La constitution d'un empire (VIIe-VIIIe siècles)

2 Une rapide expansion de l'islam

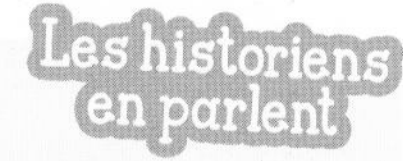

Mahomet remporta des victoires qui augmentèrent son pouvoir auprès des tribus nomades. Peu à peu, elles se rallièrent à lui, soit par la conversion à l'islam, soit en se plaçant sous sa protection. En janvier 630, Mahomet et ses troupes entrèrent presque sans opposition à La Mecque qui se soumit. Juste après de nouvelles victoires, ce ne fut qu'une succession de délégations qui vinrent demander la protection de Mahomet.

Il ne s'agissait plus d'un regroupement entre différentes tribus indépendantes. Mahomet avait unifié les tribus autour de lui, garanti la sécurité sur un vaste territoire et instauré une nouvelle forme d'entraide qui se réalisait dans le cadre de l'État fondé à Médine. Son habileté politique avait permis à cet État de s'organiser, ses qualités de chef de guerre lui avaient permis de s'étendre.

D'après S. Mervin, *Histoire de l'islam*, Flammarion, 2000.

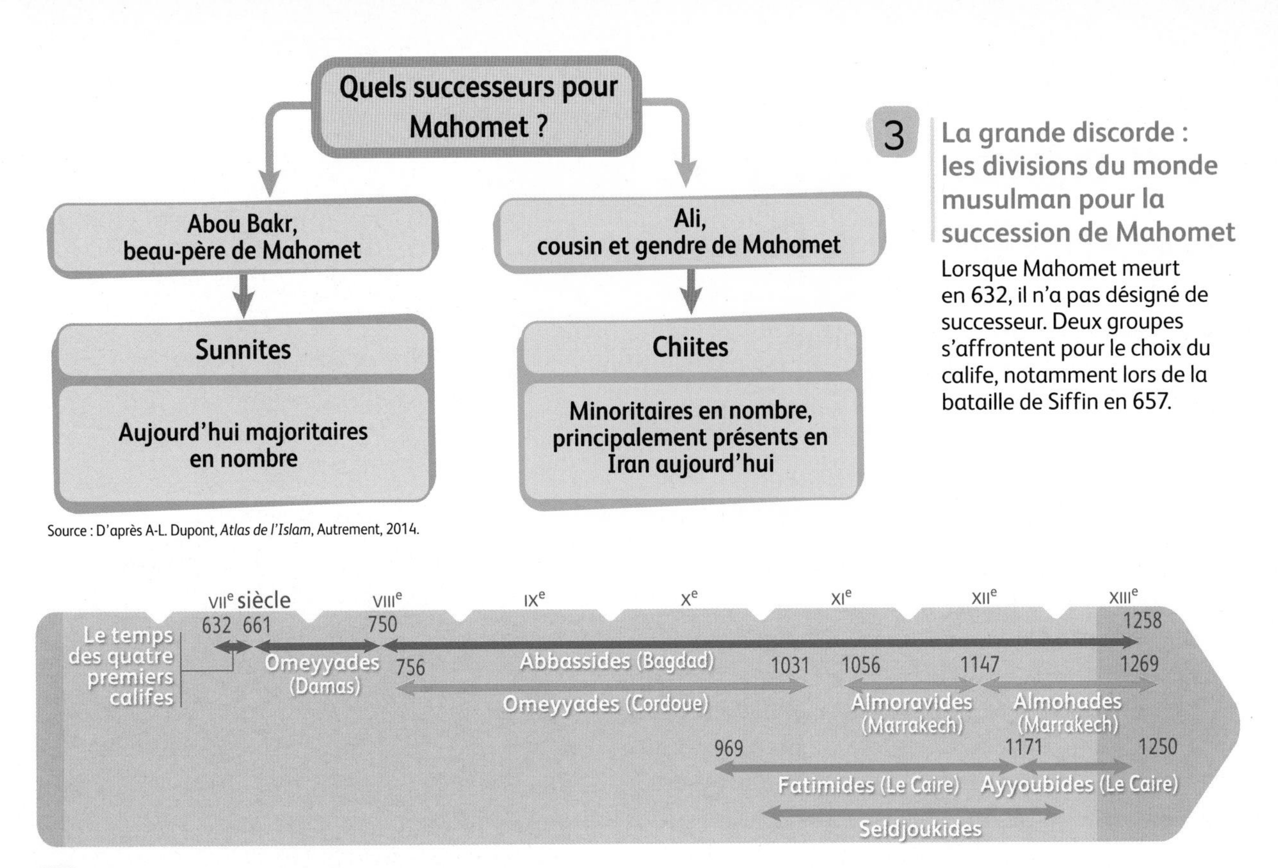

Source : D'après A-L. Dupont, *Atlas de l'Islam*, Autrement, 2014.

3 La grande discorde : les divisions du monde musulman pour la succession de Mahomet

Lorsque Mahomet meurt en 632, il n'a pas désigné de successeur. Deux groupes s'affrontent pour le choix du calife, notamment lors de la bataille de Siffin en 657.

4 Les divisions politiques au sein de l'Islam

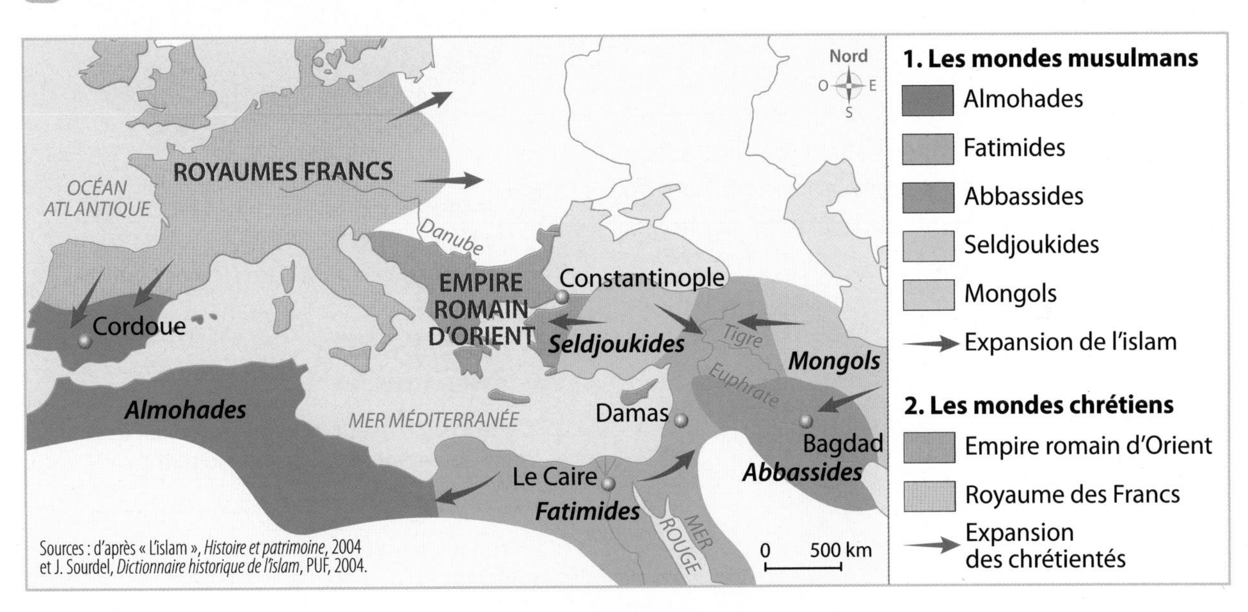

Sources : d'après « L'islam », *Histoire et patrimoine*, 2004 et J. Sourdel, *Dictionnaire historique de l'islam*, PUF, 2004.

5 Le morcellement du monde musulman du XIe-XIIIe siècle

Comprendre le contexte

La conquête d'un vaste territoire

1. DOC. 1 Décrivez l'expansion de l'islam : quelles sont les limites atteintes au VIIIe siècle ? En combien de temps cet empire se constitue-t-il ?
2. DOC. 2 Expliquez comment Mahomet réussit à diffuser cette nouvelle religion.

La division de la communauté musulmane

3. DOC. 3 Comment la communauté musulmane se divise-t-elle après la mort de Mahomet ?
4. DOC. 4 ET 5 Montrez que le monde musulman n'est plus politiquement unifié au XIIIe siècle.

Étude

Les Abbassides, les califes de Bagdad

Comment les califes de Bagdad gouvernent-ils leur empire ?

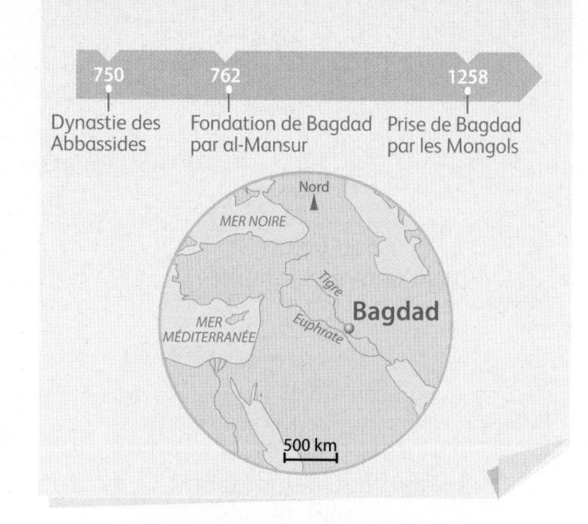

1 Un jour d'audience au palais du calife

Le grand chambellan se présenta vêtu de ses plus beaux habits, portant une robe noire, un ruban noir, une épée et un ceinturon. Précédé de chambellans et de leurs lieutenants, il allait s'asseoir dans le vestibule, derrière le rideau. Puis le vizir s'avança, ainsi que le commandant en chef de l'armée et tous ceux que le protocole autorisait à participer à la procession. Lorsque tout le monde fut en place, le grand chambellan envoya une note au calife pour l'en avertir. Le fils du calife entra ensuite, puis le vizir, précédé des chambellans. Arrivés près du trône, ces derniers reculèrent et le vizir, après avoir embrassé le sol, s'avança et s'approcha du calife. Le grand chambellan introduisit ensuite le commandant en chef de l'armée, puis vint le tour des chefs de bureaux et des secrétaires. Il admit ensuite les officiers.

D'après Abu'l-Hasan Hilal Ibn al-Muhassin al-Sabi, *Les lois et les règles de la cour des Abbassides*, XIe siècle.

Qui est-il ? Hilal al-Sabi' (XIe siècle)
Secrétaire du vizir de Bagdad.

2 Monnaie d'al-Mutawakkil, calife de Bagdad (822-861)
Kunsthistorisches Museum, Vienne (Autriche).

Vocabulaire

Calife : successeur du Prophète, il est le chef politique et religieux des musulmans.

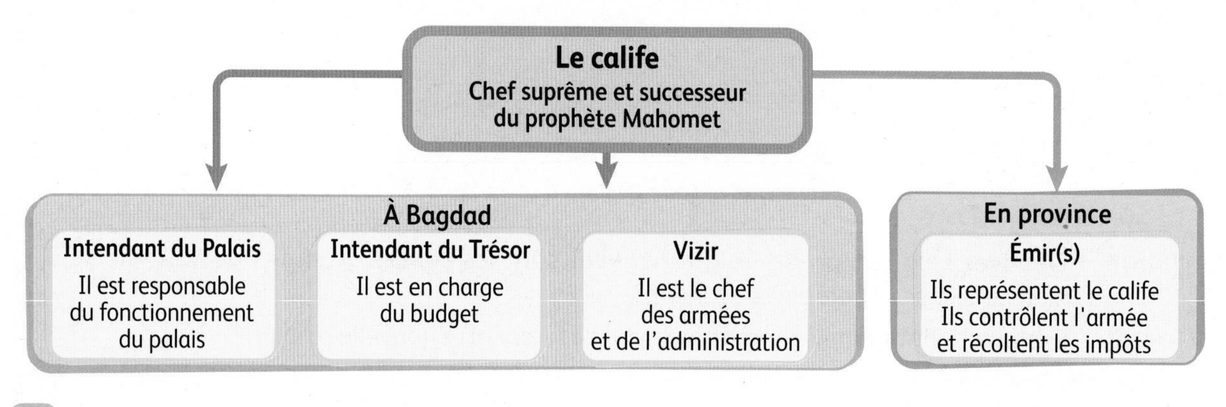

3 Le calife, un empereur qui gouverne

4 **L'émir gouverne au nom du calife**

L'émir Mahmûd de Ghazna (au sud-est de Kaboul) recevant la robe d'honneur du calife de Bagdad en l'an 1000, signe de sa délégation de pouvoir.

Rachid al-Din, *Histoire universelle*, miniature, 1314, Bibliothèque de l'université d'Édimbourg.

5 Un émir qui s'émancipe du calife

Dès le Xe siècle, le pouvoir politique du calife de Bagdad diminue face aux gouverneurs des provinces. Certains imposent leur autorité.

Il prêta serment au calife, puis il demanda à ce dernier et à ses proches de lui prêter en retour le plus grossier des serments. Le calife prêta serment à l'émir et à ses frères et leur remit un document écrit qui en témoigna. L'émir enfila les vêtements d'honneur, les colliers et les bracelets, et un étendard lui fut remis.

D'après I. al-Jawzi, *Chroniques bien ordonnées*, XIIe siècle.

6 **La prise de Bagdad par les Mongols : la fin des Abbassides en 1258**

Miniature, *Somme des histoires*, manuscrit, vers 1430, BNF, Paris.

1. Le calife est représenté s'enfuyant
2. Les murailles de Bagdad
3. L'armée des Mongols est une armée de cavaliers nombreuse et bien équipée en engins de siège

Activités

Socle *Extraire des informations pertinentes*

1. DOC. 2 Comment le calife est-il mis en valeur ?
2. DOC. 1 ET 3 À l'aide de qui le calife gouverne-t-il ?
3. DOC. 3 ET 4 Qui détient le pouvoir du calife dans les provinces ? Quels sont les symboles de ce pouvoir ?
4. DOC. 5 Comment peut-on s'apercevoir que l'émir essaie de s'imposer vis-à-vis du calife ?
5. DOC. 6 Quel événement met fin à la dynastie des Abbassides ? Pourquoi peut-on dire que ce document n'est pas favorable aux Abbassides ?

Pour conclure Rédigez une réponse courte à la question suivante :

Comment le calife de Bagdad gouverne-t-il son territoire ?

Étude

Le Caire, une capitale musulmane

Quels éléments font du Caire un centre politique, culturel et religieux au sein du monde musulman ?

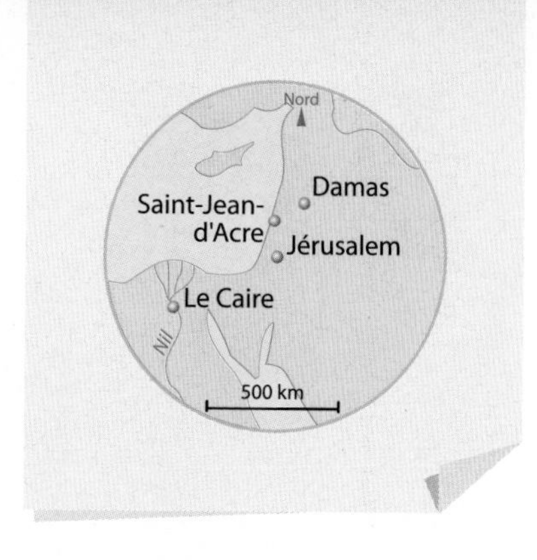

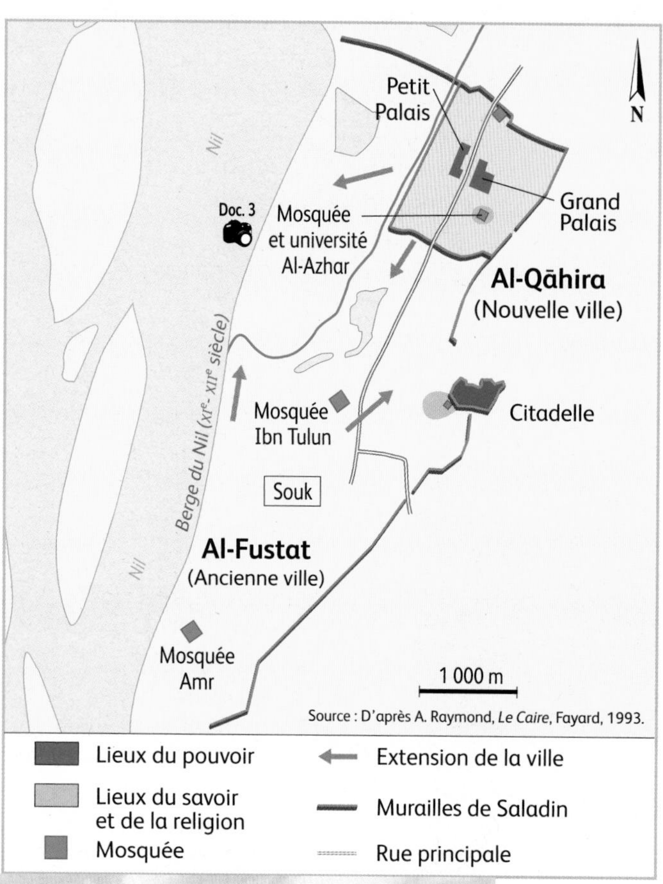

Vue des murailles de la citadelle de Saladin, XIIe siècle, reprises au XIXe siècle.

1 Le Caire, une ville fortifiée par Saladin

Fondée par les califes fatimides en 969, la ville est ensuite fortifiée (citadelle et murailles) sous Saladin (XIIe siècle).

D'après A. Raymond, *Le Caire*, Fayard, 1993.

Vocabulaire

Madrasa : école d'enseignement supérieur souvent proche d'une mosquée.

Mosquée : lieu de prière des musulmans.

Souk : marché de la ville musulmane.

2 Le Caire, une des grandes villes du monde musulman

Le grand souk du Caire aujourd'hui – XVIe siècle

[Le Caire] est la capitale de l'Égypte où sont groupés les bureaux de l'administration et où réside le Prince des Croyants. Sa surface est vaste, ses habitants nombreux. Elle éclipse Bagdad et fait la fierté de l'islam : elle est l'entrepôt du Maghreb, le dock de l'Orient. Il n'y a pas de ville plus animée qu'elle. On y trouve des marchandises et des spécialités merveilleuses, de bons souks et de bons métiers, des bains excellents. Dans tous les pays de l'Islam, on ne trouve pas de grande mosquée plus fréquentée que la sienne, de gens mieux vêtus, de navires plus abondants que dans son port. Elle offre des nourritures fines, des douceurs à bon marché, elle regorge de bananes et de dattes fraîches et de bois à brûler.

D'après A. Muqaddasi, *Les régions de la Terre*, fin Xe siècle.

Qui est-il ? Al Muqaddasi (Xe siècle)
Géographe arabe né à Jérusalem.

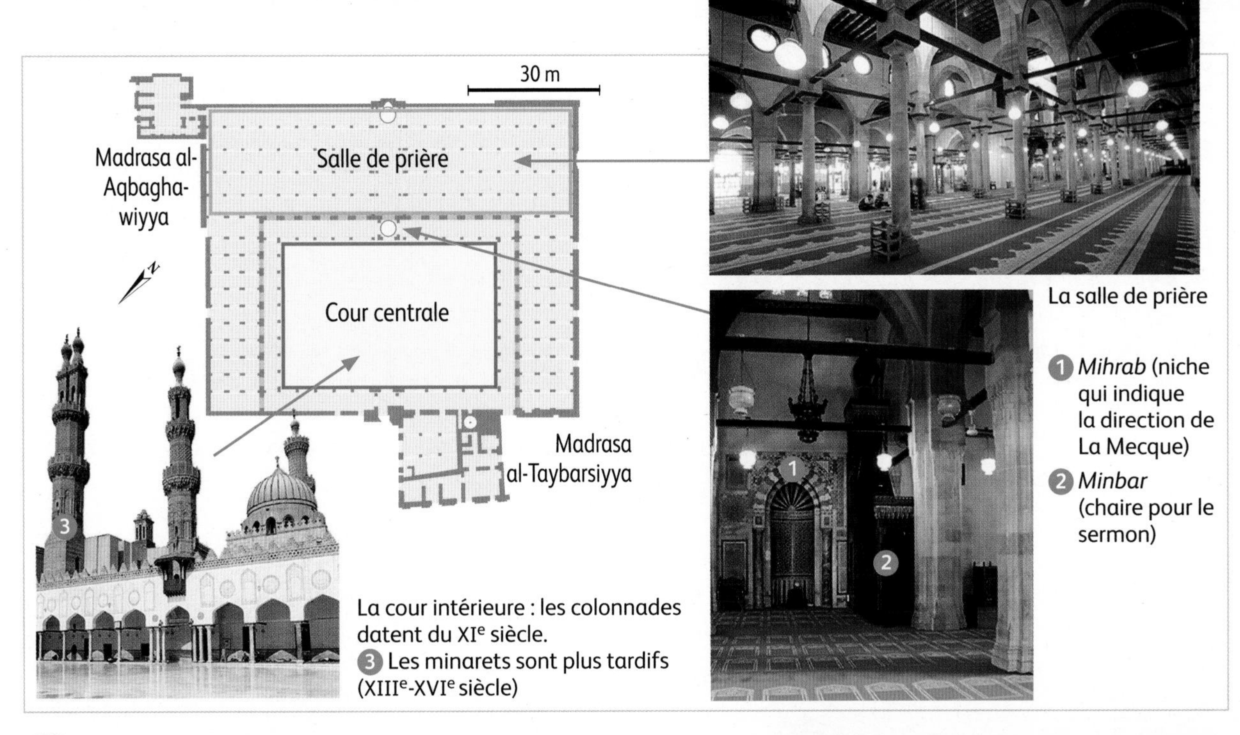

La cour intérieure : les colonnades datent du XIe siècle.
3 Les minarets sont plus tardifs (XIIIe-XVIe siècle)

La salle de prière

1 *Mihrab* (niche qui indique la direction de La Mecque)
2 *Minbar* (chaire pour le sermon)

3 La mosquée al-Azhar (X^e-XIXe siècle)

4 La bibliothèque du Caire

On ouvrit au Caire la « maison de la Sagesse ». On y établit des lecteurs, des astronomes, des grammairiens et des médecins. La bibliothèque renfermait des ouvrages sur toutes sortes de matières, des livres copiés de la main des plus célèbres calligraphes. Chacun avait la liberté d'entrer et de lire, ou de copier tout ce qu'il voulait.

D'après Al-Maqrisi, *Histoire des sultans Mamlouks de l'Égypte*, Oriental translation Fund, 1845.

Qui est-il ? Al-Maqrîzî (1364-1442)
Historien de l'Égypte médiévale, il est né et mort au Caire.

5 La madrasa, un lieu de savoir

Les élèves apprennent à lire à partir du Coran et des textes sacrés. Le droit coranique y est aussi enseigné.
Al-Harîrî, *Maqâmât*, miniature, XIIIe siècle, BNF, Paris.

Activités

Socle *Sélectionner les informations pertinentes*

1. DOC. 1 Montrez que le lien entre pouvoir politique et religieux est visible dans la ville.
2. DOC. 3 ET 4 Quelles sont les différentes fonctions de la mosquée ?
3. Recopiez le tableau suivant et complétez-le. Relevez dans les documents les éléments qui font du Caire une capitale du monde musulman.

DOC. 1 ET 2 Le Caire, un centre politique et économique	DOC. 3, 4 ET 5 Le Caire, un centre religieux, culturel et intellectuel
....	....

Pour conclure Répondez à l'oral à l'affirmation suivante :

Quels sont les éléments qui font du Caire une capitale médiévale ?

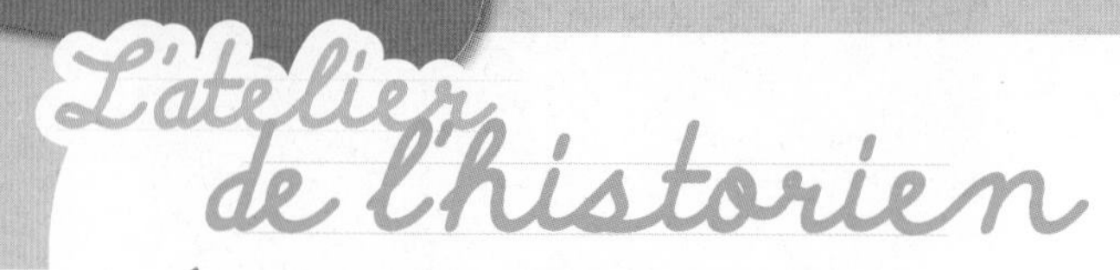

Étudier une correspondance

Deuxième croisade : échec à Jérusalem — Troisième croisade : prise de Jérusalem

1095 1099 — 1147 1149 — 1187 1189 1192

Première croisade : prise de Jérusalem — Saladin reprend Jérusalem

Saladin et Richard Cœur de Lion, deux adversaires

Vous êtes un historien et vous découvrez des extraits de la correspondance entre Richard Cœur de Lion et Saladin, lors de la Troisième croisade.

Source 1 Richard et Saladin représentés en combat direct

Psautier de Luttrell, XIVe siècle, British Library, Londres (Royaume-Uni).

Biographie

Richard Ier Cœur de Lion (1157-1199)

Roi d'Angleterre de 1189 à 1199.

Biographie

Saladin (1138-1193)

Kurde, il est le fondateur de la dynastie ayyoubide qui règne sur l'Égypte et la Syrie de 1171 à 1250.

Source 2 Lettre de Richard à Saladin, septembre 1191

Les nôtres et les vôtres sont morts, le pays est en ruine et l'affaire nous a complètement échappé à nous tous. Ne croyez-vous pas que cela suffit ? En ce qui nous concerne, il n'y a que trois sujets de discorde : Jérusalem, la Vraie Croix[1] et le territoire. S'agissant de Jérusalem, c'est notre lieu de culte et nous n'accepterons jamais d'y renoncer, même si nous devions nous battre jusqu'au dernier. Pour le territoire, nous voudrions qu'on nous rende ce qui est à l'Ouest du Jourdain. Quant à la Croix elle ne représente pour vous qu'un bout de bois alors que sa valeur nous est inestimable. Que le sultan[2] nous la donne et qu'on mette fin à cette lutte épuisante.

Correspondance datant de septembre 1191, d'après A. Maalouf, *Les croisades vues par les arabes*, 1983, Paris.

1. Fragment de la croix dont les chrétiens pensaient qu'elle était celle de la crucifixion de Jésus.
2. Titre porté par celui qui exerce le pouvoir au nom du calife sur l'ensemble de l'empire.

Source 3 Réponse de Saladin à Richard, septembre 1191

La ville sainte est autant à nous qu'à vous ; elle est même plus importante pour nous car c'est vers elle que notre Prophète a accompli son merveilleux voyage nocturne[1] et c'est là que notre communauté sera réunie le jour du Jugement dernier. Il est donc exclu que nous l'abandonnions. Jamais les musulmans ne l'admettraient. Pour ce qui est du territoire, il a toujours été nôtre et votre occupation n'est que passagère. Vous avez pu vous y installer en raison de la faiblesse des musulmans qui alors le peuplaient. Quant à la croix, elle représente un grand atout entre nos mains et nous ne nous en séparerons que si nous obtenons en contrepartie une concession importante en faveur de l'Islam.

Correspondance datant de septembre 1191, d'après A. Maalouf, *Les croisades vues par les arabes*, 1983, Paris.

1. Voyage que Mahomet est censé avoir fait en une nuit entre La Mecque et Jérusalem sur le dos d'une créature fantastique.

Source 4 La prise de Jérusalem aux Francs par Saladin en 1187

Saladin reprend Jérusalem que les Francs avaient conquise lors de la Première croisade. Cet événement est à l'origine de la Troisième croisade.

Le Livre des merveilles, recueil de récits de voyages faits par Marco Polo, manuscrit, 1410-1412, BNF, Paris.

Source 5 Le siège de Saint-Jean-d'Acre

Depuis 1189, les troupes des Francs font le siège du port. En 1191, elles reçoivent le soutien des troupes des rois de France et d'Angleterre.

Les chrétiens assiègent toujours Acre et reçoivent sans cesse par leurs vaisseaux des secours plus nombreux que les flots de la mer. Les princes de l'infidélité se sont coalisés pour envoyer à l'armée chrétienne des hommes et des armes. Quand il périt un chrétien sur terre, il en arrive mille par mer. Ces ennemis de Dieu se sont fait de leurs fossés et de leurs retranchements une cuirasse impénétrable. Aussi est-il devenu impossible de les entamer et de les détruire. Il en est déjà péri un grand nombre, le fer de nos épées en est émoussé, mais nos compagnons commencent à se lasser d'une guerre si longue.

D'après M. Michaud, *Lettre de Saladin au calife de Bagdad en 1191*, Bibliothèque des croisades, 1829.

Vocabulaire

Croisade : expédition religieuse et militaire montée par les princes chrétiens pour reprendre Jérusalem aux musulmans.

Point méthode

La démarche de l'historien

Étape 1 Identifier et comprendre les documents sources

1. Les sources sont-elles contemporaines de la Troisième croisade ? Justifiez votre avis.
2. SOURCES 2, 3 ET 5 Relevez la nature, l'auteur et la date de chacune de ces trois sources.
3. SOURCE 2 Quels sont les trois points réclamés par Richard Cœur de Lion ?

Étape 2 Confronter les documents sources

4. SOURCES 2 ET 3 D'après cet échange, qui semble dominer la situation ? Justifiez votre réponse.
5. SOURCE 5 Cette impression est-elle confirmée par ce document ?
6. SOURCE 1 Décrivez l'image que les Francs gardent en mémoire de cette relation entre Saladin et Richard.

Étape 3 Conclure

Rédigez un court article pour décrire et expliquer quelles étaient les relations entre Saladin et Richard Cœur de Lion.

Étude

La Méditerranée, un espace d'échanges

Quelles relations les différentes civilisations entretiennent-elles autour de la Méditerranée ?

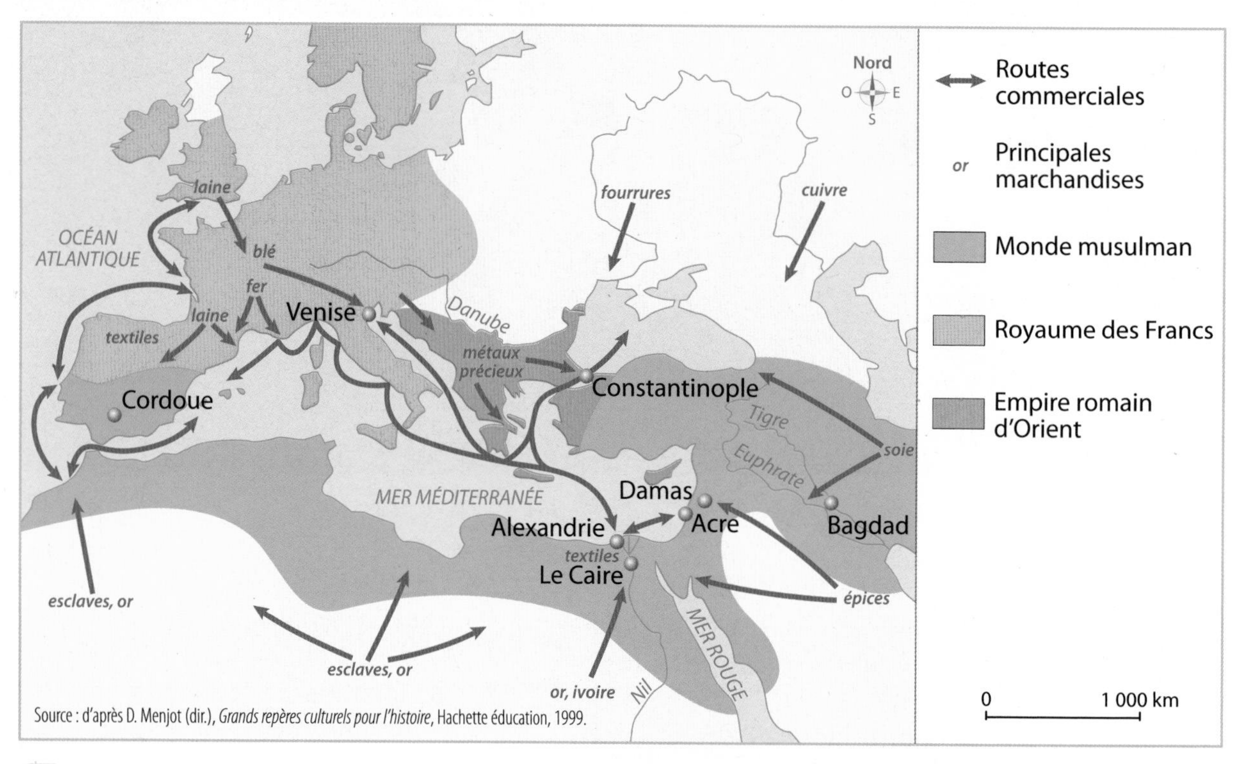

Source : d'après D. Menjot (dir.), *Grands repères culturels pour l'histoire*, Hachette éducation, 1999.

1 | Des échanges commerciaux variés

2 | Des relations commerciales étroites

Origine des partenaires commerciaux des marchands égyptiens d'Alexandrie (XIVe-XVe siècles)	**Actes de vente** (en %)
Venise (Italie)	42
Héraklion (Crète)	17
Vénitiens de Crète	3
Marchands égyptiens	2
Italie (Bologne, Florence, Vérone)	2,4
Marchands allemands	0,5
Total	**100**

D'après F. Apellániz, « Alexandrie, l'évolution d'une ville-port (1360-1450) », *Alexandrie médiévale 4*, 2011.

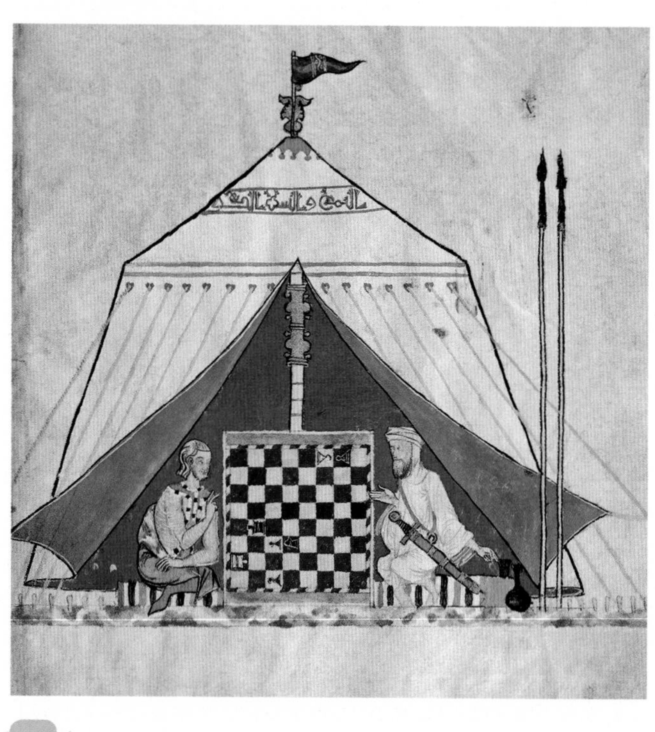

3 | Chrétien et musulman autour d'un jeu d'échecs

Alphonse X le Sage, *Livre des jeux*, XIIIe siècle, Bibliothèque de l'Escurial, Madrid (Espagne).

4 Un savant arabe en Andalousie

Après l'établissement de la puissance omeyyade en al-Andalus[1], ce pays vit fleurir un certain nombre de savants. Avant cette date et dans l'Antiquité, ce pays ne savait pas ce qu'était la science, et ceux qui l'habitaient ne connaissaient personne qui se fût rendu illustre par son amour pour le savoir.
À la fin de la seconde moitié du Xe siècle, le calife al-Mustansir se prit à cultiver les sciences et à aider les savants. Il fit venir de Bagdad, d'Égypte et d'ailleurs en Orient, les ouvrages les plus importants et les plus rares touchant les sciences anciennes et modernes. Tout le monde alors se prit à lire des livres et à étudier les idées des Anciens[2].

D'après S. al-Andalusi, *Livre des catégories des nations*, 1068.

1. Désigne les possessions des musulmans sur le territoire actuel de l'Espagne. Elles ont donné leur nom à l'Andalousie.

2. Références aux savants et philosophes de l'Antiquité, notamment grecs.

Qui est-il ? Said al-Andalusi (XIe siècle)
Chroniqueur arabe qui a vécu en Andalousie.

5 Les musulmans étudient Aristote (384-322 av. J.-C.), le philosophe grec

Les califes favorisent la traduction des ouvrages de la Grèce antique.

Miniature, *Choix de maximes de sagesse et des meilleures paroles d'Al-Mubashir*, XIIIe siècle, Palais de Topkapi, Istanbul (Turquie).

Point méthode

Identifier un document source DOC. 4
1. **L'auteur est-il contemporain des faits relatés ?**

Identifier son point de vue DOC. 4
2. **Relevez les éléments qui montrent que l'auteur donne une image négative de l'Andalousie avant l'arrivée des Omeyyades.**

Activités

Socle *Extraire des informations pertinentes*

1. DOC. 1 En vous appuyant sur trois exemples de produits, montrez que la Méditerranée est un carrefour d'échanges commerciaux.
2. DOC. 2 Comment peut-on savoir que les marchands francs et musulmans se côtoient au quotidien ?
3. DOC. 3 Montrez que les contacts entre francs et musulmans sont également culturels.
4. DOC. 4 ET 5 Montrez que la présence des musulmans en Andalousie permet de développer les sciences et la philosophie grecque en Occident.

Socle *Confronter des documents à ce que l'on connaît du sujet*

5. DOC. 1 ET 3 Les relations entre musulmans et chrétiens sont-elles toujours pacifiques ?
Aide *Pensez à Jérusalem.*

Pour conclure Rédigez un court paragraphe pour répondre à la question suivante :

Quelle fut la nature des relations entre chrétiens et musulmans autour de la Méditerranée lorsqu'elles étaient pacifiques ?

Aide *Décrivez d'abord les relations commerciales entre Orient et Occident.*
Puis, évoquez les relations culturelles (apports scientifiques et intellectuels).

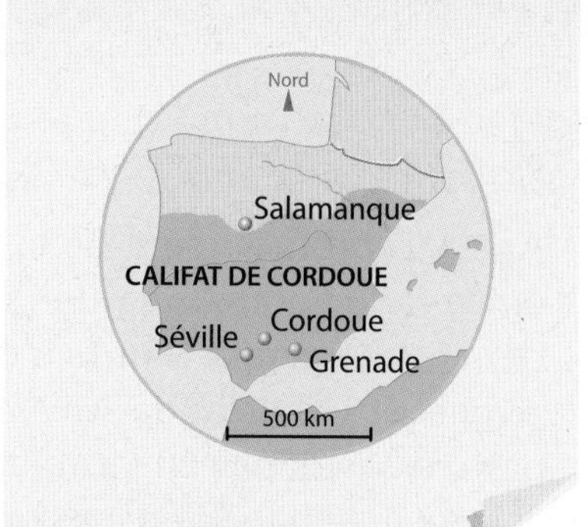

L'Alhambra de Grenade

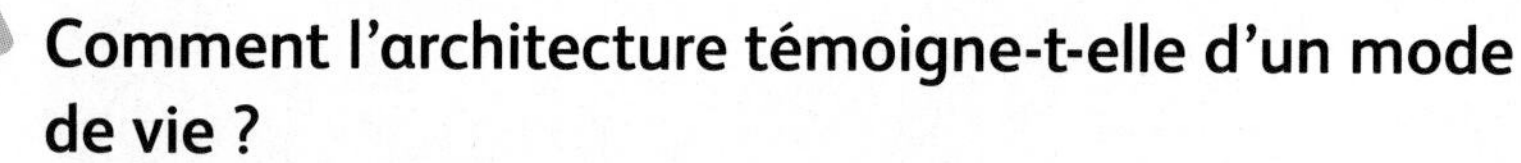

Comment l'architecture témoigne-t-elle d'un mode de vie ?

L'Alhambra est une citadelle dans laquelle on a construit un palais entre le VIIIe et le XVe siècle, palais qui a servi de lieu de résidence à des émirs de la dynastie des Nasrides.

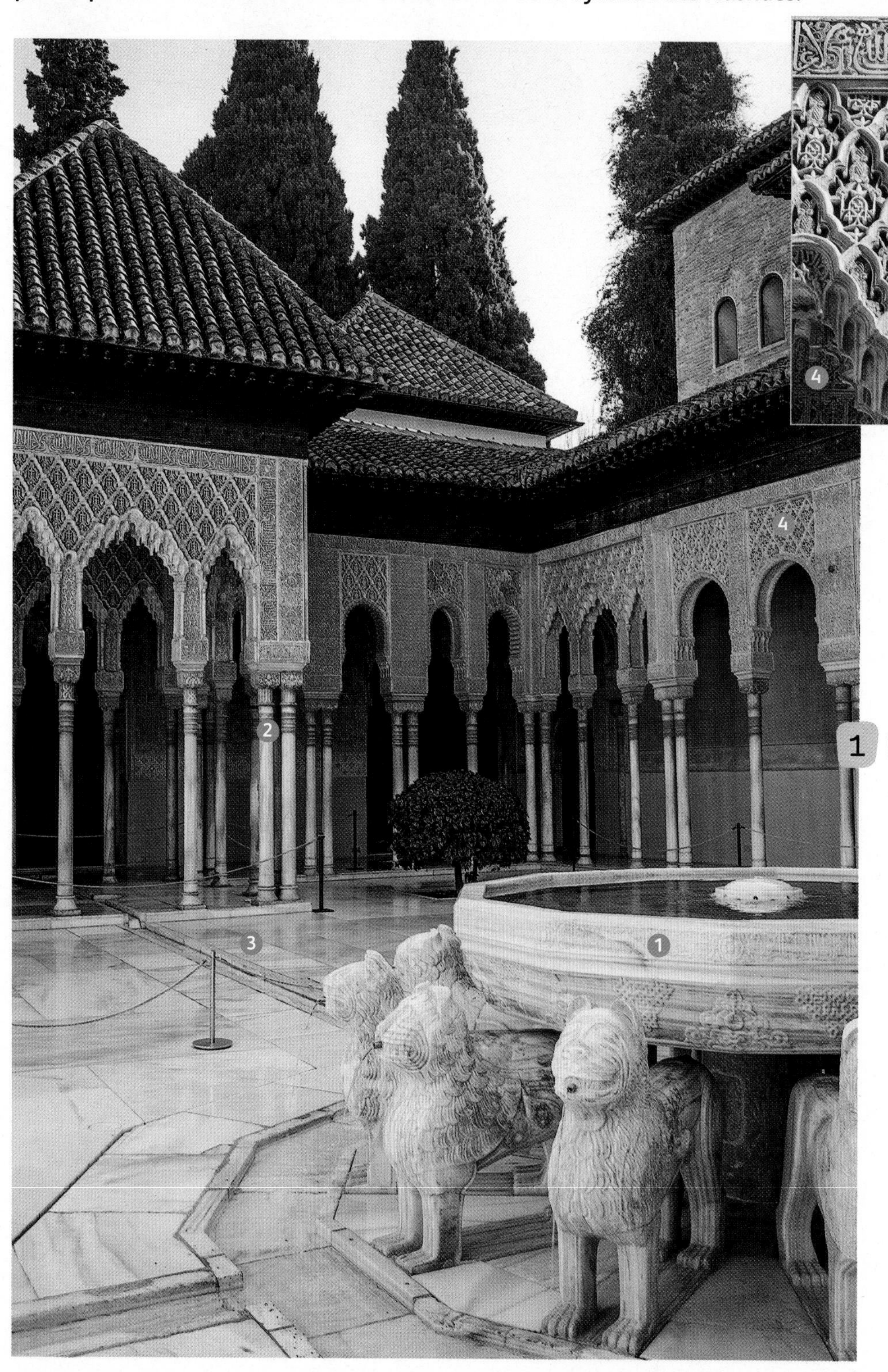

1 La Cour aux lions

1. Fontaine alimentée par des canaux, entourée de lions d'influence perse ramenés d'un autre palais
2. 124 colonnes fines en marbre blanc
3. Cour intérieure en forme de patio, elle s'inspire des cours antiques
4. Décor mural en forme d'arabesques (ornement peint ou sculpté)

2 | L'Alhambra, vue d'ensemble

3 La citadelle de l'Alhambra au début du XVIe siècle

La citadelle nommée Alhambra, demeure du sultan, est un palais vaste et magnifique, aux constructions nombreuses et considérables, avec des pavillons, et constitue un séjour charmant. L'eau y coule sous les dallages, comme elle coule à travers la ville ; il n'est point de mosquée, point d'habitation à qui elle fasse défaut ; une tour même de ce palais, à son plus haut étage, a une fontaine. La mosquée principale du palais et la grande mosquée de la ville sont parmi les mosquées les plus magnifiques, parmi les monuments les plus admirables. Dans la mosquée de l'Alhambra, on voit des lustres d'argent suspendus ; au mur du *mihrab*, des pierres d'hyacinthe sont encastrées dans un ensemble d'inscriptions d'or et d'argent ; la chaire est d'ébène et d'ivoire.

D'après Al-Umari, *Masalik el Absar Fi Mamalik el Amsar, I – L'Afrique moins l'Égypte*, Librairie généraliste Paul Geuthner, 1927.

Architecture civile

Elle concerne la construction d'édifices destinés à des fonctions d'habitation ou de représentation du pouvoir.

En période de guerre, les architectes doivent constamment allier protection et confort.

Les sculpteurs et maçons musulmans emploient les **arcs outrepassés** et les **arcs lobés**. Ils ornent les bâtiments d'**arabesques** qui représentent des motifs géométriques ou végétaux.

Arc plein cintre outrepassé

Arc lobé

Identifier et analyser une œuvre d'art

Présenter

1. DOC. 1 ET 2 Présentez le document : nature, époque de construction, localisation.

Décrire et comprendre

2. DOC. 1, 2 ET 3 Décrivez le bâtiment et la cour.
3. DOC. 1 ET 3 Quels éléments prouvent que l'on se situe bien dans un palais musulman ?
4. DOC. 1 ET 3 Quelles sont les autres influences que l'on retrouve dans cette cour ?

Exprimer sa sensibilité et conclure

5. DOC. 1 ET 2 Quelles impressions ressentez-vous en observant cette cour ? Pourquoi peut-on dire qu'elle est en opposition avec la vue d'ensemble de l'Alhambra ?

L'Islam, pouvoirs, sociétés et cultures

Comment l'islam a-t-il donné naissance à une nouvelle civilisation ? Quels contacts entretient-il avec les chrétientés ?

I Une religion nouvelle monothéiste

- **L'islam apparaît en Arabie avec Mahomet** au VIIe siècle, le dernier prophète après Abraham, Moïse ou Jésus. Il affirme transmettre la parole de Dieu, qui constitue le livre sacré des musulmans, le Coran. Avec d'autres écrits comme les *Hadiths*, il donne les règles de la vie en société pour cette époque. L'islam se répand rapidement au VIIIe siècle dans la péninsule arabique et le long du littoral méditerranéen.
- **Les califes, qui sont les successeurs de Mahomet, sont à la fois des chefs politiques et des guides religieux.** Ils s'appuient sur cette nouvelle religion pour contrôler un territoire qui devient rapidement immense.

II Une civilisation nouvelle

- **Les califes musulmans prennent le contrôle d'un très vaste territoire peuplé de populations nomades. Pour contrôler cet ensemble, ils développent les villes** où s'installent leurs représentants, les émirs.
- **Chaque grande ville musulmane s'organise autour d'un élément central, la mosquée** dont les minarets marquent le paysage urbain. On y trouve aussi le palais, la citadelle et les souks.
- **Ces cités sont le lieu d'une intense vie commerciale et culturelle.** Les madrasas deviennent les centres d'enseignement du droit musulman, tandis que la médecine se développe.

III Des contacts pacifiques et guerriers

- **Les contacts entre les deux rives de la Méditerranée sont nombreux.** Les musulmans ont étendu leur territoire par des conquêtes militaires. Au moment des croisades à partir de 1099, les Francs s'installent autour de Jérusalem.
- La guerre n'empêche pas pour autant la circulation des hommes. **Des relations économiques intenses s'établissent entre les rivages chrétiens et musulmans de la Méditerranée**, à l'image du port d'Alexandrie en contact avec de nombreux ports chrétiens.
- Par ailleurs, **les échanges intellectuels permettent un enrichissement mutuel**. Les mathématiques, la médecine, l'astronomie et la philosophie font d'importants progrès grâce à ces contacts. Les textes des auteurs antiques sont redécouverts en Occident par l'intermédiaire de leur traduction en arabe.

Vocabulaire

Islam : religion révélée au prophète Mahomet.

Musulman : personne croyant en l'islam.

Calife : successeur du prophète. Il est le chef politique et religieux des musulmans.

Coran (« récitation », en arabe) : livre sacré des musulmans, il regroupe la parole révélée à Mahomet.

Hadith : textes rassemblant les gestes et paroles de Mahomet.

Je retiens l'essentiel

L'essentiel en schéma

Une religion nouvelle qui s'étend rapidement dans la péninsule arabique et le long de la Méditerranée

Mahomet crée une religion nouvelle, l'islam

Les califes sont les chefs religieux et politiques de ces territoires

Une civilisation nouvelle

Les villes servent de relais pour le commerce

Elles se développent autour des mosquées, des palais et des marchés, les souks

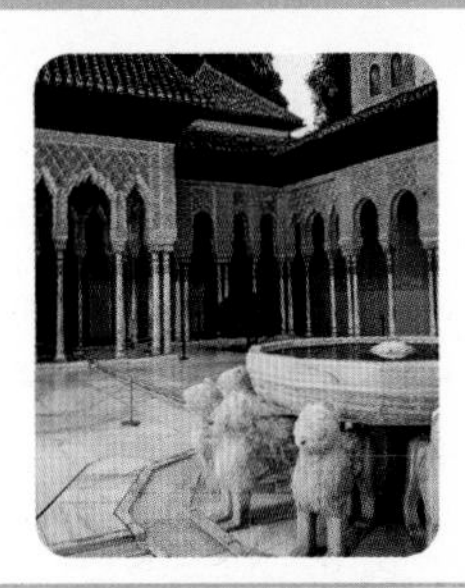

Des contacts pacifiques et guerriers avec les civilisations chrétiennes

Les échanges commerciaux permettent des échanges culturels

Mais des tensions entre ces ensembles débouchent aussi sur des affrontements

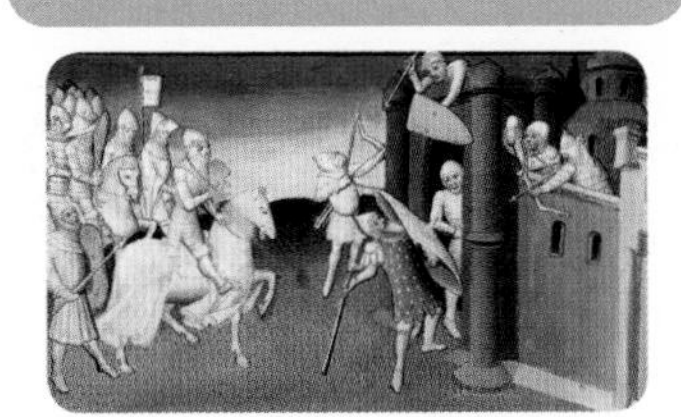

VIIe siècle – VIIIe – IXe – Xe – XIe – XIIe – XIIIe

661 – 750 : Califat Omeyyade

750 – 1258 : Califat Abbasside

- 622 : Hégire. Mahomet est exilé à Médine
- 632 : Mort de Mahomet
- 657 : Bataille de Siffin : Division de l'islam
- 732 : Bataille de Poitiers
- 1099 : Prise de Jérusalem par les Croisés
- 1258 : Destruction de Bagdad par les Mongols

J'apprends, je m'entraîne

▸ **Socle** *Méthode et outils pour apprendre*

L'Islam, pouvoirs, sociétés et cultures

1. Construire sa fiche de révision : notez le titre de la leçon sur votre feuille.

Je connais...

Objectif 1 ▸ Construire les repères historiques

Reproduisez la frise chronologique ci-dessous et placez-y les événements suivants.
Hégire – mort de Mahomet – Première croisade – prise de Bagdad par les Mongols.

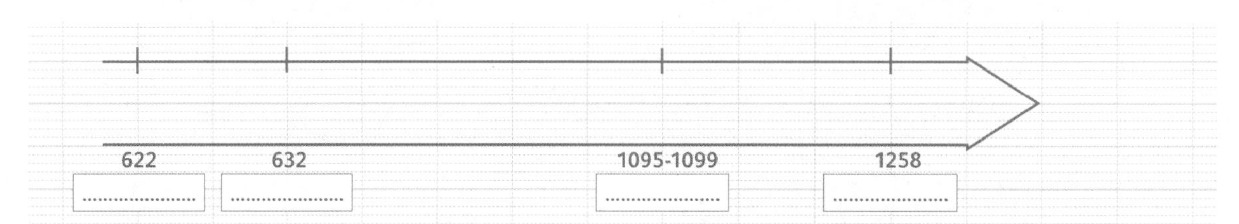

Objectif 2 ▸ Connaître les repères géographiques

À l'aide de la carte, répondez aux questions suivantes :

– Dans quelle région (A) l'islam est-il apparu ?
– Sur quelle rive de la Méditerranée (B) cette nouvelle religion s'est-elle principalement développée ?
– Quels sont les deux autres grands ensembles politiques (C) et (D) avec lesquels le monde musulman est en contact ?

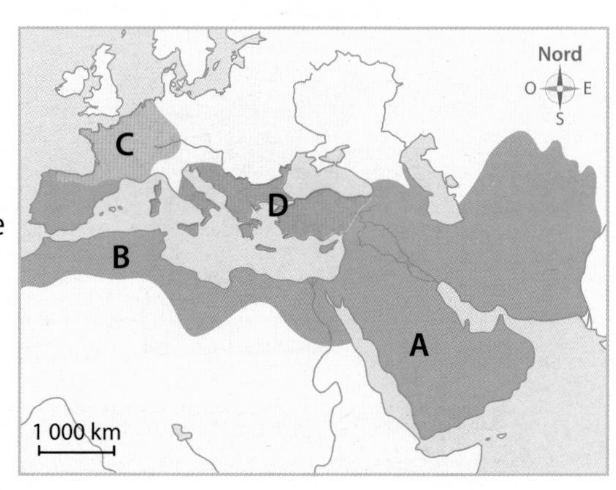

Objectif 3 ▸ Connaître les mots-clés

Recopiez les mots suivants et donnez leur définition :
Islam – Musulman – Calife – Mosquée.

Je suis capable de...

Pour les objectifs 4 à 6, construisez une réponse à la consigne.

Objectif 4 ▸ Expliquer comment l'empire musulman s'est constitué et comment il est gouverné

Aide *Évoquez la conquête arabe et expliquez les pouvoirs du calife.*

Objectif 5 ▸ Décrire le rôle d'une mosquée au Moyen Âge

Aide *Montrez que la mosquée a un rôle religieux ainsi qu'un rôle culturel.*

Objectif 6 ▸ Décrire les différents types de contacts qui existent entre les mondes chrétiens et le monde musulman

Aide *Évoquez les échanges commerciaux, les échanges culturels et les affrontements.*

2. S'entraîner

1 Construire des repères historiques

Religions et courants religieux

Reliez les différents courants religieux à leur religion d'origine

Catholiques romains •	
Orthodoxes •	• Islam
Sunnites •	• Christianisme
Chiites •	

2 Analyser et comprendre une image

La mosquée de Kairouan

Votre mission : Vous êtes un guide touristique et vous devez présenter ce bâtiment et expliquer le rôle qui était le sien au Moyen Âge.

Grande mosquée de Kairouan, VIIe-IXe siècle, Tunisie.

1. Présentez l'édifice (nature, date).
2. Décrivez l'édifice en identifiant les éléments numérotés.
3. À quoi servent les éléments ❶ et ❸ ?
4. À l'aide de vos connaissances et de cet exemple, expliquez le rôle que les mosquées jouent dans les villes musulmanes médiévales.

Auto-évaluation **Je me positionne sur une marche :**

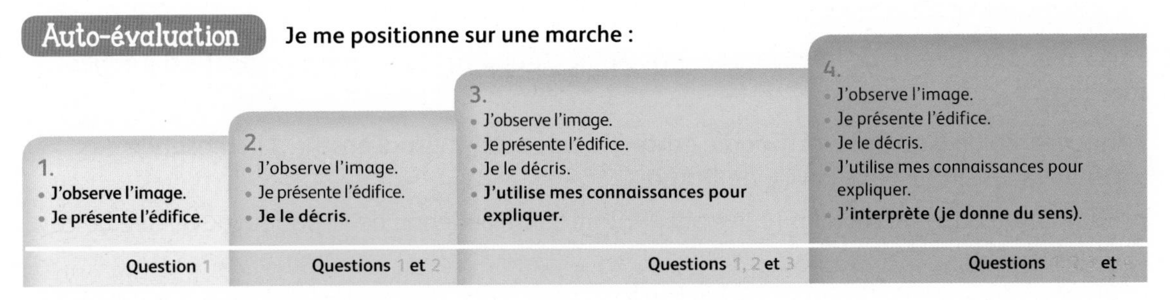

Pour progresser, j'analyse mes axes de progrès. Que devrais-je améliorer ?

J'apprends, je m'entraîne

3 Analyser et comprendre un texte

Un médecin arabe observe la médecine des Francs

Un médecin arabe de Syrie raconte : « On a fait venir devant moi un chevalier qui avait un abcès à la jambe. [...] Je mis un emplâtre au chevalier ; l'abcès s'ouvrit et s'améliora. [...] Mais un médecin franc arriva alors et dit : « Cet homme ne sait pas les soigner ! ». Et s'adressant au chevalier, il lui demanda : « Que préfères-tu, vivre avec une seule jambe ou mourir avec les deux ? ». Le patient ayant répondu qu'il aimait mieux vivre avec une seule jambe, le médecin ordonna : « Amenez-moi un chevalier solide avec une hache bien aiguisée. » Je vis bientôt arriver le chevalier et la hache. Le médecin franc plaça la jambe sur un billot de bois en disant au nouveau venu : « Donne un bon coup de hache pour la couper net ! ». Le blessé mourut à l'instant même. [...] Je demandai alors : « Vous n'avez plus besoin de moi ? » Ils me dirent que non, et je m'en revins après avoir appris sur la médecine des Francs bien des choses que j'ignorais.

D'après U. Ibn Munqidh, *Le livre de l'enseignement par l'exemple, XIIe siècle dans A. Maalouf, Les croisades vues par les Arabes,* Livre de poche, 1988.

Qui est-il ? Usama Ibn Munqidh (1095-1188)

Prince syrien.

Identifier le document

1. Que sait-on de l'auteur (origine, religion) ?

Extraire des informations pertinentes

2. Comparez le remède proposé par le médecin musulman et par le médecin franc.
3. Quelle médecine paraît la plus efficace ?

Utiliser ses connaissances pour expliciter et exercer son esprit critique

4. Pourquoi ce médecin arabe côtoie-t-il des Francs en Syrie ?
5. Comment juge-t-il la pratique de la médecine par les Francs ? Justifiez votre avis.

Auto-évaluation Je me positionne sur une marche :

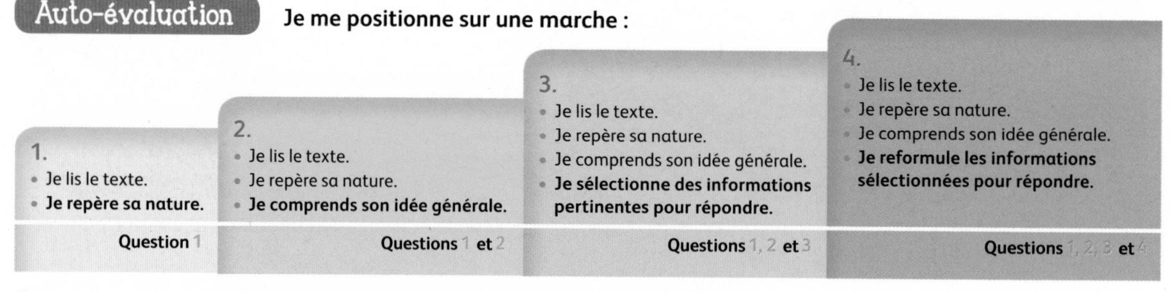

Pour progresser, j'analyse mes axes de progrès. Que devrais-je améliorer ?

4 S'informer dans le monde numérique

La mosquée des Omeyyades

Partir à la découverte de la mosquée grâce aux globes virtuels, conçus à partir d'images satellites.

1. Trouvez sur un globe virtuel (Google earth, Google maps, Visual earth...) la mosquée des Omeyyades située dans la ville de Damas.
2. Comparez cette vue satellitaire avec la photographie aérienne de la page d'ouverture de ce chapitre.
3. Observez la place de cet édifice dans la ville. Quelle place occupe-t-elle ? Comment peut-on décrire les rues autour de la mosquée ?

Enquêter D'où viennent les chiffres arabes ?

Indice n°1

Les chiffres romains, couramment utilisés au Moyen Âge en Occident

Livre d'heures de Marguerite d'Orléans, vers 1430, BNF, Paris.

Indice n°2

Première apparition des chiffres arabes

Les premiers chiffres arabes connus en Occident figurent dans le Codex Vigilianus (Monastère de Saint-Martin de Albeda, Royaume de Pampelune, 976).

Indice n°3

L'arbre généalogique des chiffres

Indien ancien

Indien IXe siècle

Arabe

Occidental XVe siècle

Occidental XVIe siècle

D'après Datta et Singh, *History of Hindu mathematics*, 1935.

Témoin n°1

L'hypothèse d'un intellectuel du milieu du XIXe siècle

L'origine des chiffres numériques appelés communément chiffres arabes, est couverte d'obscurité. Le nom qu'on leur donne dérive de l'opinion généralement reçue qu'ils ont été transportés de l'Orient dans notre Occident, et que c'est des Sarrazins ou Arabes que l'Europe les a reçus.

D'après F.-J.-M. Noël, *Nouveau dictionnaire des origines, inventions et découvertes*, 1827.

Avez-vous pris connaissance des différents indices et témoins ? Quelle est votre conviction : quelle est l'origine des chiffres que nous utilisons quotidiennement et que l'on appelle « chiffres arabes » ?

Par équipe, complétez le carnet de l'enquêteur

1. Les chiffres utilisés en Occident au Moyen Âge…
2. Le lieu et la date de l'apparition des chiffres arabes en Occident…
3. Le cheminement des chiffres arabes jusqu'en Occident…

Rédigez la conclusion de votre enquête.

L'atelier d'écriture

Comment les Francs et les musulmans vivent-ils ensemble à Saint-Jean d'Acre ?

À partir du document suivant sur la ville de Saint-Jean d'Acre et à l'aide de vos connaissances, expliquez en quelques mots comment Francs et musulmans cohabitent dans un port d'Orient.

Un voyageur arabe entre à Saint-Jean d'Acre

Devant la porte de la douane, sont assis les secrétaires chrétiens. Ils savent écrire et parler l'arabe, ainsi que leur chef. Tous les contrôles se font avec politesse et courtoisie. Acre est la capitale des Francs en Syrie, centre de réunion des bateaux et des caravanes, rendez-vous des marchands musulmans et chrétiens de tous pays. Ses rues et ses voies publiques regorgent de la foule.

À l'est de la ville est une mosquée dont le *mihrab* est resté intact ; les Francs se sont donné un autre *mihrab* dans la partie est ; ainsi musulmans et chrétiens s'y assemblent et prennent les uns une direction de prière, les autres une autre.

I. Djubayr, *Voyages*, dans M. Balard, A. Demurger, P. Guichard, *Pays d'Islam et monde latin Xe-XIIIe siècles*, Hachette, 2000.

Travail préparatoire (au brouillon)

Étape 1 ▶ Comprendre le sujet et repérer le mot-clé, la période et l'espace géographique

1. Comprenez bien le sujet :
« Comment les Francs et les musulmans cohabitent-ils dans un port d'Orient ? »

- Comment les Francs et les musulmans : On attend d'abord une description de la façon de vivre de ces hommes.
- cohabitent-ils : Ce verbe signifie « vivre ensemble sur un même territoire ».
- Orient : Renvoie aux royaumes francs constitués lors de la Première croisade.

Étape 2 ▶ Mobiliser ses connaissances pour répondre au sujet

2. Notez toutes les informations que vous avez retenues à propos des rapports entre Francs et musulmans autour du « pense pas bête » sans rédiger de phrases.

3. Vérifiez dans votre cahier et dans votre manuel que vous n'avez pas oublié d'informations essentielles. Reprenez les études p. 50-51 et p. 52-53.
4. Rédigez deux ou trois phrases qui montrent comment Francs et musulmans vivent ensemble à Saint-Jean d'Acre selon l'auteur du texte.

Aide (*Reprenez les informations notées autour du « pense pas bête ».*

Géohistoire

L'islam d'hier à aujourd'hui

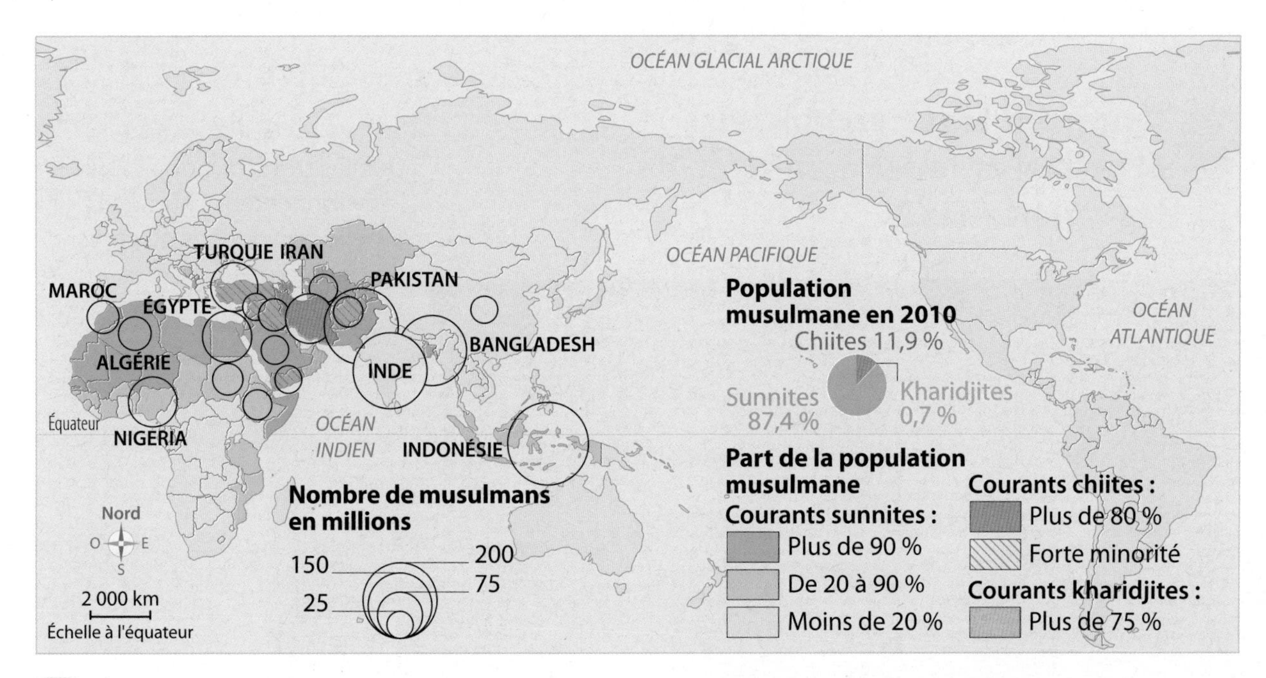

1 | Un milliard et demi de musulmans

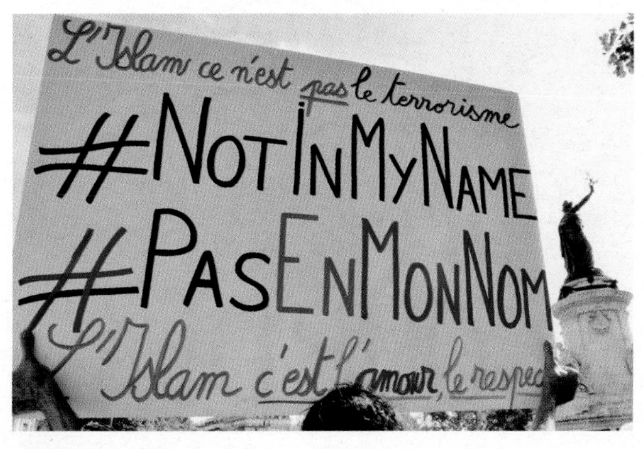

3 | L'islam contre la violence

À la suite de l'assassinat d'un Français enlevé en Algérie par un groupe islamiste, des Français de confession musulmane ont manifesté contre la violence (septembre 2014).

2 Chiites et sunnites, des divergences politiques et religieuses

La division entre chiisme et sunnisme n'est au départ qu'un conflit politique concernant la succession du prophète Mahomet. Les chiites n'ont joué aucun rôle de premier plan dans la vie politique de l'islam jusqu'au XVIe siècle. Les choses changent au XVIe siècle quand l'Iran devient un État chiite. Les rivalités entre empires musulmans du XVIe siècle intègrent alors la dimension religieuse : on combat l'autre en tant qu'hérétique. C'est également à cette époque que les chiites créent un clergé autonome sous l'autorité des ayatollahs.

Des tensions fortes entre chiites et sunnites sont apparues au début des années 1980 (première guerre Iran/Irak). Peu à peu ces tensions se sont étendues à l'ensemble du monde musulman.

D'après O. Roy, « Sunnites et chiites, la guerre du leadership », *L'atlas des religions*, La Vie, Le Monde, 2007.

Socle *Extraire des informations pertinentes*

1. DOC. 1 Sur quel continent sont les pays où se trouvent le plus de musulmans ?
2. DOC. 1 Montrez que l'islam est un ensemble diversifié.
3. DOC. 1 ET 2 Où se trouvent les chiites ? Quelles sont leurs relations avec les sunnites ?
4. DOC. 3 Quelle image de l'islam les manifestants souhaitent-ils donner ?

L'ordre seigneurial : la formation et la domination des campagnes

EPI p. 196

Comment les seigneurs laïcs et ecclésiastiques dominent-ils les campagnes ?

Souvenez-vous !
Quelles transformations sur l'environnement l'humanité a-t-elle provoquées au cours du Néolithique ?

1 Des campagnes mises en valeur, sous la domination du seigneur

Mois de mars (détail), *Les Très Riches Heures du duc de Berry*, miniature, vers 1413, musée Condé, Chantilly (60).

Vocabulaire

Église : avec un « É », désigne l'ensemble des chrétiens catholiques ainsi que l'institution exerçant l'autorité religieuse ; **église** avec un « é » désigne le lieu de culte des chrétiens.

Laïc : qui ne fait pas partie du clergé (contraire d'ecclésiastique, de clerc).

Seigneur : maître des terres et des hommes sur l'espace qu'il contrôle, la seigneurie.

▶ **Socle** *Se repérer dans le temps*

XIe siècle — XIIe — XIIIe — XIVe — XVe siècle

Rois capétiens directs : 987 – 1328

Croissance démographique importante : 980 – 1300

Période de crise : 1300 – 1460

1348 Début de la Grande Peste

2 | Bram, un village groupé autour de son église (Aude)

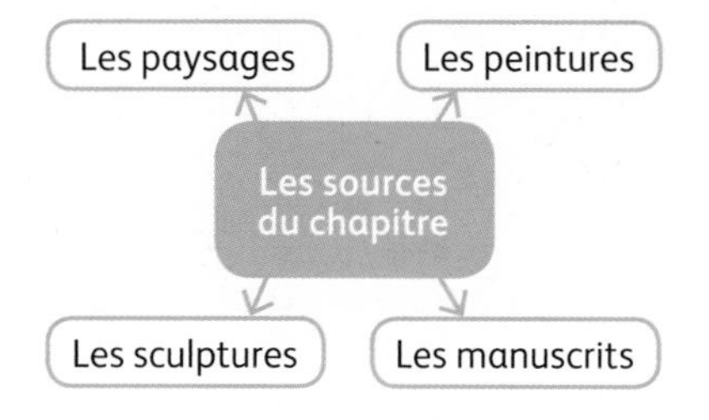

1. DOC. 1 Quel bâtiment domine le paysage ? À votre avis qui y réside ?
2. DOC. 2 Quel bâtiment est placé au centre du village ? À quoi sert-il ?
3. DOC. 1 ET 2 **Émettez une hypothèse** pour répondre à la question suivante : qui domine les paysans et les campagnes ?

Étude

Guillaume de Murol, un seigneur en Auvergne

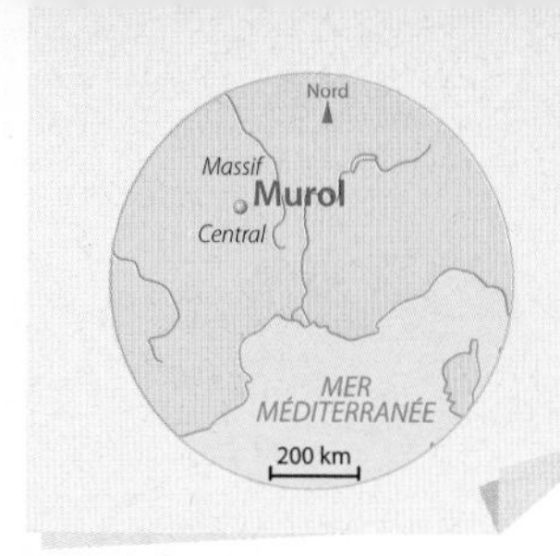

Comment Guillaume de Murol exerce-t-il son pouvoir dans sa seigneurie ?

Biographie

Guillaume de Murol (1350-1440)

Seigneur de Murol de 1383 à sa mort. Il a laissé un journal où il décrit son quotidien.

1 | Le château de Murol, le centre du pouvoir de Guillaume

1. Les paysans peuvent s'y réfugier en cas de menace.

2 | Le seigneur, responsable de la justice sur ses terres

Novella in Decretales Gregorii VIIII, XIVe siècle, Bibliothèque municipale d'Angers (49).

Vocabulaire

Banalités : taxe que les paysans versent au seigneur pour utiliser des équipements.

Cens : taxe que les paysans versent au seigneur pour travailler ses terres.

Corvées : travaux gratuits que le seigneur peut exiger des paysans de sa seigneurie.

Seigneurie : domination d'un seigneur sur un espace et ses habitants, fondée sur le contrôle de la terre.

3 Un agent du seigneur surveille le travail des paysans

Psautier de la reine Marie, vers 1320, The British Library, Londres (Royaume-Uni).

4 Le pouvoir de Guillaume de Murol sur ses paysans

- « Le 12 décembre 1403 je louais le four[1] à Benoit Antoni au prix de 6 setiers de blé. »
- « L'an 1404, le 27e jour d'avril je reçus de Guillaume de Fournier de Saint-Nectaire, et de Guillaume Marti, pour son **cens** de Saint-Julien de deux ans, 3 deniers[2] chacun. »
- « Le 18 juillet 1404, devant moi, Antoine Beneit reconnut qu'il me devait 10 francs[2], 6 sous[2], 9 deniers, à cause des dommages que j'avais soufferts par lui et par son fils ; il dut commencer à payer le lendemain pour les grands déplaisirs qu'il m'avait faits. »
- « Le 20 avril 1413, il y eut accord avec Pierre du Pont et son fils pour qu'ils demeurent pour un an contre la somme de 5 francs. De même fut convenu qu'ils seraient quittes des manœuvres de la **corvée**. »

D'après le journal de G. de Murol dans P. Charbonnier, *Guillaume de Murol. Un petit seigneur auvergnat*, Institut d'études du Massif central, 1973.

1. Le seigneur offre des services collectifs contre les **banalités**.
2. 1 franc = 20 sous, 1 sou = 12 deniers.

Point méthode

Identifier un document source DOC. 4

1. **Relevez la nature et l'auteur de la source.**

Identifier son point de vue DOC. 4

2. **Quel rapport l'auteur du texte a-t-il avec la seigneurie de Murol ?**

Activités

Socle *Comprendre le sens général d'un document*

1. DOC. 1 Quelles sont les différentes fonctions du château ?
2. DOC. 2 Où est placé le seigneur sur l'image ? Que fait-il avant de juger ?
3. DOC. 3 Observez la scène et relevez les attitudes et les gestes qui montrent la domination du seigneur sur les paysans.

Socle *Extraire des informations pertinentes*

4. DOC. 4 En échange de quoi les paysans ont-ils le droit de travailler sur les terres de Guillaume de Murol ?
5. DOC. 2 ET 4 Quel élément de la domination du seigneur vu dans le document 4 retrouvez-vous sur le document 2 ?

Pour conclure Rédigez une réponse de cinq lignes minimum à la question suivante :

Quels sont les pouvoirs de Guillaume de Murol dans sa seigneurie ?

Aide (*Utilisez les expressions suivantes : « propriété de la terre », « corvée », « justice », « château fort ».*

L'atelier de l'historien

Confronter des points de vue différents

Des paysans écrasés par leur seigneur ?

Vous êtes historien et vous devez expliquer de quelle manière le pouvoir des seigneurs pèse sur la vie des paysans. Vous disposez de plusieurs sources.

Source 1 Les malheurs des paysans

Il a bien du travail et peine :
Au meilleur jour de la semaine,
Il sème seigle[1], il herse[2] avoine.
Il fauche prés, il tond la laine.

Il fait palissades et enclos,
Il fait viviers[3] sur les rivières,
Il fait corvées et prestations,
Et obligations coutumières.

Jamais il ne mange de bon pain :
Nous lui prenons le meilleur grain,
Et le plus beau et le plus sain.
Mais le mauvais reste au vilain.
S'il a oie grasse ou poulette,
Ou gâteau de blanche farine,
À son seigneur, il le destine...
Bons morceaux jamais il ne tâte,
Ni un oiseau ni un rôti,
S'il a pain de noire farine,
Et lait et beurre c'est son régal.

E. de Fougères, *Livre des manières*, deuxième moitié du XIIe siècle.

1. Céréale.
2. Passer la herse (grille avec des pointes) pour aérer la terre.
3. Bassins pour l'élevage des poissons.

Qui est-il ?

Étienne de Fougères (mort en 1178)
Conseiller du roi d'Angleterre puis évêque de Rennes, il porte un regard critique sur la société de son temps dans ses écrits.

Vocabulaire

Vilain : paysan.

Source 2 Une famille de pauvres ruraux

Traités théologiques, vers 1490, BNF, Paris.

Pour aller plus loin : Rendez-vous sur le site www.classes.bnf.fr/ema/grands/757.html.

Source 3 À travers les yeux de Renart, un paysan plus heureux

Il arrive à Renart de se présenter devant un village au milieu des bois. Dans celui-ci, un paysan fort à l'aise avait sa maison abondamment garnie des meilleures provisions, des volailles à profusion, des viandes fraîches et salées. D'un côté, des fruits, de l'autre le parc à bestiaux, formé d'une enceinte de pieux de chêne recouverts d'aubépines touffues. C'est là que le paysan gardait ses poules à l'abri.

D'après le *Roman de Renart*, Livre II, auteur anonyme, XIIe siècle.

Source 4 **Une vie rythmée par les travaux agricoles**

Miniatures, *Martyrologe d'Usuard*, commandé par l'abbaye de Saint-Germain des Prés, 1270, BNF, Paris.

La fenaison (récolte des foins) avec une faux (juin)

La moisson avec une faucille (juillet)

Le battage du blé (août)

Les vendanges (septembre)

Les semailles (octobre)

La glandée des porcs (novembre)

Point méthode

La démarche de l'historien

Étape 1 ▶ **Identifier et comprendre les sources**

1. Reproduisez et complétez le tableau suivant :

	SOURCE 1	SOURCE 2	SOURCE 3	SOURCE 4
Nature : … Date : … Auteur : …				
Impression donnée sur la vie des paysans : …				
Arguments relevés dans la source justifiant cette impression : …				

Étape 2 ▶ **Confronter les sources**

2. SOURCES 1, 2 ET 4 Montrez que la vision de la vie des paysans n'est pas la même.

3. SOURCES 1 ET 3 Montrez que certains paysans s'enrichissent.

Étape 3 ▶ **Conclure**

4. Qu'avez-vous appris pour répondre à la question suivante : de quelle manière le pouvoir des seigneurs pèse-t-il sur la vie des paysans ?

Conques, des valeurs chrétiennes mises en images

Comment l'art roman exprime-t-il les valeurs chrétiennes qui imprègnent la société ?

1 | La croyance au Salut après la mort

Le tympan représente le « Jugement dernier ». La scène se déroule comme la représentation théâtrale d'un procès.
Tympan de l'église Sainte-Foy de Conques (Aveyron), XIIe siècle.

2 | La pesée de l'âme B

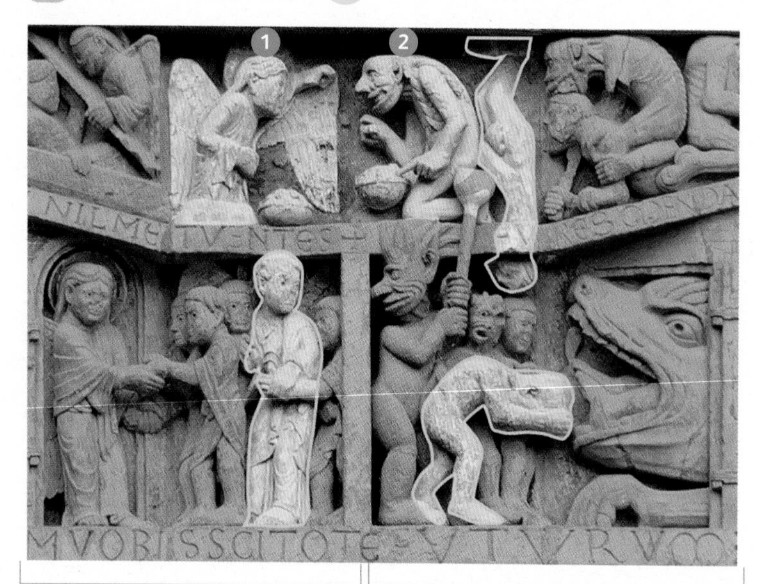

Vocabulaire

Damnés : ceux qui sont condamnés à l'Enfer.

Élus : ceux qui sont sauvés.

Piété : pratique sincère de la religion.

Salut : fait d'être sauvé, de pouvoir gagner le Paradis pour un chrétien.

Tympan : partie arrondie, sculptée au-dessus du portail d'une église.

La sculpture romane au XIIe siècle

• **L'art roman** : style d'architecture étendu en Europe entre le Xe siècle et le début du XIIIe siècle. Les églises romanes ont un aspect massif et des arcs souvent en plein-cintre (arrondis) formant une voûte en berceau.

• **Usages :** les images sculptées fonctionnent comme des mises en scène de théâtre servant à éduquer les fidèles. Elles sont expliquées par les prêtres au moment des messes ou des cérémonies religieuses.

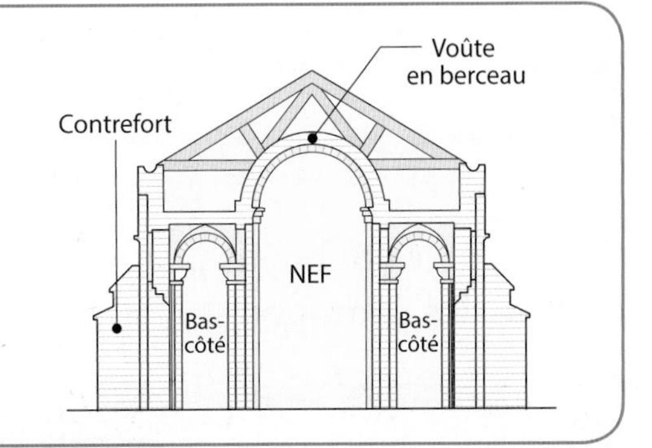

Le chevalier félon (traître)

L'avare pendu

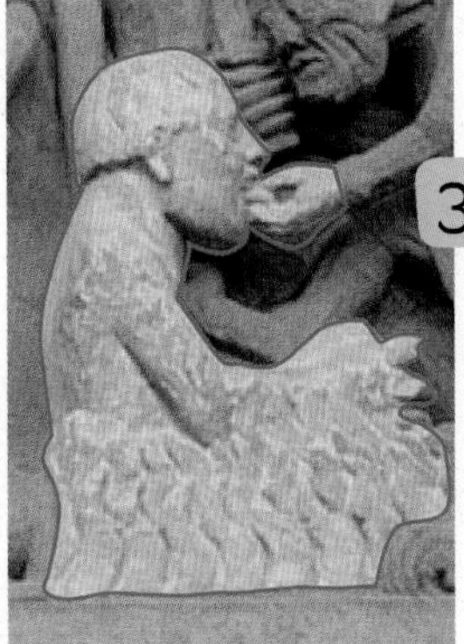

Le menteur

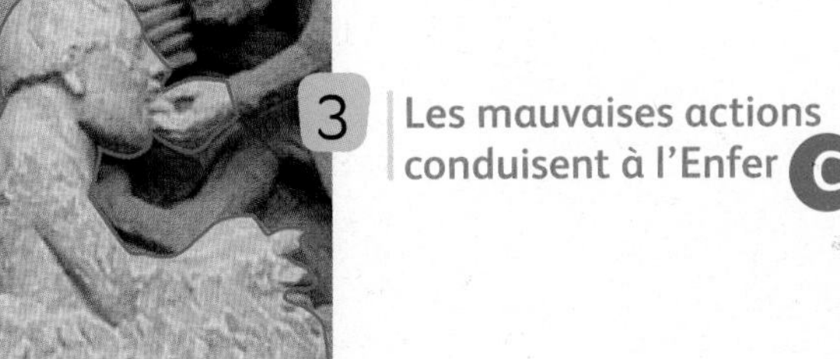

3 Les mauvaises actions conduisent à l'Enfer C

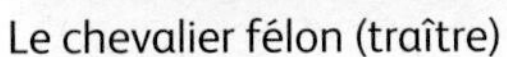

a Sainte Foy, qui accepta de mourir pour sa foi au IIIe siècle et dont l'église porte le nom

b La main de Dieu

4 La piété assure le Salut D

c Les mains et d l'auréole de Marie, mère de Jésus

Identifier et analyser une œuvre d'art

Présenter

1. DOC. 1 Présentez le document (nature, lieu, période, style artistique et scène représentée).

Décrire et comprendre

2. DOC. 2 Décrivez les deux personnages 1 et 2 qui pèsent les actions du défunt. Lequel des deux semble l'emporter ?
3. DOC. 2 Décrivez ce qui arrive aux élus et aux damnés.
4. DOC. 3 Identifiez chaque damné et sa punition : le chevalier félon – le menteur – l'avare.

Exprimer sa sensibilité et conclure

5. Montrez que le tympan se lit comme un guide pour gagner son Salut.
6. Quelle scène vous marque le plus ? Expliquez votre réponse.

Étude

Les abbayes transforment les campagnes

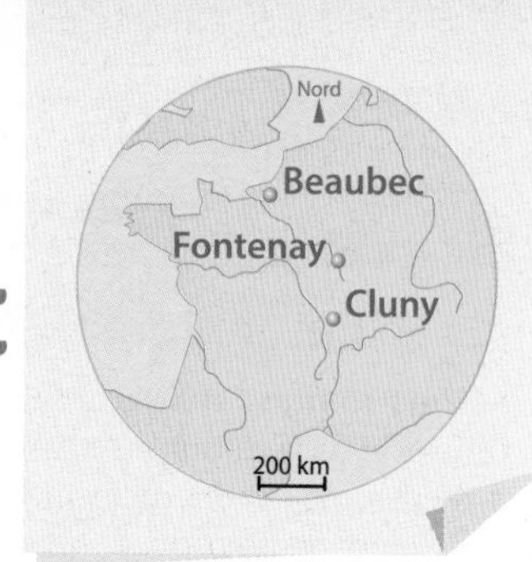

Comment les abbayes participent-elles à la vie des campagnes ?

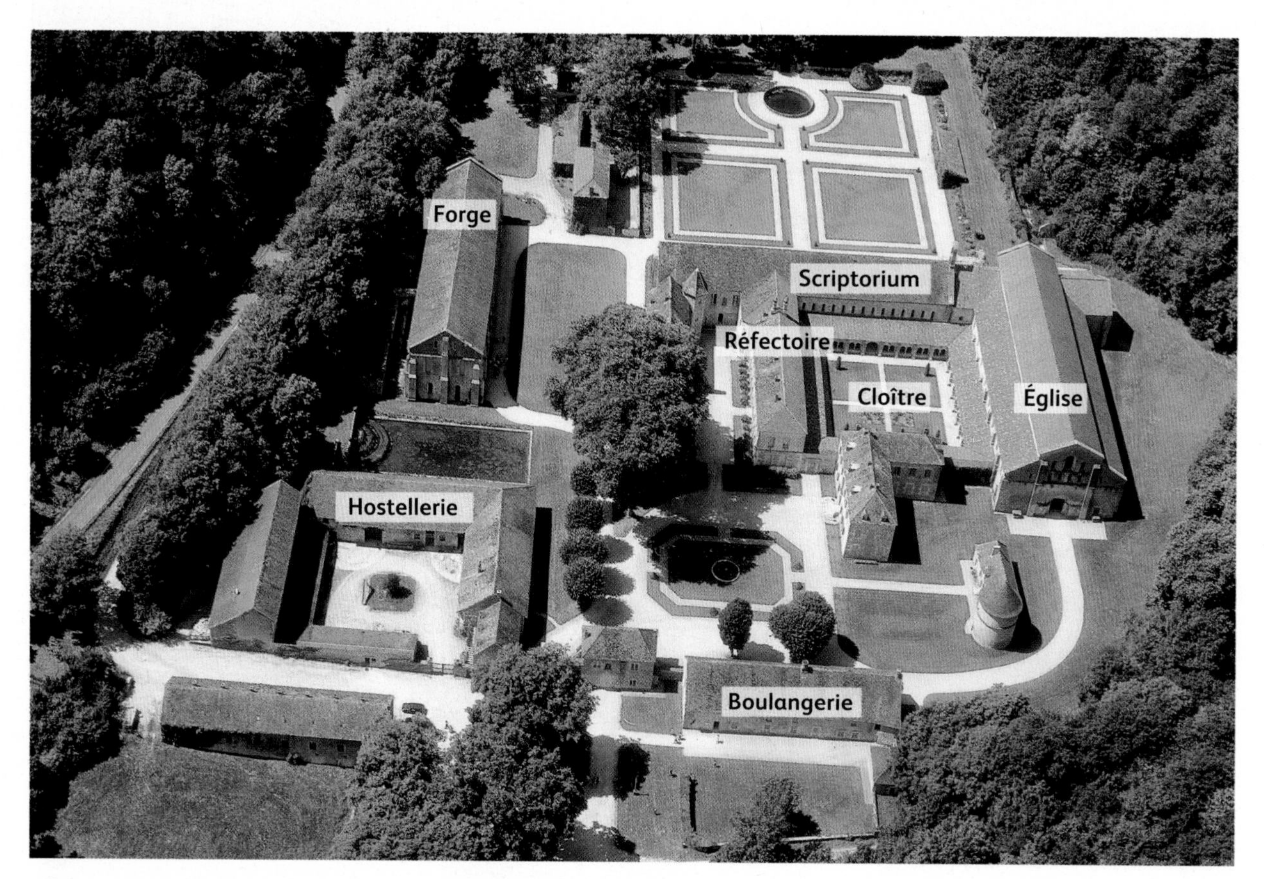

1 **L'abbaye de Fontenay en Bourgogne**
Située en Bourgogne, l'abbaye est fondée en 1118 dans un vallon reculé et marécageux, au milieu de forêts.

2 Les abbayes sont des seigneurs importants

L'abbé Suger (1080-1151) gère le domaine de l'abbaye de Cluny, au sud de la Bourgogne. Il surveille notamment que les villages dont l'abbaye est le seigneur lui versent ce qu'ils doivent.

Dans le village de Cormeilles, dans la région parisienne, le cens que nous versent les habitants est passé de 12 à 20 livres[1] ; de même pour le grain. [...] À Louveciennes, après quelques procès par lesquels nous avons empêché des paysans, cultivateurs de vignes, de retenir pour leur compte certains revenus, nous avons presque 100 muids[2] de vin, sans compter le cens annuel en deniers et le grain.

D'après Suger, *Mémoire sur mon administration abbatiale*, 1149.

1. Monnaie.
2. Unité de mesure qui vaut environ 250 litres.

Vocabulaire

Abbaye : communauté des moines qui vivent dans le même monastère.

Convers : personne qui, dans une abbaye, se consacre aux travaux manuels.

Défrichement : destruction d'espaces boisés pour mettre en culture des terres.

Moine : celui qui consacre sa vie à Dieu. Il suit une règle de vie stricte.

Villeneuve : village nouveau fondé par un seigneur laïc ou religieux.

3 | L'abbaye, une communauté organisée

Les moines de chœur se consacrent à la prière, alors que les convers se livrent aux travaux manuels.
Alexandre de Brême, *Commentaire sur l'Apocalypse*, XIIIe siècle, Cambridge University Library (Royaume-Uni).

4 En Normandie, une abbaye fonde une villeneuve

L'abbaye de Beaubec était une abbaye cistercienne à 35 km au nord-est de Rouen.

À tous ceux qui verront ces lettres, frère Thomas, abbé de Beaubec nous faisons savoir que nous avons pris la décision suivante : établir un village sur nos terres entre nos granges des Anthieux, de Bois-des-Puits et de Hadancourt. Nous avons donc donné nos terres aux hommes qui souhaitent construire des maisons dans ce village. Pour cela, qu'ils paient dix sous tournois, comme redevance annuelle. [...] Nous devons édifier à ces hommes sur notre terre et construire à nos frais un puits, une mare et aussi une église si nous pouvons en obtenir l'autorisation de l'évêque. [...] Lesdits hommes et leurs héritiers seront tenus par ban de moudre à nos moulins.

D'après l'acte de fondation de Criquiers, 1305, Archives départementales de la Seine Maritime.

5 | Des abbayes riches

Productions de l'abbaye de Beaubec à la fin du XIVe siècle.

Céréales (par mois)	142 mines[1] de blé, 27 mines d'orge, 77 mines d'avoine, 10 mines de pois
Bovins	176 vaches, 41 génisses, 2 taureaux, 21 jeunes taureaux, 11 bœufs
Ovins	1 430 brebis, moutons et agneaux
Porcins	Une centaine de porcs

D'après les *Annales de Normandie*, 1974.
1. 1 mine ≈ 75 litres.

Activités

Socle *Compléter des productions graphiques*

Reproduisez et complétez le schéma ci-dessous :

Les abbayes sont des acteurs majeurs de la vie des campagnes car...

- DOC. 2 ET 4 Relevez les éléments qui montrent que les abbayes de Cluny et de Beaubec sont des seigneurs, propriétaires de terres.
- DOC. 1 ET 5 Montrez que les abbayes sont des exploitations agricoles.
- DOC. 1, 3 ET 4 Montrez que les abbayes transforment les paysages ruraux.

Pour conclure À l'aide du schéma, expliquez à l'oral l'affirmation suivante :

Les abbayes sont des actrices majeures de la vie des campagnes.

Aide : *Préparez une phrase pour chaque case du schéma en utilisant les mots-clés suivants : défrichements, nouveaux villages, seigneurie, exploitation agricole.*

Contexte

Une période de conquête de terres agricoles

Comment les populations transforment-elles leur environnement entre l'an mil et le XIVe siècle ?

Rappel de 6e

Au Néolithique qu'est-ce qui change dans le rapport entre l'homme et la nature ?

1 Les historiens en parlent

Une empreinte humaine sur l'environnement plus importante

Vers l'an mil, l'Europe du Nord est encore une zone sauvage de vastes forêts trouées d'enclaves péniblement occupées par les hommes ; dans le monde atlantique, la lande domine ; dans les pays méditerranéens, ce sont les terrains marécageux, pierreux ou excessivement escarpés. Partout l'Occident se caractérise par une nature rebelle ou à demi domptée, par des cultures itinérantes et incapables de dépasser des **rendements** trop faibles, ainsi que par un habitat fragile et instable.

Trois siècles après, le paysage européen est radicalement différent : le réseau des villages tel qu'il va subsister pour l'essentiel jusqu'au XIXe siècle s'est mis en place. Dans un premier temps, les villages étendent progressivement leur domaine cultivé (surtout au XIe siècle), puis de nouveaux établissements, villageois ou monastiques, se multiplient au cœur des zones anciennement vierges (surtout au XIIe siècle). Enfin l'extension des surfaces cultivées est atteinte par l'exploitation de terrains jugés antérieurement peu propices (versants escarpés, rives des cours d'eau, zones marécageuses désormais asséchées).

D'après J. Baschet, *La civilisation féodale. De l'an mil à la colonisation de l'Amérique*, Aubier, 2004.

Moralia in Job, enluminure de Cîteaux, XIIe siècle, Bibliothèque municipale de Dijon (21).

Au Ve siècle

Au Xe siècle

Au XIVe siècle

2 | Des paysages agricoles qui évoluent

Reconstitution du paysage du maar (lac volcanique) de Montchâtre (Chaîne des Puys, Auvergne-Rhône-Alpes).

Vocabulaire

Rendement : rapport entre ce qui est semé et ce qui est récolté.

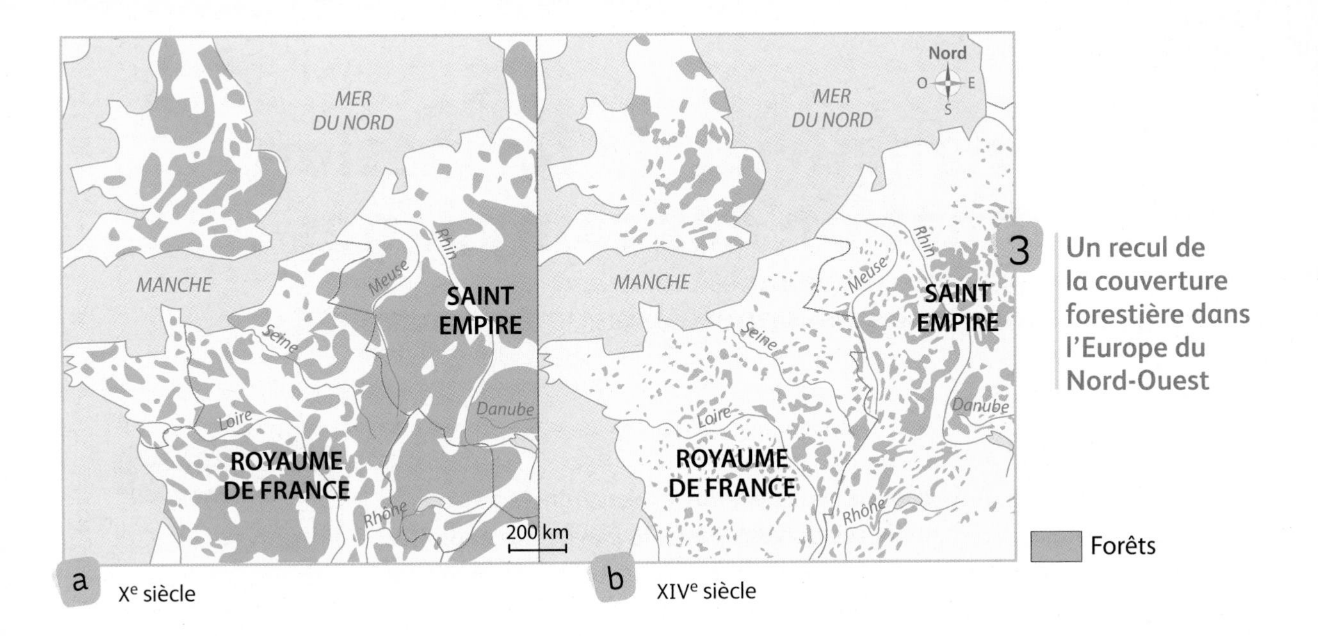

a Xe siècle

b XIVe siècle

3 | Un recul de la couverture forestière dans l'Europe du Nord-Ouest

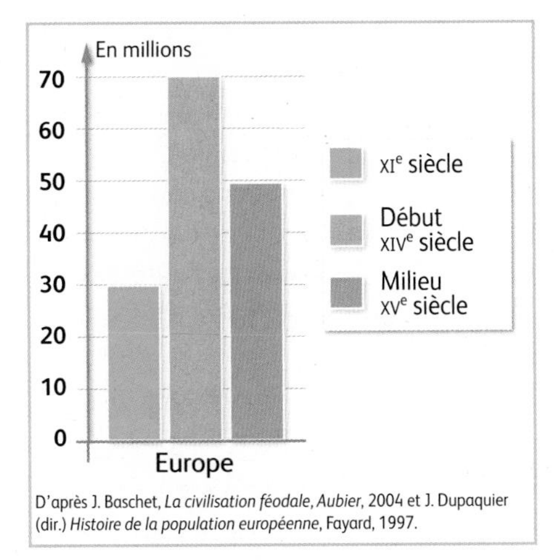

D'après J. Baschet, *La civilisation féodale, Aubier*, 2004 et J. Dupaquier (dir.) *Histoire de la population européenne*, Fayard, 1997.

4 | Une population européenne en croissance

Contexte : Les conséquences de la Grande Peste

À partir de 1348, une épidémie de peste frappe l'Europe. Elle tue un habitant sur trois en l'espace de deux ans.

Environ 10 000 villages ont ainsi été abandonnés.

a La charrue

b Le moulin

5 | Des innovations techniques

Extrait du *Vieil rentier d'Audenarde*, fin XIIIe siècle, Bibliothèque royale de Belgique.

Comprendre le contexte

De nouveaux paysages ruraux

1. DOC. 1, 2 ET 3 Montrez et expliquez les transformations que connaissent les paysages des campagnes européennes entre le XIe et le XVe siècle.

Une population en croissance

2. DOC. 4 ET 5 Décrivez et expliquez l'évolution de la population européenne entre le XIe et le XVe siècle.

L'ordre seigneurial : la formation et la domination des campagnes

Comment les seigneurs laïcs et ecclésiastiques dominent-ils les campagnes ?

I Un monde de paysans

● La plupart des paysans, comme ceux de Murol en Auvergne, sont sous la domination totale d'un seigneur : **ils doivent payer le cens, pour exploiter les terres dont le seigneur est le propriétaire, et la taille, en échange de sa protection**. Ces prélèvements représentent entre un cinquième et un tiers de leur production selon les régions.

● Ils doivent aussi travailler gratuitement pour leur seigneur pendant les **corvées** et lui payer les **banalités** pour utiliser les équipements collectifs. Le seigneur rend la justice sur ses terres, y compris dans les affaires qui le concernent. Le château fort marque sa domination dans l'espace de la seigneurie.

II L'Église au centre de la vie des campagnes

● **L'Église est puissante car elle possède entre un tiers et un quart des terres européennes.** De nombreuses abbayes sont les seigneurs de grands domaines dont elles ont reçu les terres en dons. Les paysans doivent aussi verser à l'Église la dîme qui représente environ 10 % de leur production.

● Souvent construites dans des espaces à l'écart, les abbayes utilisent et exploitent leur environnement proche. Elles favorisent, dans leur seigneurie, la fondation de nouveaux villages, les « villeneuves ».

● **L'Église fixe le rythme de la vie quotidienne, grâce au calendrier des fêtes religieuses, et elle impose ses règles morales**, comme le montre le tympan de Sainte-Foy de Conques : un certain nombre de comportements (avarice, mensonge) sont condamnés alors que la piété et le respect du rôle de l'Église sont mis en valeur.

III Des campagnes lentement bouleversées

● **Entre le XIe et le XVe siècle, le visage des campagnes européennes est profondément modifié par le travail des paysans.** Encouragés par les seigneurs et par l'Église, les défrichements permettent la conquête de nouvelles terres, tandis que se diffusent lentement des **innovations techniques** (charrue, utilisation de l'engrais, moulin, etc.). Peu à peu, les espaces cultivés s'étendent tandis que reculent les forêts.

● La population européenne est multipliée par deux entre les XIe et XIIIe siècles. Aux XIVe et XVe siècles, sa croissance est interrompue puis ralentie à cause des calamités (la Grande Peste de 1348, les famines et les guerres).

Vocabulaire

Défrichement : destruction d'espaces boisés pour mettre en culture des terres.

Église : avec un « É », désigne l'ensemble des chrétiens catholiques ainsi que l'institution exerçant l'autorité religieuse ; église avec un « é » désigne le lieu de culte des chrétiens.

Seigneurie : espace où s'exerce la domination totale d'un seigneur sur les habitants, par le contrôle de la terre.

Dîme : taxe payée à l'Église.

Je retiens l'essentiel

L'essentiel en schéma

Le château symbole de la puissance seigneuriale

Les seigneurs sont maîtres de la terre

L'Église est riche, les monastères sont des seigneurs puissants et actifs

Le monde des paysans

Des paysans subissent la justice seigneuriale. Ils payent la taille, le cens, font les corvées et ils versent la dîme.

Les seigneurs sont maîtres de la justice

De nouvelles terres sont défrichées

XIe siècle – XIIe – XIIIe – XIVe – XVe siècle

987 – Rois capétiens directs – 1328

980 – Croissance démographique importante – 1300 – Période de crise – 1460

1348 Début de la Grande Peste

J'apprends, je m'entraîne

Socle *Méthode et outils pour apprendre*

L'ordre seigneurial : la formation et la domination des campagnes

1. Construire sa fiche de révision : notez le titre de la leçon sur votre feuille.

Je connais…

Objectif 1 Connaître les repères historiques

Reproduisez la frise chronologique ci-dessous et placez-y les périodes et événements suivants :

la période de forte croissance de la population européenne – la période où la croissance de la population ralentit.

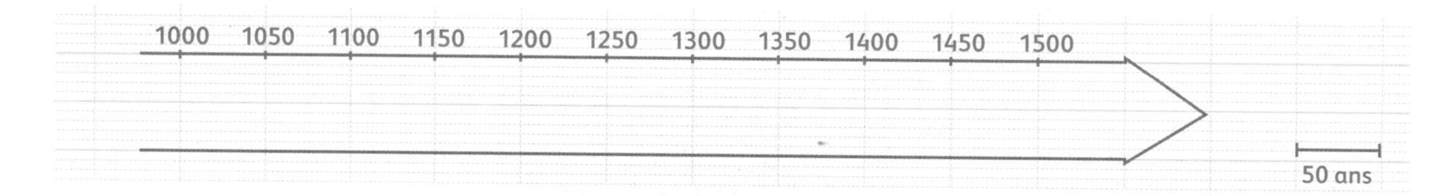

Objectif 2 Connaître les mots-clés

Donner la définition des mots suivants :

Seigneurie – Défrichement – Église – Laïc – Corvée – Dîme.

Je suis capable de…

Objectif 3 Décrire la domination du seigneur sur les paysans

Aide *Précisez les différentes formes que prend cette domination (distinguez le pouvoir du seigneur sur la terre, sur les hommes, indiquez ce que doivent les paysans au seigneur, etc.).*

Objectif 4 Expliquer le rôle important des abbayes dans l'organisation des campagnes

Aide *Montrez que les abbayes sont des seigneuries et expliquez comment elles mettent en valeur les terres qu'elles possèdent.*

Objectif 5 Expliquer comment les paysages et les campagnes de l'Europe médiévale se transforment

Aide *Présentez le phénomène ainsi que les acteurs (défrichement, nouveaux villages, abbayes, etc.), puis les conséquences sur les paysages.*

Objectif 6 Expliquer comment l'Église guide la vie des croyants

Aide *Montrez comment le tympan de l'église de Conques illustre les comportements qui permettent de gagner ou pas son Salut.*

2. S'entraîner

1 Construire des repères historiques

Les campagnes médiévales

Rendez à chaque image les mots qui lui conviennent : charrue, château, défrichement, innovation, moines, seigneurie, paysan, seigneur.

Alexandre de Brême, *Commentaire sur l'Apocalypse*, XIIIe siècle, Cambridge University Library (Royaume-Uni).

Gilles de Rome, miniature du *Livre du régime des Princes*, BNF, Paris.

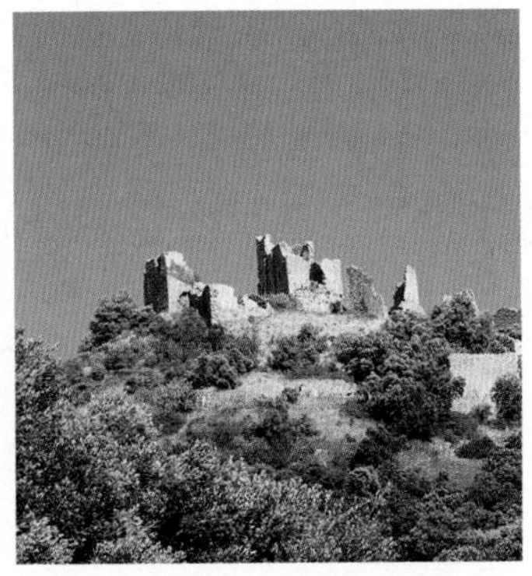

Restes du château d'Aumelas (34).

2 Comprendre un texte

Un défrichement en Bavière

Le comte de Kastll, nommé Hermann, avec ses paysans, sortit de ses terres pour entrer dans la libre forêt du lieu qu'on appelle aujourd'hui Innerzell et se l'appropria sans aucun problème. Il la fit passer sous sa domination, aussi bien à la façon du peuple, c'est-à-dire par coupe d'arbres et construction de maisons, que par un séjour de trois jours, ce qui est le moyen de poser son droit de propriétaire. C'est depuis ce temps que la même famille cultive et habite la forêt.

D'après la chronique du moine Conrad de Schliersee, première moitié du XIIIe siècle.

Identifier le document

1. Présentez le document (auteur, date, nature).

Extraire des informations pertinentes

2. Qui mène l'opération de défrichement ?
3. Quelles sont les méthodes de défrichement utilisées ?
4. Comment acquiert-on le droit de propriété sur les terres défrichées ?

Utiliser ses connaissances pour expliciter et exercer son esprit critique

5. Qui bénéficie le plus de cette opération ?

Auto-évaluation Je me positionne sur une marche :

1.	2.	3.	4.
• Je lis le texte. • Je repère sa nature, sa date et son auteur.	• Je lis le texte. • Je repère sa nature, **sa date et son auteur.** • **Je comprends son idée générale.**	• Je lis le texte. • Je repère sa nature, sa date et son auteur. • Je comprends son idée générale. • **Je sélectionne des informations pertinentes pour répondre.**	• Je lis le texte. • Je repère sa nature, sa date et son auteur. • Je comprends son idée générale. • Je sélectionne des informations pertinentes pour répondre. • **J'utilise mes connaissances pour expliquer.**
Question 1	Questions 1 et 2	Questions 1, 2 et 3	Questions 1, 2, 3 et 4

Pour progresser, j'analyse mes axes de progrès. Que devrais-je améliorer ?

J'apprends, je m'entraîne

3 Comprendre une image

Une seigneurie idéale

Identifier le document

1. Présentez le document.

Extraire et classer des informations pertinentes

2. Autour de quoi est construit le village au premier plan ?
3. Quel bâtiment marque la domination du seigneur sur cet espace ?
4. Décrivez l'image en classant les différents espaces selon les activités humaines qui s'y déroulent.

Extrait du cartulaire (recueil de tous les documents de vente d'une abbaye ou d'une église) du couvent des Billettes, vers 1520-1530, BNF, Paris.

Utiliser ses connaissances pour expliciter et exercer son esprit critique

5. Pourquoi peut-on dire que le paysage représenté correspond bien à ceux de la fin de la période étudiée (XIVe et XVe siècles) ?
6. Pourquoi peut-on dire qu'il s'agit d'une image idéalisée des campagnes ?

Aide *Qui est totalement absent de cette image ?*

Auto-évaluation **Je me positionne sur une marche :**

1.	2.	3.	4.
• J'observe l'image. • Je repère **sa nature, son auteur, sa date.**	• J'observe l'image. • Je repère sa nature, son auteur, sa date. • **Je décris ce que j'observe.**	• J'observe l'image. • Je repère sa nature, son auteur, sa date. • Je décris ce que j'observe. • **Je reconnais les éléments importants de l'image.**	• J'observe l'image. • Je repère sa nature, son auteur, sa date. • Je décris ce que j'observe. • Je reconnais les éléments importants de l'image. • **J'interprète (je donne du sens) en m'appuyant sur mes connaissances.**
Question 1	**Questions 1 et 2**	**Questions 1, 2 et 3**	**Questions 1, 2, 3, 4, 5 et 6**

Pour progresser, j'analyse mes axes de progrès. Que devrais-je améliorer ?

4 S'informer dans le monde numérique Arts et vie agricole au musée

À l'aide d'un moteur de recherche, allez sur le site du musée d'histoire du Moyen Âge de Cluny (mots-clés « musée » « histoire » « Moyen Âge »).

1. Dans la rubrique « vie agricole », choisissez une des œuvres présentées : présentez et décrivez cette œuvre. Pourquoi l'avez-vous choisie ?
2. En utilisant la rubrique « Art et nature au Moyen Âge », trouvez la date à partir de laquelle la représentation de la nature est plus détaillée et plus réaliste.

Enquêter 1358, pourquoi la révolte des Jacques échoue-t-elle ?

Pour votre enquête, déterminez quelles sont les causes de l'échec de la jacquerie, c'est-à-dire de la révolte paysanne de 1358 dans et autour du Bassin parisien.

Témoin n°1

Froissart explique les débuts de la révolte

Arrive un grand trouble en plusieurs parties du royaume de France en Beauvaisis, en Brie, sur la Marne, en Valois, dans la terre de Coucy et autour de Soissons. Des paysans sans chefs s'assemblèrent en Beauvaisis. Ils disaient que tous les nobles du royaume trahissaient le royaume et que ce serait grand bien de tous les détruire. Alors ils s'assemblèrent et s'en allèrent sans autre conseil et sans autres armes que bâtons ferrés et couteaux en la maison d'un chevalier qui près de là demeurait. Ils détruisirent cette maison et tuèrent le chevalier et toute sa famille. Ils firent ainsi en plusieurs châteaux et bonnes maisons. Ils choisirent parmi eux un roi, le pire d'entre eux, appelé Jacques Bonhomme.

D'après Froissart, *Chroniques*, livre I, chapitre 65.

Qui est-il ? Froissart (1337-1404)
Prêtre, il est un des principaux chroniqueurs de la guerre de Cent Ans.

Témoin n°2

Le tournant de la révolte

Alors les nobles vinrent chercher refuge auprès du roi de Navarre et lui demandèrent son aide contre les Jacques [les paysans révoltés]. [Après deux batailles indécises] le roi de Navarre demanda une trêve au chef des Jacques. Celui-ci vint en confiance pour parlementer avec le roi, qui le fit prisonnier, puis l'exécuta. Les Jacques se trouvèrent ainsi sans chef et furent d'abord détruits en Beauvaisis.

D'après la *Chronique des quatre premiers Valois*, fin du XIVe siècle, dont l'auteur est anonyme mais vraisemblablement un clerc proche de l'archevêque de Rouen.

Indice n°1

L'écrasement de la révolte des paysans

Chronique de France ou de Saint-Denis, fin XIVe siècle, British Library (Londres).

Avez-vous pris connaissance des témoignages et des indices ? Quelle est votre conviction : pourquoi la révolte des Jacques est-elle un échec ?

En équipe, complétez le carnet d'enquêteur :

1. Les raisons de la révolte : …
2. Les preuves de la violence des paysans : …
3. Les preuves de la violence de la répression seigneuriale : …
4. L'événement qui provoque la défaite de la révolte : …
5. Les preuves d'un parti pris contre les paysans : …

Rédigez votre rapport d'enquête.

La vie des paysans au XIIIe siècle

En groupe, et à l'aide de vos connaissances, rédigez un texte expliquant la vie des paysans au XIIIe siècle.

Travail préparatoire (au brouillon)

1. Analysez bien le sujet « Comment vivaient les paysans au XIIIe siècle ? » : il s'agit de décrire comment se déroulait la vie des paysans du XIIIe siècle, à la fois le travail de la terre et la domination des seigneurs.

Notez toutes les informations qui vous viennent à l'esprit évoquant la vie des paysans du XIIIe siècle autour du « pense pas bête ».

2. Regroupez ces informations autour de deux idées principales :
1re idée : le travail de la terre et les activités agricoles.
2e idée : une vie dominée par les seigneurs.

Travail de rédaction (au propre)

À vous de choisir votre niveau de difficulté et votre ceinture !

Je rédige un texte **sans aide.**

Rédigez votre texte en vérifiant que :
- Vous organisez vos idées en deux paragraphes.
- Vos paragraphes comportent plusieurs phrases qui s'enchaînent.

Je rédige un texte **avec un guide.**

Rédigez votre texte en construisant deux paragraphes, commençant chacun ainsi :
- Le travail de la terre constitue l'essentiel de la vie des paysans, car…
- La vie des paysans est dominée par les seigneurs, car…

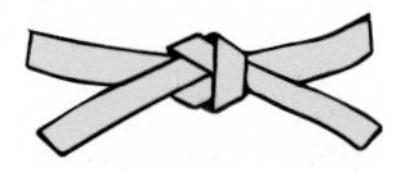

Je rédige un texte **en prenant les réponses du « pense pas bête ».**

Rédigez votre texte en construisant deux paragraphes comportant plusieurs phrases, qui répondent à des questions :

Le 1er paragraphe commence par « Le travail de la terre constitue l'essentiel de la vie des paysans, car… », puis il répond aux questions suivantes :
- Quel est le travail quotidien des paysans ?
- Quelles sont les innovations qui transforment ce travail ?
- Quelles sont les conséquences de ces innovations sur la population européenne ?

Le 2e paragraphe commence par « La vie des paysans est dominée par les seigneurs, car… » puis il répond aux questions suivantes :
- Qui sont les seigneurs ?
- Que doivent acquitter les paysans pour travailler la terre ?
- Comment la puissance du seigneur sur ses terres se voit-elle ?

Comment l'impôt permet-il d'être solidaire ?

1 | Les paysans doivent des impôts à leur seigneur

La corvée : les paysans doivent entretenir gratuitement les terres du seigneur.

Bible de Saint-Jean d'Acre, XIIIe siècle, Bibliothèque de l'Arsenal, Paris.

Les impôts payés par les paysans au XIIIe siècle

Les paysans paient en nature au seigneur :
- le cens et le champart pour avoir le droit de cultiver la terre
- les banalités pour utiliser le four et le moulin du seigneur.

2 Qui paie des impôts en France et pourquoi ?

• À quoi servent les impôts ?
Comme la majorité des Français, tes parents paient chaque année des impôts à l'État. Cet argent récolté par l'État permet de financer des services publics comme la santé ou l'éducation. Grâce aux impôts, tout le monde peut être soigné ou aller à l'école. C'est pour cela que l'on utilise l'adjectif « **solidaire** » pour parler des impôts.

• Comment ça marche, les impôts ?
En France, les impôts directs sont proportionnels à ce que l'on possède et à ce que l'on gagne. Plus on possède de biens et plus on gagne d'argent, plus on paie d'impôts.

D'après Coline Arbouet, « Pourquoi certains quittent-ils la France pour payer moins d'impôts ? », *1jour1actu.com*, du 07/01/2013.

Les impôts indirects constituent environ 60 % des recettes fiscales de l'État en France. Ce sont des taxes répercutées sur le prix de vente d'un produit.

D'après vie-publique.fr.

3 Que dit la loi aujourd'hui ?

Art. 13. Pour l'entretien de la force publique, et pour les dépenses d'administration, une contribution commune est indispensable : elle doit être également répartie entre tous les citoyens, en raison de leurs facultés.

Déclaration des Droits de l'Homme et du Citoyen, 26 août 1789.

La sensibilité : soi et les autres

1. DOC. 1 Que pensez-vous des impôts payés par les paysans au XIIIe siècle ?
2. DOC. 2 ET 3 Comment chacun participe-t-il à l'impôt ? Cela vous paraît-il juste ? L'utilisation des impôts est-elle solidaire ?

Le jugement : penser par soi et avec les autres

3. Faites un schéma qui explique comment sont calculés les impôts et à quoi ils servent.

Vocabulaire

Solidaire : être lié par des responsabilités et des intérêts communs.

EPI
p. 196

L'émergence d'une nouvelle société urbaine

Comment l'essor des villes et des échanges marchands transforme-t-il la société urbaine ?

Souvenez-vous !
Où et quand les premières cités sont-elles apparues ?

1 | Venise, une cité portuaire de Méditerranée
Miniature, *Les Livres du Graunt Caam*, vers 1400, Bodleian Library, Oxford (Royaume-Uni).

1. Basilique Saint-Marc (protecteur de la ville)
2. Palais des Doges (siège du pouvoir)
3. Riches marchands formant la bourgeoisie
4. Artisans et commerçants
5. Navires de commerce

Vocabulaire

Bourgeois : habitant d'une ville qui bénéficie de privilèges accordés par un seigneur.

Société urbaine : ensemble des personnes habitant une même ville.

Socle *Se repérer dans le temps*

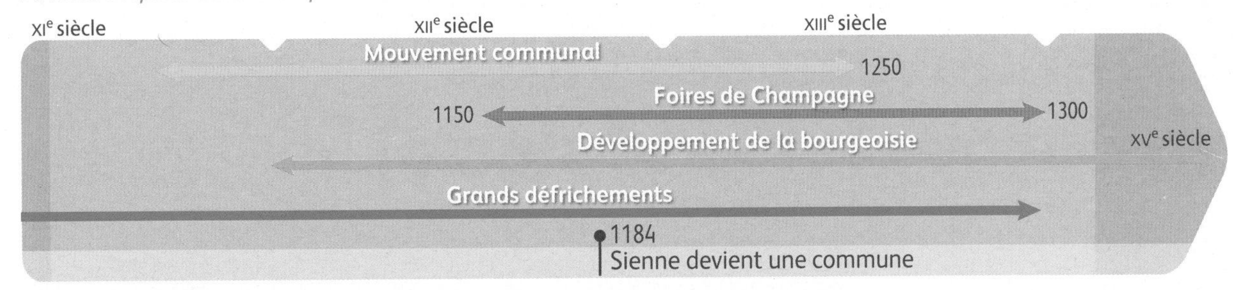

2 **Un couple bourgeois italien installé à Bruges au XVe siècle**

J. Van Eyck, *Portrait du marchand Giovanni Arnolfini et de sa femme*, 1434, National Gallery, Londres (Royaume-Uni).

1. DOC. 1 Quelles sont les principales activités économiques de Venise ?
2. DOC. 2 Quels éléments montrent la richesse du marchand Giovanni Arnolfini ?
3. DOC. 1 ET 2 **Émettez une hypothèse** pour répondre à la question suivante : quelle catégorie de la population domine la société urbaine à partir du XIe siècle ?

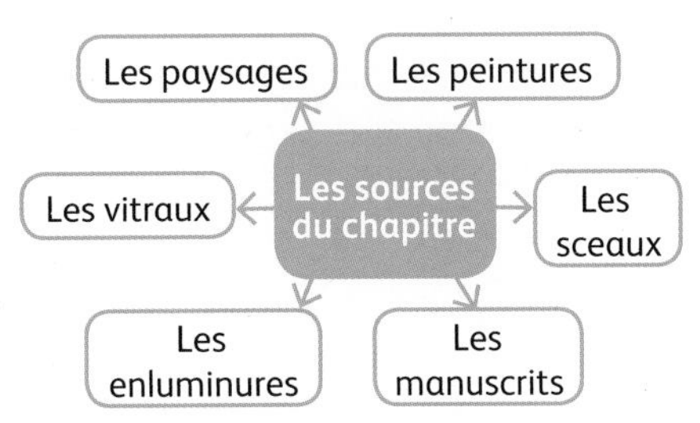

Contexte

Le renouveau des villes en Europe (XIᵉ-XVᵉ siècle)

1 Les causes de l'urbanisation de l'Europe

Les historiens en parlent

L'essor démographique en Europe occidentale à partir du Xᵉ siècle ne fait aucun doute. De nombreux éléments en témoignent, et les effets de cette montée s'imposent à l'observateur d'une façon spectaculaire. Ce fut le temps des grands **défrichements** qui ont complètement transformé les paysages de campagne. Ce fut aussi l'époque des fondations urbaines. On assiste alors soit à la création de nouvelles agglomérations, soit au peuplement de nouveaux bourgs à côté des villes anciennes, bourgs qui s'entouraient de remparts, doublaient ou triplaient leur superficie. Ces phénomènes répondaient à la volonté de renforcer le pouvoir politique et militaire du prince ou du seigneur.

D'après J. Heers, *La ville au Moyen Âge en Occident. Paysages, pouvoir et conflits*, Fayard, 1990 (rééd.).

2 De nouveaux paysages urbains

Représentation de la ville de Feurs dans l'*Armorial de Guillaume Revel*, XVᵉ siècle, BNF, Paris.

1. Église
2. Bourg
3. Remparts
4. Faubourgs

Vocabulaire

Défrichement : opération de débroussaillage qui rend cultivables des terres qui ne le sont pas.

Urbanisation : processus qui désigne à la fois l'augmentation de la population des villes et l'extension de l'espace urbain.

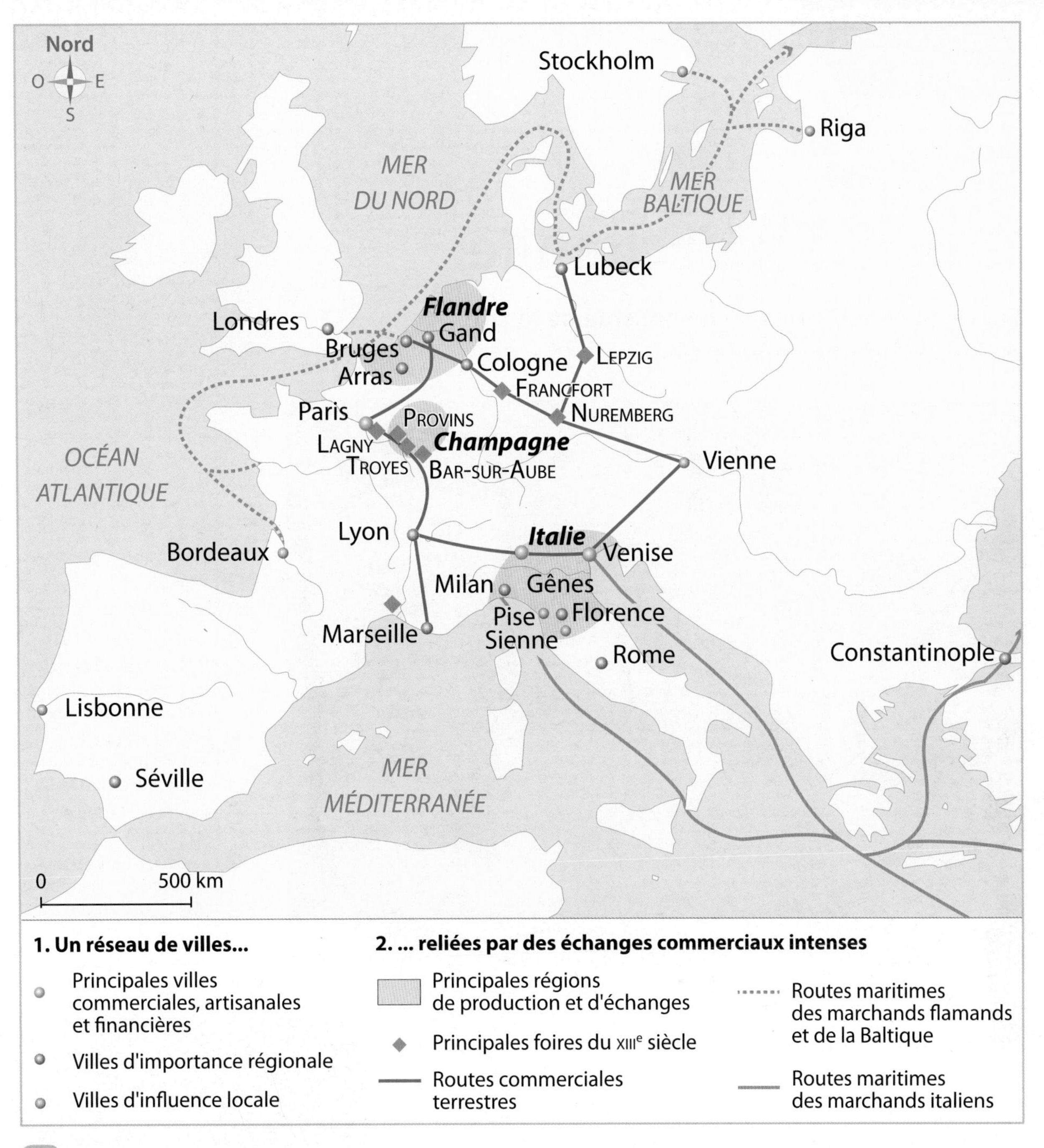

3 | Villes et économies marchandes au XIIIe siècle reliées par des échanges commerciaux intenses

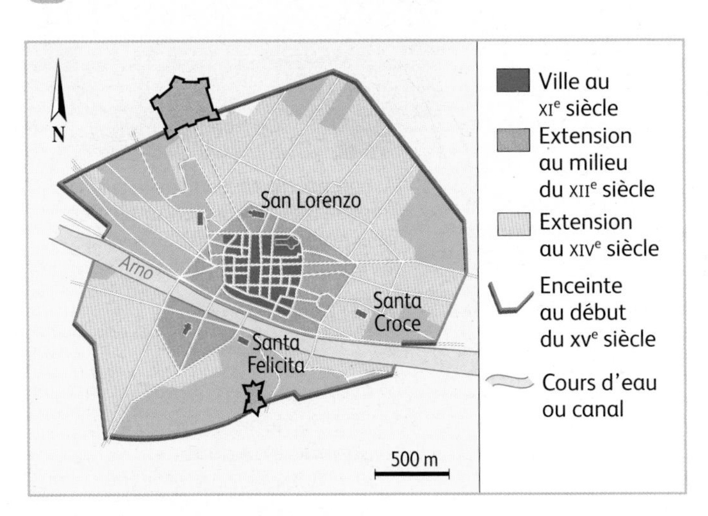

4 | Une ville en plein essor : Florence (Italie)

Comprendre le contexte

Des villes de plus en plus nombreuses

1. DOC. 1 Quelles sont les causes de l'essor urbain ?
2. DOC. 2 ET 4 Quelles sont les conséquences de ce développement urbain pour les villes ?

Des villes commerçantes

3. DOC. 3 Pourquoi les villes sont-elles d'importants centres commerciaux ?

Étude

Sienne, une cité marchande

Sur quels fondements le dynamisme de la cité de Sienne en Italie repose-t-il ?

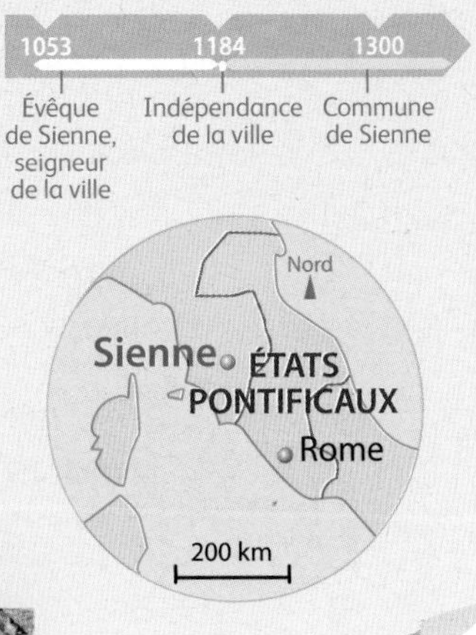

1 Un lieu de vie et de pouvoir : le Campo de Sienne

1. La piazza del Campo, place centrale aménagée à partir du XIIIe siècle
2. Le Palazzo pubblico, siège du pouvoir communal (XIIIe siècle)
3. La torre del Mangia (XIVe siècle)
4. Le palazzo Sansedoni, palais privé d'une grande famille (XIIIe siècle)

2 Les devoirs et responsabilités du gouvernement de la ville

En 1262, le rôle des représentants de la commune de la cité est défini :

Nous, consuls[1] de la cité, nous jurons de servir les saints Évangiles de Dieu, de protéger et de défendre la cathédrale de la ville, ainsi que ses biens et toutes les choses qui s'y trouvent, ainsi que dans les hôpitaux. Nous jurons de gérer et de gouverner toutes les routes du Contado[2] de Sienne et de son territoire, de protéger tous les citoyens de la cité et de la campagne, pour l'honneur et l'utilité et le bien commun de la cité. Et nous chercherons à savoir ce qui est utile de faire pour la cité et nous ne nous occuperons pas de ce qui est inutile, et nous n'accepterons pas d'argent ou de biens précieux en remerciement ou en récompenses. Et nous ferons observer le droit de tous ceux qui réclament la justice et le droit.

D'après la Constitution de la Commune de Sienne, 1262.

1. Titre donné aux personnes qui dirigent la cité.
2. Campagne qui entoure la ville et sur laquelle celle-ci exerce sa souveraineté.

A. Lorenzetti, *Allégorie de la Justice*, fresque (détail représentant le Bon gouvernement), 1338-1340, Palais communal, Sienne (Italie).

Vocabulaire

Commune : association de bourgeois d'une ville qui bénéficie de droits et privilèges accordés par un seigneur.

3 A. Lorenzetti, *Le Bon gouvernement*

Fresque (détail), 1338-1340, Palais communal, Sienne (Italie).

Les activités commerciales et artisanales (1) côtoient les espaces du savoir (2). La ville est aussi un espace de loisirs, ici une farandole (3).

La ville et sa campagne

« Cheminez sans peur et librement ; travaillez et semez, tant qu'une telle commune maintiendra ce Bon Gouvernement, vous êtes protégés des malheurs. »

4 Les marchands de Sienne

Le messager de la Mercanzia[1] n'est pas encore arrivé. Ici les marchandises se vendent si mal qu'il semblerait impossible d'en écouler aucune ; et il y en a en abondance. Ainsi le poivre ne se vend pas bien. Le gingembre vaut de 22 à 28 deniers selon la qualité. Le safran a été beaucoup demandé et se vend 25 sous la livre, et il n'y en a pas sur le marché. La cire de Venise, 23 deniers la livre ; celle de Tunis, 21,5 deniers. Le Bon argent de Fribourg vaut 57 sous et 6 deniers.

D'après un extrait d'une lettre adressée à T. de Sienne par un associé travaillant pour lui à la foire de Troyes (Champagne), 1265.

1. Association de marchands siennois.

Activités

Socle *Extraire des informations pertinentes*

1. DOC. 1 Quel bâtiment domine le paysage urbain ?
2. DOC. 2 Relevez les verbes qui définissent le rôle de la commune à Sienne.
3. DOC. 2 ET 3 Le pouvoir de la commune s'étend-il uniquement sur la ville ? Justifiez.
4. DOC. 3 ET 4 Quelles sont les différentes activités qui animent la ville ?

Pour conclure Présenter à l'oral une réponse à la question suivante.

Quelles sont les caractéristiques de la cité de Sienne en Italie aux XIIIe et XIVe siècles ?

Pour préparer votre réponse, reproduisez et complétez le schéma ci-dessous en notant les mots-clés suivants : commerce, commune, artisanat, consul, enseignement.

Le gouvernement de la cité ← Sienne, une cité italienne → **Les activités de la cité**

Étude

Datini, un « homme d'affaires » italien

Quel rôle Datini joue-t-il dans sa ville de Prato et dans le commerce ?

Biographie

Francesco di Marco Datini (1335-1410)
Producteur de laine, marchand et banquier de Prato, il fonde une société commerciale active dans tout l'Occident féodal.

1 Une commande de draps pour Datini

Rappel à vous, Francisco di Marco Datini et **compagnie** de Pise, de la part de moi, Giuliano di Giovanni[1], ce jour, 18 avril 1393 ou 1394, afin que Salandro de Côme fasse parvenir [à notre compagnie] pour le mois de mai prochain, ces **draps** que je lui ai demandé de faire venir de Côme[2], des couleurs et des prix ci-après indiqués, et que vous lui envoyiez de notre part l'argent du paiement.
Huit draps verts, de la couleur dont je lui ai donné un échantillon. Ces huit-là doivent avoir, comme prix, dans les 32 à 34 ou 35 florins la pièce, selon ce qu'il vous dira. Les autres draps doivent être tous des draps fins ; et, comme convenu, quand il vous fera savoir le montant, vous lui enverrez pour nous sous six mois le règlement de la somme due.

D'après D. Cardon, échantillons de draps de laine des Archives Datini (fin XIVe siècle-début XVe siècle), dans *Mélanges de l'École française de Rome. Moyen Âge*, 1991.

1. Marchand italien présent à Avignon.
2. Ville drapante italienne.

2 Le port, un lieu d'échanges

La Compagnie Datini s'est implantée dans des villes portuaires pour faciliter ses échanges commerciaux.
Gilles de Rome, Les commerçants, miniature du *Régime des princes*, vers 1450, BNF, Paris.

3 Fonctionnement de la commande de Datini

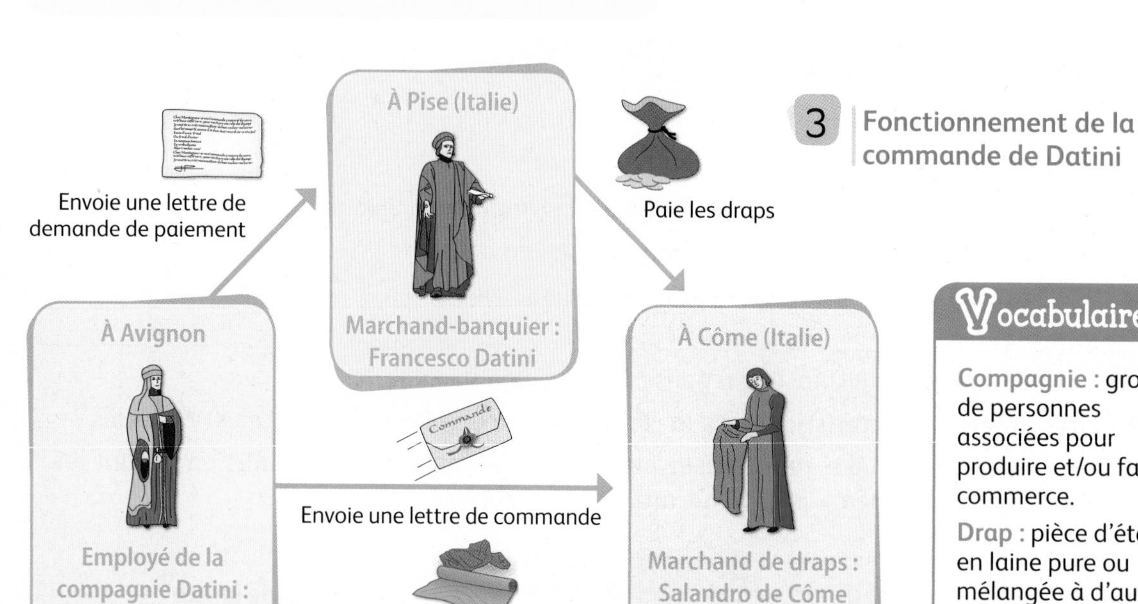

Vocabulaire

Compagnie : groupe de personnes associées pour produire et/ou faire du commerce.
Drap : pièce d'étoffe en laine pure ou mélangée à d'autres fibres (soie, lin, etc.).

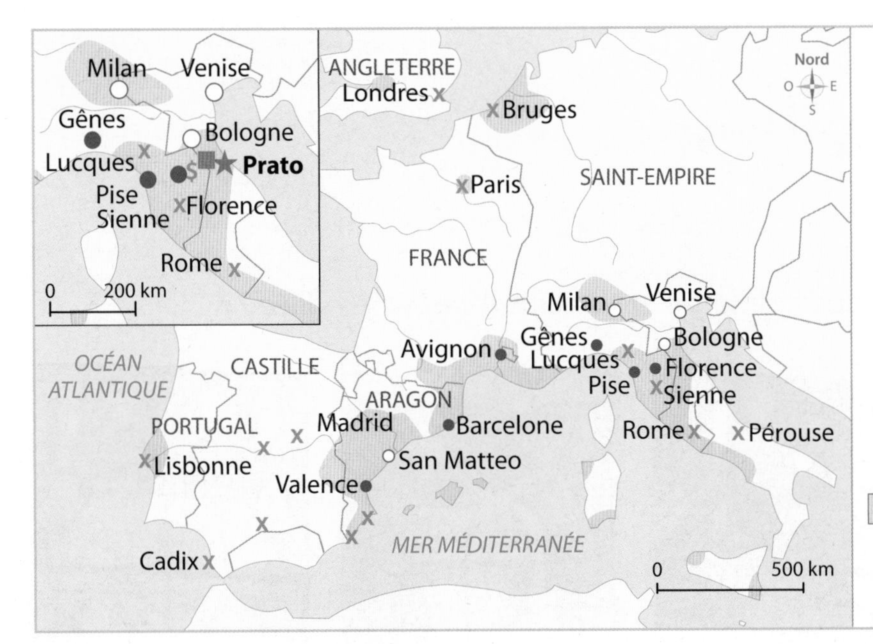

4 | L'univers d'un homme d'affaires italien

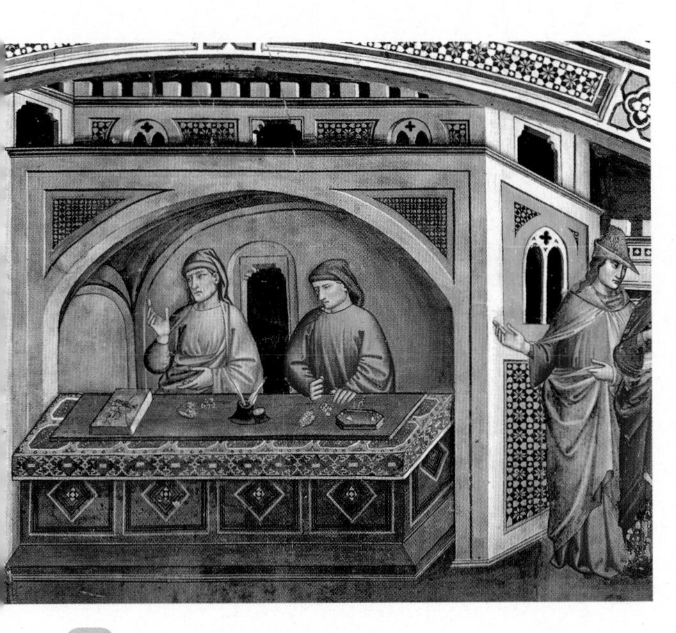

5 | **Un magasin de Prato**

Niccolò di Pietro Gerini, Fresques de la chapelle Migliorati, vers 1380, église San Francesco, Prato (Italie).

6 | **Datini, bienfaiteur de Prato**

Francesco Datini lègue 75 000 florins pour fonder une institution à destination des pauvres.

① Ville de Prato ② Francesco Datini fait don de sa maison ③ et de sa fortune à la ville

P. di Miniato, *Allégorie de Prato*, 1415, palais Pretorio, Prato (Italie).

Activité

Socle *Écrire pour argumenter*

À l'aide des documents, rédigez un texte d'une dizaine de lignes qui justifie l'affirmation ci-dessous :

Francesco Datini est un homme d'affaires investi dans son activité et présent dans sa ville.

Aide
Identifiez les différentes activités de Francesco Datini. (DOC. 1 À 5)
Montrez que Francesco Datini est un « homme d'affaires international ». (DOC. 4)
Montrez que Francesco Datini occupe une place de premier plan à Prato. (DOC. 4 ET 6)

Étude

X[e] XIe XIIe XIIIe XIVe XVe

Essor du commerce des draps

L'essor des villes drapantes

Comment le métier des draps anime-t-il et enrichit-il certaines villes ?

La tonte de la laine

Le peignage de la laine

La teinture de la laine

Le tissage de la laine en tissu

Le foulage pour nettoyer et compacter le tissu

Le lainage pour assouplir le tissu

Le rasage pour égaliser le tissu

Le frisage pour apporter la finition au drap

1 | Les artisans du drap

Vitrail de la corporation des drapiers, vers 1460, chapelle des Drapiers, église Notre-Dame de Semur-en-Auxois (21).

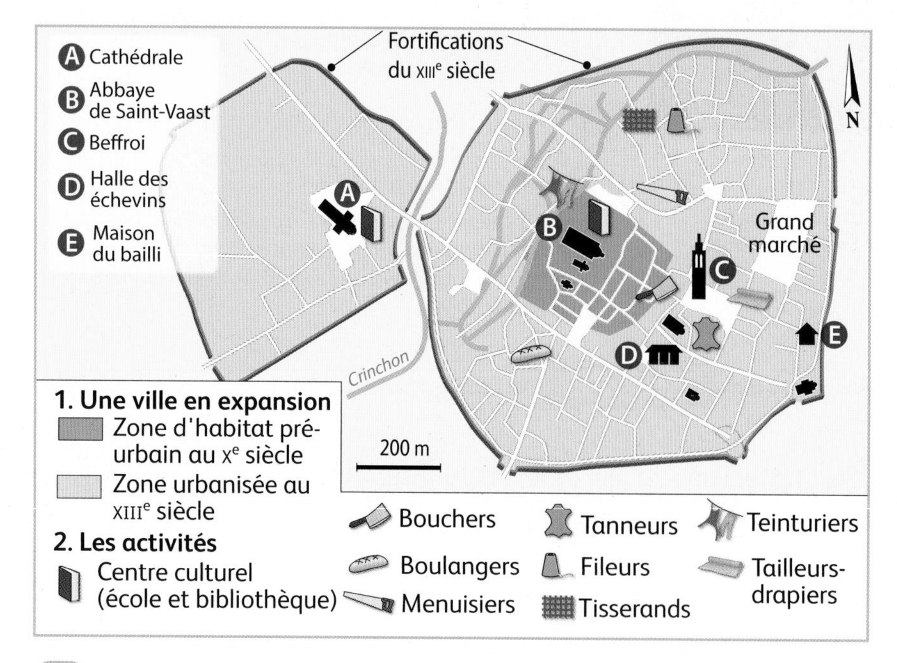

2 | Arras, ville drapante au XIIIe siècle

Vocabulaire

Drap : pièce d'étoffe en laine pure ou mélangée à d'autres fibres (soie, lin, etc.).

Foire : grand marché de plusieurs semaines se tenant à date fixe, souvent à l'occasion d'une fête religieuse.

Métier : association de marchands ou d'artisans exerçant la même activité. À partir du XVe siècle on parle de corporation.

3 Règlement du métier des foulons[1] de Bruges

1. Les jurés puniront ceux qui font mal leur métier.
2. Le temps d'apprentissage est fixé à deux ans pour les fils de foulons, trois ans pour les autres.
3. Les compagnons qui veulent passer maîtres paient au métier vingt sous s'ils sont fils de foulons, les autres trente sous.
4. Les maîtres doivent payer les salaires la veille du dimanche.
5. Nul homme du métier ne peut travailler le soir à la lumière.
6. Il est défendu de travailler le samedi après-midi.
7. Il est défendu d'employer d'autres ingrédients que le beurre et le suint[2] pour le foulage des étoffes.

D'après le règlement du métier des foulons de Bruges, 1303.

1. Chefs du métier qui représentent les artisans du métier auprès des autorités.

2. Matière grasse sécrétée par la peau du mouton.

4 La boutique d'un tailleur-drapier

Fresque du maître Colin, fin du XVe siècle, château d'Issogne, Val d'Aoste (Italie).

5 Le commerce du drap

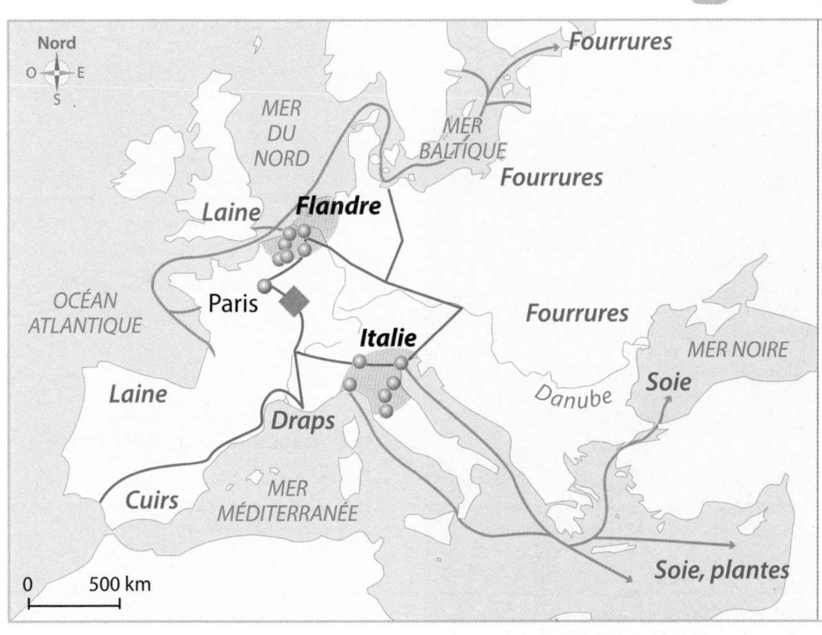

1. La fabrication des draps
- Principales villes drapantes
- Région de production textile

2. Le commerce du textile
- *Draps* Marchandises échangées
- Principales routes commerciales terrestres
- Principales routes commerciales maritimes
- **Foires** de Champagne

Activités

Socle *Extraire des informations pertinentes*

1. DOC. 1 À 4 Quels sont les différents artisans qui interviennent pour fabriquer et vendre des draps ?
2. DOC. 3 Montrez comment le métier encadre le travail des artisans mais aussi leur vie privée.
   Aide (*Vous pouvez relever les articles concernant le travail, les horaires, la formation…*
3. DOC. 5 Où les grandes villes drapantes sont-elles situées ? Où les draps sont-ils échangés ?

Pour conclure Répondez à la question suivante en reprenant les mots-clés de l'étude.

Comment le métier des draps anime-t-il et enrichit-il certaines villes ?

Histoire des Arts

La cathédrale de Chartres

Comment l'art du vitrail met-il en valeur les métiers urbains ?

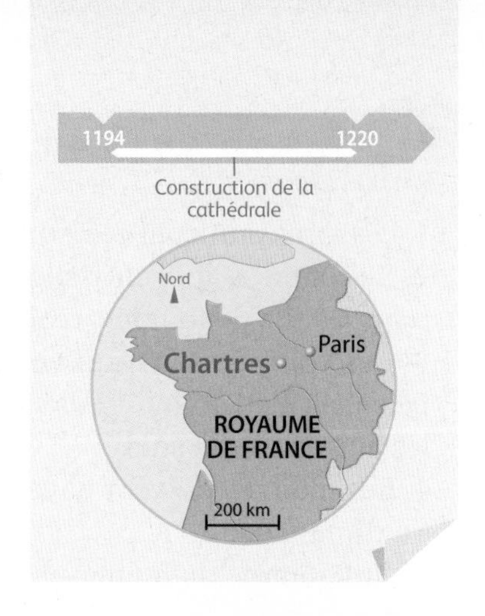

Notre-Dame de Chartres, une cathédrale gothique

Notre-Dame de Chartres est construite entre 1194 et 1220. Elle possède 170 verrières qui illustrent des scènes bibliques, la vie des saints et aussi le quotidien des métiers de la ville.

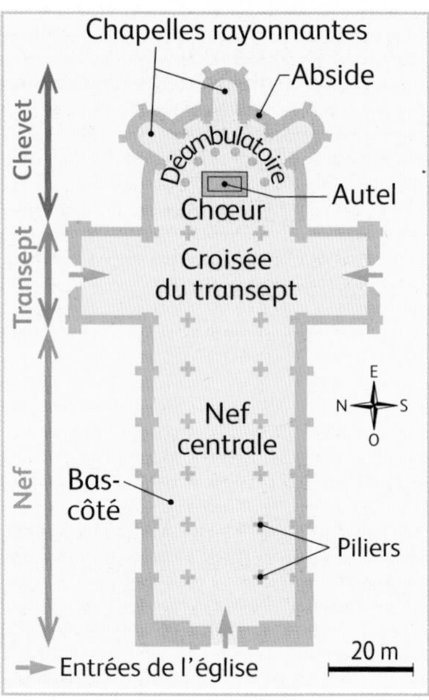

1 Plan de Notre-Dame de Chartres

2 Les vitraux de la cathédrale de Chartres

Vue de l'abside de la cathédrale de Chartres, XIIIe siècle.

1. La voûte sur croisée d'ogives répartit le poids du plafond sur quatre piliers. La pièce maîtresse du système est la clef de voûte.
2. Le bleu domine grâce à l'utilisation de cobalt et demeure éclatant contrairement aux autres couleurs davantage altérées par le temps.
3. Le vitrail permet l'entrée de la lumière qui symbolise la présence de Dieu.

Vocabulaire

Cathédrale : église de l'évêque.

Métiers : association de marchands ou d'artisans exerçant la même activité.

Vitrail : vaste fenêtre de lumière réalisée en assemblant des verres peints et colorés, insérés dans une structure de plomb.

L'art gothique

L'art gothique : style d'architecture étendu en Europe entre le XIIe et le XVe siècle.

Le gothique se définit par l'utilisation de l'**arc-boutant** et de la **croisée d'ogives** qui permettent d'élever le bâtiment et de percer des ouvertures afin d'y placer les **vitraux**.

Ces techniques sont utilisées pour construire, à la demande des évêques et avec les dons des fidèles, au cœur des villes, les cathédrales gothiques.

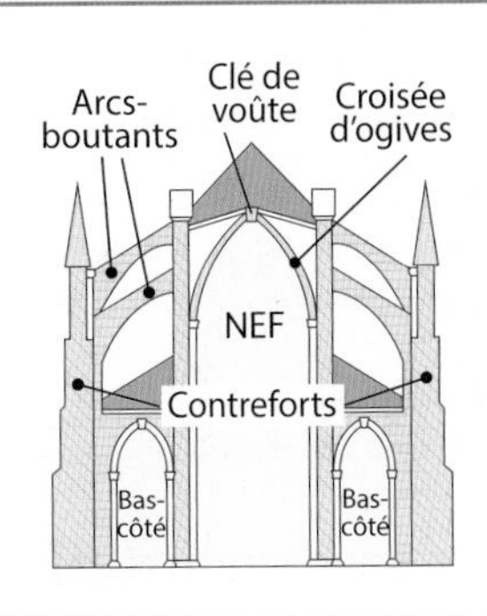

3 Les métiers de la ville mis à l'honneur

Détails de vitraux de la cathédrale de Chartres, XIIIe siècle.

1. Charron et tonnelier
2. Un chausseur
3. Les drapiers
4. Les boulangers

Identifier et analyser une œuvre d'art

Présenter

1. Relevez les éléments utiles pour présenter la cathédrale de Chartres (localisation, dates de réalisation, style architectural).
2. DOC. 2 Comment la lumière du jour est-elle transformée par les vitraux ? Quel est le but recherché ?

Décrire et comprendre

3. DOC. 3 Comment les vitraux mettent-ils en valeur les métiers de la ville (cadrage, couleurs, décors, personnages, etc.) ?
4. DOC. 3 Comment expliquer la représentation de ces métiers sur les vitraux de la cathédrale ?

Exprimer sa sensibilité et conclure

5. Quel vitrail représentant les métiers urbains vous plaît le plus ? Décrivez-le et expliquez votre choix.

L'atelier de l'historien

Étudier une révolte urbaine au Moyen Âge

La commune de Laon se révolte (1112)

Vous êtes un historien. À partir de l'exemple de la révolte de la commune de Laon (1112), vous tentez de comprendre comment les habitants des villes s'émancipent du pouvoir de leur seigneur.

Source 1 **La révolte vue par l'iconographie**

« L'assassinat de l'évêque Gaudry », miniature, *De miraculis beate Marie Laudunensis*, manuscrit du XIIIe siècle, BNF, Paris.

Source 2 **La révolte de Laon vu par un historien médiéval**

En 1110, les habitants de Laon forment une commune que l'évêque Gaudry se voit obligé d'accepter. Le roi Louis VI (1108-1137) ratifie la charte, mais en 1112, Gaudry obtient l'abolition de la commune. La population se révolte contre l'évêque et ses vassaux.

Le lendemain, tandis que [l'évêque Gaudry[1]] s'entretenait avec l'archidiacre Gautier des moyens de réclamer l'argent, voici que, à travers la ville, éclata le tumulte de gens qui criaient : « Commune ! ». Dans le même temps, des habitants en troupe considérable, porteurs d'épée, de haches doubles, d'arcs, d'épieux et de piques, envahirent le palais épiscopal. On vit alors accourir de toute part, vers l'évêque, des grands qui avaient juré de lui porter secours si une telle attaque se produisait. Tandis que s'organisait leur rassemblement, le châtelain Guimard, homme de très belle allure comme de mœurs irréprochables, à peine mettait-il le pied dans la cour de l'évêque, fut frappé d'un coup de hache à la nuque. Il fut la première victime. Aussitôt après, Rainier, mari de ma cousine, comme il se hâtait pour accéder au palais, fut atteint par-derrière d'un coup de pique au moment où il gravissait les marches de la chapelle, et là il fut jeté à terre. Peu de temps après, le feu allumé au palais allait consumer son corps.

Et voici que la populace insolente, attaque enfin l'évêque. Celui-ci tint l'ennemi en respect tant qu'il put, en jetant des pierres, en tirant des flèches. [... Il fut] tiré par les cheveux, roué de coups. Finalement, un nommé Bernard brandit une hache double et frappa à la tête cet homme sacré, encore que pécheur.

G. de Nogent, *Histoire de ma vie*, XIIe siècle.

1. Évêque de la ville de Laon (1106-1112).

Qui est-il ? Guibert de Nogent (1053-1125)
Écrivain, théologien et historien français.

Vocabulaire

Bourgeois : ceux qui habitent une ville.

Charte de franchise : texte qui reconnaît des droits et des libertés aux habitants d'une ville.

Commune : association de bourgeois d'une ville qui bénéficie de droits et privilèges accordés par un seigneur.

Les chartes de franchise

Les chartes de franchise sont des textes négociés entre les habitants et le seigneur d'un lieu. Elles reconnaissent des droits et des libertés attribués par le seigneur aux habitants.

Ici la charte de Péronne (1209) ratifiée par le roi Philippe Auguste (1180-1223), elle établit les règles de la commune.

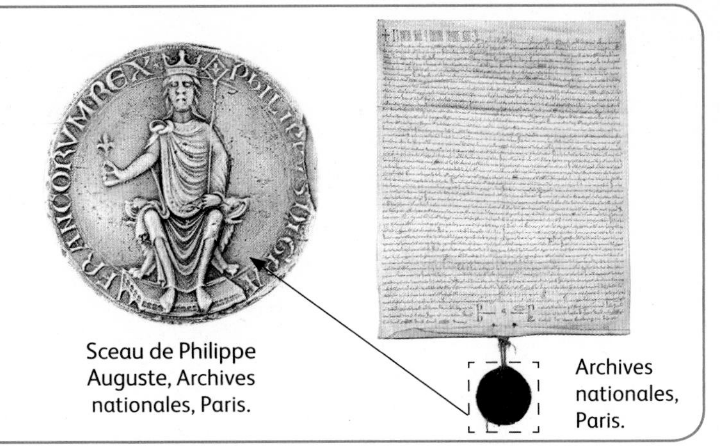

Sceau de Philippe Auguste, Archives nationales, Paris.

Archives nationales, Paris.

Source 3 La charte de franchise de la commune de Laon

La première charte de franchise communale de Laon date de 1110, mais elle n'a pas été conservée. En revanche, nous disposons de la seconde charte concédée par l'évêque Godefroy en 1128 et ratifiée par Louis VI.

Les mainmortes[1] sont complétement abolies. Les tailles[2] seront réparties de manière que tout homme devant payer paie seulement 4 deniers, et rien de plus, à moins qu'il ne possède assez de biens pour payer la taille.

D'après A. Thierry, *Recueil des Ordonnances des rois de France*, 1839.

1. Incapacité pour les paysans non libres de transmettre des biens à leur décès.
2. Redevance payée au seigneur d'un lieu. Les nobles et le clergé en sont exemptés.

Source 4 Le sceau de la commune de Laon (1228)

Le personnage porte une épée, la lame vers le bas, signe de paix retrouvée.

Sceau dit « de la paix » de Laon, 1228, Archives nationales, Paris.

Point méthode

La démarche de l'historien

Étape 1 Identifier les documents sources

1. Pour chaque source, relevez sa nature, sa date et son auteur ou son commanditaire (celui qui en fait la commande).

Étape 2 Comprendre les documents sources et les confronter

2. SOURCE 3 Qu'accorde la charte de 1128 aux habitants de la commune de Laon ?
3. SOURCES 2 ET 3 Qui accorde les chartes de franchise ? Qui les ratifie ? Expliquez pourquoi.
4. SOURCE 4 Décrivez le symbole choisi par la commune de Laon pour illustrer son sceau.
5. SOURCES 2 ET 4 Pourquoi avoir choisi un tel symbole ?

Étape 3 Conclure

Indiquez qui était le seigneur de Laon au XIIe siècle et comment les bourgeois de la ville obtiennent des droits et des libertés.

Leçon

L'émergence d'une nouvelle société urbaine

Comment l'essor des villes et des échanges marchands transforme-t-il la **société urbaine** ?

I L'essor des villes

- **Les villes connaissent une croissance sans précédent à partir du XIe siècle.** Les progrès agricoles ainsi que le développement de l'artisanat et des échanges commerciaux entraînent un essor urbain. D'anciens noyaux urbains se développent et des seigneurs fondent de nouvelles villes (villeneuves au Nord, bastides au Sud) lors des grands défrichements des XIIe et XIIIe siècles.
- Carrefours commerciaux, les villes sont de taille modeste et dépassent rarement 10 000 habitants. **Quelques grandes places financières, artisanales et commerciales (Paris, Bruges, Venise, Arras...) font exception.**
- Les villes flamandes et les villes d'Italie du Nord échangent leurs produits lors de foires, comme en Champagne.

II La bourgeoisie et l'émancipation urbaine

- Le développement du commerce enrichit les artisans, les marchands et les banquiers. Ces habitants appelés bourgeois s'unissent dans des communes pour réclamer des libertés et le droit de gouverner la ville. Ils obtiennent des chartes de franchise de la part des seigneurs laïcs (comtes) ou ecclésiastiques (évêques, abbés) : **c'est l'émancipation urbaine.**
- **Les bourgeois affirment alors leur autonomie** par des symboles comme les tours (beffroi flamand ou campanile italien) et leurs représentants (échevins dans le Nord ou consuls dans le Sud). Ils construisent des palais qui montrent leur richesse et leur pouvoir.

III Une société urbaine hiérarchisée et organisée

- **Les artisans et commerçants sont organisés en** métiers. Ces derniers encadrent le travail par des **règlements stricts** qui précisent les horaires de travail, les salaires et la localisation des activités dans la ville (les professions sont regroupées par quartier).
- **Les riches familles d'artisans, de commerçants et banquiers prennent la direction du gouvernement de la ville** et dominent la société bourgeoise. Ils forment le patriciat urbain.
- Les religieux, les métiers et les bourgeois commandent aux artisans des vitraux, des portraits et des habitations pour symboliser leur richesse et leur puissance. Lieu de vie religieuse (processions, cathédrales) et de culture (écoles, universités), la ville est désormais un centre intellectuel, artistique et littéraire.

Vocabulaire

Bourgeois : membre d'une communauté bénéficiant de privilèges accordés par un seigneur.

Commune : association de bourgeois d'une ville qui bénéficie de droits et privilèges accordés par un seigneur.

Société urbaine : ensemble des personnes habitant une même ville. Chaque société est organisée et hiérarchisée.

Charte de franchise : document par lequel un seigneur accorde des droits et privilèges garantissant une autonomie pour gérer la ville.

Métier : association de marchands ou d'artisans exerçant la même activité. On parle de corporation à partir du XVe siècle.

Je retiens l'essentiel

L'essentiel en schéma

À partir du XIe siècle, l'Occident chrétien connaît des progrès agricoles, une croissance démographique et un développement de l'artisanat

Essor du commerce

Croissance urbaine

Naissance et essor de la bourgeoisie

Les communes bourgeoises obtiennent des chartes de franchise de la part des seigneurs

Ces bouleversements recomposent la société urbaine

Organisation des artisans et marchands en métiers

Développement d'une culture urbaine

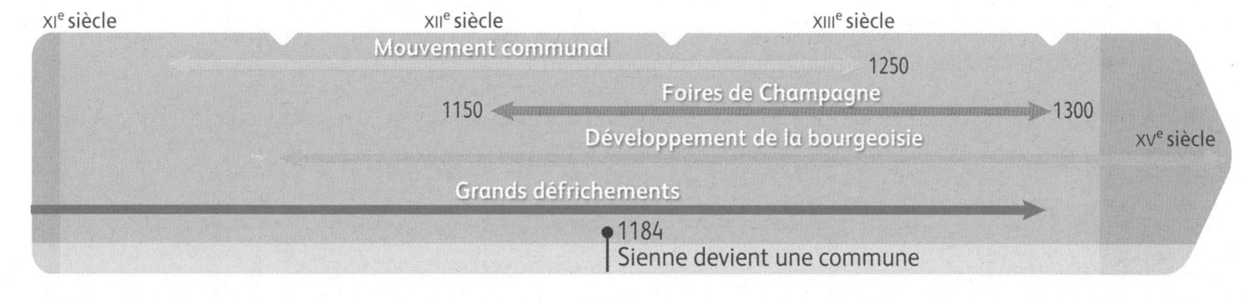

J'apprends, je m'entraîne

▶ Socle Méthode et outils pour apprendre

L'émergence d'une nouvelle société urbaine

1. Construire sa fiche de révision : notez le titre de la leçon sur votre feuille.

Je connais...

Objectif 1 ▶ Connaître les repères historiques

 **Reproduisez la frise chronologique et placez-y les repères suivants :**

– Le siècle d'essor de la bourgeoisie
– Le siècle des foires de Champagne
– Le mouvement communal

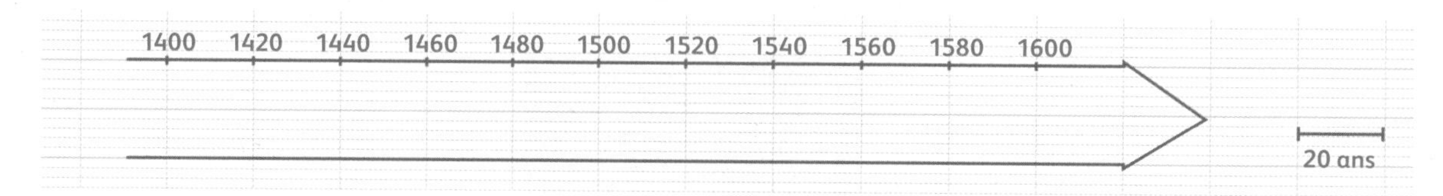

Objectif 2 ▶ Connaître les repères géographiques

Répondez aux questions suivantes.

1. Dans quelles régions (A) les villes drapantes se situent-elles ?
2. Où les marchands flamands et italiens échangent-ils leurs marchandises (B) ?
3. À quelles villes commerciales, artisanales et financières de l'Occident féodal correspondent les numéros (1), (2) et (3) ?

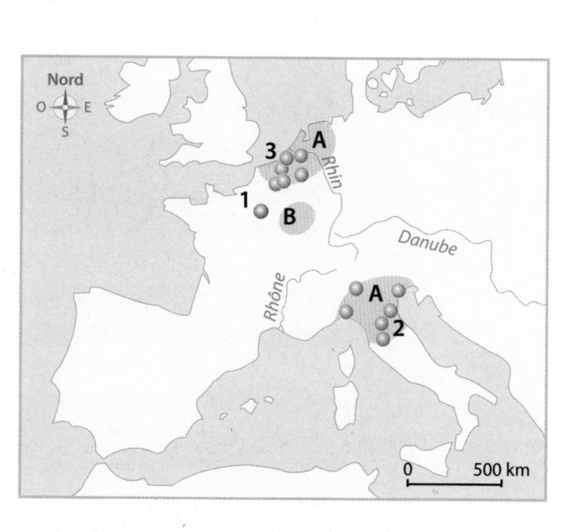

Objectif 3 ▶ Connaître les mots-clés

 **Recopiez et notez la définition des mots-clés suivants.**

Bourgeois – Commune – Société urbaine – Foire – Métier.

Je suis capable de...

Pour chacun des objectifs suivants, construisez une réponse à la consigne.

Objectif 4 ▶ Montrer que les villes se sont développées grâce au commerce

Aide *Rappelez que les villes se développent en même temps que le commerce et montrez comment les marchés et les foires favorisent leur développement.*

Objectif 5 ▶ Expliquer comment la bourgeoisie s'affirme dans la société urbaine

Aide *Expliquez qui sont les bourgeois et rappelez les rôles qu'ils jouent dans la ville.*

Objectif 6 ▶ Montrer que l'artisanat occupe une place importante dans la société urbaine

Aide *Expliquez ce que sont les métiers et expliquez leur emplacement dans la ville.*

2. S'entraîner

1 Construire des repères historiques

La société urbaine

1. Après avoir rappelé ce qu'est un métier au Moyen Âge, identifiez et nommez ceux représentés sur les sceaux ci-dessous :

Aide (*Repérez le motif choisi pour représenter chaque métier.*

Sceaux de la ville de Bruges, Archives nationales, Paris.

2 Comprendre un texte

La vie des rues au Moyen Âge

Galeran entre dans la ville,
Il en est qui jouent aux échecs,
D'autres se distraient au jeu de dames. [...]
Ici sont à vendre des chevreuils
Et des viandes et autres venaisons[1].
On serait vite lassé
De nommer et dénombrer
Les poissons que l'on vend à l'ombre ;
Vous pouvez voir en chemin
Quantité de poivre et de cumin [...]
D'autres épices et de cire.
Ici ce sont les changeurs[2] rangés en file
Qui exposent devant eux leur monnaie.
Là il y en a vingt, là il y en a cent
Qui montrent des lions et des ours [...]
Au milieu de la ville, aux carrefours
L'un joue de la vielle[3] et l'autre chante
C'est la fête !

D'après la chanson de Galeran de Bretagne, XIIIe siècle.

1. Le gibier.
2. Banquiers.
3. Instrument de musique.

1. Identifiez les différents métiers que Galeran croise en ville.
2. Relevez les marchandises vendues. D'où viennent-elles ?
3. Relevez les loisirs des habitants de la ville.
4. Montrez que l'Église est très présente dans la vie d'une ville au XIIIe siècle.

Auto-évaluation **Je me positionne sur une marche :**

1.	2.	3.	4.
• Je lis le texte. • Je repère sa nature, sa date et son auteur.	• Je lis le texte. • Je repère sa nature, **sa date et son auteur.** • **Je comprends son idée générale.**	• Je lis le texte. • Je repère sa nature, sa date et son auteur. • Je comprends son idée générale. • **Je sélectionne des informations pertinentes pour répondre.**	• Je lis le texte. • Je repère sa nature, sa date et son auteur. • Je comprends son idée générale. • Je sélectionne des informations pertinentes pour répondre. • **J'utilise mes connaissances pour expliquer.**
Question 1	**Questions 1 et 2**	**Questions 1, 2 et 3**	**Questions 1, 2, 3 et 4**

Pour progresser, j'analyse mes axes de progrès. Que devrais-je améliorer ?

J'apprends, je m'entraîne

3 Analyser et comprendre une image

Une scène de foire en ville

Identifier le document

1. Présentez le document (nature, auteur, date).
2. Identifiez la scène présentée.

Extraire des informations pertinentes

3. Décrivez la place et les maisons (matériaux, taille, disposition, etc.).
4. Associez chacun des quatre groupes de personnes à un membre de la société : seigneur, bourgeois, marchands et paysans.
5. Identifiez les différents produits vendus.

Enluminure extraite du roman de Thomas III de Saluces, *Le Chevalier errant*, vers 1400-1405, BNF, Paris.

Utiliser ses connaissances pour expliciter et exercer son esprit critique

6. Comment l'artiste illustre-t-il la hiérarchie sociale ?
7. Comment montre-t-il le lien entre la ville et la campagne ?
8. Cette scène est-elle une scène réelle ou une scène idéale ? Justifiez votre réponse.

Auto-évaluation Je me positionne sur une marche :

1.	2.	3.	4.
• J'observe l'image. • Je repère **sa nature, son auteur, sa date.**	• J'observe l'image. • Je repère sa nature, son auteur, sa date. • **Je décris ce que j'observe.**	• J'observe l'image. • Je repère sa nature, son auteur, sa date. • Je décris ce que j'observe. • **Je reconnais les éléments importants de l'image.**	• J'observe l'image. • Je repère sa nature, son auteur, sa date. • Je décris ce que j'observe. • Je reconnais les éléments importants de l'image. • **J'interprète (je donne du sens) en m'appuyant sur mes connaissances.**
Question 1	Questions 1 et 3	Questions 4 et 5	Questions 6, 7 et 8

Pour progresser, j'analyse mes axes de progrès. Que devrais-je améliorer ?

4 S'informer dans le monde numérique Les foires de Champagne

Dans un moteur de recherche, tapez les mots-clés « foires de Champagne ». Entrez sur le site officiel des Foires de Champagne puis cliquez sur l'onglet « La foire ». À partir de la rubrique « Histoire des foires » répondez aux questions suivantes :

1. Qui assure la réussite des foires de Champagne au XIIe siècle ? Comment attire-t-il les marchands ?
2. Où et quand se déroulaient les foires de Champagne aux XIIe et XIIIe siècles ?

Enquêter Paris au « temps des malheurs »

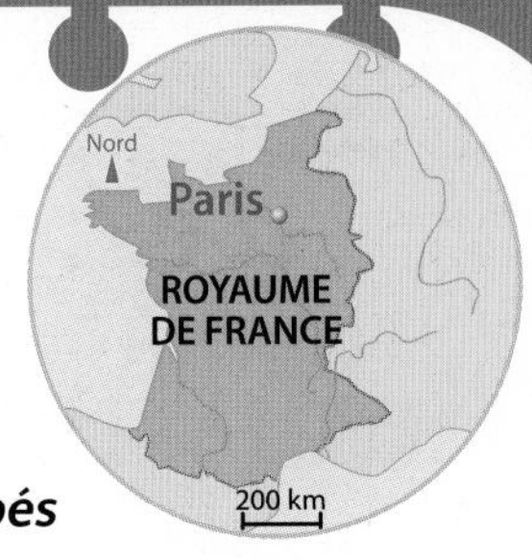

À partir du milieu du XIVe siècle, les habitants de Paris sont frappés par un terrible fléau. Lequel ? Menez l'enquête.

Indice n°1

Évolution de la population de Paris au Moyen Âge

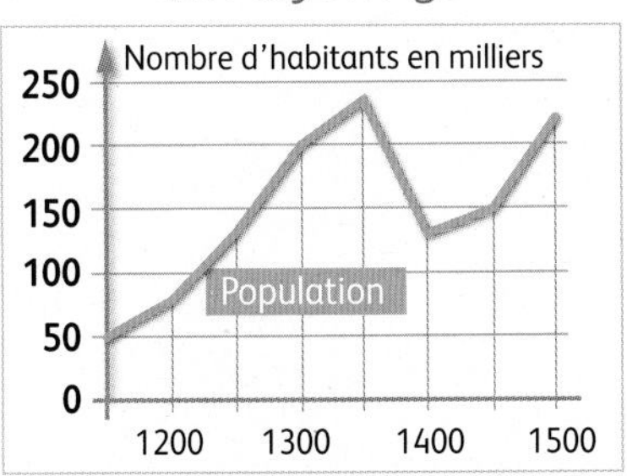

Témoin n°1

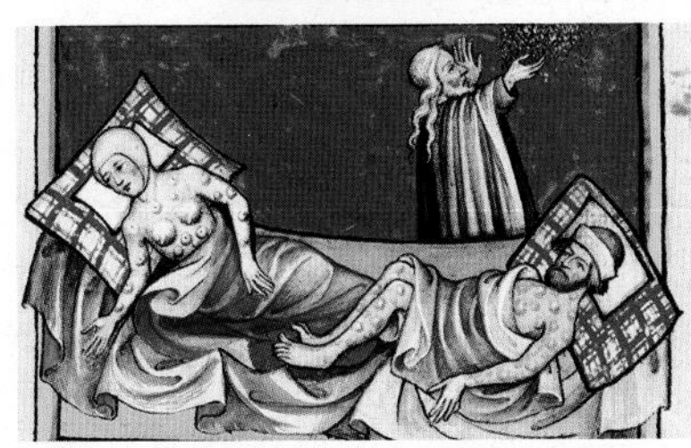

Miniature de la Chronique de Toggenburg de Rudolf von Ems, vers 1411, Kupferstichkabinett, Berlin (Allemagne).

L'an du Seigneur 1348, à la famine et à la guerre qui existaient déjà vinrent s'ajouter dans les diverses parties du monde les épidémies[1]. Très vite, de vingt hommes, il n'en restait pas deux vivants. À l'Hôtel-Dieu de Paris, plus de 500 morts étaient portés chaque jour au cimetière pour y être ensevelis.

D'après J. de Venette, *Chroniques*, XIVe siècle.

1. Peste noire.

Qui est-il ? Jean de Venette (vers 1307-1369)
Chroniqueur parisien pendant la guerre de Cent Ans, il raconte année après année les événements marquants de son temps.

Témoin n°2

Miniature du *Miroir humain* de Domenico Lenzi, XIVe siècle, Bibl. Laurentienne, Florence (Italie).

Le blé et la famine enchérirent. On ne pouvait trouver du pain. Sur le tas de fumier dans Paris, vous eussiez pu trouver de-ci de-là vingt ou trente enfants garçons ou filles, mourant de faim ou de froid. Les pauvres chefs de famille ne pouvaient leur venir en aide, sans pain, sans blé, sans bois, ni charbon.

D'après *Le Journal d'un bourgeois de Paris à la fin la guerre de Cent Ans*, 1963, Paris.

Qui est-il ?
Cet auteur anonyme est un bourgeois de Paris du début du XVe siècle. Il raconte la vie quotidienne à Paris.

Témoin n°3

Vie et miracles de Saint Louis, fin du XVe siècle, BNF, Paris.

Cette année (1427), la Seine fut si haute que le jour de Pentecôte, 8 juin, elle atteignit la Croix-en-Grève ; l'île Notre-Dame fut inondée ; toutes les maisons construites en contrebas étaient inondées jusqu'au premier étage. Dans les écuries en contrebas de trois ou quatre marches, les chevaux attachés ne purent être sauvés à temps et furent noyés en l'espace de deux heures.

D'après *Le Journal d'un bourgeois de Paris à la fin de la guerre de Cent Ans*, 1963, Paris.

Avez-vous pris connaissance des indices et des témoins ? Quelle est votre conviction : quel fléau est responsable de l'évolution de la population parisienne au milieu du XIVe siècle ?

Par équipe, complétez le carnet de l'enquêteur.
1. Liste des différents fléaux urbains : …
2. Conséquences démographiques pour Paris : …
Rédigez la conclusion de votre enquête.

L'atelier d'écriture

L'industrie du drap et les villes

À l'aide de vos connaissances, présentez l'importance de l'industrie du drap pour les villes à partir d'une carte mentale.

Travail préparatoire (au brouillon)

1. Analysez le sujet.

L'industrie du drap et les villes du XIe au XVe siècle

Quels métiers sont nécessaires à sa fabrication ? Comment les métiers sont-ils organisés?

Que sait-on sur l'importance de la production et du commerce du drap pour les villes ?

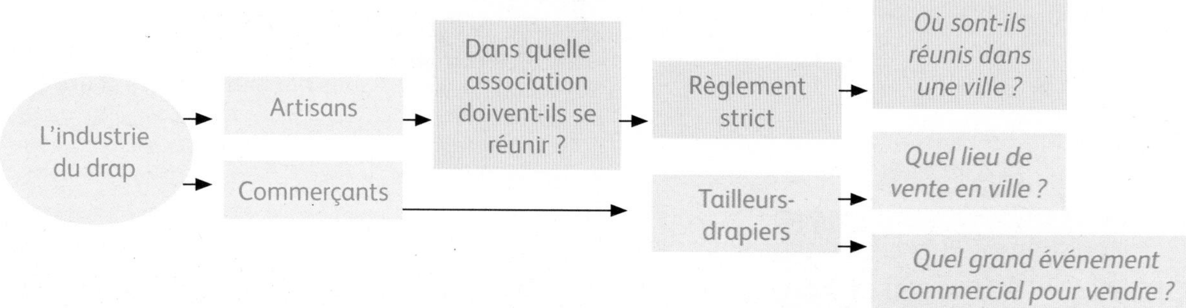

2. Organisez vos idées en réalisant une carte mentale.

3. Vérifiez avec votre cahier et votre manuel que vous avez bien compris chacune des informations indiquées.

Travail de rédaction (au propre)

Précisez la période et l'espace concernés au début de votre texte.

À vous de choisir votre niveau de difficulté et votre ceinture !

Je rédige un texte **sans aide.**

Je rédige un texte sans aide. Rédigez votre texte en vérifiant que :

- Vous citez toutes les informations de la carte mentale dans votre récit.
- Vous regroupez plusieurs informations dans une même phrase.

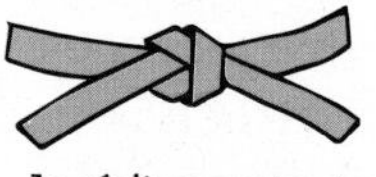

Je rédige un texte **avec un guide.**

Je rédige un texte avec un guide. Rédigez votre texte à l'aide des amorces de phrases suivantes correspondant aux trois couleurs de la carte mentale :

- L'industrie du drap regroupe des…….. Les métiers obligent les artisans à…………
Le commerce du drap est effectué par…………..

Je rédige un texte **en prenant les réponses du « pense pas bête ».**

Je rédige un texte en répondant à des questions :

Commencez par présenter les artisans du drap :

- Quelles activités exercent-ils ?
- Dans quelle association se réunissent-ils ?

Présentez ensuite l'organisation des métiers dans la ville :

- Que doivent respecter les artisans d'un métier ?
- Où peuvent-ils s'installer pour exercer leur activité ?

Terminez en présentant le commerce du drap :

- Qui effectue le commerce du drap ?
- Où les artisans vendent-ils les draps ?

EMC

Objet d'enseignement EMC *L'exercice de la citoyenneté dans une démocratie*

Qui gère une ville ?

1 La charte communale de Douai (1228)

Parchemin, en latin, scellé de deux sceaux de cire verte sur lacs de soie.

Archives communales de Douai.

Nous (le comte de Flandre et de Hainaut) avons concédé à nos chers bourgeois et échevins[1] de Douai le droit d'avoir un échevinage[2] à perpétuité. Au bout de treize mois, les échevins qui sortent de l'échevinage doivent élire quatre bourgeois de la ville de Douai dans les quatre quartiers. Nous leur avons concédé les us et coutumes et les lois qu'ils avaient au temps de feu Philippe comte de Flandre. Nous avons promis de tenir les engagements ci-dessus et leur en avons fait le serment.

D'après G. Espinas, *La vie urbaine à Douai au Moyen Âge*, Paris, Auguste Picard, 1913.

1. Bourgeois riches, membres du conseil chargé d'administrer la ville.
2. Conseil d'échevins.

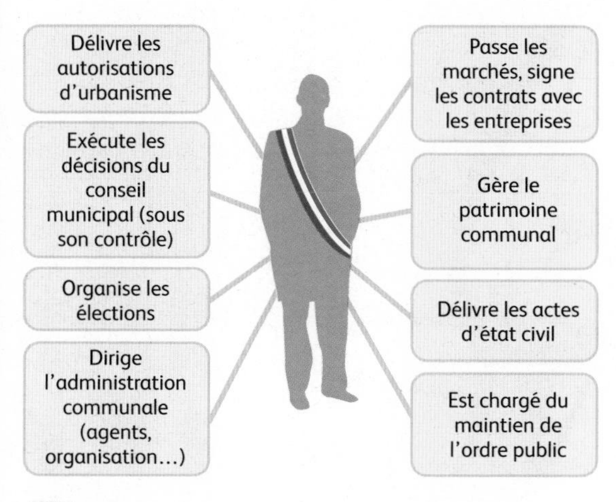

2 Le maire est le premier magistrat de la ville

3 Que dit la Loi aujourd'hui ?

Article L2541-19. Le maire administre les affaires communales pour autant que l'intervention du conseil municipal n'est pas requise.

Il prépare les délibérations du conseil municipal. Il est seul chargé de leur exécution.

D'après le Code général des collectivités territoriales.

Vocabulaire

Conseil municipal : assemblée d'élus chargée de gérer les affaires d'une commune.

Le droit et la règle, des principes pour vivre avec les autres

1. DOC. 1 Quel droit est reconnu par la Charte de 1228 ?
2. DOC. 2 ET 3 Aujourd'hui, qui participe à la gestion d'une commune en France ?

Le jugement, penser par soi-même et avec les autres

3. Par groupe, prenez rendez-vous pour rencontrer un membre du conseil municipal ou une personne travaillant à la mairie de la commune de votre collège ou à celle du lieu où vous habitez. Avant le rendez-vous, préparez des questions sur son rôle, le fonctionnement d'une commune, son programme... En classe, choisissez celles qui vous semblent les plus pertinentes. Puis, nommez quelques représentants qui iront interviewer ces personnes.

5 L'affirmation de l'État monarchique dans le royaume des Capétiens et des Valois

Comment l'État monarchique s'impose-t-il en France entre le XIe et le XVe siècle ?

Souvenez-vous !
Quelle dynastie Charlemagne a-t-il fondée ?

b. La façade de la cathédrale Notre-Dame de Reims.

1 Le roi et ses insignes du pouvoir lors de son sacre à Reims

a. Détail de la rosace en façade de la cathédrale Notre-Dame de Reims.

1. La couronne
2. Le sceptre

Vocabulaire

État monarchique : territoire délimité par des frontières sur lequel s'impose le pouvoir d'un roi.

Sacre : cérémonie religieuse durant laquelle un roi devient lieutenant de Dieu sur terre et reçoit les insignes du pouvoir royal.

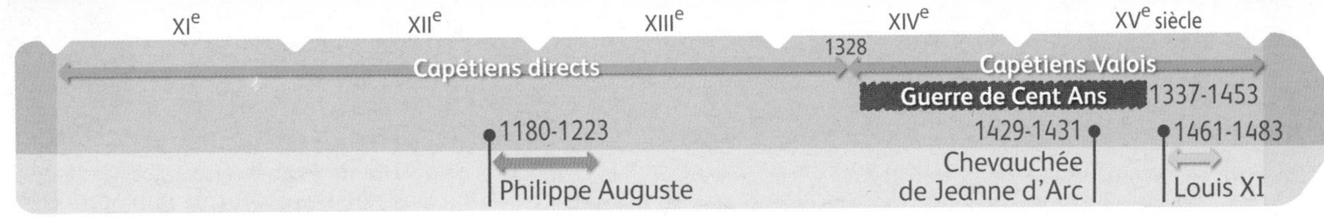

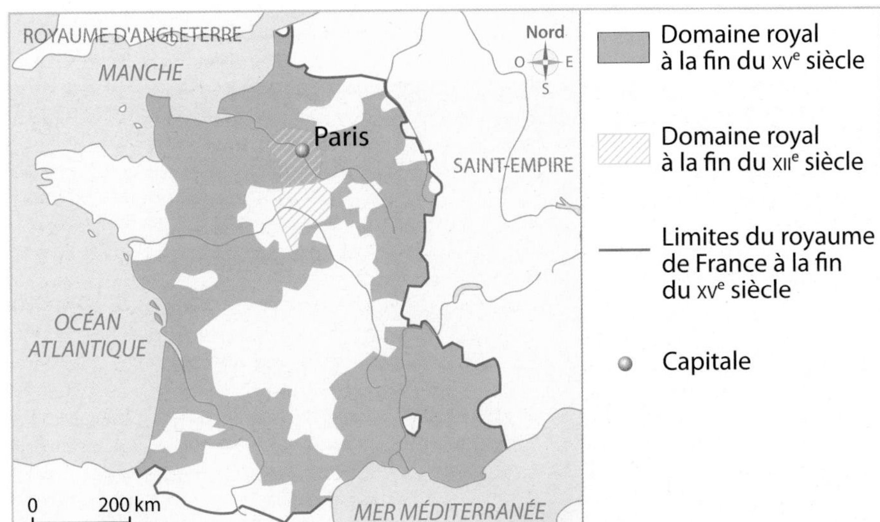

Socle *Se repérer dans l'espace et le temps*

2 Les rois imposent leur pouvoir lors de conflits

Victoire de Philippe Auguste à Bouvines, miniature dans *Miroir Historial* de V. de Beauvais, vers 1400, La Haye, Koninklijke Bibliotheek.

1. DOC. 1 À quelle occasion le roi de France reçoit-il ses insignes du pouvoir ?
2. DOC. 2 Quel moyen les rois utilisent-ils pour imposer leur autorité sur les seigneurs du royaume ?
3. DOC. 2 **Émettez une hypothèse** pour répondre à la question suivante : pourquoi les rois de France ont-ils dû imposer leur autorité sur le royaume de France ?

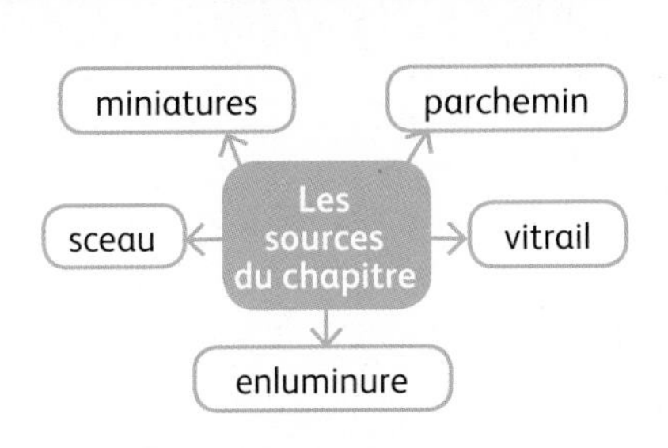

Le sacre de Louis VIII

Louis VIII
(1187-1226)

Roi de France entre 1223 et 1226. Il est le fils de Philippe Auguste et le père de Louis IX, dit « Saint Louis ».

1 Le sacre de Louis VIII

Miniature extraite des *Grandes Chroniques de France*, 1455-1460, BNF, Paris.

Les miniatures

Au Moyen Âge, les manuscrits sont illustrés d'images colorées. La miniature est de plus petite taille que l'enluminure, qui décore une lettre.

Les couleurs étaient fabriquées grâce à des pigments naturels. Chacune d'elles a une signification : le rouge symbolise la force et le courage ; le jaune, la noblesse et la richesse ; le bleu, la fidélité et la persévérance.

2 Le rituel du sacre du roi

Miniatures extraites de *L'Ordre de la consécration et du couronnement des rois de France*, 1280, BNF, Paris.

a. Le roi prête serment entre les mains d'un évêque.

b. Le roi est oint[1] et reçoit l'épée.

1. bénit.

c. Le roi reçoit les insignes royaux ainsi que le soutien des évêques et des grands seigneurs.

Identifier et analyser une œuvre d'art

Présenter

1. DOC. 1 Relevez la nature du document, son lieu de conservation et sa période de réalisation.
2. DOC. 1 Quelle est la scène représentée ?

Décrire

3. DOC. 1 Quel personnage central est représenté ? Comment le reconnaît-on ?
4. DOC. 1 Que pouvez-vous dire du décor et des personnes qui entourent le personnage central ?

Comprendre

5. DOC. 1 ET 2 À l'aide des trois miniatures, précisez quel moment du sacre l'auteur du document a choisi de représenter.
6. DOC. 1 À votre avis, pour quelles raisons a-t-il fait ce choix ?

Étude

Philippe Auguste, seigneur et roi de France

Philippe Auguste (1180-1223)

1180 — 1223

Bataille de Bouvines (1214)

Comment Philippe Auguste renforce-t-il son autorité sur les grands seigneurs du royaume de France ?

Biographie

Philippe II dit Auguste (1180-1223)

Roi capétien, il étend le domaine royal et renforce son autorité. Il met en place une administration efficace.

1 Philippe Auguste sanctionne Jean sans Terre, vassal[1] désobéissant

En 1202, Jean, roi d'Angleterre et vassal du roi de France, refuse de se soumettre à la justice du roi. Des vassaux de Philippe Auguste demandent réparation car Jean a assiégé deux de leurs châteaux pour agrandir ses terres en France.

Le roi, afin d'observer les règles de la justice, avertit et exhorta Jean, par des écrits et des missives, à faire réparation pour ce fait, sans aucune contestation.
Le jour fixé étant arrivé, Jean ne voulut tenir sa parole. Comme était grande l'indignation qui remplissait son cœur, le roi s'abandonna aux justes mouvements de sa colère, et ne put plus souffrir que la fourberie tournât ainsi au profit du fourbe. Le roi donc mit le siège devant les deux châteaux, qui eussent dû lui être livrés, si Jean eût voulu tenir fidèlement sa parole. Pendant trois semaines, il les attaqua avec une grande vigueur ; puis il les détruisit, renversa les murailles et les rasa.

D'après G. Le Breton, *La Philippide*, chant VI, 1214-1224.

1. Jean, roi d'Angleterre, est aussi un vassal de Philippe Auguste car il possède des terres en France.

Qui est-il ? Guillaume Le Breton (1165-1226)
Prêtre et biographe du roi Philippe Auguste.

Point méthode

Identifier un document source DOC. 1

1. **Quelle est la nature de la source ?**
2. **Que sait-on de l'auteur ? Est-il contemporain des faits relatés ?**

Identifier son point de vue DOC. 1

3. **Relevez les éléments qui montrent que l'auteur prend le parti du roi face à son vassal désobéissant.**

2 Philippe Auguste agrandit le domaine royal

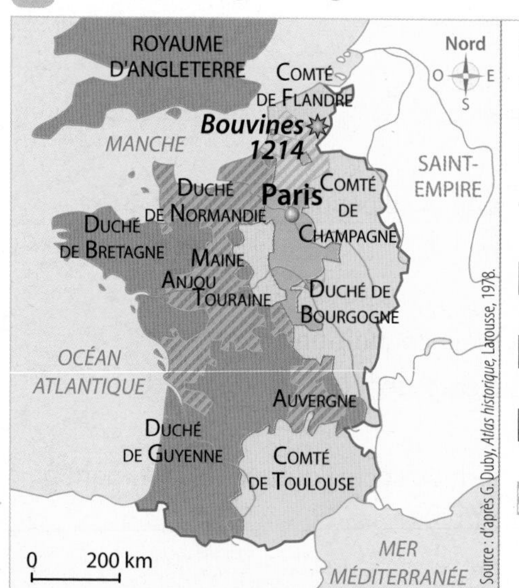

Philippe Auguste agrandit son territoire aux dépens du roi d'Angleterre (1223)

- Limites du royaume de France en 1223
- Domaine royal
- Fiefs du roi de France
- Possessions des Plantagenêt (anglais)
- Territoires gagnés par Philippe Auguste
- Bataille

Vocabulaire

Bailli : représentant du roi dans le royaume, chargé de rendre la justice et de lever les impôts.

Coalition : alliance militaire.

Fief : terre accordée par le seigneur à son vassal en échange de sa fidélité et de son aide.

Sceau : cachet de cire ou de plomb qui donne un caractère officiel à un acte.

Seigneur : personne qui exerce une domination sur la terre, les hommes.

Vassal : guerrier au service d'un seigneur après lui avoir prêté hommage.

1. Philippe Auguste et son armée
2. Coalition militaire menée par l'empereur Otton, le comte Ferrand de Flandre et le comte Renaud de Boulogne pour Jean sans Terre

3 Philippe Auguste est défié à Bouvines par la coalition de Jean sans Terre (1214)

En 1214, Jean sans Terre met en place une coalition pour se venger de Philippe Auguste, qui lui a confisqué ses fiefs français. Une bataille oppose les deux camps à Bouvines, dans le comté de Flandre.

Les Grandes Chroniques de France, enluminure, 1471, BNF, Paris.

4 Une administration judiciaire et financière au service du roi

Philippe Auguste veut établir une administration efficace dans son royaume. Il rédige cet acte :

Nous avons établi que nos baillis (...) fixent tous les mois un jour que l'on appelle Assise. Ce jour-là, par leur entremise, tous ceux qui porteront plainte recevront immédiatement droit et justice, et nous, nos droits et la justice qui nous revient. (...)
Nous prescrivons en outre, que tous les revenus, nos services et nos recettes soient portés à Paris à trois périodes de l'année : d'abord à la Saint-Rémi, ensuite à la Purification de la Sainte Vierge, en troisième lieu à l'Ascension.

Recueil des *Actes de Philippe Auguste*.

5 Le sceau de Philippe Auguste légitime ses actes

Philippe par la grâce de Dieu, roi des Francs.
Sceau de Philippe Auguste, Archives Nationales, Paris.

Activités

Socle *Comprendre le sens des documents*

1. DOC. 1 Quelle réaction Philippe Auguste adopte-t-il face à son vassal désobéissant Jean sans Terre ?
2. DOC. 3 Qui s'oppose lors de la bataille de Bouvines ?
3. DOC. 2 Qui est sorti vainqueur de cette bataille ? Quelle conséquence la guerre a-t-elle sur le domaine royal ?
4. DOC. 4 ET 5 Quels moyens Philippe Auguste utilise-t-il pour imposer son pouvoir dans le royaume ?

Pour conclure Répondez par une phrase courte à la question suivante et exposez-la à l'oral :

Comment Philippe Auguste renforce-t-il son autorité sur les grands seigneurs du royaume de France ?

L'atelier de l'historien

1330 — La guerre de Cent Ans (1337-1453) — 1460
Les chevauchées de Jeanne (1429-1431)

Histoire et mythe

Jeanne d'Arc et la guerre de Cent Ans

Vous êtes un historien et vous cherchez à comprendre le rôle joué par Jeanne d'Arc dans la guerre de Cent Ans.

Jeanne d'Arc (1412-1431)
Paysanne vivant dans l'est de la France. Elle a aidé le roi Charles VII à reconquérir son royaume. Capturée par les Anglais, elle est brûlée vive.

Source 1

Une illustration franco-flamande de Jeanne d'Arc

Anonyme, *Jeanne d'Arc*, enluminure d'un parchemin franco-flamand, vers 1430, Archives nationales, Paris.

1 Fleur de lys de la couronne de France

2 Référence à la Vierge Marie

3 Référence à Jésus

4 Références à Dieu, et aux Saints, dont Jeanne aurait entendu les voix

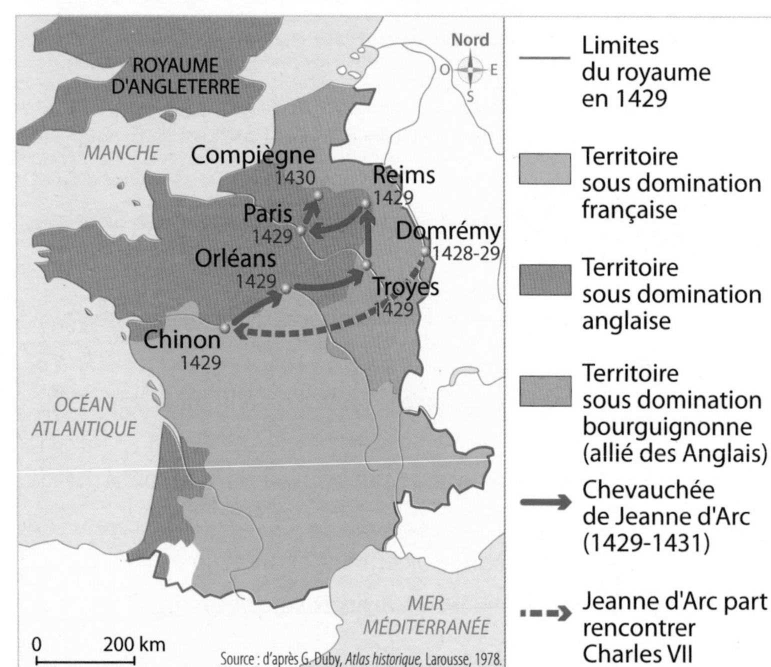

Source : d'après G. Duby, *Atlas historique*, Larousse, 1978.

- Limites du royaume en 1429
- Territoire sous domination française
- Territoire sous domination anglaise
- Territoire sous domination bourguignonne (allié des Anglais)
- Chevauchée de Jeanne d'Arc (1429-1431)
- Jeanne d'Arc part rencontrer Charles VII

Contexte :
Depuis 1337, Français et Anglais se disputent la couronne de France. Après des défaites françaises, les Anglais et leurs alliés bourguignons dominent une partie du royaume. En 1429, le roi de France ne contrôle plus qu'une petite partie de son royaume.

Source 2 Les propos de Jeanne d'Arc, rapportés par un conseiller du roi

En pleine guerre de Cent Ans, Jeanne dit être missionnée par Dieu pour apporter son aide au roi Charles VII. Elle lui répète ce que les voix lui auraient dicté.

Il convient que tu mènes une autre vie et que tu accomplisses des actions merveilleuses, car tu es celle que Dieu a choisie pour être la réparation du royaume de France, l'aide et la protection du roi Charles [VII], expulsé de sa seigneurie. Revêts un habit d'homme : en prenant les armes, tu seras chef de guerre ; toutes choses seront gouvernées par ton conseil.

D'après une lettre de P. de Boulainvilliers adressée au duc de Milan le 21 juin 1429.

Qui est-il ? Perceval de Boulainvilliers (XVe siècle)
Chevalier, il est également conseiller et chambellan du roi Charles VII.

Source 3 Jeanne d'Arc, représentée par un chroniqueur français

Martial d'Auvergne, *Les Vigiles de Charles VII*, miniatures, fin du XVe siècle, BNF, Paris.

Jeanne rencontre Charles VII à Chinon

Jeanne mène l'attaque de Paris

Jeanne est condamnée et brûlée vive à Rouen

Source 4 Jeanne, perçue par les Anglais

Jeanne d'Arc a été faite prisonnière par les Anglais à Compiègne. Son procès se déroule à Rouen.

Nous, Pierre Cauchon, évêque de Beauvais, avons déclaré que toi, Jeanne, tu es tombée en des erreurs variées et crimes divers d'invocation des démons et plusieurs autres méfaits. Par ces motifs, nous jugeons que tu es hérétique[1], nous estimons que, tel un membre pourri, pour que tu n'infectes pas les autres membres du Christ, tu es à rejeter de l'unité de l'Église et que tu dois être livrée à la justice des hommes.

D'après les *Minutes du procès de Jeanne d'Arc*, 1431.

1. Infidèle.

Qui est-il ? Pierre Cauchon (1371-1442)
Évêque de Beauvais, il est conseiller du roi d'Angleterre.

Point méthode

La démarche de l'historien

Étape 1 ▶ Identifier les documents sources

1. Pour chacune des quatre sources, identifiez son auteur et précisez s'il est proche du camp anglais ou français.

Étape 2 ▶ Comprendre et confronter les documents sources

2. SOURCES 1, 2 ET 3 Quel rôle Jeanne joue-t-elle pendant cet épisode de la guerre de Cent Ans ? Quels aspects participent à la construction de sa légende ?
3. SOURCES 1, 2 ET 4 Sur quels aspects les différentes sources s'accordent-elles ? Sur lesquels divergent-elles ?
4. SOURCES 1, 2, 3 ET 4 Que savez-vous désormais avec certitude sur le personnage de Jeanne d'Arc ?

Étape 3 ▶ Conclure

Montrez le rôle de Jeanne d'Arc pendant la guerre de Cent Ans et comment elle est devenue une figure légendaire.

Étude

1400 — 1500
Charles VII (1422-1461) — Louis XI (1461-1483)

L'État renforcé après la guerre de Cent Ans

Comment Louis XI renforce-t-il le pouvoir royal ?

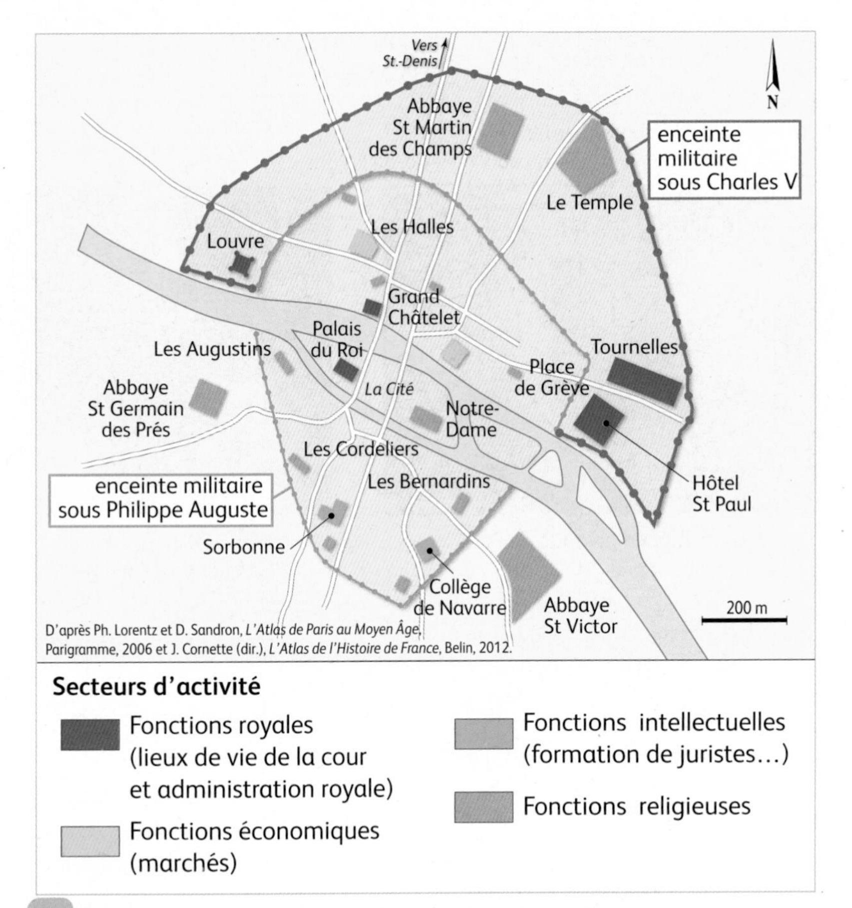

1 | **Paris, une capitale royale et administrative**
Plan de Paris à la fin du XVe siècle.

Biographie

Louis XI (1423-1483)

Roi de France, il règne de 1461 à 1483. Il agrandit le royaume avec le rattachement de la Bretagne et des terres du duc de Bourgogne. Il consolide aussi l'administration du royaume et en fait un État moderne.

2 Louis XI donne des conseils à son fils

Trois choses font le roi régner et être riche : bien garder et augmenter son domaine ; tenir bonne justice et les gens d'armes en bon ordre et en crainte ; garder et augmenter la chose publique de son royaume.

D'après *Le Rosier des guerres*, vers 1482.

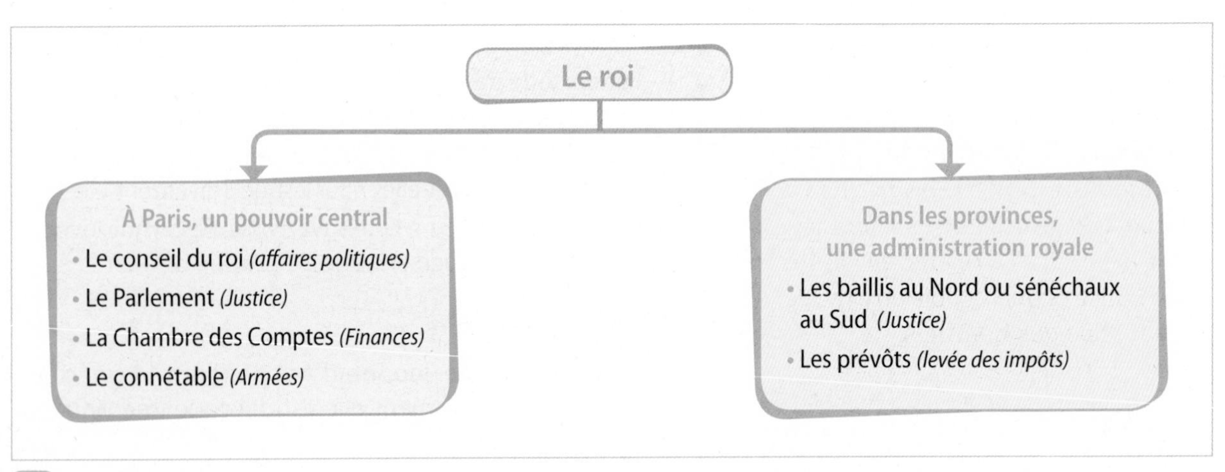

3 | **Une administration moderne**
Après la guerre de Cent Ans, le roi renforce son autorité sur le royaume en s'appuyant sur une administration centralisée et modernisée.

4 | **L'impôt récolté par des serviteurs de l'État**
Valère Maxime, *Faits et dits mémorables*, France, manuscrit, vers 1455, BNF, Paris.

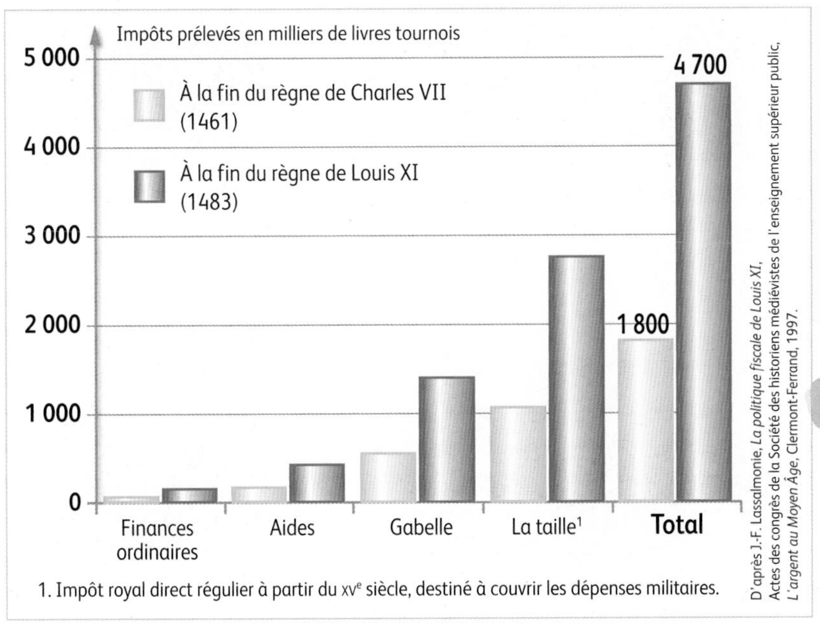

1. Impôt royal direct régulier à partir du XVe siècle, destiné à couvrir les dépenses militaires.

D'après J.-F. Lassalmonie, *La politique fiscale de Louis XI*, Actes des congrès de la Société des historiens médiévistes de l'enseignement supérieur public, *L'argent au Moyen Âge*, Clermont-Ferrand, 1997.

Contexte :
Les principaux impôts sont les **aides** (taxe sur la vente des marchandises), la **gabelle** (taxe sur le sel), la **taille** (impôt sur les revenus, auquel échappent les nobles, le clergé et les fonctionnaires).

5 | **La mise en place d'impôts royaux permanents pour gouverner**
D'après J.-F. Lassalmonie, « La politique fiscale de Louis XI », *Actes des congrès de la Société des historiens médiévistes de l'enseignement supérieur public.*

Activités

Socle *Extraire des informations*

1. **DOC. 1** Quels bâtiments montrent que Paris est une capitale royale et administrative ?
2. **DOC. 2 ET 3** Comment le roi organise-t-il le pouvoir central ?
3. **DOC. 3, 4 ET 5** Quels moyens le roi se donne-t-il pour mieux contrôler son royaume ?

Pour conclure Préparez une réponse organisée à la question suivante :

Comment le pouvoir royal s'est-il renforcé après la Guerre de Cent Ans ?

Aide *Vous indiquerez quels moyens le roi se donne-t-il pour renforcer son pouvoir sur le royaume.*
Vous montrerez la place de Paris dans l'administration royale.

Contexte

Une société féodale qui disparaît

XIe — Capétiens directs / Capétiens Valois — XVe

Comment les rois s'imposent-ils dans une France où domine le système féodal ?

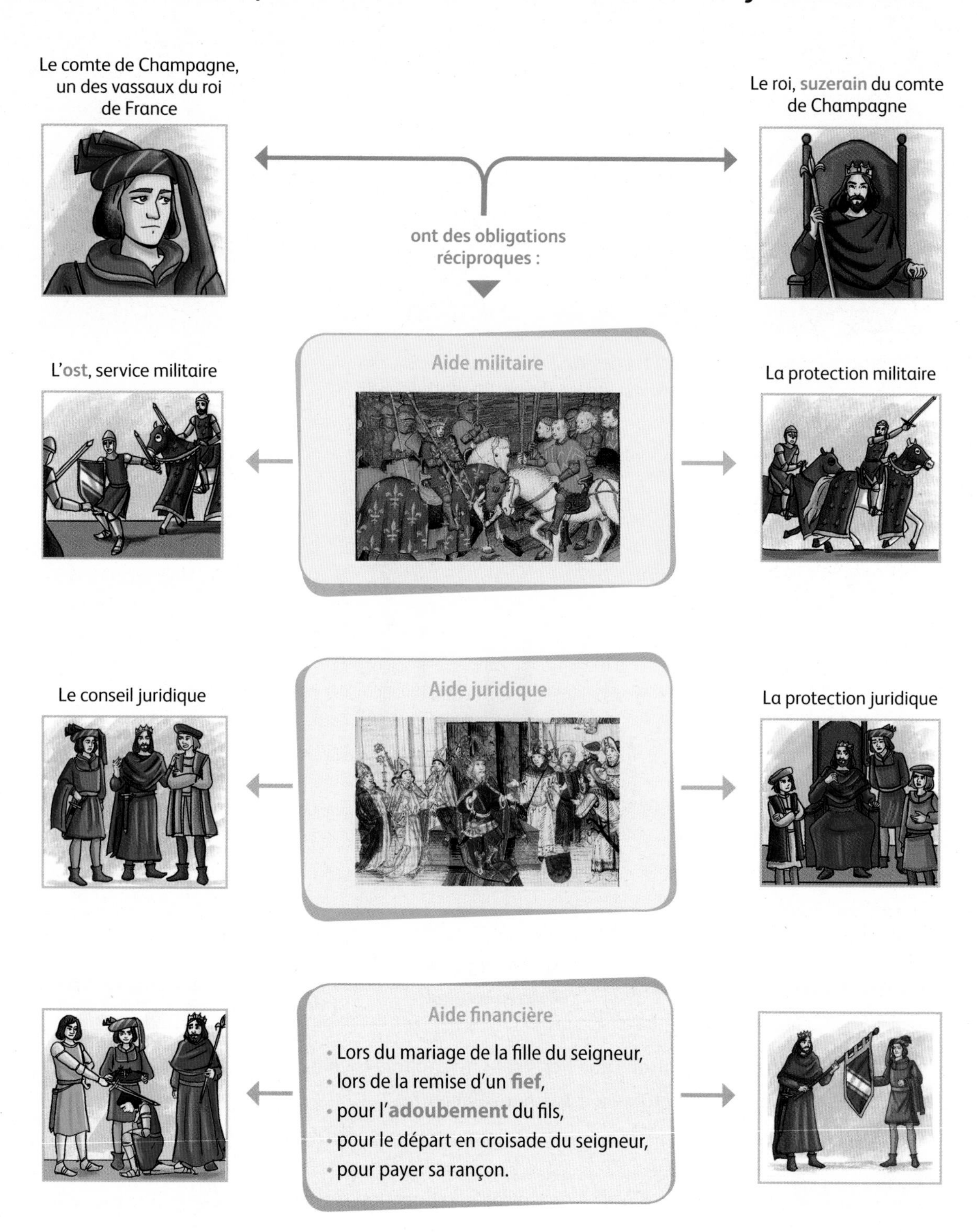

1 | **À l'époque féodale (Xe-XVe siècles) : le roi, un seigneur parmi d'autres seigneurs puissants**
D'après R. Fossier, *La société médiévale*, A. Colin, 2003.

2 La féodalité laisse place à un État moderne qui s'affirme

Les historiens en parlent

Au XVe siècle, la France s'incarne à travers la figure du roi. Elle perfectionne son appareil d'État, crée une fiscalité, se dote d'une administration, d'une armée, d'institutions représentatives.

Les rois de France ont profité des révoltes aristocratiques, usé de leurs forces pour mettre la main sur des domaines français. La subtilité de Louis XI fut remarquable ; il sut diviser les princes, utiliser sa diplomatie pour neutraliser ses ennemis anglais et bourguignons. Le mariage de Charles VIII avec Anne de Bretagne avait encore accru sa puissance. Au sortir de la Guerre de Cent Ans, au moment où l'économie se faisait plus prospère, la monarchie des Valois paraissait l'État le plus puissant d'Occident.

D'après M. Balard (dir), *Le Moyen Âge en Occident*, Hachette Supérieur, 2003, Paris.

3 La France entre le XIIe et la fin du XVe siècle (vers 1498) : le fruit de nombreuses évolutions

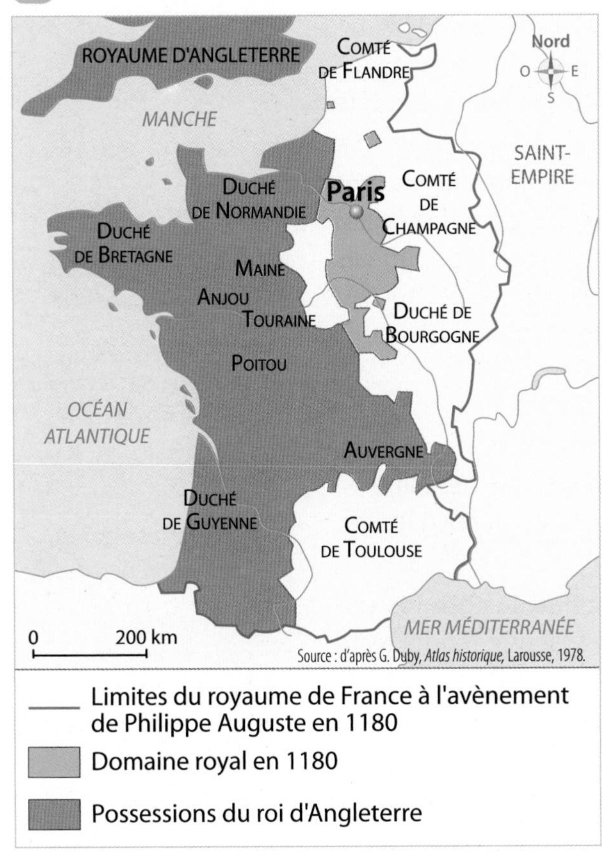

a. La France au début du règne de Philippe Auguste (1180)

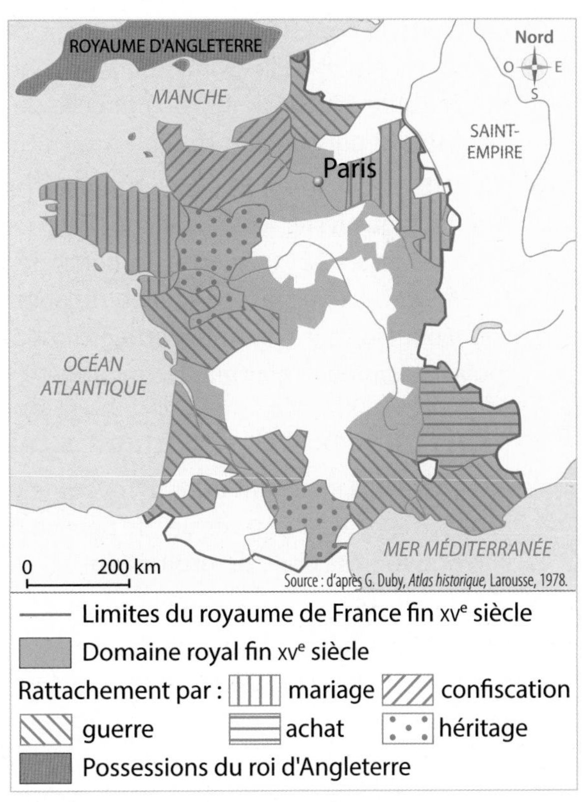

b. La France à la fin du XVe siècle (vers 1498)

Vocabulaire

Adoubement : cérémonie religieuse au cours de laquelle on devient chevalier.

Fief : terre accordée par le seigneur au vassal en échange de sa fidélité et de son aide.

Ost : service militaire.

Suzerain: seigneur qui accorde sa protection à un vassal.

Comprendre le contexte

La fin de l'organisation féodale et la naissance d'un État moderne

1. DOC. 1 Montrez comment fonctionnent les liens féodaux au Moyen Âge.

Les rois étendent leur territoire et imposent leur autorité dans le royaume

2. DOC. 2 Montrez comment les rois affirment leur autorité face aux grands seigneurs du royaume.

Leçon

L'affirmation de l'État monarchique dans le royaume des Capétiens et des Valois

Comment l'État monarchique s'impose-t-il en France entre le XIe et le XVe siècle ?

I Les rois imposent leur pouvoir sur le territoire

- La dynastie capétienne est au pouvoir depuis l'élection de Hugues Capet, roi en 987. Elle domine uniquement un petit domaine royal. Son autorité est concurrencée par celle de grands seigneurs, à la tête de vastes et puissants fiefs.
- **Au XIIIe siècle, le roi Philippe Auguste parvient à imposer un État monarchique à ses** vassaux. Il manifeste son autorité après la bataille de Bouvines en 1214. En effet, il confisque les territoires des seigneurs traîtres et ceux que le roi d'Angleterre possédait en France. Ses successeurs poursuivent l'agrandissement du domaine royal par différents moyens comme la guerre ou le mariage.

II Les rois imposent leur pouvoir sur les seigneurs

- Les Capétiens installent dans le royaume une monarchie héréditaire : en effet, le pouvoir se transmet de père en fils. **Le roi est sacré à Reims, son pouvoir est donc de droit divin.**
- Progressivement, **les rois deviennent les** suzerains **des grands seigneurs, qui doivent leur rendre** hommage. Le système féodal reste cependant très important dans le royaume. Certains de ces grands seigneurs demeurent puissants et des rivaux pour les rois.
- Philippe Auguste, Charles VIII ou encore Louis XI renforcent leur autorité sur les populations grâce à une administration mieux organisée et centralisée ainsi que la mise en place d'une armée permanente.

III Les rois surmontent de graves crises

- La mort de Charles IV, dernier roi capétien sans héritier direct, provoque un problème de succession. Les héritiers Valois et le roi d'Angleterre se disputent la couronne de France. C'est le début de la guerre de Cent Ans, en 1337. Les défaites françaises s'enchaînent et mettent une partie du royaume sous l'autorité directe du roi d'Angleterre. Le dauphin Charles VII tente de réaffirmer son pouvoir en se proclamant roi en 1419, alors que le royaume est en plein chaos.
- Charles VII rétablit son autorité, aidé par la chevauchée de Jeanne d'Arc. Ses successeurs, et notamment son fils Louis XI, poursuivent sa politique et agrandissent encore le domaine royal.

Vocabulaire

Domaine royal : territoire sur lequel le roi a totalement le pouvoir.

Fief : terre remise par un seigneur à un vassal.

Hommage : cérémonie par laquelle un vassal devient l'homme d'un seigneur.

Suzerain : seigneur supérieur aux autres seigneurs.

Vassal : guerrier au service d'un seigneur.

Dauphin : héritier de la couronne de France.

Dynastie : famille dont les membres se succèdent au pouvoir.

Je retiens l'essentiel

L'essentiel en schéma

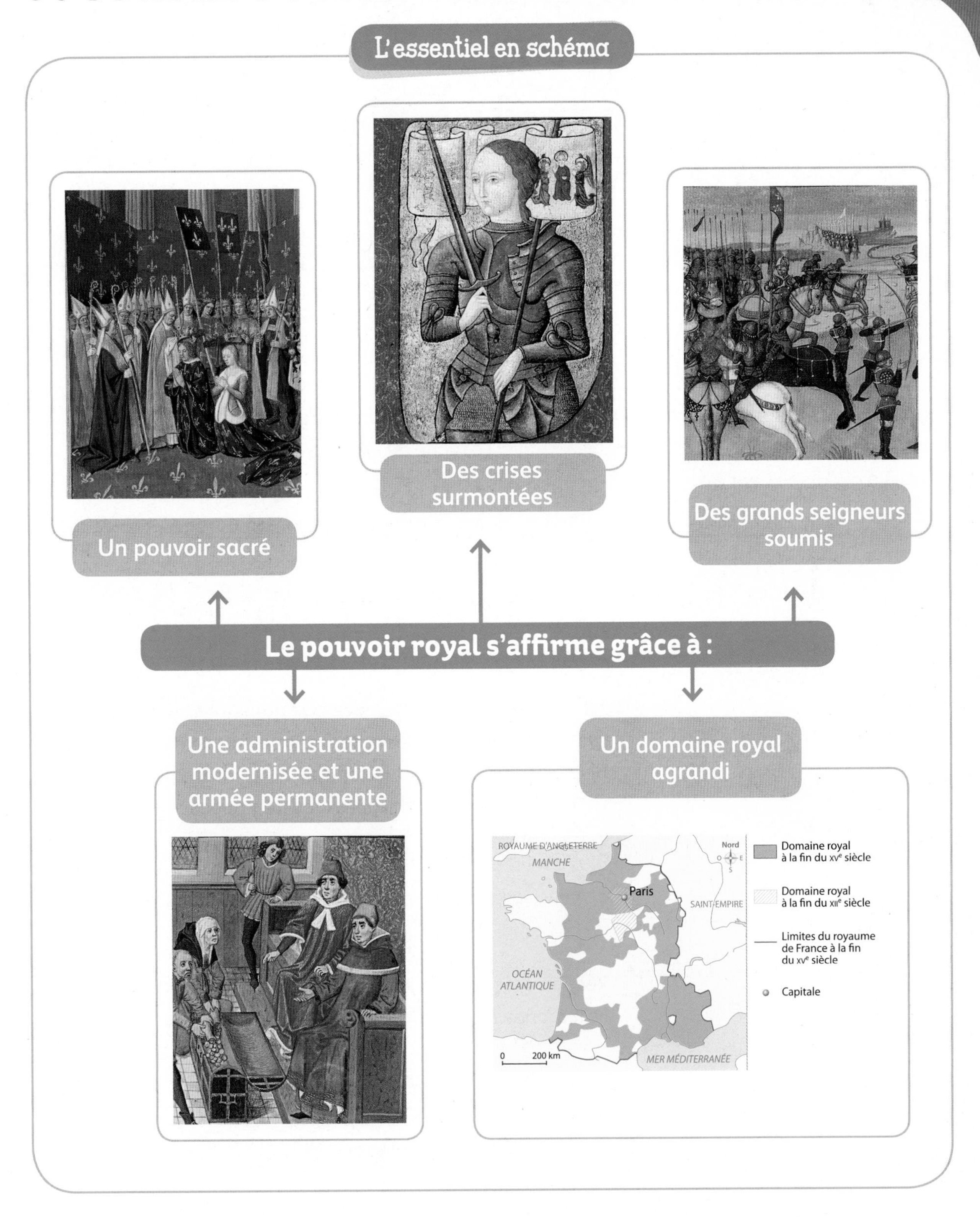

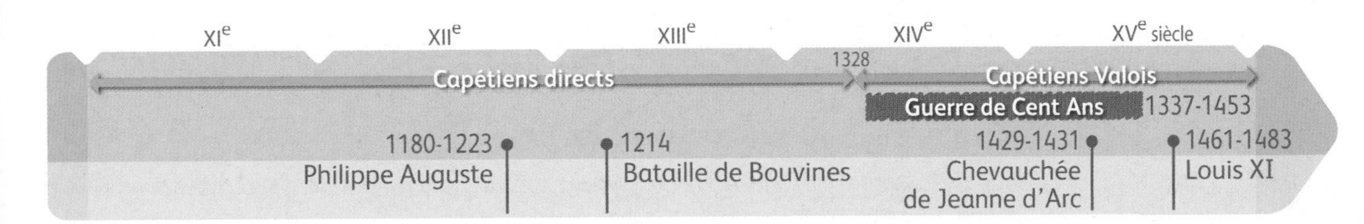

J'apprends, je m'entraîne

▶ Socle *Méthode et outils pour apprendre*

L'affirmation de l'État monarchique dans le royaume des Capétiens et des Valois

1. Construire sa fiche de révision : notez le titre de la leçon sur votre feuille

Je connais...

Objectif 1 ▶ Les repères historiques

Reproduisez la frise chronologique ci-dessous et placez-y les dates suivantes :

a) La chevauchée de Jeanne d'Arc

b) La guerre de Cent Ans

c) Le règne de Philippe Auguste

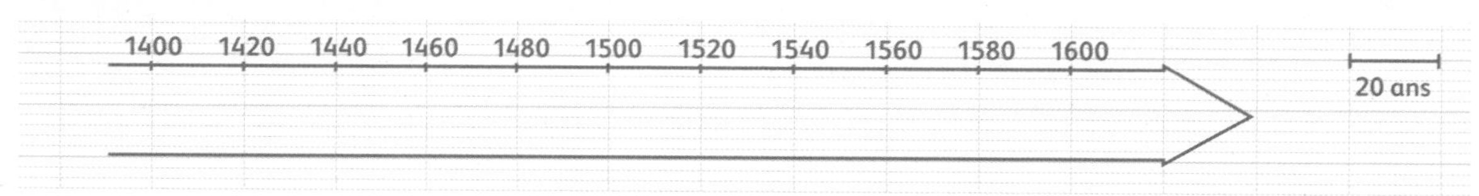

Le royaume de France à la mort de Philippe Auguste (1223)

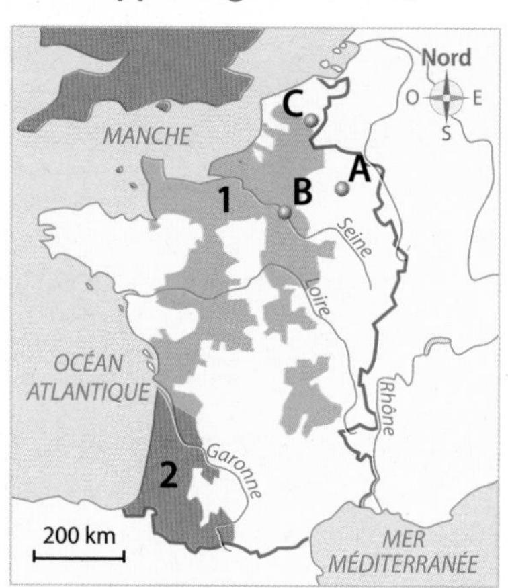

Objectif 2 ▶ Connaître les repères géographiques

À l'aide de la carte, répondez aux questions suivantes :

a) Dans quelle ville **A** le roi de France est-il sacré ?

b) Quelle ville **B** devient la capitale du royaume de France ?

c) Dans quelle ville **C** Philippe Auguste s'oppose-t-il à la coalition de Jean sans Terre ?

d) À quel territoire vert le **1** correspond-il sur la carte ?

e) À quel royaume les terres indiquées par le **2** appartiennent-elles ?

Objectif 3 ▶ Les mots-clés

Recopiez les mots suivants et donnez leur définition :

État monarchique – Hommage – Vassal – Suzerain.

Je suis capable de...

Objectif 4 ▶ Montrer comment le domaine s'agrandit entre le XIe et le XVe siècle et expliquer les moyens qui permettent de l'étendre

Aide *Comparez la superficie du domaine royal entre les deux périodes et donnez des exemples d'acquisitions de territoire.*

Objectif 5 ▶ Expliquer comment le roi étend son pouvoir sur les vassaux

Aide *Décrivez la cérémonie qui fait du roi un personnage sacré et expliquez comment il se fait obéir des grands seigneurs.*

Objectif 6 ▶ Expliquer comment les rois surmontent les crises

Aide *Racontez un épisode de la guerre de Cent Ans et expliquez comment le roi parvient à rétablir son autorité sur le royaume de France.*

2. S'entraîner

1 Construire des repères historiques

Un épisode de la guerre de Cent Ans

Qui est ce personnage ? Rédigez deux ou trois phrases qui le présentent et expliquez son rôle dans la réaffirmation du pouvoir royal en France au moment de la guerre de Cent Ans.

2 Analyser et comprendre un texte

Le couronnement de Philippe Ier

Philippe Ier prononça ces paroles : « Moi, Philippe, qui par la miséricorde de Dieu serai bientôt roi de France, je promets devant Dieu et ses saints en ce jour de mon ordination de conserver à chacun de vous et à chacune des églises qui vous sont confiées vos privilèges canoniques ainsi que les droits qui vous appartiennent et la justice qui vous est due. Avec l'aide de Dieu, je prendrai votre défense autant que je pourrai, ainsi qu'un roi a l'obligation de le faire à l'égard de toutes les églises. Au peuple qui nous est confié, je promets aussi d'employer notre autorité à appliquer les lois pour la défense de leur droit. »
Avec l'assentiment d'Henri, père de Philippe, il désigna ce dernier comme roi. C'est ainsi que l'archevêque le sacra roi.

D'après *Recueil des actes de Philippe Ier, roi de France*, Imprimerie nationale, 1908.

1. Présentez ce document (nature, auteur, date, sujet traité).
2. De qui est-il question dans le document ? À quelle cérémonie le roi participe-t-il ?
3. Quelle promesse fait-il lors de cette cérémonie au sujet des églises ? Au sujet du peuple ?
4. En quelques lignes, racontez cette cérémonie et son importance pour le roi de France.

Auto-évaluation **Je me positionne sur une marche :**

1.	2.	3.	4.
• Je lis le texte. • Je repère sa nature, sa date et son auteur.	• Je lis le texte. • Je repère sa nature, **sa date et son auteur.** • Je comprends son **idée générale**.	• Je lis le texte. • Je repère sa nature, sa date et son auteur. • Je comprends son idée générale. • **Je sélectionne des informations pertinentes pour répondre.**	• Je lis le texte. • Je repère sa nature, sa date et son auteur. • Je comprends son idée générale. • Je sélectionne des informations pertinentes pour répondre. • **J'utilise mes connaissances pour expliquer.**
Question 1	**Questions 1 et 2**	**Questions 1, 2 et 3**	**Questions 1, 2, 3 et 4**

Pour progresser, j'analyse mes axes de progrès. Que devrais-je améliorer ?

3 Analyser et comprendre une image

Le rituel de l'hommage rendu au roi

En 1329, Édouard III, roi d'Angleterre et vassal du roi de France pour ses terres françaises, promet de servir son seigneur, Philippe VI. Miniature des *Grandes Chroniques de France*, 1375-1380, BNF, Paris.

Identifier le document

1. Présentez le document (nature, auteur, date).

Extraire des informations pertinentes

2. Décrivez les deux personnages de la scène centrale (leurs vêtements, leur posture, leurs gestes).
3. Que reconnaît-on comme emblème sur le vêtement du personnage de droite ?

Utiliser ses connaissances pour expliciter et exercer son esprit critique

4. Pourquoi la cérémonie de l'hommage est-elle importante pour le roi de France ?
5. Pourquoi le roi d'Angleterre rend-il hommage au roi de France ?
6. La même cérémonie est-elle toujours possible un siècle plus tard ? Justifiez votre réponse.

Auto-évaluation **Je me positionne sur une marche :**

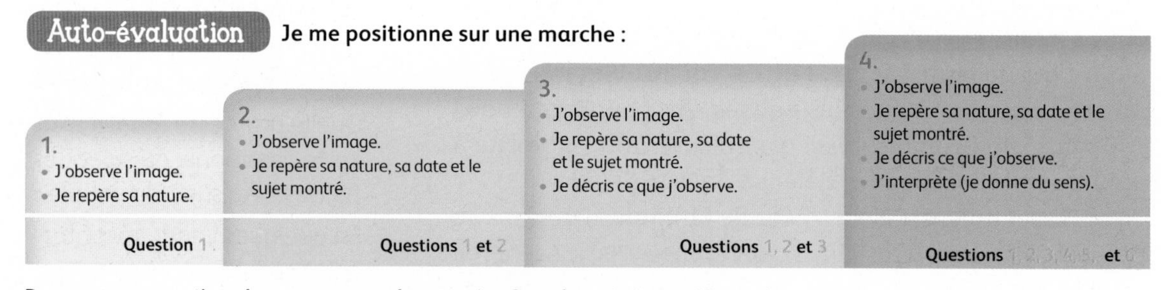

Pour progresser, j'analyse mes axes de progrès. Que devrais-je améliorer ?

4 S'informer dans le monde numérique

La bataille de Crécy, un épisode de la guerre de Cent Ans

Dans un moteur de recherche, tapez les mots-clés suivants : « Des Racines et des Ailes - Guerre de Cent Ans ». Cliquez sur le site. Observez les deux premières vidéos proposées.

1. Relevez le nom des deux rois qui débutent la guerre de Cent Ans.
2. Pour quelle raison démarre cette guerre ?
3. Où la première grande bataille terrestre de cette guerre a-t-elle lieu ? Qui l'emporte ? Pourquoi ?

Enquêter Pourquoi les femmes ne peuvent-elles pas accéder au trône de France ?

Au Moyen Âge, la succession au trône est un problème quand le roi n'a pas de fils.

Observez les éléments à votre disposition pour expliquer pourquoi les filles du roi ne peuvent accéder au trône.

Les faits

Charles VI choisit sa fille pour transmettre la couronne : une première !

Par le mariage fait pour le bien et la paix entre le roi Henri d'Angleterre et notre fille Catherine, Henri devient notre fils. Il est accordé qu'après notre mort, la couronne de France lui reviendra.

D'après le Traité de Troyes signé par Charles VI, roi de France, en 1420.

Indice n°1

Une loi salique, appliquée en France

La loi salique. Manuscrit, 803-814, BNF, Paris.

Article 1 Si un homme meurt sans laisser de fils, son père ou sa mère survivant lui succédera.

Article 2 À défaut du père et de la mère, les frères et sœurs qu'il a laissés lui succéderont.

Article 5 À défaut de tous ces parents, les plus proches dans la lignée paternelle lui succéderont.

Article 6 À l'égard des terres, aucune portion ne sera recueillie par les femmes, tout sera donné aux mâles.

D'après le titre LII sur la terre de la loi salique, Firmin Didot, 1828.

Indice n°2

Jeanne de France écartée du trône

Jeanne, fille du roi Louis X, a cinq ans quand son père meurt en laissant un fils posthume Jean qui décède peu après. En 1317, elle est écartée du trône par une assemblée des Grands du royaume (les États généraux) qui craignent que la couronne de France ne tombe dans les mains d'un étranger quand Jeanne se mariera. Son oncle, Philippe de Poitiers, est reconnu roi de France sous le nom de Philippe V.

Indice n°3

Charles VII, successeur

Martial d'Auvergne, *Les Vigiles de Charles VII*, miniature, fin du XVe siècle, BNF, Paris.

Avez-vous pris connaissance des indices ? Quelle est votre conviction : pourquoi les femmes ne peuvent-elles pas accéder au trône de France ?

Par équipe, complétez le carnet de l'enquêteur :

1. Les prétendants à la succession de Charles VI : …
2. Les raisons qui ont écarté Jeanne de France du trône : …
3. Ce que dit la loi salique : …

Rédigez en quelques lignes le rapport d'enquête.

La bataille de Bouvines (1214)

Vous êtes un journaliste, envoyé en reportage pour couvrir la bataille de Bouvines. À l'aide de vos connaissances et de l'étude page 108-109, rédigez un texte qui présente la bataille de Bouvines et ses conséquences.

Travail préparatoire (au brouillon)

1. Analyser le sujet : « La bataille de Bouvines (1214) »

Pourquoi cette bataille a-t-elle lieu ? Qui s'y oppose ? Qui gagne ?

Pourquoi ce lieu ? Quelles sont les conséquences de cette bataille ?

Notez toutes les informations qui vous viennent à l'esprit et qui se rapportent à la bataille de Bouvines, autour de ce « pense pas bête ».

2. Vérifiez avec votre cahier et votre manuel que vous n'avez pas oublié d'informations essentielles.

Travail de rédaction (au propre)

À vous de choisir votre niveau de difficulté et votre ceinture !

Je rédige un texte **sans aide.**

Rédigez votre texte en vérifiant que :
- Vous commencez votre texte par un alinéa.
- Vous organisez vos idées en paragraphes.

Je rédige un texte **avec un guide.**

Rédigez votre texte en rédigeant deux paragraphes qui commencent par un alinéa.
- Le premier paragraphe évoque les causes de la bataille, l'issue des combats, le sort réservé aux seigneurs traîtres.
- Le deuxième paragraphe montre que Philippe Auguste impose son pouvoir royal sur les grands seigneurs et évoque l'évolution du domaine royal.

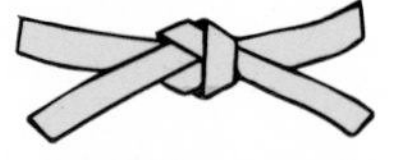

Je rédige un texte **en répondant à des questions.**

Rédigez votre texte en construisant deux paragraphes qui commencent par un alinéa et répondent aux questions suivantes :

1er paragraphe :
- Où se situe Bouvines ?
- Quels camps s'opposent dans cette bataille ?
- Quel événement est à l'origine de la bataille ?
- Qui gagne la bataille ? Qu'arrive-t-il aux vaincus ?

2e paragraphe :
- Comment Philippe Auguste parvient-il à se faire obéir des grands seigneurs du royaume ?
- Comment le domaine royal évolue-t-il ?

Un texte d'histoire est ancré dans le temps et dans l'espace. Pensez à indiquer où et quand la bataille a eu lieu au début de votre texte.

EMC

Objet d'enseignement *Les différentes dimensions de l'égalité*

Être une femme, être un homme en politique

1 | Une femme politique au Moyen Âge : Jeanne d'Arc

a. Procès de condamnation

Lettre royale touchant la reddition de Jeanne la Pucelle à l'évêque de Beauvais, 3 janvier 1431.

Henry, par la grâce de Dieu, roi de France et d'Angleterre, à tous ceux qui liront ces lettres, salut. Il est assez connu qu'une femme qui se fait appeler Jehanne la Pucelle s'est, contre la loi divine et comme chose abominable à Dieu, réprouvée et défendue de toute loi, vêtue, habillée et armée en homme. Elle a fait et exercé de cruels actes et a séduit et abusé le peuple en disant qu'elle était envoyée par Dieu et avait connaissance de ses divins secrets.

D'après E. O'Reilly, *Procès de Jeanne d'Arc*, tome II, 1868.

b. Jeanne d'Arc à Reims

J. E. Lenepveu, *Jeanne d'Arc à Reims lors du sacre de Charles VII*, 1886-1890, Panthéon, Paris.

2 | Que dit la loi aujourd'hui ?

XXe siècle — XXIe siècle

- 21 avril 1944 : Ordonnance d'Alger — Droit de vote des femmes
- 8 juillet 1999 : Loi pour l'égalité des sexes face aux mandats électoraux
- 4 août 2014 : Loi pour l'égalité entre les femmes et les hommes (congé parental, écarts de salaire...)

3 | L'interview d'une femme politique d'aujourd'hui : « Pour réussir en politique, une femme doit être un peu jeune et jolie »

Seulement 26,9 % de femmes députées, 16 % de maires, 7,7 % de conseillères régionales. Sandrine Rousseau[1], dans un** Manuel de survie à destination des femmes en politique, **recense les manifestations de** sexisme **ordinaire et propose 12 conseils pour éviter les pièges.

Quinze ans après la loi sur la parité, malgré les lois existantes, la politique reste un monde d'hommes où il est plus difficile pour les femmes d'exister, constate-t-elle. Jusqu'à peu, c'était encore un milieu quasi exclusivement masculin, perdure donc un ensemble de réflexes et d'habitudes à combattre.

A. Vécrin, « Pour réussir en politique, une femme doit être un peu jeune et jolie », *Libération.fr*, 4/03/2015.

1. Femme politique

La sensibilité, soi et les autres

1. DOC. 1 Que pensez-vous du rôle de Jeanne d'Arc dans l'affirmation de l'État dans le royaume de France ? Est-ce que cela était bien accepté au Moyen Âge ?
2. DOC. 2 Que ressentez-vous face au témoignage de Sandrine Rousseau ?

Le jugement, penser par soi-même et avec les autres

3. Vous participez au débat avec votre classe : comment peut-on assurer plus d'égalité entre les hommes et les femmes dans la vie politique ?

Vocabulaire

Sexisme : discrimination à l'encontre du sexe opposé.

Le monde au temps de Charles Quint et Soliman le Magnifique

Pourquoi peut-on parler de première mondialisation sous Charles Quint et Soliman le Magnifique ?

Souvenez-vous !
Quelle était la nature des relations entre musulmans et chrétiens au Moyen Âge en Méditerranée ?

1 L'océan Atlantique, un espace d'échanges entre l'Europe et l'Amérique

Th. de Bry, *Départ de Lisbonne (Portugal) vers le Brésil et l'Amérique*, gravure, 1592, Service historique de la Marine, Vincennes.

1. Le Tage, fleuve se jetant dans l'océan Atlantique
2. Une caravelle
3. Armateur saluant un de ses capitaines qui débarque
4. Soleil couchant indiquant la route de l'ouest vers l'Amérique

Vocabulaire

Mondialisation : mise en relation de régions et de peuples par des échanges de marchandises et de populations.

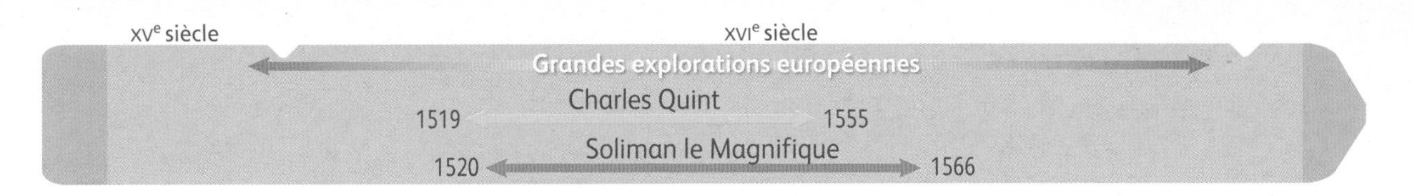

▶ **Socle** *Se repérer dans l'espace et le temps*

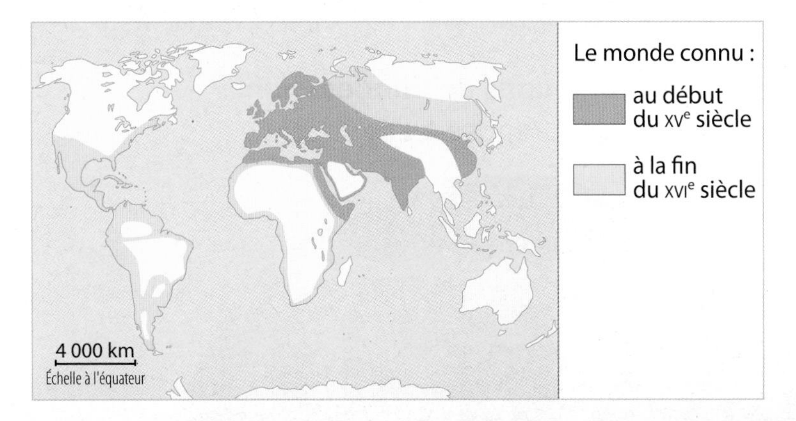

1. Charles Quint en costume d'empereur romain
2. François Ier, roi de France
3. Pape Clément VII
4. Soliman le Magnifique
5. Princes protestants allemands

2 La domination de l'empereur Charles Quint sur Soliman le Magnifique et ses adversaires chrétiens

G. Clovio, *Allégorie de l'Empire de Charles Quint*, miniature, 1550, British Library, Londres (Royaume-Uni).

1. DOC. 2 Quels éléments montrent que Charles Quint veut faire penser qu'il domine l'Europe et le monde ?
2. DOC. 1 ET 2 **Émettez une hypothèse** pour répondre à la question suivante : qui profite de la « découverte » de l'Amérique ?

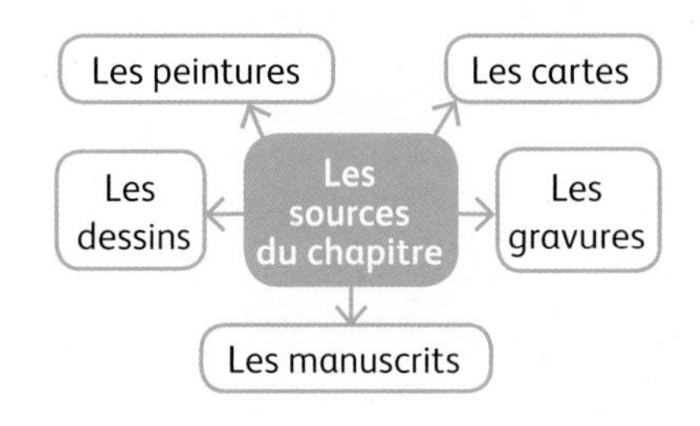

Étude

XVIe siècle

- 1516 : Charles proclamé roi de Castille et d'Aragon
- 1519 : Charles Quint élu empereur
- 1555 : Abdication

Charles Quint, monarque universel ?

Quelles sont les ambitions de Charles Quint ? Sur quoi sa puissance repose-t-elle ?

Biographie

Charles de Habsbourg dit Charles Quint (1500-1558)

Roi d'Espagne et empereur du Saint-Empire romain germanique.

1 | Un sacre impérial digne de Charlemagne

Le couronnement de Charles Quint le 24 février 1530 par le Pape, assiette en faïence, XVIe siècle, Museo Civico, Bologne (Italie).

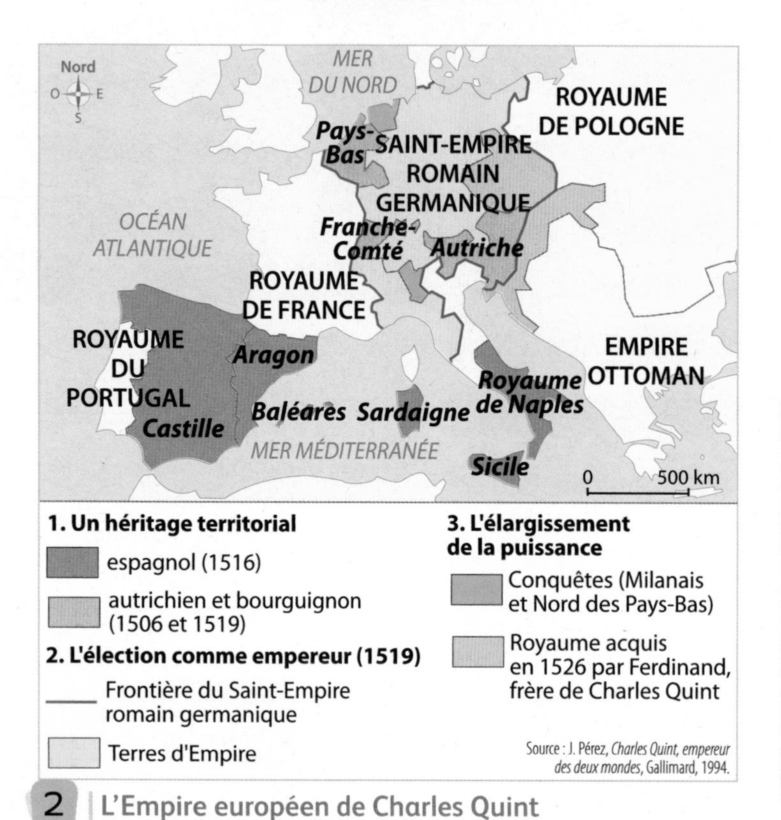

2 | L'Empire européen de Charles Quint

3 L'ambition d'une monarchie universelle

Élu empereur, Charles Quint reçoit une lettre de son chancelier.

Sire, Dieu vous a élevé par-dessus tous les rois et princes de la chrétienté à une puissance que seul Charlemagne a jusqu'ici possédée. Vous êtes sur la voie de la monarchie universelle, vous allez réunir toute la chrétienté sous votre autorité.

D'après M. Gattinara, juillet 1519, dans P. Chaunu et M. Escamilla, *Charles Quint*, Fayard, 2000

Vocabulaire

Conquistador : conquérant de l'Amérique.

Monarchie universelle : prétention d'une monarchie à dominer les quatre parties du monde connu (Europe, Afrique, Asie et Amérique).

Nouveau Monde : nom donné à l'Amérique pour la distinguer du monde connu avant 1492.

Sacre : cérémonie religieuse où l'on couronne un roi.

4 Les armées de l'Espagne à l'assaut du Nouveau Monde

Anonyme, Conquête de Mexico (Tenochtitlan) par Cortés, XVIIe siècle, Bibliothèque du Congrès, Washington (États-Unis).

1. Hernán Cortés, chef des conquistadors espagnols
2. Ville de Tenochtitlan, capitale de l'Empire aztèque
3. Guerriers aztèques
4. Grande pyramide, temple dédié aux dieux aztèques du soleil et de la pluie. Un conquistador y déploie le drapeau du roi de Castille (Charles Quint).

5 L'empereur dresse le bilan de son règne

En 1555, Charles Quint décide d'abdiquer en expliquant les contraintes de sa charge.

Neuf fois je suis allé en Allemagne, six fois je suis passé en Espagne, sept en Italie, dix fois je suis venu aux Pays-Bas, quatre fois en temps de paix ou de guerre ; deux autres fois, je suis descendu en Afrique, ce qui fait au total quarante voyages. Pour ce faire, j'ai traversé huit fois la Méditerranée et trois fois l'Océan.

D'après Charles Quint, discours du 25 octobre 1555 à Bruxelles, dans M. Escamilla, *Le Siècle d'or de l'Espagne*, Tallandier, 2015.

Activités

Socle *Extraire des informations pertinentes*

Reproduisez et complétez le schéma suivant en répondant aux questions.

La puissance de Charles Quint

La domination sur un immense territoire

1. DOC. 2 ET 5 De quels territoires Charles Quint a-t-il hérité ? Quels sont ceux acquis durant son règne par lui ou son frère ?
2. DOC. 4 Quel est le territoire conquis ? Comment se manifeste la domination de Charles Quint sur Tenochtitlan ?

Une armée efficace

3. DOC. 4 Quels éléments montrent la puissance de l'armée espagnole ?

Un titre impérial prestigieux

4. DOC. 1 ET 3 De qui Charles Quint prétend-il tenir son pouvoir ? Quelle cérémonie justifie cette prétention ?
5. DOC. 3 Selon le chancelier, quelle responsabilité le titre impérial donne-t-il à son maître ?

Pour conclure Répondez par une phrase courte à la question suivante pour l'exposer à l'oral.

Quels objectifs militaires, politiques et religieux Charles Quint poursuit-il durant son règne ?

Étude

Soliman le Magnifique, un grand conquérant

1520 — Soliman devient sultan
1529 — Échec de Soliman lors du siège de Vienne
1566 — Mort de Soliman

Quelles sont les ambitions de Soliman le Magnifique ? Sur quoi sa puissance repose-t-elle ?

Biographie

Soliman II dit le Magnifique (1494-1566)
Sultan ottoman, il donne à l'Empire ottoman sa plus grande expansion territoriale.

L'armée ottomane

1. Soliman à la tête de ses troupes
2. Cavalerie légère (les *sipahi*) de 50 000 à 200 000 hommes
3. Infanterie turque formée des janissaires
4. Artillerie turque

L'armée hongroise

5. Chevaliers du roi de Hongrie Louis II, beau-frère de Charles Quint, tué dans la bataille de Mohács

1 | Soliman le Magnifique à la conquête de l'Europe
Soliman s'empare d'une partie de la Hongrie, alliée de l'empereur Charles Quint, lors de la bataille de Mohács (1526).
Miniature, S. Lokman, *Hünername*, gouache sur papier, XVIe siècle, bibliothèque du palais de Topkapi, Istanbul (Turquie).

Vocabulaire

Janissaire : jeune chrétien pris de force à sa famille, converti à l'islam puis entraîné pour devenir l'élite de l'infanterie ottomane.

Sultan : souverain des Ottomans (Turcs).

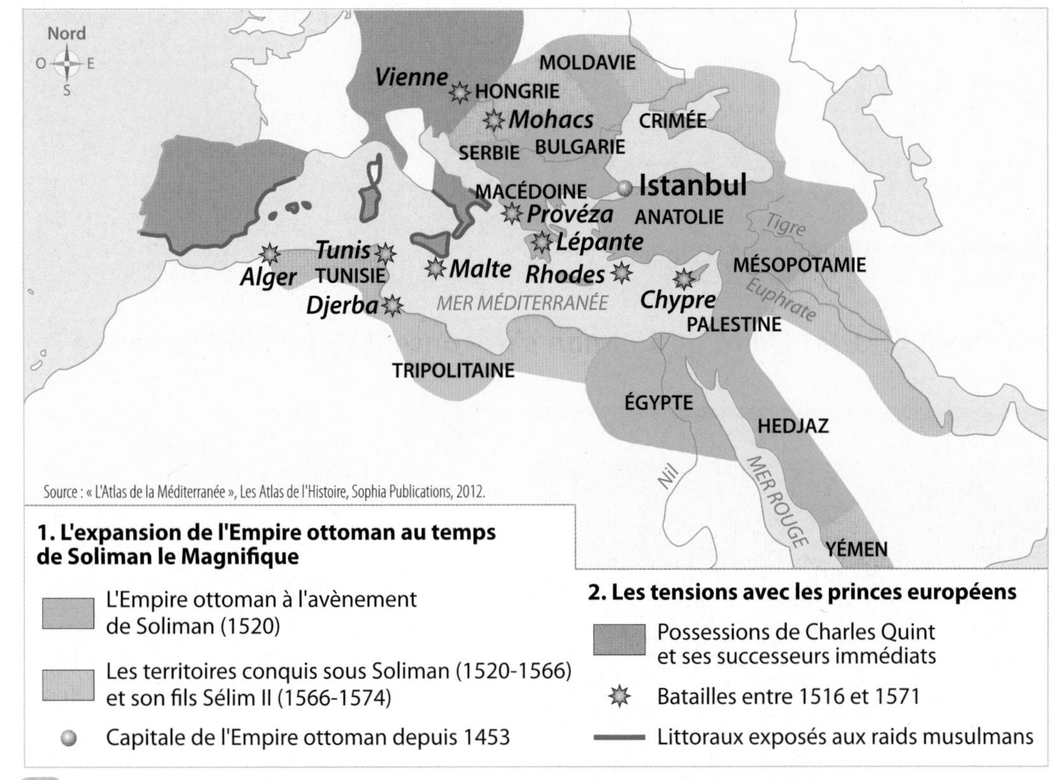

2 | L'expansion ottomane à l'époque de Soliman le Magnifique

3 Soliman le Magnifique, le « guerrier de la foi »

Moi qui suis par la grâce d'Allah, dont la puissance est glorifiée et dont la parole est exaltée par les miracles sacrés de Mahomet, le sultan des sultans, le souverain des souverains, le distributeur des couronnes aux monarques de la surface du globe, l'ombre d'Allah sur la terre.

D'après une lettre de Soliman à François Ier, dans T. Bittar, *Soliman, l'Empire magnifique*, Gallimard, 1994.

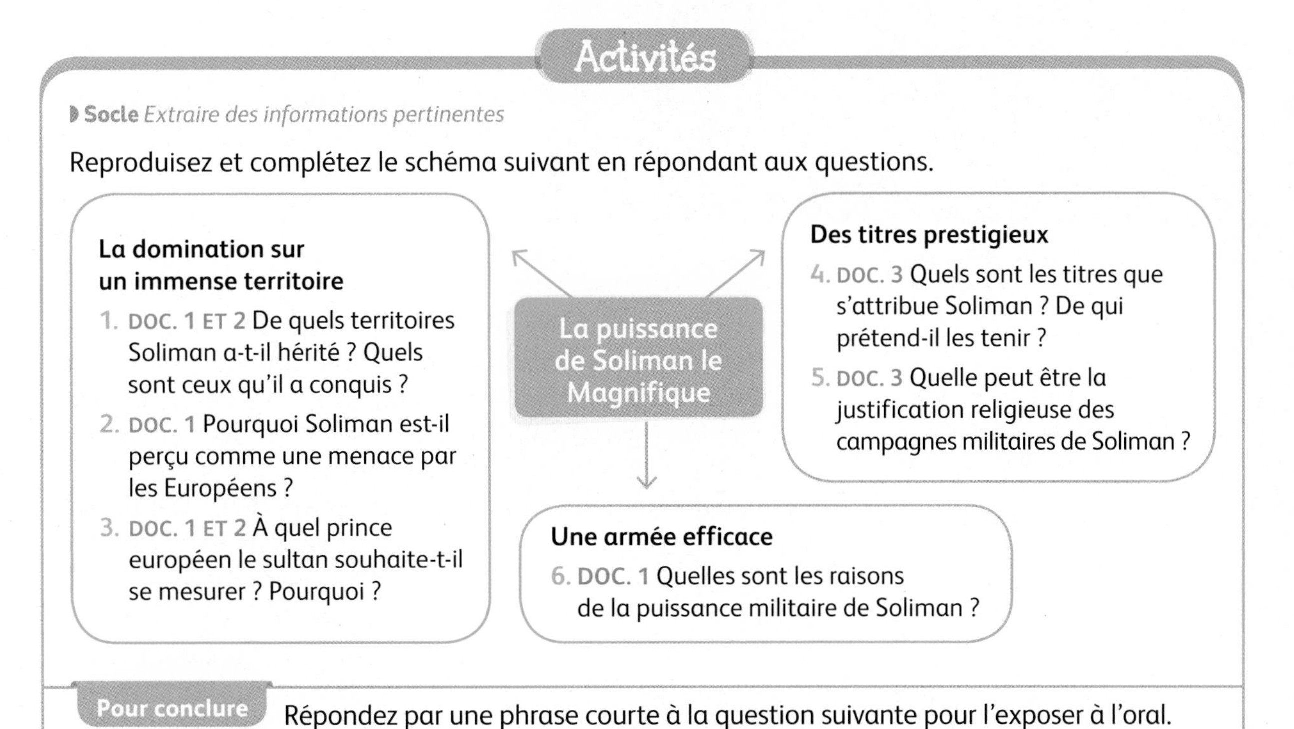

Activités

Socle *Extraire des informations pertinentes*

Reproduisez et complétez le schéma suivant en répondant aux questions.

La puissance de Soliman le Magnifique

La domination sur un immense territoire

1. DOC. 1 ET 2 De quels territoires Soliman a-t-il hérité ? Quels sont ceux qu'il a conquis ?
2. DOC. 1 Pourquoi Soliman est-il perçu comme une menace par les Européens ?
3. DOC. 1 ET 2 À quel prince européen le sultan souhaite-t-il se mesurer ? Pourquoi ?

Des titres prestigieux

4. DOC. 3 Quels sont les titres que s'attribue Soliman ? De qui prétend-il les tenir ?
5. DOC. 3 Quelle peut être la justification religieuse des campagnes militaires de Soliman ?

Une armée efficace

6. DOC. 1 Quelles sont les raisons de la puissance militaire de Soliman ?

Pour conclure Répondez par une phrase courte à la question suivante pour l'exposer à l'oral.

Quels objectifs militaires, politiques et religieux Soliman poursuit-il durant son règne ?

Étude

Charles Quint et Soliman s'affrontent en Méditerranée

1522	1535	1571
Prise de Rhodes par les Turcs	Charles Quint prend Tunis	Philippe II d'Espagne bat les Turcs à Lépante

Pourquoi et comment Charles Quint et Soliman s'affrontent-ils en Méditerranée ?

1 La bataille de Rhodes

Soliman s'empare de Rhodes (1522), miniature turque du *Süleymannäme* d'Arifi, 1558, musée du palais de Topkapi, Istanbul (Turquie).

1. Soliman le Magnifique dirige une armée de plus de 200 000 hommes
2. Janissaires utilisant l'arquebuse
3. Soldats creusant une tranchée menant jusqu'aux murailles afin de les miner
4. Les assiégés dont 650 chevaliers résistent pendant près de six mois

2 Le retour à l'esprit de croisade (1535)

Un chroniqueur raconte le soutien du pape à l'expédition de Charles Quint à Tunis en 1535.

Le pape Paul III voyant la rage, la grande puissance, la cruauté et la tyrannie du très cruel ennemi des chrétiens Barberousse, lequel a capturé tant de pauvres chrétiens, estima qu'un si grand inconvénient serait insoluble sans la grâce de Dieu, et voyant l'empereur Charles Quint s'attaquer à la domination dudit Barberousse, il donne des indulgences[1] plénières à ceux qui l'aideraient de leurs biens ou de leurs personnes en une si sainte expédition.

Chronique de Besançon, publiée à l'occasion de l'expédition de Charles Quint en Tunisie. Manuscrit de la Bibliothèque de Besançon.

1. Pardon de ses péchés accordé à un chrétien.

3 Deux adversaires

Ces empereurs Charles et Soliman possédèrent autant que les Romains. Ces deux hommes se partagent la monarchie [universelle] : chacun travaille à devenir le seigneur du monde, mais nous voyons qu'à cause de nos péchés Soliman arrive mieux que Charles à satisfaire ses désirs.
Tous deux ont presque le même âge ; tous deux s'adonnent également à la guerre, mais les Turcs parviennent mieux à mettre en œuvre leurs projets que les Espagnols. Ils se plient mieux à l'ordre et à la discipline de la guerre.

D'après F. López de Gómara, *Chronique de Barberousse*, 1545.

Qui est-il ? **Francisco López de Gómara (1510-vers 1566)**
Secrétaire d'Hernán Cortés.

4 Charles Quint reprend Tunis à Barberousse (1535)

Pirate devenu l'amiral de Soliman en 1534, **Barberousse** (1478-1546) avait conquis Tunis et chassé une dynastie favorable à une entente avec les Européens.

F. Hogenberg (1535-1590), *La prise de La Goulette et de Tunis par Charles Quint*, gravure, XVIe siècle.

Lieux

1 Tunis
2 Forteresse de La Goulette
3 Lac

Combats

4 Duel d'artillerie
5 Attaque chrétienne par la terre
6 Flotte chrétienne
7 Fuite des Turcs
8 Turcs témoins de la scène

Point méthode

Identifier des documents sources DOC. 1 ET 4

1. **Quel est le sujet de chaque source ?**
2. **De quel camp provient chacune des sources ?**

Identifier leur point de vue DOC. 1 ET 4

3. **Comment chacune des deux sources présente-t-elle son camp ? Et le camp adverse ?**

Activités

Socle *Extraire des informations pertinentes*

1. DOC. 1 Quel exploit militaire Soliman le Magnifique réalise-t-il dès le début de son règne ? Comment parvient-il à ce résultat ?
2. DOC. 2 Comment et pourquoi le pape encourage-t-il l'expédition menée par Charles Quint contre Barberousse ?

Socle *Exercer son esprit critique*

3. DOC. 3 Pour quelle raison Soliman et Charles entrent-ils nécessairement en rivalité ?
4. DOC. 3 Comment l'auteur explique-t-il les victoires de Soliman ? Quel argument semble le plus recevable ? Justifiez.
5. DOC. 4 Comment l'auteur fait-il ressentir la puissance et la supériorité des chrétiens ? Comment montre-t-il la frayeur des Turcs ?

Pour conclure

Répondez par une phrase courte à la question suivante :

Quelles sont les principales étapes de l'opposition en Méditerranée entre Charles Quint et Soliman ?

Les portraits de Soliman

Quels sont les regards portés par les Européens et par les Ottomans sur le sultan ?

1 Une image rare du prince

Si le Coran n'interdit pas le portrait du prince, il est mal vu des responsables religieux ottomans d'où sa diffusion limitée aux proches du sultan.

Portrait de Soliman, miniature turque sur manuscrit, gouache, 34 cm x 20,2 cm, XVIe siècle, Millet Library, Istanbul (Turquie).

1 Le Sultan tient en main un carré d'étoffe, symbole de puissance et d'autorité.

Point art

Les miniatures ottomanes

Définition : importées de Perse, les miniatures ottomanes sont des décorations, peintes dans un manuscrit pour l'embellir.

Support et technique de peinture

Les miniatures sont polychromes et à deux dimensions, c'est-à-dire sans profondeur. Des figures aux contours nets prennent place dans des décors monumentaux et stylisés. Les sultans y sont souvent représentés assis sur un tapis, selon une tradition reprise des califes arabes.

2 Le portrait du sultan par un atelier européen prestigieux

L'artiste n'a pu rencontrer son modèle.

Atelier du Titien à Venise, *Portrait de Soliman*, huile sur toile, 0,9 m x 0,85 m, vers 1530, Kunsthistorisches Museum, Vienne (Autriche).

3 Une gravure européenne du sultan

En 1532, Soliman porte ce casque monumental pour rivaliser avec le couronnement de Charles Quint comme empereur par le Pape.

Agostino Veneziano, *Soliman Ottoman Rex Turc*, gravure vénitienne, 1535, musée du Louvre, Paris.

Identifier et analyser une œuvre d'art

Présenter

1. DOC. 1 ET 2 Présentez les deux œuvres : nature exacte, date de réalisation, technique utilisée, lieu de production.

Décrire

2. Reproduisez le tableau suivant puis complétez-le :

L'image du sultan	DOC. 1	DOC. 2
Sa position, son attitude		
Ses vêtements, bijoux, les objets qu'il tient		
L'expression de son visage		

Comprendre

3. DOC. 1 Comment la miniature ottomane traduit-elle l'autorité du sultan ?
4. DOC. 2 ET 3 Ces deux portraits européens donnent-ils la même vision de Soliman ? Pourquoi ?

Exprimer sa sensibilité et conclure

5. Quel portrait préférez-vous ? Expliquez votre choix.

Étude

1519	1521	1522
Départ de l'expédition	Mort de Magellan aux Philippines	Retour de l'expédition à Séville

L'expédition de Magellan

Pourquoi l'expédition de Magellan a-t-elle bouleversé la représentation que les Européens avaient du monde ?

Biographie

Fernand de Magellan (1480-1521)
Navigateur et explorateur portugais au service du roi d'Espagne. Il meurt aux Philippines au cours de son expédition.

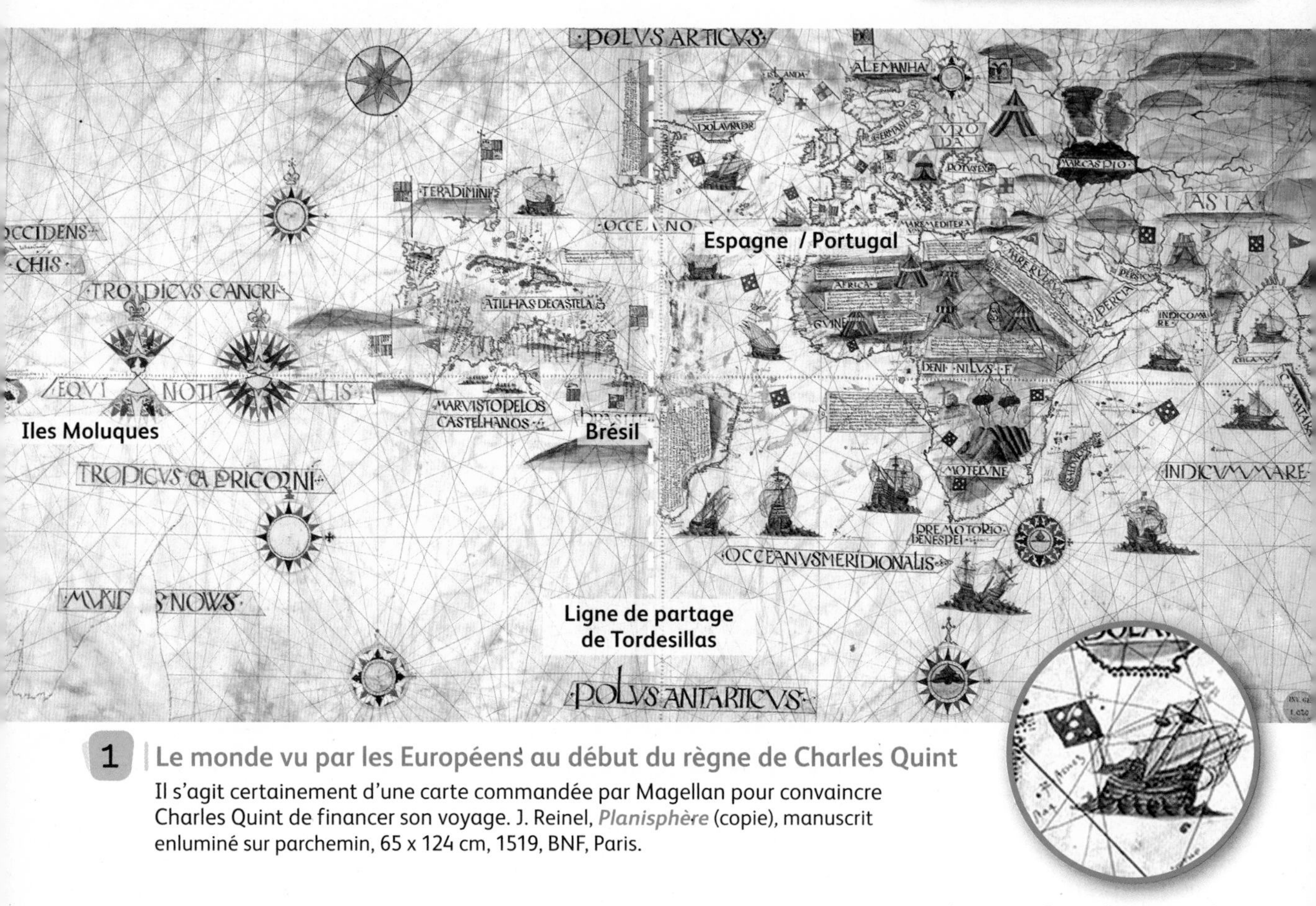

1 | Le monde vu par les Européens au début du règne de Charles Quint
Il s'agit certainement d'une carte commandée par Magellan pour convaincre Charles Quint de financer son voyage. J. Reinel, *Planisphère* (copie), manuscrit enluminé sur parchemin, 65 x 124 cm, 1519, BNF, Paris.

Caravelle espagnole

2 Magellan rencontre le futur Charles Quint (1518)

Magellan s'offrit à montrer que les îles des Moluques et les autres, d'où les Portugais rapportent les épices, se trouvaient du côté de la ligne de partage que l'on avait commencé à tracer entre les rois de Castille [d'Espagne] et le roi du Portugal, et à révéler une route différente de celle suivie par les Portugais : ce devait certainement être un détroit maritime qu'il connaissait. Il apportait un globe peint sur lequel se trouvait toute la Terre. Il montra la route à suivre, excepté le **détroit**. Comme je parlais à Magellan, lui demandant quelle route il fallait suivre, il me répondit qu'il passerait par le rio de la Plata et qu'il pensait ainsi tomber sur le détroit.

D'après F. Bartolomé de Las Casas, *Histoire des Indes*, tome III, 1875.

Vocabulaire

Planisphère : carte représentant le globe terrestre à plat.

Détroit : étroit passage maritime entre deux terres et reliant deux mers.

Nombre de navires	5 caraques (grands navires à plusieurs voiles)
Effectif à bord	237 marins
Instruments de navigation	- 24 cartes marines - 1 planisphère - 6 paires de compas - 6 astrolabes - 35 boussoles

3 **Équipage et matériel de navigation**

D'après X. Castro et C. Bernand, *Le Voyage de Magellan (*1519-1522), Chandeigne, 2007.

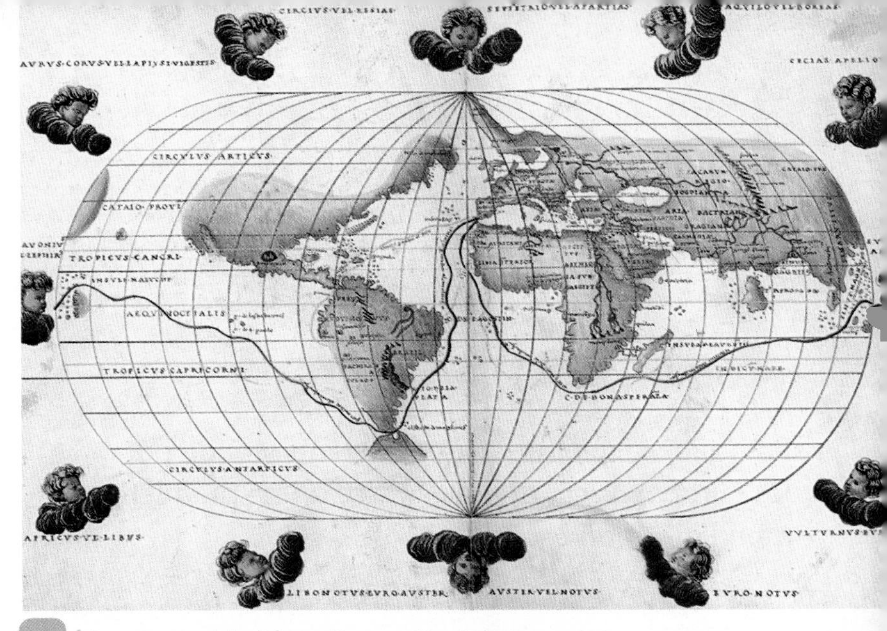

4 **Le voyage de Magellan et l'unité du monde**

B. Agnese, « Carte de l'expédition de Magellan », *Atlas nautique du monde*, planche 12, vers 1544, Bibliothèque du Congrès, Washington (Etats-Unis).

5 Bilan de l'expédition

Nous sommes revenus 18 hommes seulement sur l'un des cinq navires que votre Majesté a envoyés. Nous trouvâmes un détroit menant par la terre ferme de votre Majesté [Amérique espagnole] à la mer de l'Inde. Nous naviguâmes durant trois mois et vingt jours sans rencontrer aucune terre puis nous arrivâmes à un archipel riche en or. La mort nous enleva le capitaine Magellan ainsi que d'autres. Huit mois après, nous trouvâmes un moyen d'accoster aux îles Moluques où nous avons trouvé du camphre, de la cannelle et des perles. Nous trouvâmes sur le chemin du retour de nombreuses îles riches en épices et en or. Nous restâmes cinq mois sans accoster, ne mangeant que du blé ou du riz : 22 de nos hommes sont morts de faim.

Votre Majesté saura que ce qu'il faut le plus estimer, c'est que nous avons découvert et parcouru toute la rotondité du monde, et qu'en étant partis vers l'ouest nous sommes revenus par l'est.

D'après une lettre de J. S. Elcano à Charles Quint, 6 septembre 1522.

Activités

Socle *Réaliser une production graphique*

Reproduisez et complétez le schéma ci-dessous pour raconter l'expédition de Magellan.

DOC. 1 et 2
- Quelles sont les deux puissances européennes qui se lancent dans les grandes explorations ?
- Quelles en sont les raisons ?

DOC. 2 et 3
- De quels moyens Magellan dispose-t-il pour effectuer son voyage ?

DOC. 4 et 5
- Quelles sont les principales étapes du voyage ?
- Quels sont les résultats économiques du voyage ?

DOC. 5
- Quels sont les progrès accomplis dans la connaissance géographique du monde ?

Pour conclure

Répondez à la question suivante sous la forme d'un texte :

➔ **Racontez l'expédition de Magellan (causes, déroulement, conséquences).**

Étude

Le « Nouveau Monde », au cœur d'une première mondialisation

Pourquoi l'exploitation du Nouveau Monde par les Européens est-elle révélatrice d'une première mondialisation ?

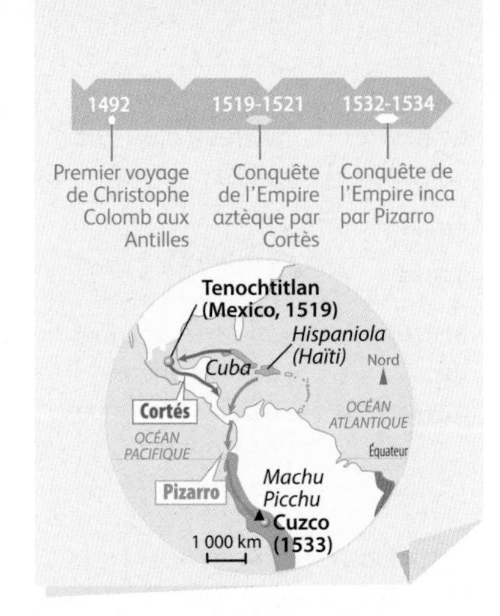

1 Séville, porte d'entrée du Nouveau Monde en Europe

Deux fois par an, les navires arrivent d'Amérique au port de Séville. Vue de la ville de Séville, peinture du XVIe siècle attribuée à Alonso Sanchez Coello, musée de l'Amérique, Madrid (Espagne).

1 Fleuve du Guadalquivir qui se jette dans la mer Méditerranée 90 km plus loin, 2 Cathédrale construite sur l'ancienne mosquée, 3 Port et arsenal, 4 Flotte des Indes protégée par des galions, 5 Faubourg de Triana

2 La fortune de Séville

Les environs de la cité abondent en blé, vin, huile et fruits. On envoie aux Indes du blé et du vin ainsi que des vêtements qui ne se fabriquent pas encore là-bas, ce qui permet de gros bénéfices. C'est à Séville, à la *Casa de Contratación*[1] qu'arrivent tous les produits qui viennent de ces régions puisque les navires ne peuvent se décharger en aucun autre port. Il entre beaucoup d'or avec lequel on frappe chaque année de nombreuses monnaies, le cinquième étant prélevé par le roi.

1. « Maison du commerce » qui contrôle par décision royale tout le commerce des Indes.

D'après A. Navagero, ambassadeur de Venise, 1526.

Vocabulaire

Colonie : territoire administré et exploité par une puissance étrangère.

Indes : terme désignant l'Amérique au XVIe siècle.

Nouveau Monde : voir p. 128.

3 Hernán Cortés colonise le Mexique

Les indiens Chichimèques sont des gens barbares. Si on peut les amener à la connaissance de notre Sainte foi et à reconnaître votre autorité, mes gens fonderont une ville. S'ils nous refusent obéissance, j'ordonnerai qu'on leur fasse la guerre et qu'on les réduise en esclavage pour qu'il n'y ait sur cette terre personne dispensée d'obéir à Votre Majesté. Faire de ces Indiens sauvages des esclaves, ce sera rendre aux Espagnols un service, car on les emploiera dans les mines d'or, sans parler de ceux que notre voisinage pourra convertir. Nous peuplerons le pays car il y a aussi de riches mines d'argent.

D'après une lettre de H. Cortés à Charles Quint, 1526.

Qui est-il ?
Hernán Cortés (1485-1547)
Petit noble espagnol, il conquiert rapidement l'Empire aztèque. Il est le parfait conquistador.

4 L'exploitation des mines d'or d'Hispaniola (Haïti) à l'époque de Charles Quint

L'image illustre le passage suivant : « [...] les Espagnols, ayant presque dépeuplé Hispaniola de leurs habitants naturels dont ils se servaient comme d'ânes et de bêtes de voiture, firent venir des noirs de la Guinée. »

Th. de Bry, gravure tirée de G. Benzoni, *L'Histoire du Nouveau monde*, 1594.

Activités

Socle *Comprendre le sens global d'un document*

1. **DOC. 1 ET 2** Quelle est la raison de l'enrichissement de Séville ?
2. **DOC. 2** Quel est le privilège accordé par le roi à la ville ? Quel avantage le monarque en retire-t-il ?
3. **DOC. 2** Comment les propriétaires terriens de la région peuvent-ils s'enrichir ?

Socle *Réaliser une production graphique*

Reproduisez et complétez le schéma ci-dessous pour expliquer comment les Espagnols exploitent les territoires qu'ils ont conquis en Amérique.

La première mondialisation et le Nouveau Monde

4. **DOC. 2 ET 4** Quels sont les produits échangés entre l'Amérique et l'Europe ?
5. **DOC. 3 ET 4** Quels sont les moyens mis en œuvre pour exploiter les richesses de l'Amérique et les transférer en Europe ?
6. **DOC. 1, 2 ET 4** Quels sont les différents bénéficiaires de ces échanges ? Quelles en sont les principales victimes ?

Lire des sources indiennes

La conquête de l'Empire aztèque

Que nous apprennent les sources sur la façon dont les Amérindiens ont vécu la conquête européenne et la ruine de leur civilisation ?

Source 1 Les récits des Aztèques vaincus collectés par le moine espagnol Bernardino de Sahagún

De tous côtés, leurs corps sont emmitouflés, on ne voit paraître que leur visage. Il est blanc, blanc comme s'il était de chaux. Ils ont les cheveux jaunes, bien que certains les aient noirs. Longue est leur barbe ; leur moustache est également jaune. Ils chevauchent montés sur les flancs de leurs « cerfs ». Ainsi juchés, ils marchent au niveau des toits.
Quand le coup [de canon] part, une espèce de boule de pierre sort des entrailles de la pièce ; elle projette une pluie de feu, elle répand des étincelles et la fumée qui en sort est fort pestilentielle, elle est puante autant que la vase pourrie, elle pénètre jusqu'au cerveau et incommode grandement. Si le coup touche une colline, on dirait qu'il la fend, qu'il la crevasse, et s'il touche un arbre, il le met en pièces et il le pulvérise, comme si c'était l'œuvre de quelque prodige, comme si quelqu'un l'eût détruit en soufflant de l'intérieur.

D'après un témoignage aztèque délivré en « nahuatl » et retranscrit en espagnol par Sahagún.

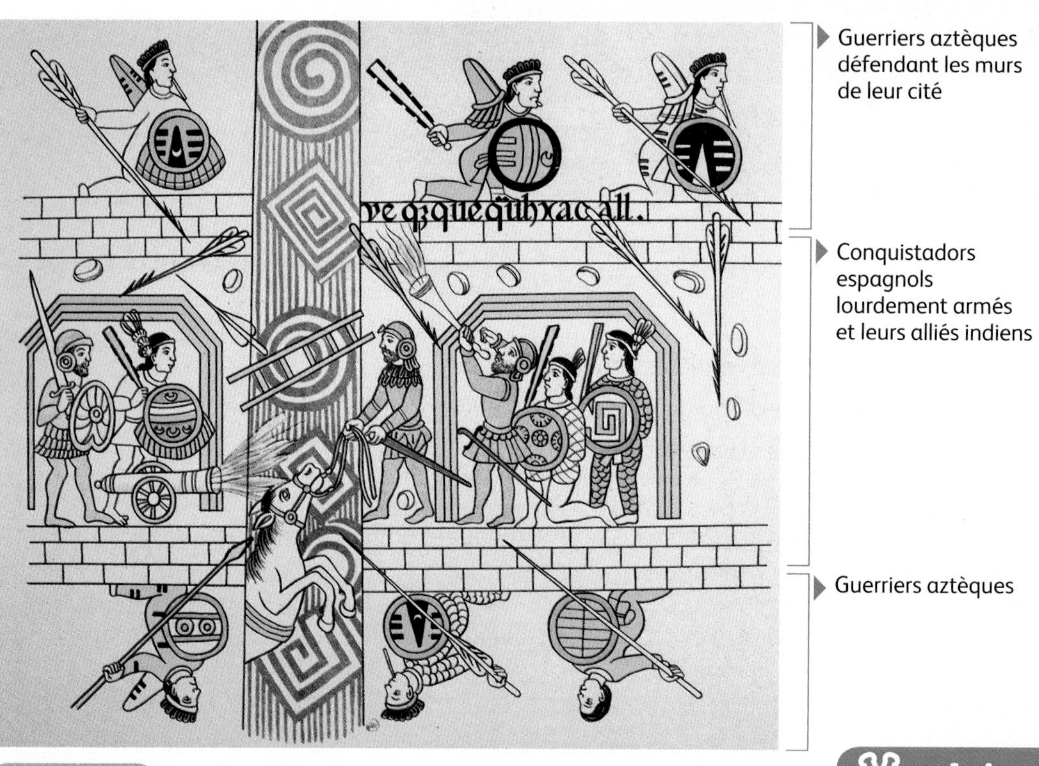

Source 2

Représentation amérindienne de la conquête espagnole

Conquête d'une ville de l'Empire aztèque par Cortés. Copie du **codex** « Lienzo de Tlaxcala », recueil d'images réalisées par les Tlaxcaltèques (tribu indienne alliée des Espagnols contre les Aztèques), 1519, BNF, Paris.

Vocabulaire

Codex : manuscrit peint selon des formes et des styles très codifiés.

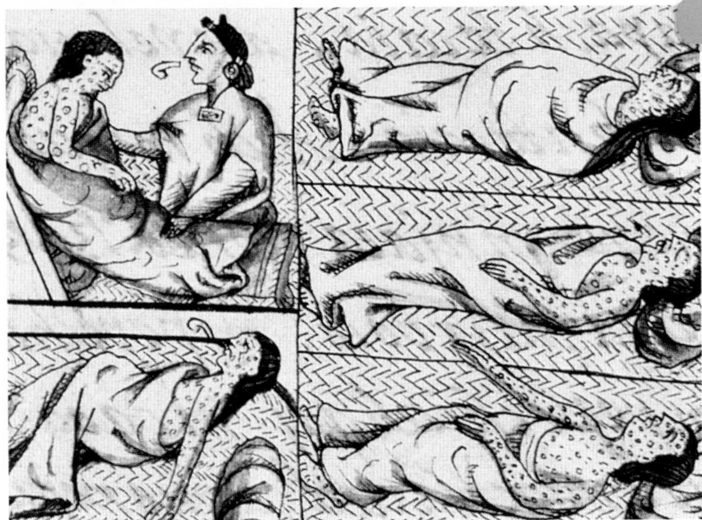

Source 3

Le choc microbien

Variole, grippe, typhus, rougeole, paludisme et fièvre jaune tuent les Amérindiens.

Indiens malades de la variole, dessin anonyme collecté par B. de Sahagún, 1569, Bibliothèque Laurentienne, Florence (Italie).

Les historiens en parlent

Contexte

L'impact démographique de la conquête : les estimations

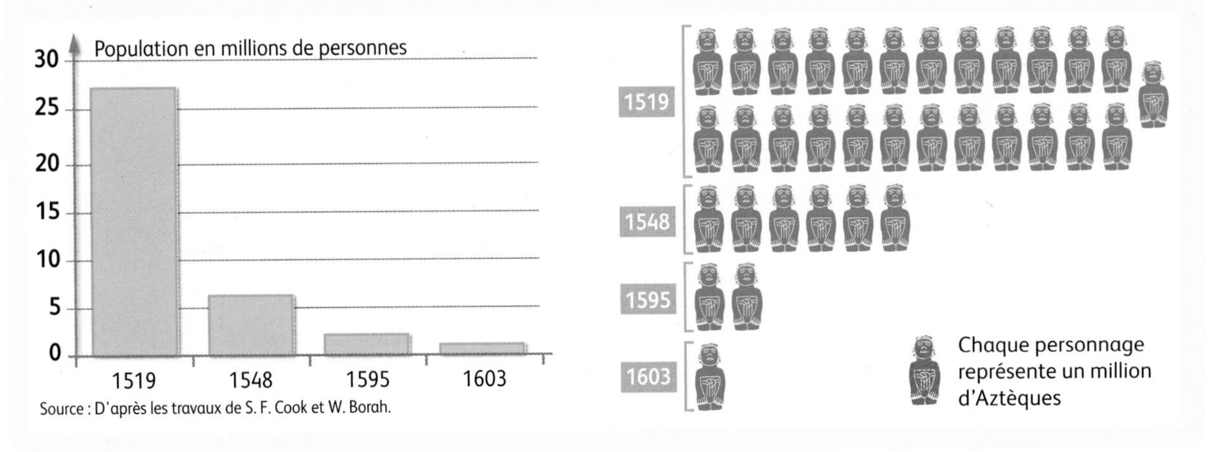

La démarche de l'historien

Étape 1 ▶ Identifier et comprendre les documents sources

1. Pour chaque source, relevez sa nature, son auteur, sa date et son lieu de création.
2. Indiquez ce qu'elle apporte comme information sur les Aztèques à l'époque de la conquête espagnole.
3. Dans quel contexte ces sources amérindiennes sont-elles produites ?

Étape 2 ▶ Confronter les documents sources

4. SOURCES 1 ET 2 Comment les Amérindiens ont-ils perçu la conquête ?
5. SOURCES 1, 2 ET 3 Comment peut-on comprendre la défaite des Aztèques et la ruine de leur civilisation ?

Étape 3 ▶ Conclure

Vous êtes un historien et vous devez expliquer pourquoi connaître les sources d'origine amérindienne est indispensable pour comprendre la conquête de l'Amérique par les Européens. Préparez votre intervention orale.

Aide (*Rappelez-vous le regard porté par Cortés sur les Amérindiens (voir p. 139).*

Contexte

Première mondialisation et naissance du monde

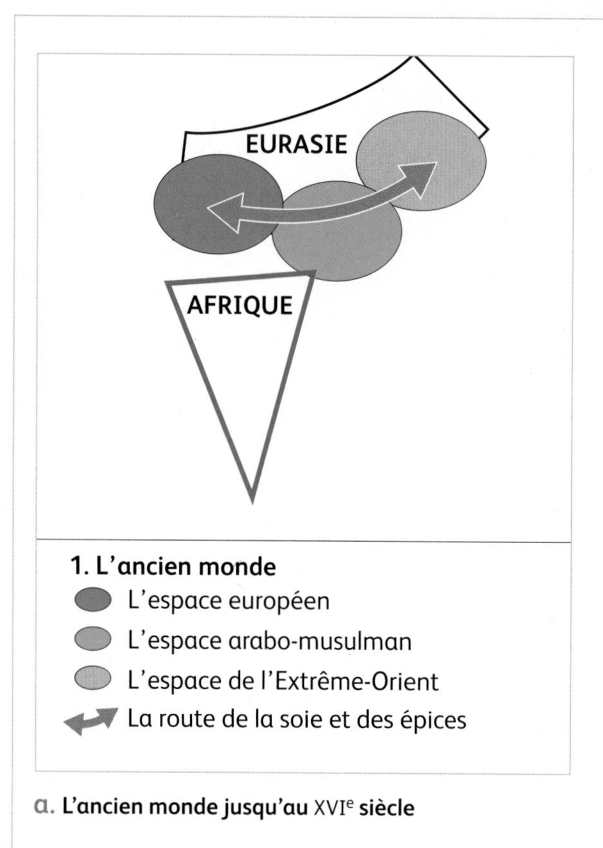

a. **L'ancien monde jusqu'au XVIe siècle**

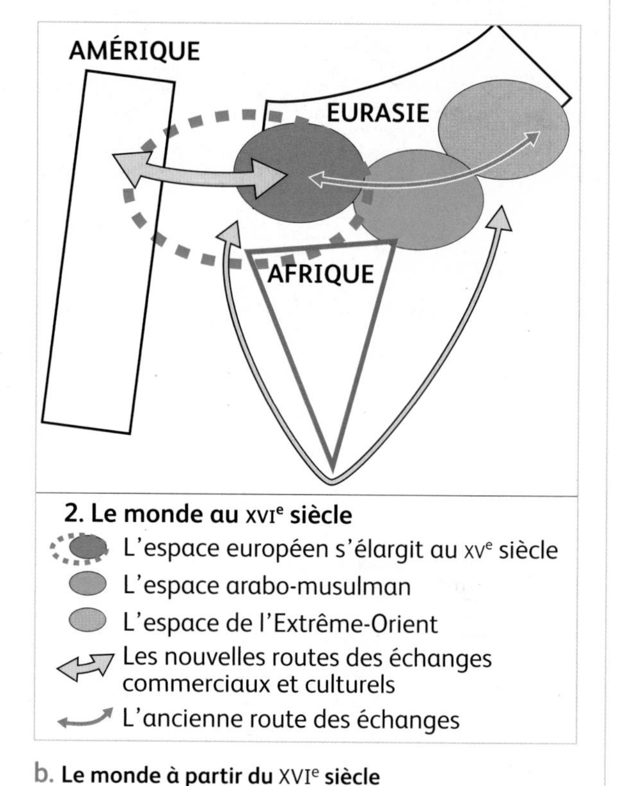

b. **Le monde à partir du XVIe siècle**

1 | À partir du XVIe siècle, une nouvelle organisation du monde

2 Ce que change le premier tour du monde de Magellan

Il faut prendre toute la mesure de la révolution « magellane ». Avec et depuis Copernic, la Terre tourne autour du Soleil ; avec Magellan, c'est l'homme européen et son argent qui se mettent à tourner autour de la Terre. La révolution « magellane » fait de la mer et de la mobilité des hommes et des capitaux, le moteur de toutes les circulations et de tous les désenclavements[1].
On peut désormais relier les quatre parties du monde et envisager une monarchie planétaire [universelle].

D'après S. Gruzinski, *L'Aigle et le Dragon*, Fayard, 2012.

1. Le désenclavement rompt l'isolement d'un territoire en le rendant accessible par des routes (ici maritimes).

Biographie

Nicolas Copernic (1473-1543)
Astronome polonais, selon lequel le monde est centré autour du Soleil et non de la Terre.

Vocabulaire

Mondialisation : mise en relation de régions du monde et de peuples par des échanges de marchandises et de populations.

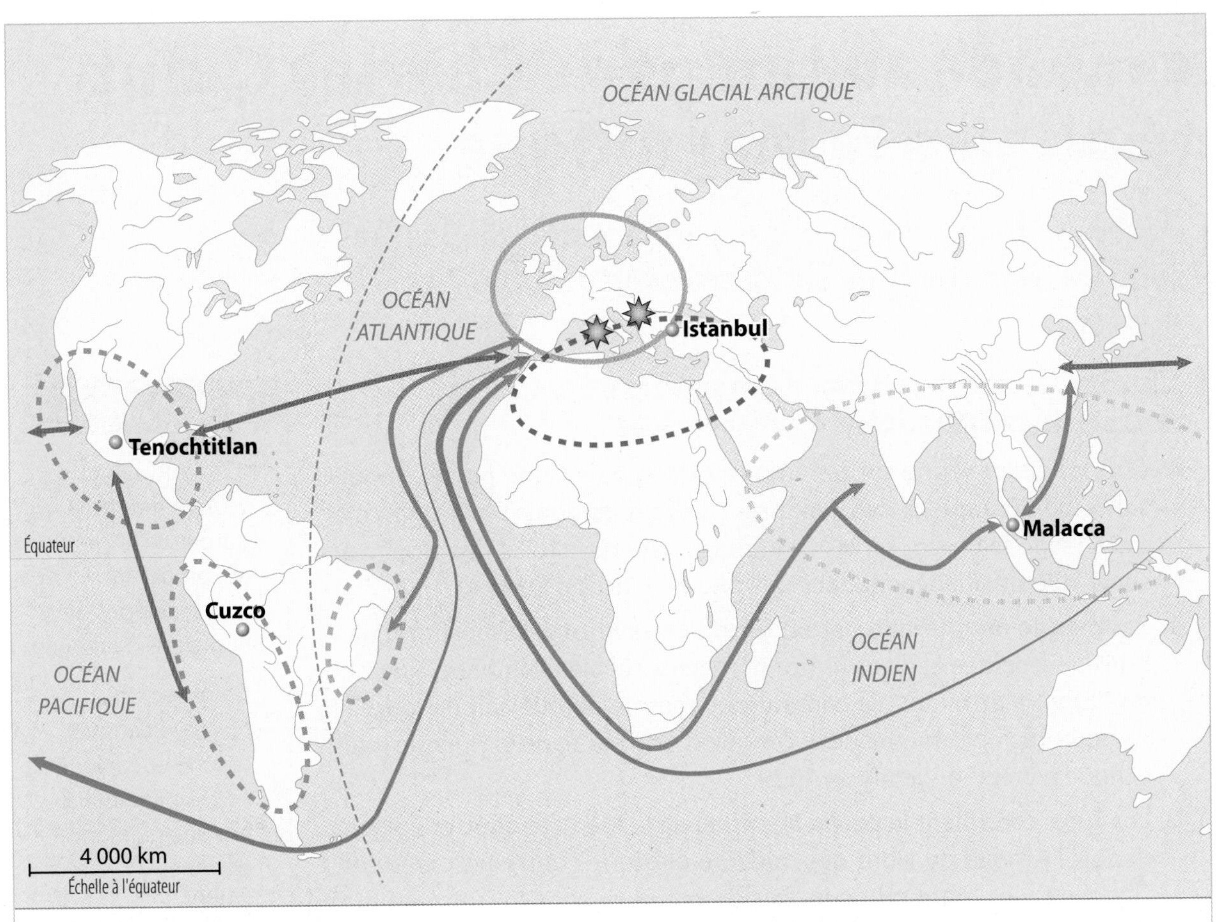

1. Le monde méditerranéen

- Le monde des Européens
- Nouvelles conquêtes et extension de la zone d'influence de l'Empire ottoman
- Zones de tensions

2. Le nouveau monde

- L'Empire espagnol
- Le Brésil portugais
- Traité de Tordesillas

3. L'Empire portugais d'Asie

- Zone d'influence des comptoirs commerciaux portugais

4. Les nouvelles routes maritimes ouvertes par les Européens

- Tour du monde de Magellan
- Routes maritimes portugaises
- Routes maritimes espagnoles

D'après « L'océan Indien au XVe siècle », *L'histoire*, juillet-août 2010 ; « Les grandes découvertes », *Questions internationales*, 2007.

3 | Le monde à la mort de Charles Quint et Soliman le Magnifique

Comprendre le contexte

De nouveaux mondes connectés

1. Montrez que le tour du monde effectué par les hommes de Magellan est une évolution très importante dans l'histoire de l'humanité.

De nouvelles relations entre les espaces du monde

2. Justifiez l'emploi du terme de mondialisation pour le XVIe siècle.

Le monde au temps de Charles Quint et Soliman le Magnifique

Pourquoi peut-on parler de première mondialisation sous Charles Quint et Soliman le Magnifique ?

I Charles Quint et Soliman le Magnifique, deux princes rivaux en Méditerranée

- **Charles Quint règne sur un empire qui recouvre une partie importante de l'Europe et de l'Amérique.** Ses prétentions à la monarchie universelle se brisent sur les contraintes nées de la taille de l'empire et sur la volonté d'indépendance des autres princes d'Europe.
- **Soliman le Magnifique est un grand conquérant.** Disposant d'une artillerie redoutée et d'une armée nombreuse et bien entraînée, il agrandit l'Empire ottoman. Se considérant comme un guerrier de la foi, il attaque l'Europe chrétienne et conquiert une partie de la Hongrie mais échoue à prendre Vienne en 1529.
- **Les Turcs contrôlent la partie orientale de la Méditerranée** et mènent depuis l'Afrique du Nord des raids de piraterie contre les chrétiens. Charles Quint tente plusieurs fois de sécuriser cet espace maritime, mais il échoue. **C'est son fils Philippe II qui met fin à la domination turque en Méditerranée par la victoire navale de Lépante en 1571.**

II Une mondialisation aux couleurs ibériques

- À la fin du XVe siècle, les Européens se lancent dans de grandes explorations maritimes. En 1492, Christophe Colomb débarque en Amérique. En 1522, les marins de Magellan réalisent la première circumnavigation : la Terre est une sphère dont les océans communiquent. Les différentes parties du monde connu sont reliées.
- Cette mondialisation se traduit par un essor des échanges et un renforcement de la puissance européenne. En Asie, les Portugais exploitent un réseau commercial centré sur l'océan Indien. Les conquistadors espagnols colonisent l'Amérique à l'exception du Brésil conquis par les Portugais. Les civilisations amérindiennes sont détruites, leurs populations évangélisées de force et décimées par les massacres, les maladies et l'esclavage. Pour compenser ces pertes, on déporte des esclaves d'Afrique.
- L'exploitation économique des colonies enrichit l'Europe, en particulier les ports d'arrivée des produits en provenance d'Asie et d'Amérique ; c'est le cas de Lisbonne au Portugal ou de Séville en Espagne.

Vocabulaire

Circumnavigation : voyage maritime autour de la Terre qui prouve la connexion des mers et océans du monde.

Colonie : territoire conquis, occupé et exploité économiquement par une puissance étrangère.

Monarchie universelle : prétention d'une monarchie à dominer les quatre parties du monde connu (Europe, Afrique, Asie et Amérique).

Mondialisation : mise en relation de régions et de peuples. Elle se traduit par des échanges de marchandises, de capitaux et de populations.

Amérindiens : Indiens d'Amérique.

Conquistador : conquérant de l'Amérique centrale.

Je retiens l'essentiel

L'essentiel en schéma

Charles Quint et Soliman le Magnifique, deux rivaux en Méditerranée

L'Empire de Charles Quint

Charles Quint règne sur un immense empire chrétien qui s'étend sur une partie de l'Europe et l'Amérique

L'Empire de Soliman

Soliman le Magnifique règne sur un immense empire musulman qu'il étend par ses conquêtes.

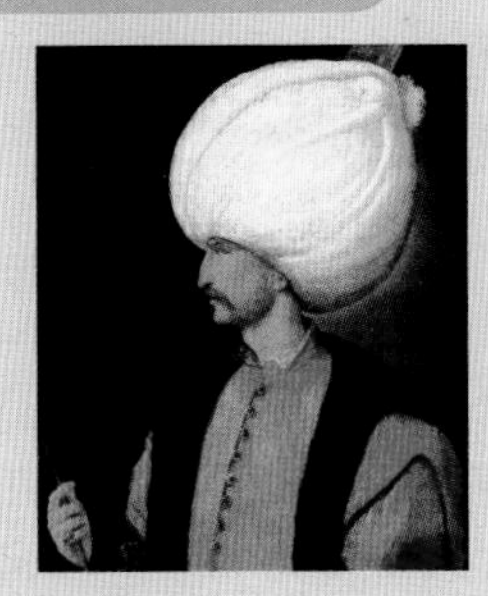

L'affrontement en Méditerranée

- Espagnols et Ottomans s'affrontent en Méditerranée occidentale.
- Charles Quint n'arrive pas à sécuriser cet espace.

Une mondialisation aux couleurs ibériques

- Portugais et Espagnols parcourent le globe.
- Ils colonisent l'Amérique qu'ils exploitent.
- Les populations amérindiennes sont décimées

→

- Les voyages changent la représentation du monde.
- Les échanges se font sur de très grandes distances.

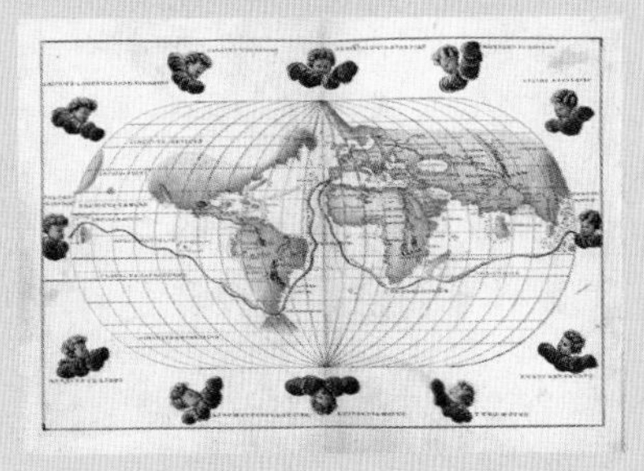

XVe siècle — XVIe siècle

Grandes explorations européennes du monde

- 1492 Colomb découvre l'Amérique
- 1519-1555 Charles Quint
- 1520-1566 Soliman le Magnifique
- 1529 Soliman échoue à conquérir Vienne
- 1519-1521 Cortès conquiert l'Empire aztèque
- 1519-1522 Expédition de Magellan

Le monde au temps de Charles Quint et Soliman le Magnifique

1. Construire sa fiche de révision : notez le titre de la leçon sur votre feuille

Objectif 1 Connaître les repères historiques

Reproduisez la frise chronologique ci-dessous et placez-y les repères suivants :

a) Les règnes de Charles Quint et de Soliman

b) La prise de Tunis par Charles Quint

c) La conquête de l'Empire aztèque

d) L'expédition de Magellan

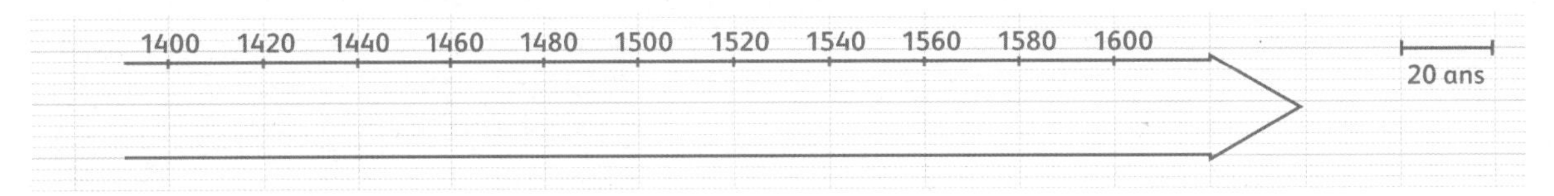

Objectif 2 Connaître les repères géographiques

À l'aide de la carte, répondez aux questions suivantes :

a) Quel océan devient un important espace d'échanges commerciaux ?

b) Quels sont les deux royaumes à l'origine des grandes explorations étudiées ?

c) Sur la carte, quel voyage d'exploration est représenté ?

Objectif 3 Connaître les mots-clés du chapitre

Recopiez les mots suivants et donnez leur définition : Mondialisation – colonie – Amérindien – conquistador – sultan – Nouveau Monde.

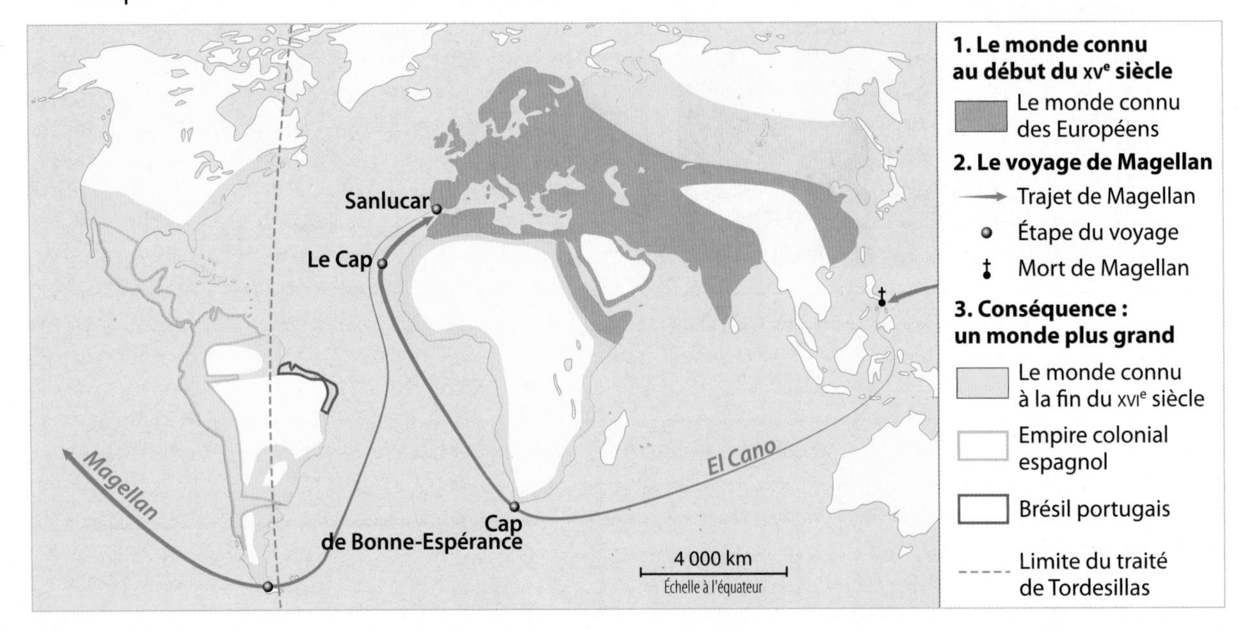

2. S'entraîner

1 Construire des repères historiques

Portraits croisés de deux empereurs

Qui sont les deux personnages représentés ci-dessous ? Pour chacun d'eux, rédigez deux ou trois phrases qui les présentent et expliquent leur importance historique.

Anonyme, *Portrait avec armoiries*, peinture allemande ou flamande, fin XVIe siècle, Kunsthistorisches Museum, Vienne (Autriche).

Anonyme, *Portrait*, miniature, XVIIe siècle, Palais de Topkapi, Istanbul (Turquie).

2 Analyser et comprendre une image

Charles Quint, bras armé de la chrétienté face aux Ottomans

Charles Quint à la tête de ses troupes à Barcelone prépare son expédition contre Tunis, tapisserie flamande, XVIe siècle, KunsthistorischesMuseum, Vienne (Autriche).

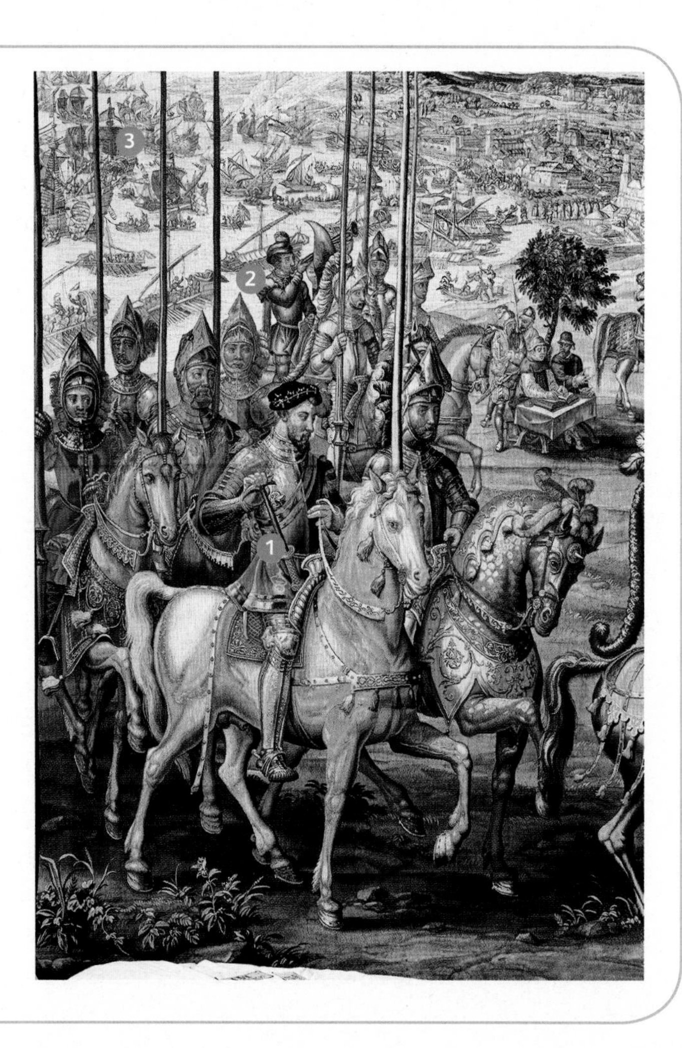

1. Charles Quint
2. Cavalerie
3. Flotte de guerre

1. Pourquoi est-ce un devoir pour l'empereur du Saint-Empire romain germanique d'intervenir (aidez-vous des pages 132-133) ?
2. De quels moyens dispose-t-il ici pour accomplir ce devoir ?
3. Quelle impression se dégage de cette image ?

J'apprends, je m'entraîne

3 Analyser et comprendre un texte

La première histoire turque des Amériques

La nouvelle s'est répandue parmi les hommes qu'un nouveau monde est maintenant apparu, pareil en étendue et en circonférence aux régions de la zone habitée du globe. S'il n'est pas plus peuplé que la partie mise en valeur, il l'est pour le moins tout autant. Jusqu'à ce jour, nul d'entre nous n'a visité cette contrée et nul n'en a rapporté des informations ou sa description. Nous demandons à votre glorieuse Majesté, qu'à l'avenir, l'épée du peuple de l'Islam pénètre jusqu'à cette terre si profitable. Que les contrées [du Nouveau Monde] se remplissent des lumières des rites de l'islam.

D'après un auteur anonyme, *Histoire de l'Inde de l'ouest,* 1580.

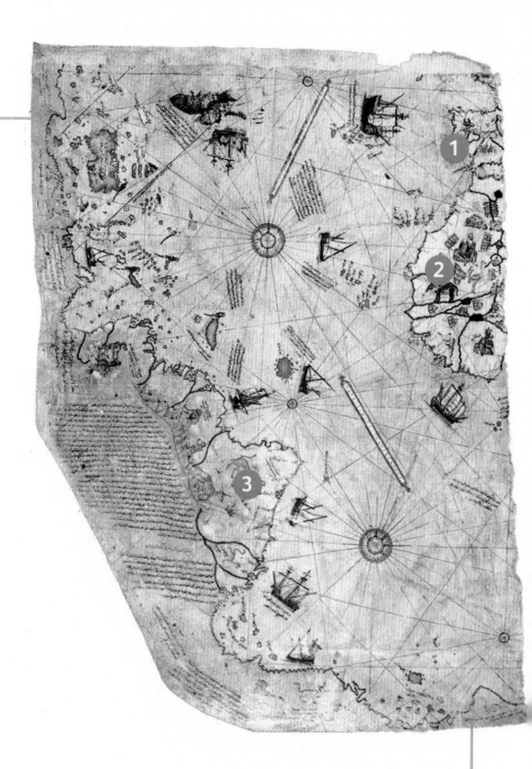

L'Atlantique, vu par les Ottomans au XVIe siècle

Carte de l'Atlantique de Piri Reis, amiral turc, dessinée d'après une carte européenne sur une peau de gazelle en 1513.

1 Péninsule ibérique
2 Côte ouest de l'Afrique
3 Côte est de l'Amérique du Sud

Identifier le document

1. Présentez le document (nature, auteur, date).
2. À quel événement fait-il référence ? Datez cet événement.

Extraire des informations pertinentes

3. Que savent les Ottomans de l'Amérique ? De qui leurs informations proviennent-elles ?
4. Qu'est-ce que l'auteur réclame exactement ?

Utiliser ses connaissances pour expliciter et exercer son esprit critique

5. Quelles puissances dominent l'Amérique à la date de parution de ce texte ?
6. Le souhait évoqué par l'auteur semble-t-il réalisable ? Justifiez votre réponse.

Auto-Évaluation Je me positionne sur une marche :

1.	2.	3.	4.
• Je lis le texte. • Je repère sa nature, sa date et son auteur.	• Je lis le texte. • Je repère sa nature, sa date et son auteur. • Je comprends son idée générale.	• Je lis le texte. • Je repère sa nature, sa date et son auteur. • Je comprends son idée générale. • Je sélectionne des informations pertinentes pour répondre.	• Je repère sa nature, sa date et son auteur. • Je comprends son idée générale. • Je reformule les informations sélectionnées pour répondre. • J'utilise mes connaissances pour expliquer
Question 1	Questions 1 et 2	Questions 1, 2, 3 et 4	Questions [illegible] et [illegible]

Pour progresser, j'analyse mes axes de progrès. Que devrais-je améliorer ?

4 S'informer dans le monde numérique

Partir à la découverte du Monde

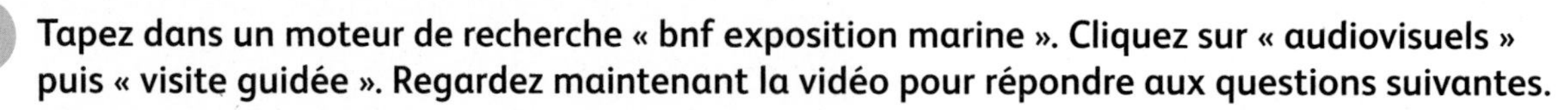

Tapez dans un moteur de recherche « bnf exposition marine ». Cliquez sur « audiovisuels » puis « visite guidée ». Regardez maintenant la vidéo pour répondre aux questions suivantes.

1. À la fin du Moyen Âge, quel changement dans les mentalités pousse les navigateurs européens à partir à l'assaut du grand large ? De quels instruments disposent-ils pour le faire ?
2. Comment les cartes marines évoluent-elles entre le XIIIe et le XVIe siècle ?

Enquêter La controverse de Valladolid (1551) : « les Indiens d'Amérique sont-ils des barbares » ?

Les faits

La convocation du tribunal

La question dont vous devez discuter est la suivante : vous avez à examiner de quelle façon on peut propager notre foi catholique dans le Nouveau Monde [Amérique] ; examiner encore comment soumettre ces populations à Sa Majesté impériale [Charles Quint], sans problème de conscience pour lui. Néanmoins les rapporteurs [Sepúlveda et Las Casas] ont posé la question ainsi : Sa Majesté a-t-elle le droit de faire la guerre aux Indiens avant leur conversion pour les soumettre à son autorité ?

D'après le père Domingo de Soto.

Qui est-il ? Domingo de Soto (1494-1560)

Professeur à l'université de Salamanque et confesseur de Charles Quint. Il est chargé de résumer les débats qui ont eu lieu à Valladolid.

Indice n°1

L'accusateur du théologien Juan Ginés de Sepúlveda

Portrait de Juan Ginés de Sepúlveda (1490-1573). Anonyme du XVIe siècle, Séville.

Indice n°2

Sepúlveda s'appuie sur quatre arguments :

1) L'énormité des crimes commis par ces Indiens, notamment celui de prier des faux dieux.

2) Ce sont des barbares destinés par nature à la servitude, donc tenus de servir les peuples les plus évolués comme les Espagnols.

3) La soumission facilite la diffusion du christianisme.

4) Les injustices commises par les Indiens, sacrifices humains et cannibalisme.

D'après le père Domingo de Soto.

Sacrifice humain offert par les Aztèques au dieu de la guerre Codex Magliabecchi, XVIe siècle, Archivio di Stato, Florence (Italie).

Indice n°3

La défense du moine Bartolomé de Las Casas

1) Prier de faux dieux n'est pas une cause de guerre juste ; 2) Ceux qui reçoivent la foi doivent aimer ceux qui la diffusent. Les guerres préalables à la prédication sont contraires à cet objectif. 3) Diffuser l'Évangile dans le monde entier ne nous autorise pas à forcer les polythéistes à nous suivre, mais seulement à leur prêcher la vérité ; 4) Les Indiens sont-ils des barbares ? Certaines de leurs actions peuvent choquer, mais ce sont des peuples qui vivent en sociétés organisées dans des villes, dans des maisons ; ils ont des lois, des métiers, un gouvernement...

D'après le père Domingo de Soto.

Avez-vous pris connaissance des indices ? Quelle est votre conviction : les Amérindiens étaient-ils des barbares pour les Européens au XVIe siècle ?

Par équipe, complétez le carnet de l'enquêteur :

1. L'opinion de Sepúlveda sur les Indiens : ...
2. Ses arguments pour défendre son point de vue : ...
3. L'opinion de Las Casas sur les Indiens : ...
4. Ses arguments pour défendre son point de vue : ...

Rédigez en quelques lignes le rapport d'enquête.

L'atelier d'écriture

La prise de Tunis en 1535 par Charles Quint

À partir de vos connaissances et en vous aidant des pages de l'étude sur les rivalités impériales en Méditerranée (p. 132) rédigez un texte qui décrit la prise de Tunis par l'empereur Charles Quint.

Travail préparatoire (au brouillon)

1. Recherchez les causes de l'événement et distinguez-les de l'événement lui-même. Classez les faits qui constituent l'événement dans une suite chronologique.

2. Notez toutes les informations qui vous viennent à l'esprit et qui se rapportent à la prise de Tunis autour du « pense-pas bête »

3. Vérifiez avec votre cahier ou votre manuel que vous n'avez pas oublié d'informations essentielles.

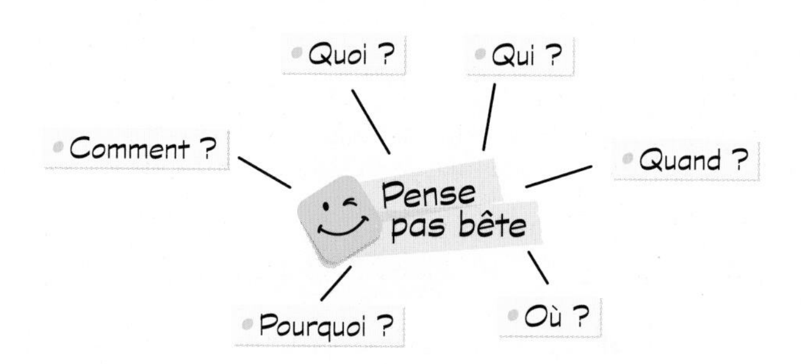

Travail de rédaction (au propre)

À vous de choisir votre niveau de difficulté et votre ceinture !

Je rédige un texte **sans aide**.

Rédigez votre texte en vérifiant que :
- Vous commencez votre paragraphe par un alinéa.
- Vous organisez vos idées en paragraphes.

Un texte d'histoire est ancré dans les temps et dans l'espace. Pensez à indiquer où et quand la bataille a eu lieu au début de votre texte.

Je rédige un texte **avec un guide.**

Rédigez votre texte en construisant des paragraphes :
- Le premier paragraphe évoque les causes de l'événement.
- Le deuxième paragraphe présente le déroulement de l'événement.
- Le dernier paragraphe présente les conséquences de l'événement.

Je rédige un texte **en répondant à des questions.**

Rédigez votre texte en construisant des paragraphes qui répondent aux questions suivantes :

1er paragraphe sur les causes :
- Pour quelles raisons Charles Quint se lance-t-il dans cette expédition ? Quel est l'état d'esprit des Européens face aux menées de Soliman en Méditerranée ?

2e paragraphe sur le déroulement de l'événement :
- Qui participe ? Comment livre-t-on combat ? Quelle forteresse doit tomber pour prendre Tunis ?

3e paragraphe :
- Qui gagne le combat ? Est-ce un point final dans ces luttes en Méditerranée ?

Comment faire accepter les différences ?

1 Des préjugés racistes ?

La fille des Verneuil présente son fiancé à ses parents. Ces derniers les voient s'avancer :
Le père, en aparté à la mère : « C'est le voiturier ? »
La jeune fille souriante : « Je vous présente Charles. »
Regards gênés des parents.

Extrait du film *Qu'est-ce qu'on a fait au bon Dieu ?*, de Ph. de Chauveron, 2014.

2 Pourquoi pense-t-on que l'autre est un barbare ?

Il n'y a rien de barbare et de sauvage chez les Indiens du Brésil, sinon que **chacun appelle barbarie ce qui n'est pas de son quotidien** ; il semble que nous ne puissions voir la vérité qu'à travers les opinions et les usages du pays où nous sommes.

D'après Montaigne, *Essais*, I, 31, 1595.

Qui est-il ? Montaigne (1533-1592)
Philosophe et moraliste français.

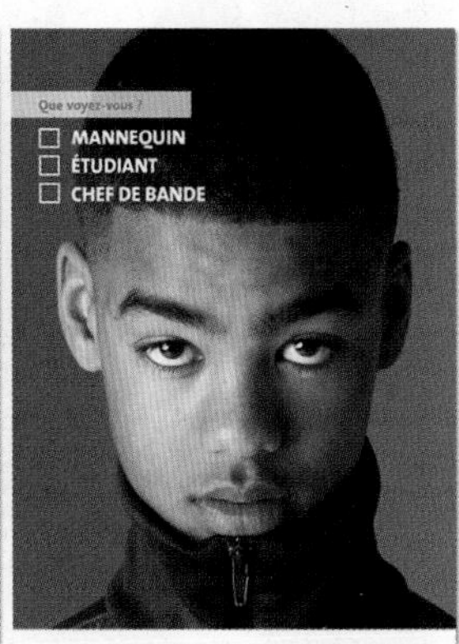

3 Campagne de l'Organisation des Nations unies (ONU) contre les préjugés raciaux, 2016

La sensibilité : soi et les autres

1. DOC. 2 Comment comprenez-vous la phrase en gras ? Que pensez-vous de l'idée que présente Montaigne ici ?
2. DOC. 1 De quoi Charles est-il victime dans cette scène ?
3. Regardez la bande-annonce du film sur Internet, par exemple sur le site *Allocine.fr*. Quels autres préjugés y apparaissent ?

L'engagement : agir individuellement ou collectivement

4. DOC. 3 Comment l'ONU s'engage-t-elle dans la lutte contre les préjugés ?
5. Avez-vous vous déjà été victime ou témoin de discrimination ?
6. Réalisez ensuite une affiche qui utilise l'humour pour dénoncer ce préjugé.

4 Que dit la loi aujourd'hui ?

Art. 2 Chacun peut se prévaloir de tous les droits et de toutes les libertés proclamés dans la présente Déclaration, sans distinction aucune, notamment de race, de couleur, de sexe, de langue, de religion, d'opinion politique ou de toute autre opinion, d'origine nationale ou sociale, de fortune, de naissance ou de toute autre situation.

Déclaration Universelle des Droits de l'Homme, 10 décembre 1948.

Vocabulaire

Préjugé : idée toute faite sur les gens ou les faits.
Racisme : Attitude qui établit une différence entre les groupes humains notamment en raison de leur couleur de peau.

EPI
p. 198

Humanisme, Réformes, conflits religieux

Quels bouleversements culturels et religieux l'Europe connaît-elle au XVIe siècle ?

Souvenez-vous !

Quelle exploration majeure a changé la vision du monde pour les hommes et les femmes du XVIe siècle ?

1 | Deux humanistes

J. de Dinteville et G. de Selve, ambassadeurs français à la cour d'Angleterre. H. Holbein le Jeune (1497-1543), *Les Ambassadeurs*, 2,07 m x 2,09 m, 1533, National Gallery, Londres (Royaume-Uni).

1 Cette tête de mort rappelle aux hommes qu'ils sont mortels.

Vocabulaire

Humanisme : courant de pensée du XVIe siècle qui étudie l'Antiquité et qui place l'Homme au centre de ses études.

Réformes : mouvements religieux du XVIe siècle qui aboutissent à la division entre catholiques et protestants.

xve siècle — xvie siècle

Renaissance et Humanisme

Réformes

1562 — 1598 Guerres de Religion en France

- 1450 Invention de l'imprimerie
- 1517 Luther et ses *95 Thèses*
- 1572 Saint-Barthélemy

Socle *Se repérer dans l'espace et dans le temps*

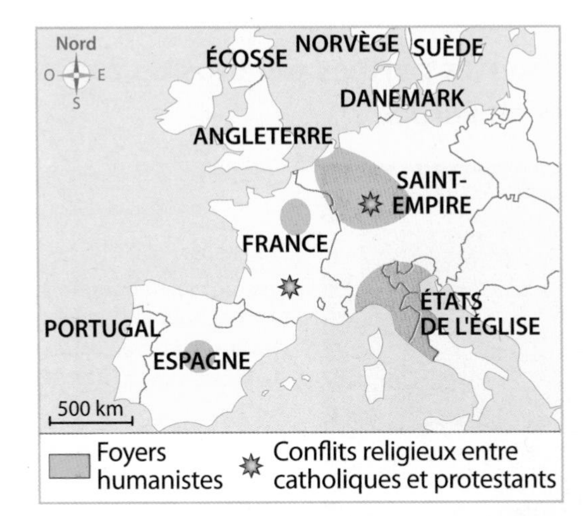

2 La réforme : Luther prêchant la foi et recevant la communion

Panneau de l'autel de l'église de Torslunde, 1561. Nationalmuseet, Copenhague (Danemark).

1. DOC. 1 Quels éléments montrent que les humanistes s'intéressent aux sciences, aux arts et à la connaissance ?
2. DOC. 1 ET 2 **Émettez une hypothèse** pour répondre à la question suivante : pourquoi ce courant de pensée s'appelle-t-il humanisme ?

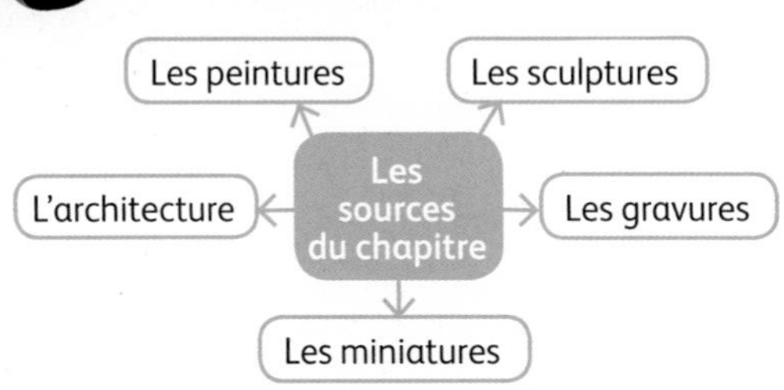

Étude

Érasme, un modèle d'humanisme

Quelles sont les idées humanistes portées par Érasme ? Comment se diffusent-elles en Europe ?

Biographie
Érasme (1469-1536)
Intellectuel hollandais, Érasme est l'une des plus grandes figures de l'humanisme, auteur d'*Éloge de la folie*, 1511.

1 La vision idéale de l'humaniste

Érasme a commandé son portrait au travail, entouré de ses ouvrages imprimés.
Q. Metsys, *Portrait d'Érasme de Rotterdam*, 1517, huile sur bois, 46 cm x 59 cm, Palazzo Barberini, Rome (Italie).

2 Les voyages d'Érasme à la rencontre d'autres érudits

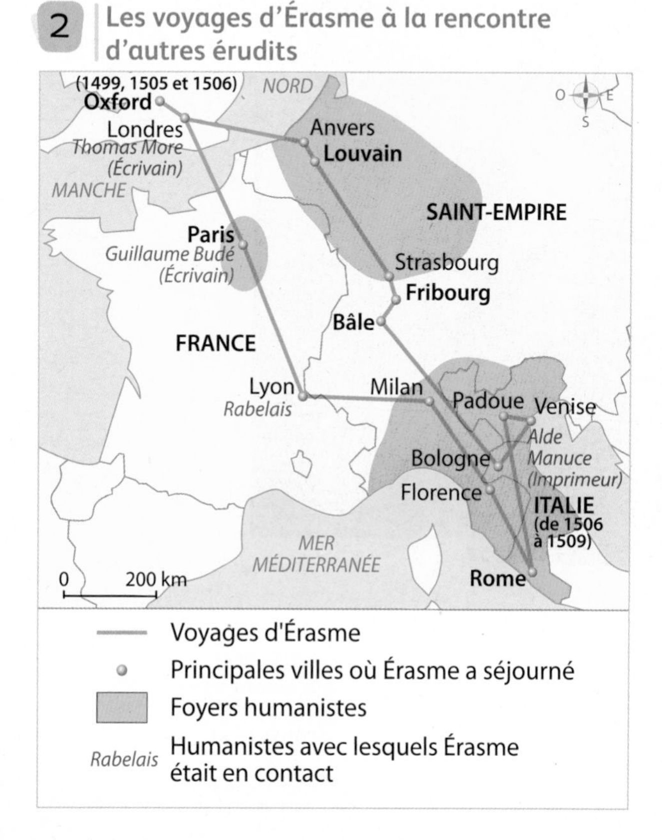

3 La connaissance religieuse pour tous

C'est aux sources mêmes que l'on puise la vérité : aussi avons-nous revu le Nouveau Testament tout entier d'après l'original grec, qui seul fait foi, à l'aide de nombreux manuscrits des deux langues[1], choisis parmi les plus anciens et les plus corrects. Je suis tout à fait opposé à l'avis de ceux qui ne veulent pas que les lettres divines soient traduites en langue vulgaire[2] pour être lues par les profanes[3], comme si l'enseignement du Christ était si voilé que seule une poignée de spécialistes pouvait le comprendre. Je voudrais que toutes les plus humbles des femmes lisent les Évangiles.
Puissent ces livres être traduits en toutes les langues, de façon que les Écossais, les Irlandais, mais aussi les Turcs et les Sarrasins soient en mesure de les lire et de les connaître.

D'après Érasme, *Lettre à Léon X*, préface à l'édition de la traduction du *Nouveau Testament*, 1516.

1. Grec et hébreu.
2. Langue parlée par le peuple.
3. Ceux qui connaissent mal la religion.

Vocabulaire

Humaniste : personne qui étudie l'Antiquité et qui place l'homme au centre de ses études.

4 Le maître idéal pour les princes

Érasme donne une leçon au futur Charles Quint, lors d'un voyage à Bruxelles (1511).

E.-J. Hamman, Enfance de Charles Quint, *Une lecture d'Érasme*, 1863, 92 cm x 72 cm, Musée d'Orsay, Paris.

1. Érasme.
2. Charles Quint, enfant.
3. Marguerite d'Autriche, tante de Charles et régente des Pays-Bas.
4. L'Empereur Maximilien, oncle de Charles.

Qui est-il ?
Charles Quint (1500 -1558)
Monarque espagnol puissant, empereur du Saint Empire romain germanique en 1519.

5 Érasme, un homme admiré par ses contemporains

François Rabelais, humaniste français, envoie depuis Lyon cette lettre à Érasme, le 30 novembre 1532.

Je saisis cette occasion, qui me permet de vous témoigner avec quels sentiments de piété filiale[1] je vous honore. Mon père, ai-je dit ! Plus encore ! Je dirais : ma mère, si votre indulgence me le permettait. Vous, qui ne connaissant ni mon visage, ni même mon nom, m'avez élevé et abreuvé de votre divine science. Oui, tout ce que je suis, tout ce que je vaux, c'est de vous seul que je le tiens, et, si je ne le crie bien haut, que je sois le plus ingrat des hommes présents ou futurs. Salut père chéri, génie tutélaire des lettres, invincible champion de la vérité.

D'après F. Rabelais, *Lettre à Érasme du 30 novembre 1532,* dans J. Fleury, *Rabelais et ses œuvres, Librairie* académique, 1876.

1. Respect pour un parent (ici pour un maître).

Qui est-il ?
François Rabelais (1483 ou 1494-1553)
Médecin et écrivain français, célèbre pour ses œuvres *Pantagruel* et *Gargantua*.

Activités

Socle *Extraire des informations pertinentes*

1. DOC. 3 En quelle langue Érasme veut-il voir la Bible traduite ? Pour quelle raison ?
2. DOC. 4 Quand ce tableau a-t-il été peint ? D'après vous, pourquoi l'artiste représente-t-il cette scène alors qu'il n'en est pas contemporain ?
3. DOC. 5 Pour quelles raisons Rabelais admire-t-il Érasme ?
4. DOC. 1, 2 ET 5 Comment les humanistes échangent-ils et diffusent-ils leurs idées ?

Pour conclure Rédigez, en quelques lignes, une réponse à la question :

Pourquoi et comment Érasme influence-t-il les hommes de son époque ?

Aide *Présentez les idées d'Érasme puis indiquez comment elles se diffusent en Europe auprès des princes et des intellectuels.*

Étude

Florence, un centre humaniste

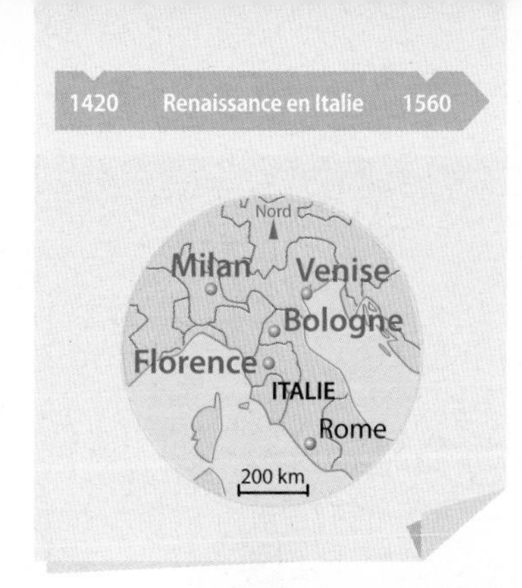

Quels éléments font de Florence un centre humaniste qui rayonne dans l'Europe de la Renaissance ?

1 Laurent de Médicis, prince de Florence et mécène
Ottavio Vannini (1585-1643), fresque, 1635, Palais Pitti, Florence.

2 Florence, une cité qui attire les humanistes

Grâce à Laurent de Médicis, Florence, chaque fois qu'elle n'était pas en guerre, était perpétuellement en fête. Laurent chérissait et s'attachait tous ceux qui excellaient dans les arts ; il protégeait les gens de lettres.
Le comte Giovanni de la Mirandola[1] (Pic de La Mirandole) préféra le séjour de Florence, où il se fixa, à toutes les autres parties de l'Europe qu'il avait parcourues. Laurent faisait surtout ses délices de la musique, de l'architecture, de la poésie. Afin que la jeunesse de Florence pût se livrer à l'étude des belles lettres, il fonda l'université de Pise où il appela les hommes les plus instruits qui fussent alors en Italie.

N. Machiavel, *Histoires florentines*, Livre VIII, vers 1520.

1. Humaniste italien (1463-1494).

Qui est-il ? Machiavel (1469-1527)
Humaniste et homme politique italien, il a vécu à Florence.

Biographie

Laurent de Médicis (1449-1492)
Homme politique surnommé « le Magnifique », il règne sur Florence de 1469 à 1492.

Vocabulaire

Mécène : personne qui aide financièrement ou par des commandes des artistes ou écrivains.
Renaissance artistique : mouvement né en Italie au XVe siècle qui s'inspire de l'Antiquité.

3 | Un musée à ciel ouvert

Le Dôme de la cathédrale Santa Maria del Fiore, construit par l'architecte Brunelleschi entre 1420 et 1434.

4 | Le berceau d'œuvres majeures de la Renaissance

Michel-Ange crée son *David* dans la cité florentine.

Michel-Ange, *David*, 1501-1504, sculpture de marbre, Galleria dell'Accademia, Florence.

Qui est-il ?

Michel-Ange (1475-1564)

Artiste italien de la Renaissance, peintre, sculpteur et architecte.

5 Les idées d'un humaniste florentin

Pic de la Mirandole imagine un dialogue entre Dieu et Adam, dans lequel la place de l'homme dans le monde est définie.

Ô Adam[1], je t'ai installé au centre du monde afin que de là, tu examines plus commodément tout ce qui existe. Nous ne t'avons fait ni céleste, ni terrestre, ni mortel, ni immortel, afin que maître de toi-même tu te composes le destin que tu auras choisi.

D'après Pic de La Mirandole, *De la dignité de l'Homme*, 1498.

1. D'après la Bible, Adam est le premier homme.

Qui est-il ? Pic de La Mirandole (1463-1494)

Théologien et humaniste italien.

Activités

▸ **Socle** *Réaliser une production graphique*

1. À l'aide des documents, reproduisez et complétez la carte mentale ci-dessous en répondant aux questions :

- DOC. 1, 2 ET 3 Quels domaines artistiques sont présents à Florence ?
- DOC. 1 ET 2 Pourquoi autant d'artistes se concentrent-ils dans cette cité ?

- DOC. 4 ET 5 Pour l'humaniste, quelle place l'Homme occupe-t-il dans le monde ?
- DOC. 2 ET 5 Pourquoi Florence est-elle un centre humaniste ?

▸ **Socle** *S'informer dans le monde numérique*

2. Cliquez sur le site http://www.legrandtour.fr/ pour visionner la vidéo « les Médicis ». Relevez les deux raisons qui poussent les Médicis à faire du mécénat et les noms de deux artistes qui en profitent.

Pour conclure Répondez par une phrase courte à la question suivante pour l'exposer à l'oral :

➤ **Quels éléments font de Florence un centre humaniste et artistique ?**

1420 Renaissance en Italie 1560

L'affirmation de l'individu

Comment les artistes de la Renaissance affirment-ils l'importance de l'individu à travers leurs œuvres ?

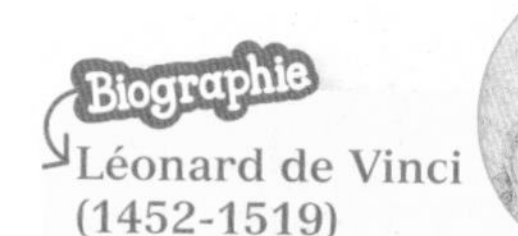

Biographie

Léonard de Vinci (1452-1519)

Artiste, humaniste, scientifique, ingénieur italien. Il a créé la technique du *sfumato*.

1 Léonard de Vinci, *La Joconde*

Vers 1503, huile sur bois, 77 cm x 53 cm, musée du Louvre, Paris.

Le *sfumato* gomme les contours du visage et des traits qu'il rend plus expressifs.

Sfumato

Point art

Le portrait et l'autoportrait

Définitions : dans un portrait, le peintre peint un modèle. Dans un autoportrait, il peint son propre reflet dans un miroir.

Techniques de peinture : au XVe siècle, les peintres flamands inventent la peinture à l'huile. Pour que le portrait soit plus réaliste :
- le sujet est de face ou de trois quarts.
- son visage et ses mains sont mis en valeur par le ***sfumato***.
- le décor en arrière-plan est peint en **perspective** pour créer l'illusion de profondeur.

Usages : jusque-là réservé aux familles royales, le portrait s'étend aux riches marchands, puis aux artistes eux-mêmes avec les autoportraits.
Ces portraits mettent en valeur la personnalité du modèle, ce qui n'était pas le cas au Moyen Âge.

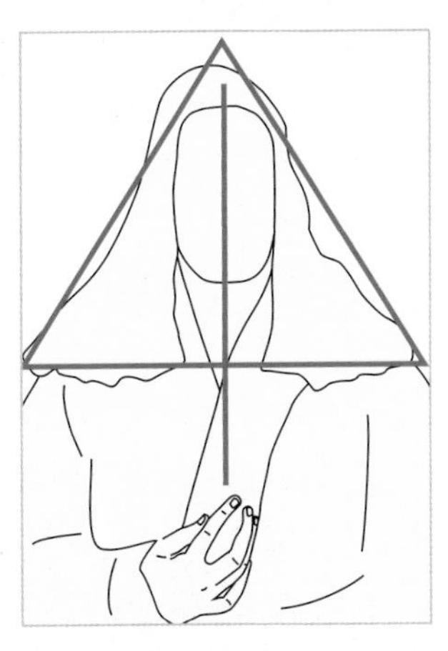

b. Les lignes directrices du tableau

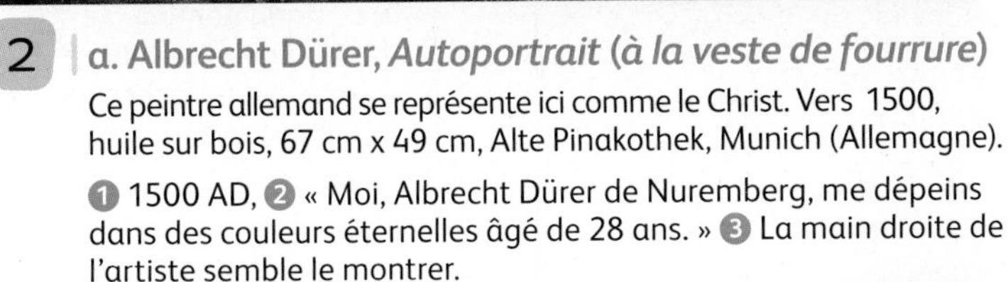

2 | a. **Albrecht Dürer, *Autoportrait (à la veste de fourrure)***

Ce peintre allemand se représente ici comme le Christ. Vers 1500, huile sur bois, 67 cm x 49 cm, Alte Pinakothek, Munich (Allemagne).

❶ 1500 AD, ❷ « Moi, Albrecht Dürer de Nuremberg, me dépeins dans des couleurs éternelles âgé de 28 ans. » ❸ La main droite de l'artiste semble le montrer.

Biographie

Albrecht Dürer (1471-1528)

Peintre de la Renaissance allemande et « inventeur » de l'autoportrait, il est aussi graveur, théoricien de l'art et de la géométrie.

3 | **Francesco Mazzola (dit le Parmesan), *Autoportrait au miroir convexe***

Au XVIe siècle, les peintres utilisent des miroirs de verre pour leurs autoportraits.

Peinture sur bois, diamètre : 24,4 cm, 1522 ou 1524, Kunsthistorisches Museum, Vienne (Autriche).

Identifier et analyser une œuvre d'art

Présenter

1. DOC. 1 Présentez l'œuvre et identifiez la période historique à laquelle elle a été peinte.

Décrire et comprendre

2. DOC. 2 Décrivez le peintre représenté sur cet autoportrait.

   Aide (*Observez sa position, ses caractéristiques physiques, ses vêtements, son expression, etc.*

3. DOC. 1 ET 2 Quelles innovations techniques mettent en valeur chacune des deux personnes (dessin, composition des tableaux, techniques de peinture) ?

   Aide (*Pour étudier la composition d'un tableau, retrouvez ses lignes directrices (exemple* DOC. 2b).

4. DOC. 3 Qu'y a-t-il d'original dans la façon dont le peintre s'est représenté par rapport aux autres portraits ? Que met-il ainsi en valeur ?

Exprimer sa sensibilité et conclure

5. DOC. 1, 2 ET 3 Lequel des trois portraits préférez-vous ? Justifiez votre point de vue.

Étude

1517 « 95 Thèses »

Luther et la réforme de l'Église

Pourquoi Luther crée-t-il un nouveau mouvement religieux ?

1 L'Église cherche de l'argent pour construire la basilique Saint-Pierre de Rome

Le pape Clément VII coordonne les marchands d'indulgences.
H. Holbein le Jeune, *Vente des indulgences*, v. 1524, gravure sur bois.

Qui est-il ? Hans Holbein le Jeune (1497-1543)
Peintre et graveur allemand protestant, ami d'Érasme.

Biographie
Martin Luther (1483-1546)
Moine et théologien allemand. Il s'oppose à l'Église catholique et met en place une Église réformée ou protestante.

Point méthode

Identifier un document DOC. 1
1. Qui est l'auteur de cette gravure ?
2. Quel est son sujet ?

Identifier son point de vue DOC. 1
3. Quelle est la religion de l'auteur de la gravure ?
4. L'image donnée de l'Église est-elle positive ou négative ? Justifiez.

2 Luther s'oppose à la vente d'indulgences

5 - Le pape ne doit pas et ne peut remettre aucune pénitence[1] qu'il aurait infligée par sa propre décision ou par le biais de déclaration d'Église.
36 - Tout chrétien qui a une véritable contrition[2] et regrette sa faute obtient immédiatement la remise de son péché et de sa peine, et cela même sans lettre d'indulgence.
62 - Le véritable trésor de l'Église, c'est le Très Saint Évangile.

Extraits de Luther, *95 Thèses*, 1517.

1. Punition donnée au chrétien pour qu'il efface un péché.
2. Remords.

3 Le rejet des écrits du pape à l'origine des Réformes

L. Rabus, *Le moine Luther brûlant une lettre du pape en 1520*, gravure dans *Historien der heiligen auserwählten Gotteszeugen*, 1552-1558.

Vocabulaire

Indulgences : pardon de ses péchés accordé à un chrétien.
Réformes : Voir p. 152.

4 | **Luther condamne le clergé catholique**
L. Cranach le Jeune, *La vraie et la fausse Église*, gravure sur bois, 1546.

5 Les idées de Luther se diffusent en Allemagne

Des princes allemands décident d'adopter la religion de Luther. Ils en informent l'empereur Charles Quint en 1530 par une lettre.

Rien qui soit contraire à l'Écriture Sainte ou à l'Église chrétienne universelle n'est enseigné dans nos églises. Nous n'avons fait que remédier à certains abus qui se sont infiltrés dans l'Église au cours des temps.
Ainsi Votre Majesté Impériale pourra reconnaître que nous n'avons pas agi en ces matières d'une manière indigne des chrétiens. Nous avons permis ces changements, contraints par le commandement de Dieu, qu'il convient de respecter bien plus que tout.
De Votre Majesté Impériale, les très soumis, Jean, Duc de Saxe, Électeur ; George, Margrave de Brandebourg ; Erneste, Duc de Lunebourg ; Philippe, Landgrave de Hesse, Wolfgang Prince d'Anhalt, la ville de Reutlingen.

Extrait de la Confession d'Augsbourg, présentée à Charles Quint en 1530 par les princes allemands.

Activités

Socle *Écrire pour construire son savoir*

À partir des documents, construisez un texte qui montre comment Luther crée un nouveau mouvement religieux.

Aide
Présentez Luther : qui est-il ? Quand et où a-t-il vécu ? (Biographie).
*Présentez ses idées : que critique-t-il ? (*DOC. 1, 2 ET 3*).*
*Expliquez les conséquences de ses idées sur la chrétienté (*DOC. 3, 4 ET 5*).*

Pour conclure Rédigez en quelques lignes une réponse à la question suivante :
Comment le monde chrétien se divise-t-il au XVIe siècle ?

L'atelier de l'historien

Deux interprétations d'un même événement

1572 — Nuit du 23 au 24 août Saint-Barthélemy

La Saint-Barthélemy

Vous êtes un historien, vous cherchez à comprendre un événement marquant de l'histoire de France, le massacre des huguenots lors de la Saint-Barthélemy (1572). Étudiez, à l'aide du point méthode, les deux sources dont vous disposez.

Source 1

Le matin du 24 août 1572, à Paris, vu par un témoin protestant

F. Dubois, *Le Massacre de la Saint-Barthélemy*, 1572-1584, huile sur bois, 93,5cm x 154,1 cm, musée cantonal des Beaux-Arts, Lausanne (Suisse).

❶ Seine ❷ Louvre, Palais-Royal

Le 24 août, Charles IX et sa mère Catherine de Médicis sortent du Louvre et voient l'ampleur du massacre.

Le 22 août, l'amiral de Coligny, chef protestant, est défenestré et décapité. Le duc de Guise qui le désigne du doigt a sans doute commandité l'attentat.

Qui est-il ?

François Dubois (1529-1584)

Protestant français, réfugié à Genève après le massacre.

Source 2 Le massacre vu par un témoin catholique

Il n'y eut pas autant de victimes que des gens mal intentionnés le prétendent.
Ceux qui sont tombés, à l'exception des conjurés[1], ont été tués à l'insu du roi, contrairement à ses ordres[2].
Un complot a été ourdi mais on l'a châtié de façon permise par la loi ; pour le nombre de victimes, le roi ne mérite aucun reproche mais d'être loué puisqu'il n'a même pas fait mettre à mort tous les conjurés.
Cependant, l'amer souvenir des guerres civiles[3] avait donné au roi beaucoup de motifs de haine.

1. Coligny et les chefs protestants sont accusés d'avoir conspiré contre le roi.
2. L'ordre d'assassiner les chefs protestants vient du roi.
3. Guerres entre protestants et catholiques.

D'après Guy du Faur de Pibrac, 1573, Paris.

Qui est-il ? Guy Du Faur de Pibrac (1529-1584)
Magistrat au Parlement de Paris.

Point méthode

La démarche de l'historien

Étape 1 ▶ Identifier un document source

Répondez aux questions suivantes pour la SOURCE 1 puis pour la SOURCE 2.

1. Quelle est la nature du document ?
2. Qui en est l'auteur ? A-t-il vécu les faits racontés ?

Étape 2 ▶ Comprendre le sens général d'un document

3. Recopiez et répondez aux questions du « Pense pas bête » pour la SOURCE 1 puis pour la SOURCE 2.

Aide
SOURCE 1 *Observez les éléments du tableau : ceux qui montrent la cruauté du massacre, ceux qui en désignent les responsables.*
SOURCE 2 *Soyez attentif aux mots utilisés dans le texte : ceux qui désignent les victimes, ceux qui évoquent le rôle du roi.*

Étape 3 ▶ Confronter les deux interprétations de l'événement

4. Sur quels aspects les deux versions s'accordent-elles ? Sur quels aspects sont-elles divergentes ?
5. Que savez-vous désormais avec certitude sur la Saint-Barthélemy ?

Vocabulaire

Huguenot : nom donné aux protestants français.
Témoin : personne qui a assisté à l'événement.

Pour aller plus loin :
Rendez-vous sur le site L'histoire par l'image http://www.histoire-image.org/. Tapez les mots-clés (le nom du tableau et son auteur).

Contexte

L'Europe de la Renaissance, un monde en plein changement

Quels bouleversements accompagnent l'Humanisme au XVIe siècle ?

A. Des changements dans les domaines artistiques et scientifiques

1 | L'imprimerie révolutionne la production de livres

Miniature, *Chants royaux sur la Conception*, vers 1530, Bnf.

1 Maître de l'atelier.
2 Typographe préparant une plaque d'impression avec des caractères métalliques.
3 Tampons à encre pour imbiber les plaques d'impression.
4 Presse à imprimer.
5 Vérification du texte par le correcteur.

Les historiens en parlent

2 Les bouleversements intellectuels et artistiques

Au XVIe siècle, le bouleversement le plus évident est au niveau de la pensée et de l'esthétique. Rarement à travers les siècles, un effort aussi important, et aussi complet pour organiser la vie de l'Homme selon certaines valeurs a été tenté. On désigne habituellement ce mouvement sous les noms d'Humanisme et de **Renaissance**, en soulignant deux caractères importants : la mise en évidence de la dignité humaine et la certitude de faire revivre l'Antiquité, période considérée comme un modèle à égaler. [...]
L'Humanisme a commencé par poser des bases d'une méthode scientifique. Les mathématiques retiennent spécialement l'attention des humanistes. C'est grâce à ces progrès que l'astronomie se renouvelle. La physique connaît de grandes avancées. On fait plus de progrès dans l'étude des êtres vivants. Grâce à la dissection, vantée par Léonard de Vinci, on connaît mieux le corps humain.

D'après B. Bennassar et J. Jacquet, *Le XVIe siècle*, Paris, 2002.

Vocabulaire

Renaissance (XVe–XVIe siècles) : période de renouveau de la pensée européenne dans tous les domaines (culturels, artistiques, scientifiques).

B. L'Europe déchirée par les divisions religieuses

3 | Le monde chrétien se divise entre catholiques et protestants

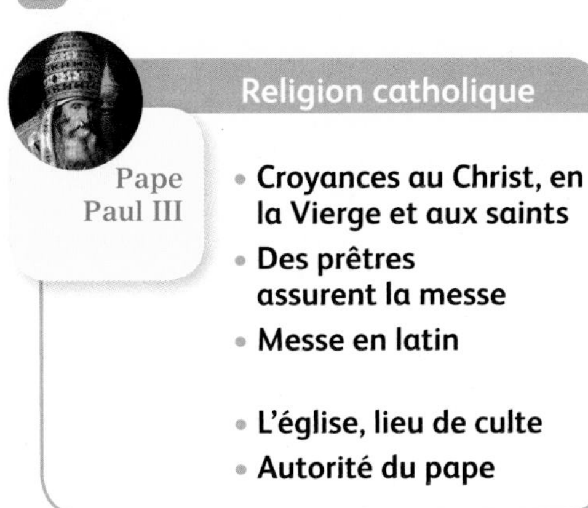

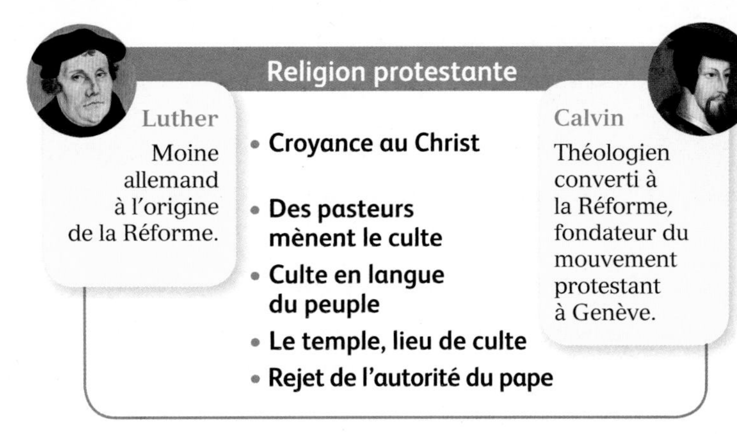

4 | Des conflits religieux qui éclatent en Europe

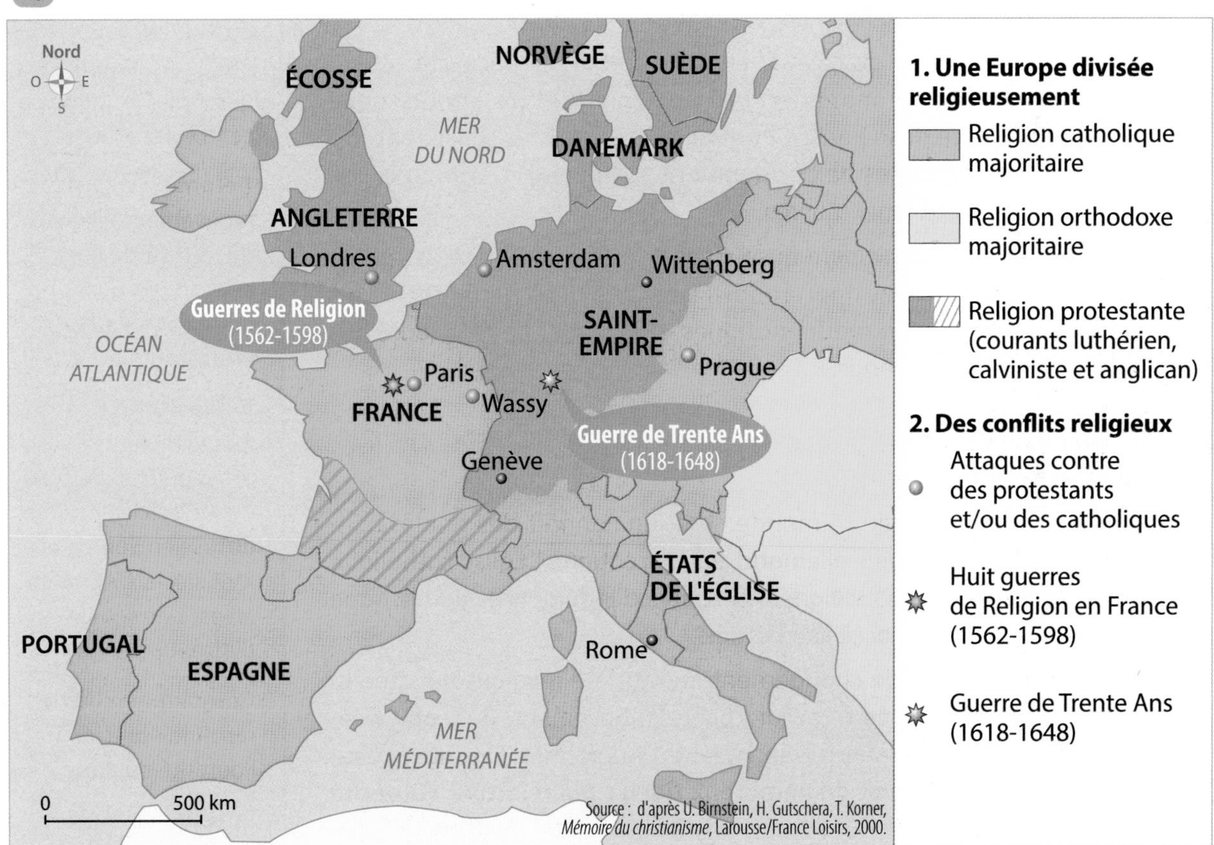

Comprendre le contexte

Un siècle de bouleversements scientifiques, technologiques

1. DOC. 1 ET 2 Montrez que les innovations scientifiques et technologiques transforment l'accès à la connaissance.

Un siècle de divisions religieuses

2. DOC. 3 ET 4 Montrez que la diffusion des idées de **Réformes** a des conséquences en Europe au cours du XVIe siècle.

Leçon

Humanisme, réformes, conflits religieux

Quels grands bouleversements culturels et religieux l'Europe connaît-elle au cours du XVIe siècle ?

I L'Humanisme révolutionne la pensée intellectuelle

- **Au début du XVIe siècle, la façon de penser le monde est en pleine transformation.** Érasme est l'un de ceux qui considèrent que l'Homme doit être au centre de toutes les préoccupations. Il devient un modèle pour les humanistes. Ceux-ci revendiquent **un retour aux sources de l'Antiquité et souhaitent que l'homme ait un accès plus important à la connaissance. Leurs échanges d'idées sont nombreux. L'imprimerie permet la diffusion de leurs écrits.**
- Dans le même temps, l'art connaît en Italie une renaissance, qui s'étend ensuite à l'Europe. Léonard de Vinci personnifie cette Renaissance artistique, nourrie de la pensée humaniste. Les artistes s'inspirent des œuvres gréco-romaines de l'Antiquité et redonnent à l'Homme une place centrale dans leurs œuvres.
- Enfin, les sciences participent aussi à ces bouleversements. Les savoirs antiques sont repris et approfondis. Des avancées permettent des progrès importants en mathématiques. Le fonctionnement du corps humain est mieux compris.

II Une Europe de la Renaissance divisée et déchirée par les bouleversements religieux

- Au début du XVIe siècle, le monde chrétien connaît des bouleversements. **En 1517, un moine allemand, Luther, critique l'Église catholique dans ses *95 Thèses***, il s'indigne des ventes d'indulgences que le pape donne pour garantir l'accès au Paradis.
- Il incarne la volonté de changement en matière religieuse et crée la première **Église réformée**. Il est suivi par les mouvements de Jean Calvin en France et à Genève, et d'Henri VIII en Angleterre. **Ce nouvel élan religieux suscite l'intérêt de nombreux fidèles qui rejettent l'autorité du pape.**
- Malgré des réformes **catholiques** décidées au Concile de Trente (1545-1563) pour tenter de limiter les effets de la réforme protestante, le monde chrétien reste divisé au XVIe siècle. Des conflits éclatent entre princes protestants et catholiques à travers l'Europe et à l'intérieur de certains États. La France connaît huit guerres de Religion entre 1562 et 1598, avec pour épisode marquant le massacre de la Saint-Barthélemy en 1572. D'autres conflits se poursuivent au XVIIe siècle entre pays européens avec la guerre de Trente Ans (1618-1648).

Vocabulaire

Humanisme : courant de pensée du XVIe siècle qui étudie l'Antiquité et qui place l'Homme au centre des études.

Réforme : mouvement religieux du XVIe siècle qui aboutit à la division entre catholiques et protestants.

Renaissance : mouvement artistique né en Italie au XVe siècle et qui se diffuse en Europe au XVIe siècle. L'Antiquité en est une source d'inspiration.

Catholique : chrétien reconnaissant l'autorité du pape.

Concile : assemblée d'évêques qui se prononce sur des questions religieuses.

Protestant : chrétien appartenant à l'une des Églises réformées et rejetant l'autorité du pape.

Je retiens l'essentiel

L'essentiel en schéma

L'Humanisme, une révolution intellectuelle

L'Homme au centre de la vision du monde

Les idées humanistes se développent

Une Renaissance artistique

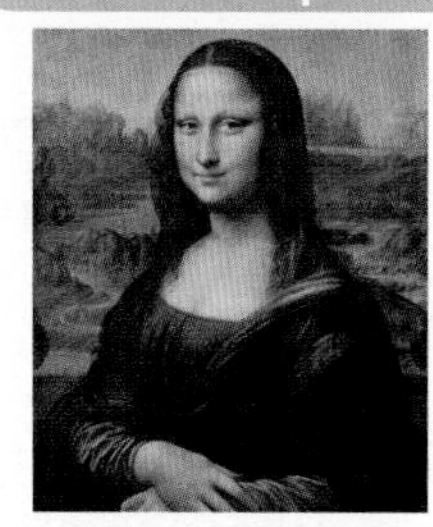

L'art exprime cette nouvelle vision de l'Homme

Des progrès scientifiques

Les idées se diffusent grâce à l'imprimerie

Une Europe divisée par les bouleversements religieux

L'Église catholique est critiquée par les fidèles

Luther s'oppose à la vente des indulgences

Les Églises réformées se développent

Luther conteste l'autorité du pape

L'Église catholique réagit et lance ses réformes (Concile de Trente 1545-1563) mais les divisions persistent en Europe

L'Europe se déchire pour des raisons religieuses

Renaissance et Humanisme

XVe siècle – XVIe siècle

- 1450 Invention de l'imprimerie
- 1466-1536 Érasme
- 1517 Luther et ses *95 Thèses*
- 1545 – 1563 Concile de Trente
- 1562 – 1598 Guerres de Religion en France
- 1572 Saint-Barthélemy

J'apprends, je m'entraîne

▸ **Socle** *Méthode et outils pour apprendre*

Humanisme, Réformes, conflits religieux

1. Construire sa fiche de révision : notez le titre de la leçon sur votre feuille

Je connais...

Objectif 1 ▸ Connaître les repères historiques

Reproduisez la frise chronologique ci-dessous et placez-y les repères suivants :

a) La période pendant laquelle les humanistes développent leur courant de pensée est …

b) Luther a publié ses *95 Thèses* en …

c) L'imprimerie a été créée vers …

d) Le massacre de la Saint-Barthélemy a eu lieu en France en …

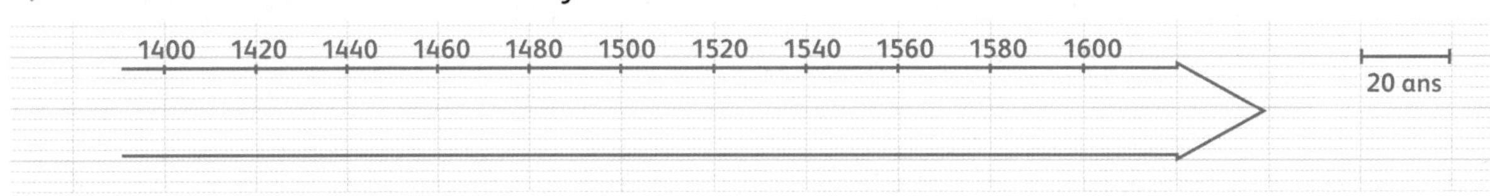

Objectif 2 ▸ Connaître les repères géographiques

Reproduisez et complétez la légende de la carte ci-dessous :

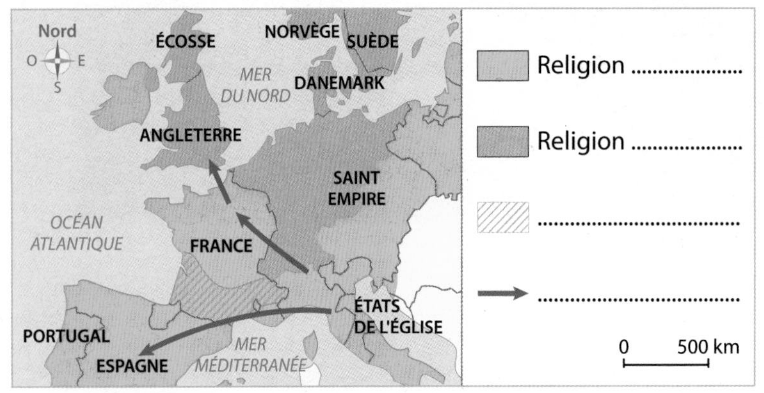

Objectif 3 ▾ Connaître les mots-clés

Recopiez les mots suivants et donnez leur définition : Humanisme - Réformes - Renaissance.

Je suis capable de...

Pour chacun des objectifs suivants, construisez une réponse à la consigne.

Objectif 4 ▸ Expliquer l'humanisme et sa diffusion

Aide (*Citez les grandes idées humanistes et expliquez comment elles se diffusent.*

Objectif 5 ▸ Expliquer les Réformes et leur diffusion

Aide (*Précisez les causes et les espaces de diffusion des Réformes protestante et catholique.*

Objectif 6 ▸ Décrire et expliquer les conflits religieux en France

Aide (*Racontez un épisode du conflit religieux et précisez le nom des deux camps en France au XVIe siècle.*

2. S'entraîner

1 Construire les repères historiques

La naissance de la Réforme

1. Qui est le personnage à droite sur le document ? Rédigez deux ou trois phrases qui le présentent et expliquez son rôle dans la naissance des Églises réformées.
2. D'après vos connaissances, décrivez la scène représentée et expliquez en quoi ce personnage est en rupture avec l'Église catholique de Rome.

Cranach l'Ancien, *Le Sermon de Martin Luther*, 1548, Retable de l'église Sainte-Marie de Wittenberg (Allemagne).

2 Analyser et comprendre une image

Les bouleversements scientifiques

1. Présentez le document (nature, auteur, date).
2. Quel personnage est représenté au premier plan sur cette peinture ?
3. Quelle discipline met-il à l'honneur ?
4. Quels éléments du tableau montrent un lien avec la culture humaniste ?
5. En quelques lignes, racontez ce que vous savez des bouleversements scientifiques dans l'Europe de la Renaissance au XVIe siècle. Vous illustrerez votre propos à l'aide du portrait de Fra Luca Pacioli.

J. de Barbari, *Portrait du mathématicien Fra Luca Pacioli*, vers 1495, huile sur toile, musée de Capodimonte, Naples.

Auto-évaluation Je me positionne sur une marche :

1.	2.	3.	4.
• J'observe l'image. • Je repère sa nature et sa date.	• J'observe l'image. • Je repère sa nature, sa date et le sujet montré.	• J'observe l'image. • Je repère sa nature, sa date et le sujet montré. • Je décris ce que j'observe.	• J'observe l'image. • Je repère sa nature, sa date et le sujet montré. • Je décris ce que j'observe. • J'interprète (je donne du sens).
Question 1	Questions 1 et 2	Questions 1, 2 et 3	Questions 1, 2, 3 et 4

Pour progresser, j'analyse mes axes de progrès. Que devrais-je améliorer ?

J'apprends, je m'entraîne

3 Analyser et comprendre un texte

L'imprimerie

J'ai souvent souhaité dans mon cœur, très savant Manuzio, que tout l'éclat apporté par toi aux deux littératures, grecque et latine, revienne vers toi pour te rendre l'équivalent de ce que tu as donné.
J'apprends que Platon, que tous les lettrés attendent déjà avec impatience, s'imprime chez toi en caractères grecs. J'aimerais savoir quels ouvrages de médecine tu vas imprimer. Je me demande ce qui t'empêche de nous avoir donné depuis longtemps le Nouveau Testament, ouvrage capable, si je ne me trompe, de plaire à tous.
J'estimerais l'immortalité accordée à mes œuvres, si elles venaient au jour imprimées dans tes caractères, de préférence ceux qui, assez petits, sont les plus jolis de tous. Le volume ainsi serait des plus minces, et la chose réalisée à peu de frais.

Lettre d'Érasme à Aldo Manuzio, imprimeur vénitien, Bologne, 28 octobre 1507.

Identifier le document

1. Relevez la nature exacte du texte, son auteur, sa date, son destinataire.
2. Présentez en deux ou trois phrases l'auteur du texte.
3. De quoi est-il question dans ce texte ?

Extraire des informations pertinentes et utiliser ses connaissances pour expliciter

4. Listez les catégories d'ouvrages imprimés chez Aldo Manuzio.
5. En quelles langues sont-ils imprimés ?
6. Pourquoi ces langues sont-elles utilisées par l'imprimerie ?
7. Pourquoi Érasme désire-t-il qu'Aldo Manuzio imprime son ouvrage ?

Confronter le document à ce que l'on sait du sujet

8. Rappelez l'importance de l'invention de l'imprimerie au XVe siècle.
9. Quel est son intérêt pour des humanistes comme Érasme ? Vous illustrerez votre réponse à l'aide du texte et de vos connaissances.

Auto-évaluation Je me positionne sur une marche :

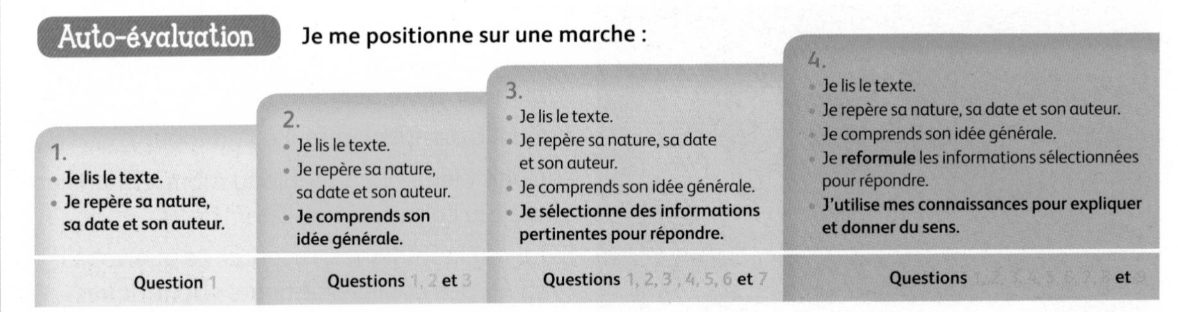

Pour progresser, j'analyse mes axes de progrès. Que devrais-je améliorer ?

4 S'informer dans le monde numérique

Le massacre de la Saint-Barthélemy

Dans un moteur de recherche, tapez les mots-clés suivants : « Gare à l'art – Massacre de la Saint-Barthélemy ». Cliquez sur le site et lancez la vidéo. Regardez les quatre premières minutes. Reportez-vous en parallèle à l'Atelier de l'historien sur le massacre de la Saint-Barthélemy, p. 162-163.

1. Relevez le nom d'une autre œuvre que ce tableau a inspirée.
2. Relevez un élément du tableau qui montre que l'auteur se rattache au camp protestant.
3. Expliquez comment l'artiste montre la violence des catholiques envers les protestants.

Enquêter Meurtre à la cour de France : Henri III assassiné !

En France, les rois sont des personnages sacrés et intouchables. Pourtant, pour la première fois dans l'histoire du pays, le 1er août 1589, Henri III est assassiné.

Les faits

Henri III est assassiné par un moine fanatique, Jacques Clément, le 2 août 1589.

H. Merle, Assassinat d'Henri III par Jacques Clément, huile sur toile, 1863, Château royal de Blois.

Qui est-il ? Henri III (1551-1589)
Roi qui règne sur la France de 1574 à 1589.

Témoin n°1

François Racine de Villegomblain fait le portrait d'Henri III

Henri III n'était point guerrier, c'était un prince bon, gracieux et accessible, qui écoutait les plaintes de tous, il est fort regretté.

D'après F. Racine de Villegomblain, *Les Mémoires des troubles arrivés en France sous les règnes de Charles IX, Henri III et Henri IV*, 1667.

Qui est-il ? François Racine de Villegomblain
Noble et militaire français né au milieu du XVIe siècle, il est témoin des guerres de Religion.

Témoin n°2

Philippe Duplessis-Mornay décrit la monarchie pendant les guerres de Religion

Depuis la Saint-Barthélemy, le pouvoir royal est affaibli. Il repose sur la fidélité du roi envers ses sujets et inversement. Or, cette fidélité s'est brisée.

D'après Ph. Duplessis-Mornay, *Remontrances au Roi Très Chrétien*, 1585.

Qui est-il ? Philippe Duplessis-Mornay (1549-1623)
Homme d'État français, protestant et ami d'Henri IV.

Témoin n°3

Pierre de l'Estoile évoque la réaction des chefs de la Ligue après l'assassinat des ducs de Guise commandité par Henri III.

Les religieux déclarèrent que tout le peuple était libéré du serment de fidélité et d'obéissance à Henri III. Ils firent entendre au peuple qu'il pouvait s'armer pour lui faire la guerre comme à un tyran haïssable. Ils se mirent à vomir une foule d'injures contre le roi.

D'après P. de l'Estoile, *Mémoires-Journaux 1574-1611*.

Qui est-il ? Pierre de L'Estoile (1546-1611)
Mémorialiste français.

Avez-vous pris connaissance des témoignages ? Pour quel mobile Henri III a-t-il été assassiné ?

Par équipe, complétez le carnet de l'enquêteur :
1. La victime était ...
2. Le meurtrier a voulu ...

Faites part de votre rapport d'enquête aux autres équipes.

L'atelier d'écriture

Les Réformes religieuses en Europe au XVIe siècle

À l'aide de vos connaissances, rédigez un texte qui présente les Réformes religieuses en Europe au XVIe siècle.

Travail préparatoire (au brouillon)

1. Réécrivez le sujet et repérez les mots-clés : Les Réformes religieuses en Europe au XVIe siècle

Réformes = Mot-clé à comprendre et à définir

2. Sur le brouillon, répondez aux questions suivantes :

3. Vérifiez dans votre cahier ou votre manuel que vous n'avez pas oublié d'informations essentielles.

Travail de rédaction (au propre)

À vous de choisir votre niveau de difficulté et votre ceinture !

Un texte d'histoire est ancré dans le temps et dans l'espace. Pensez à indiquer où et quand le mouvement de réforme apparaît au début de votre texte.

Je rédige un texte **sans aide.**

Rédigez votre texte en faisant des alinéas pour chaque idée abordée.
Le texte s'organise en différents paragraphes.

Je rédige un texte **avec un guide.**

Rédigez votre texte autour de deux paragraphes qui commencent par un alinéa :
Le premier paragraphe évoque la Réforme protestante, les grands personnages et leurs idées et où elles se diffusent.
Le deuxième paragraphe présente la Réforme catholique, et les grandes décisions prises face à la Réforme protestante.

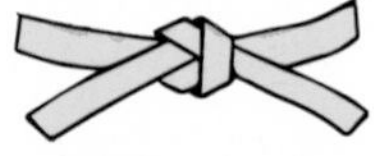

Je rédige un texte **en répondant à des questions.**

Rédigez votre texte autour de deux paragraphes qui commencent par un alinéa et qui répondent aux questions suivantes :

Paragraphe 1 :
- Qui est à l'origine des idées de la Réforme protestante ?
- Quel est l'événement déclencheur ?
- Quand cela se passe-t-il ?
- Quelles sont les nouvelles idées en matière de religion ?
- Comment et où ces idées se diffusent-elles ?

Paragraphe 2 :
- Comment réagit l'Église catholique ?
- Quelles sont les grandes décisions de la Réforme catholique ?

EMC

▸ **Objet d'enseignement** *Expressions littéraires et artistiques et connaissance historique de l'aspiration à la liberté*

Comment la caricature favorise-t-elle la liberté d'expression ?

1 | **Une image caricaturale du pape**
L. Cranach l'Ancien, *Le Pape signant et vendant des indulgences*, 1521, gravure.

2 | **Une image pour critiquer les parachutes dorés**
« Parachute doré » est l'expression utilisée pour nommer la prime de départ de certains PDG quittant leurs fonctions.
Dessin de Faujour.

3 La caricature et la liberté d'expression

Des employés municipaux ont été poursuivis en justice pour diffamation[1] car ils avaient publié un tract mettant en cause le maire de la commune, caricaturé sous la forme d'un personnage appelé « Sa Majesté ». Le tribunal a été sensible à l'argumentation des prévenus, qui ont été relaxés. Avec une bande dessinée satirique, ils voulaient traiter un sujet sérieux par la dérision. La liberté d'expression est une liberté fondamentale protégée par des textes de valeur constitutionnelle. C'est un droit si précieux qu'il convient de le cultiver, de le défendre à tout moment, que ce soit dans la presse, le monde du travail ou dans la sphère privée.

D'après « La chronique juridique d'Aline Chanu, avocate au barreau de Paris », *L'Humanité*, 26/01/2015.

1. Propos qui peuvent nuire à l'honneur ou à la réputation d'une personne.

Vocabulaire

Caricature : dessin qui accentue ou révèle des aspects qu'il cherche à critiquer ou dénoncer.

Liberté d'expression : liberté autorisant tout citoyen à exprimer ses opinions, son avis, même s'ils sont contraires à ceux de la majorité. Elle peut être politique, religieuse... et est très souvent rattachée à la liberté de la presse.

La sensibilité : soi et les autres

1. **DOC. 1** Quel problème du XVIe siècle la gravure dénonce-t-elle ?
2. Que dénoncent les caricatures évoquées dans les documents 2 et 3 ?
3. **DOC. 1, 2 ET 3** Les caricatures vous paraissent-elles être un moyen efficace pour dénoncer les problèmes d'une époque ? Justifiez.

Le jugement : penser par soi-même et avec les autres

4. De quelle manière les caricatures participent-elles à la liberté d'expression ?

Pour aller plus loin :
Dans un moteur de recherche, tapez les mots-clés : « un jour une question liberté d'expression ».
Visionnez la vidéo « C'est quoi la liberté d'expression ? ».

Du prince de la Renaissance au roi absolu

EPI p. 199

Comment les rois de France deviennent-ils des rois absolus entre le XVe et le XVIIe siècle ?

Souvenez-vous !
Comment les rois ont-ils affirmé leur pouvoir sur le royaume de France entre le XIIe et le XVe siècle ?

1 François Ier, en tenue de sacre
J. de Tillet, miniature extraite du *Recueil des rois de France*, manuscrit, vers 1545, BNF, Paris.

1. Sceptre
2. Main de justice
3. Couronne
4. Manteau du sacre
5. Trône

Roi absolu : roi qui détient tous les pouvoirs.

▶ **Socle** *Se repérer dans le temps*

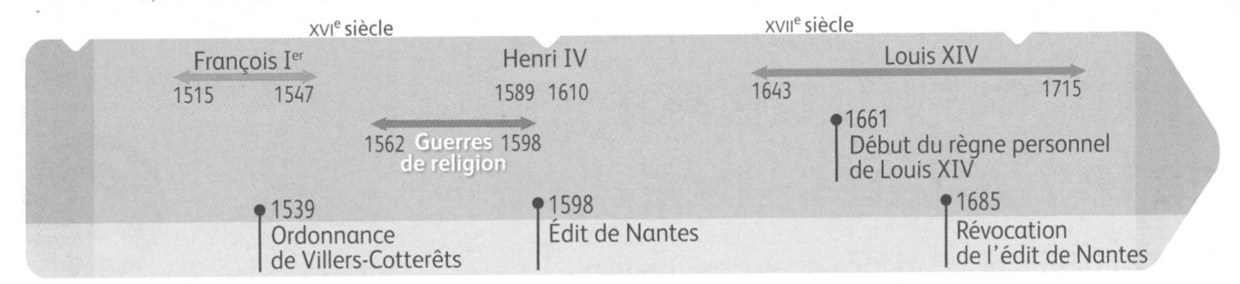

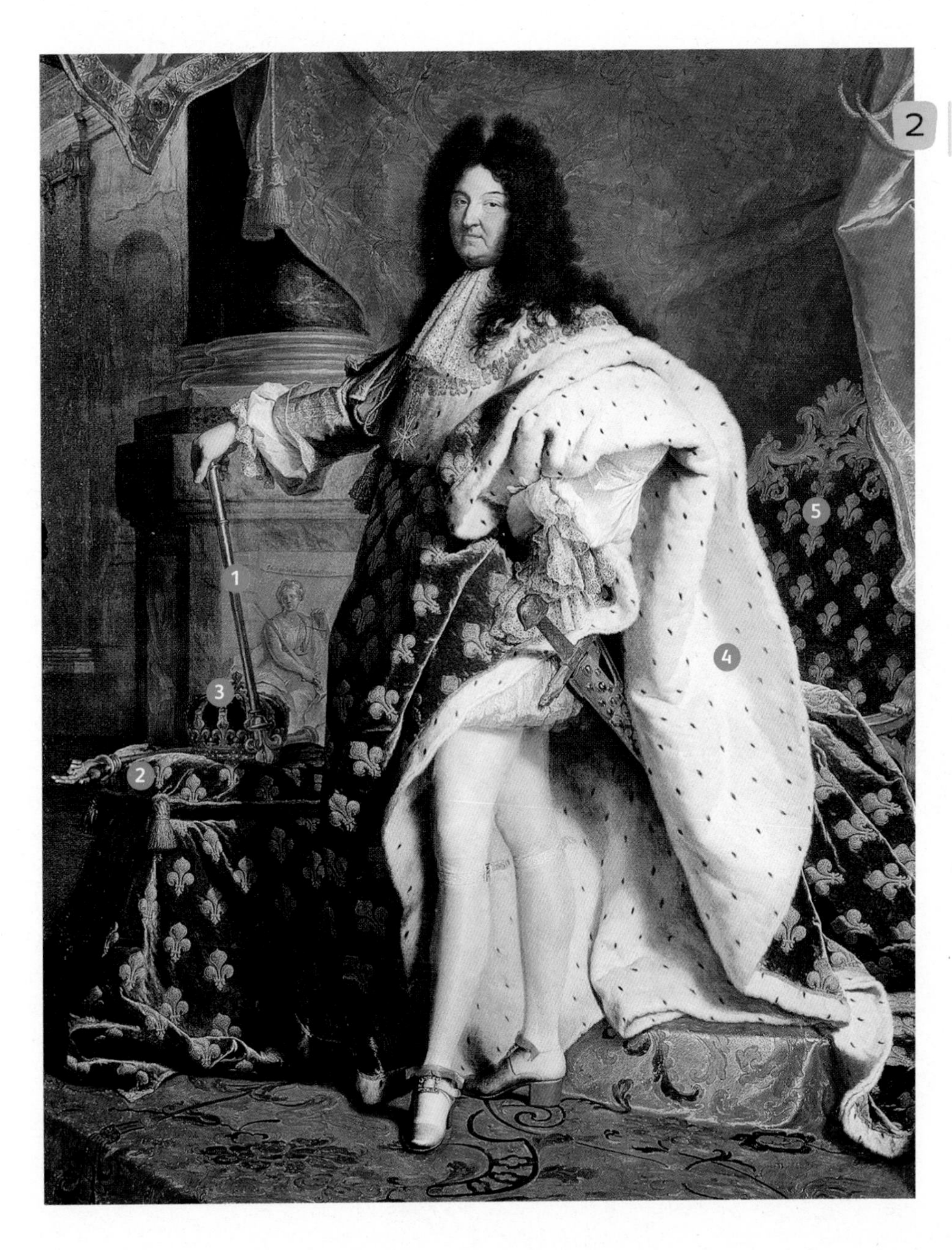

2 Louis XIV, la figure du roi absolu

H. Rigaud, *Louis XIV, roi de France, portrait en pied en costume royal*, 1701, musée du Louvre, Paris.

1. **DOC. 1 ET 2** Quels sont les insignes du pouvoir communs aux deux monarques ?
2. **DOC. 1 ET 2** Décrivez l'attitude et la posture de chaque roi. Quelles différences notez-vous ?
3. **DOC. 1 ET 2** **Émettez une hypothèse** pour répondre à la question suivante : Comment la monarchie affirme-t-elle son pouvoir ?

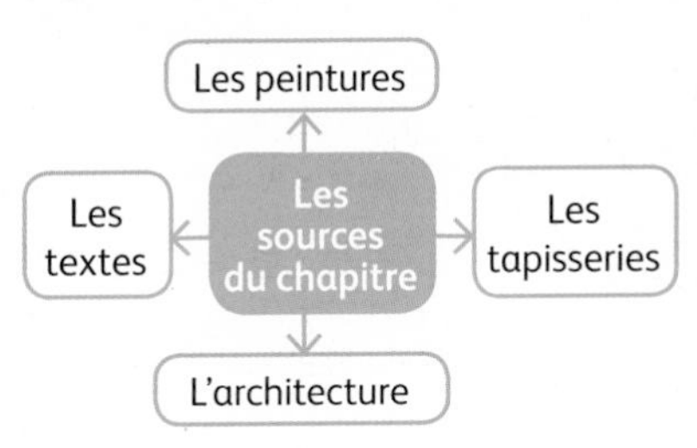

Étude

François Ier, un roi de la Renaissance

Comment François Ier, prince de la Renaissance, affirme-t-il l'autorité monarchique ?

Biographie

François Ier (1494-1547)

Roi de France entre 1515 et 1547. Il mène de nombreuses guerres, notamment contre Charles Quint. Mécène, il encourage les lettres et les arts.

1 Un roi protecteur des arts

François Ier assiste ici à la lecture des livres de l'historien grec antique Diodore de Sicile.

Enluminure extraite des *Trois Premiers Livres de Diodore de Sicile*, 1534, musée Condé, Chantilly..

2 Le roi fait la loi

Lors d'une séance au Parlement de Paris. M. Claude Guillard, président du Parlement, s'adresse ainsi au roi :

« Nous ne voulons discuter de votre puissance, ce serait une espèce de sacrilège et savons bien que vous êtes par-dessus les lois. Nous voulons cependant vous dire que vous devez faire seulement ce qui est en raison bon et équitable. » La séance close, le roi convoque les membres du Parlement et leur fait dire : « Le roi vous défend que vous vous mêliez de quelque façon d'autre chose que la justice. Le roi défend au Parlement de n'user d'aucune limitation, modification ou restriction sur ses **ordonnances** et **édits**. »

D'après *Le Procès-verbal du lit de justice tenu par le roi*, 24 juillet 1527.

Vocabulaire

Édit : décision royale portant sur un problème précis.

Ordonnance : décision royale à portée générale qui a valeur de loi.

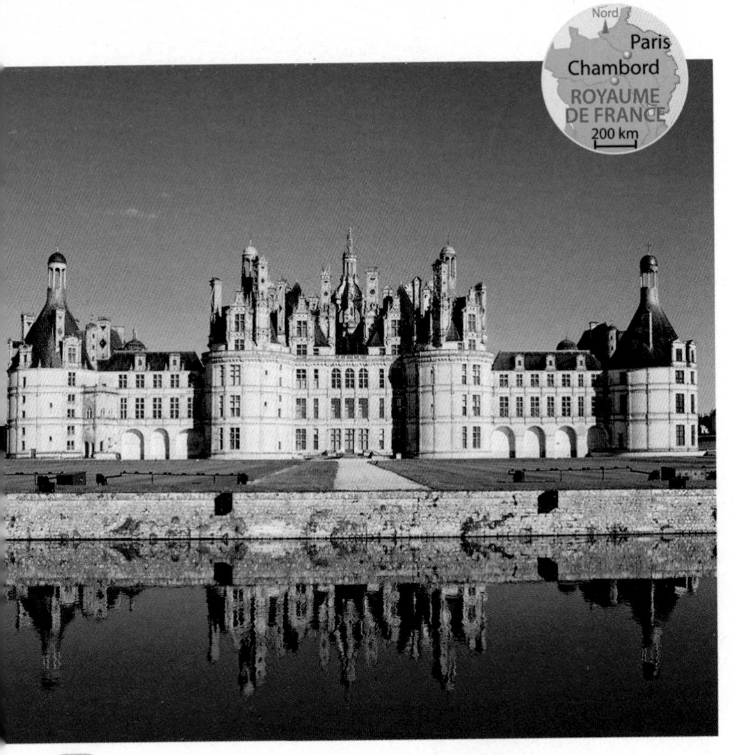

3 **François Ier, un roi bâtisseur**
Chambord, dans le Val-de-Loire, est un des lieux qui accueillent le roi et la cour pour des moments de détente.

4 François Ier modernise l'administration avec la mise en place de l'état civil

Prince humaniste, François Ier fait du français la langue officielle du royaume dans les actes administratifs. L'état civil prend naissance.

Art. 50 : Les sépultures doivent être enregistrées par les prêtres, qui doivent mentionner la date du décès.
Art. 110 : Afin qu'il n'y ait cause de douter sur l'intelligence des arrêts de nos cours souveraines, nous voulons et ordonnons qu'ils soient faits et écrits si clairement, qu'il n'y ait ou puisse avoir ambiguïté ou incertitude, ni lieu à demander interprétation.
Art. 111 : Nous voulons donc que tous arrêts, et toutes autres procédures, soient prononcés, enregistrés et délivrés aux parties en langage maternel et non autrement.

D'après l'ordonnance de Villers-Cotterêts, août 1539.

Activités

Socle *Réaliser une production graphique*

1. Reproduisez et complétez la carte mentale ci-dessous, en répondant aux questions.

François Ier, un roi de la Renaissance

→ **Un homme de la Renaissance**
- DOC. 1 ET 3 Pour quels domaines artistiques François Ier manifeste-t-il un intérêt ? Montrez qu'il est un mécène.
- DOC. 4 Quelle langue s'impose dans le royaume de France ? Quel lien peut-on faire avec l'éducation humaniste de François Ier ?

→ **Un roi qui construit un État moderne**
- DOC. 4 Citez deux éléments qui montrent que le roi modernise l'administration du royaume.
- DOC. 2 ET 4 Comment François Ier impose-t-il son autorité et sa puissance en France au XVIe siècle ?

Socle *S'informer dans le monde numérique*

2. Dans un moteur de recherche, tapez les mots-clés suivants « François Ier – Empreinte d'un roi ». Cliquez sur le site et lancez la vidéo (http://www.france24.com/fr/20151106-7-jours-francefrancois-1er-fontainebleau-marignan-1515). Visionnez les sept premières minutes.
3. Relevez le nom d'artistes italiens et flamands qui ont travaillé pour François Ier.

Pour conclure Répondez à la question suivante par une phrase courte :
Comment François Ier, prince de la Renaissance, affirme-t-il l'autorité monarchique ?

Étude

Henri IV, roi pacificateur

1500 — 1562-1598 Guerres de Religion — 1589-1610 Henri IV — Édit de Nantes 1598

Comment Henri IV a-t-il restauré l'autorité royale dans un pays confronté aux guerres de Religion ?

Biographie

Henri IV (1553-1610)

Prince protestant, Henri de Navarre devient roi de France sous le nom de Henri IV, après l'assassinat de Henri III (1589).

Converti, il met fin aux guerres de Religion. Il est assassiné par un catholique fanatique, Ravaillac (1610).

1 Un roi en guerre pour reconquérir son royaume

Anonyme, *Henri IV vainqueur de la Ligue*, fin XVIe siècle, musée Magnin, Dijon (21).

1. Henri IV en costume de chevalier
2. Combattants et prince de la Ligue
3. Monstre représentant la Ligue
4. Moines fanatiques
5. La monarchie française reconnaissante

2 Le roi impose sa volonté, l'édit de Nantes, avril 1598

Henry, par la grâce de Dieu, roi de France et de Navarre.

Nous avons jugé nécessaire de donner maintenant à tous nos sujets une loi générale, claire, nette et absolue, par laquelle seront réglés tous les [désaccords] présents et à venir, afin d'établir une bonne et perdurable paix.

Art. 2 : Défendons à tous nos sujets de s'attaquer, s'injurier et de se provoquer en se reprochant ce qui s'est passé. Qu'ils se contiennent et vivent paisiblement comme frères, amis et concitoyens.

Art. 3 : Ordonnons que la religion catholique sera remise et rétablie en tout lieu de notre royaume pour y être paisiblement et librement exercée sans aucun trouble ou empêchement.

Art. 6 : Permettons à ceux de la religion prétendue réformée[1] vivre et demeurer partout dans notre royaume sans être vexés, brutalisés ou obligés d'agir contre leur conscience.

Art. 9 : Nous permettons aussi à ceux de ladite religion d'exercer leur religion dans les endroits où ils la pratiquaient en 1597.

Art. 22 : Ordonnons qu'il ne sera fait aucune différence, pour des raisons religieuses, dans l'accueil des écoliers ou des malades.

Par le roi, étant dans son conseil, Henry.

1. Les protestants.

4 Henri IV restaure la paix en France

Anonyme, *Henri IV s'appuyant sur la religion pour rétablir la paix*, huile sur toile, 25,5 cm x 33 cm, vers 1590, musée national du Château, Pau.

3 Le roi exige que l'édit soit accepté par le Parlement

Le roi convoque le Parlement de Paris qui refuse d'enregistrer l'édit de Nantes.

[Je veux que vous enregistriez] l'édit que j'ai accordé aux protestants. Ce que j'en ai fait est pour le bien de la paix. Vous me devez obéir qu'en considérant ma qualité de roi et au nom de l'obligation qu'ont mes sujets et particulièrement vous de m'obéir. Si l'obéissance était due à mes prédécesseurs, elle m'est due plus encore parce que j'ai rétabli l'État. Dieu m'ayant choisi pour me mettre au Royaume qui est mien par héritage et acquisition. Je sais que l'on complote au Parlement. Je couperai à la racine tous ces complots et toutes les prédications séditieuses, en faisant décapiter tous ceux qui les suscitent. J'ai sauté sur les murailles de villes, je sauterai bien sur des barricades.

D'après le discours d'Henri IV à une délégation du Parlement de Paris, le 7 février 1599.

Vocabulaire

Édit : décision royale portant sur un problème précis.

Ligue : groupe fondé par le duc de Guise pour lutter contre les protestants.

Parlement : cour de justice royale, qui vérifie les lois du roi avant leur publication.

Activités

Socle *Extraire des informations*

1. DOC. 1 Par quel moyen et contre qui Henri IV réussit-il à restaurer son pouvoir ?
2. DOC. 2 Quelle est la religion officielle du royaume ?
3. DOC. 2 Comment le roi protège-t-il les protestants ?
4. DOC. 3 Quelle est la réaction de la France, représentée par une femme, face à l'action de Henri IV ? Justifiez.
5. DOC. 4 L'édit de Nantes est-il accepté partout et par tous ? Justifiez.
6. DOC. 4 Selon Henri IV, est-il possible de s'opposer à lui ? Expliquez.

Pour conclure

Préparez une réponse courte à la question pour l'exposer à l'oral :

Comment Henri IV renforce-t-il l'autorité royale dans un pays confronté aux guerres de Religion ?

Étude

Louis XIV, un roi absolu ?

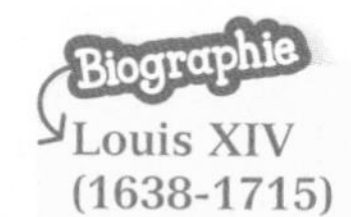

Règne personnel de Louis XIV (1661-1715)

Comment Louis XIV gouverne-t-il son royaume ? Est-il un roi absolu ?

1 Un roi de guerre

P. Mignard, *Louis XIV vêtu à la romaine, couronné par la Victoire devant une vue de la ville de Maestricht en 1673*, huile sur toile, 304 cm x 311 cm, Château de Versailles.

Biographie

Louis XIV (1638-1715)

Roi de France à l'âge de cinq ans. Sa mère Anne d'Autriche assure la régence, aidée par le cardinal Mazarin. En 1661, à la mort de ce dernier, Louis XIV commence son règne personnel. Il prétend exercer une autorité sans partage et sans limite.

La devise du roi : « Nec pluribus impar » signifie que nul autre n'est son égal. Il est au-dessus de tous à l'image du soleil, son emblème.
Médaille, BNF, Paris.

2 Le métier de roi

Le roi se voue tous les jours à sa tâche, assistant à un ou deux conseils. Le lundi et le vendredi, il se retire avec ses ministres pour expédier les affaires étrangères et tient conseil pour les affaires intérieures du royaume avec ses ministres, le chancelier et tous les secrétaires d'État. Le mardi, le jeudi et le samedi, il tient un conseil des Finances. Le jeudi, il intervient au conseil de conscience où il attribue les évêchés, abbayes et autres biens d'Église.
Tous les soirs il se retire avec les ministres pour traiter les affaires importantes, entendre les dépêches reçues et expédiées, signant les lettres à envoyer.

D'après A. Grimani, ambassadeur de Venise à la cour de France, 1664.

Vocabulaire

Chancelier : ministre de la Justice.

Généralité : portion du royaume dont l'administration est confiée à un intendant.

Secrétaire d'État : membre du gouvernement chargé de diriger une administration.

3 | **Louis XIV préside son conseil**
Anonyme, *Louis XIV tenant les sceaux en présence des conseillers d'État et des maîtres des Requêtes*, huile sur toile, 128 cm x 110 cm, 1672, Château de Versailles.

Point méthode

Identifier un document source DOC. 4

1. **Qui est l'auteur de la lettre ?**
2. **Quelle fonction occupe-t-il ?**

Identifier son point de vue DOC. 4

3. **Montrez qu'il est en contact régulier avec le roi et ses agents dans les provinces.**

4 L'intendant, représentant du roi en province

Pour faire face à une disette, l'intendant de la généralité d'Amiens veut créer des taxes payées en grains par ceux qui en possèdent pour nourrir le reste de la population. Le ministre des Finances lui répond.

Votre sentiment est qu'il faut taxer les gros laboureurs[1] nommément, et non point l'ensemble des villages pour ne pas soulever les pauvres qui n'ont pas de blé.
Je vous avoue que j'avais beaucoup résisté à ce que vous aviez proposé dans votre lettre du 7, et le roi m'avait paru fort éloigné d'accepter cette solution. Mais, à la lecture de votre nouvelle lettre, il m'a ordonné de vous faire savoir qu'il était résolu à faire l'imposition conformément à votre idée.

D'après une lettre de N. Desmaretz à l'intendant d'Amiens, 16 mai 1709.

1. Paysans riches.

Qui est-il ?
Nicolas Desmaretz (1648-1721)
Dernier ministre des Finances du règne, il doit trouver des fonds pour financer la monarchie dans une situation très difficile.

Activités

Socle *Extraire des informations pertinentes*

1. DOC. 1 Comment le roi est-il représenté ? Quels sont les pouvoirs du roi d'après ce portrait officiel ?
2. DOC. 2 Comment ce texte montre-t-il que c'est Louis XIV qui gouverne son royaume ?
3. DOC. 2 ET 3 Quelles personnes assistent le roi au quotidien dans sa tâche ?
4. DOC. 4 Quels sont ceux qui font appliquer les décisions du roi ? Comment communiquent-ils avec le roi ?

Socle *Confronter un document à ce que l'on a étudié*

5. DOC. 4 Comment ce texte montre-t-il que le roi écoute ses représentants dans le royaume ?
6. DOC. 4 Pourquoi cela nuance-t-il l'image d'un roi qui se veut tout-puissant ?

Pour conclure Rédigez une réponse aux questions suivantes :
Comment Louis XIV gouverne-t-il son royaume ? Est-il un roi absolu ? Justifiez.

Histoire des Arts

La galerie des Glaces

Comment les arts à Versailles mettent-ils en scène la puissance du roi absolu ? L'exemple de la galerie des Glaces à Versailles

Contexte de réalisation : Tapez « Versailles pour tous construction » dans un moteur de recherche. Ouvrez le premier lien. Visionnez la vidéo « Louis XIII » pour découvrir ce qu'était le château à l'origine. Regardez ensuite celles sur Louis XIV pour découvrir les travaux effectués sous son règne.

1 La galerie des Glaces

Construite par l'architecte Jules-Hardouin Mansart (1646-1708) entre 1679 et 1684, la galerie mesure 76 mètres de long, 10,5 de large et 12,3 de hauteur.

1 17 fenêtres éclairent la galerie et donnent sur le jardin, 2 30 peintures illustrent les réussites des 18 premières années du règne (1661-1678), 3 357 miroirs réalisés par des manufactures françaises, 4 Lustres garnis de cristaux, 5 chandeliers garnis de cristaux

2 Un médecin anglais découvre Versailles

Quant à Versailles, c'est sans contestation le palais le plus magnifique qu'il y ait en Europe. Il est élevé sur un sol ingrat mais le roi y a conduit de l'eau et a amené le sol à être fertile. En certains endroits, les montagnes ont été arasées, ce qui fait qu'à présent vous jouissez d'une vue dégagée à plus de mille lieues de distance. Les toits et leurs dorures sont d'un merveilleux effet. L'esplanade sur les jardins et les parterres sont la plus noble chose que l'on puisse voir. En un mot, ces jardins forment un monde à part s'étendant en allées, en promenades, en fontaines, en canaux, le tout orné de statues anciennes et modernes.

D'après M. Lister, *A journey to Paris in the year 1698*, 1873.

Vocabulaire

Allégorie : représentation par un personnage d'une idée, d'un sentiment ou d'un pays.

3 La mise en scène du roi de gloire

Ch. Le Brun, *Le Roi gouverne par lui-même*, peinture du plafond de la galerie des Glaces (détail), 1678-1679, Château de Versailles.

1 Louis XIV tient le gouvernail d'un navire qui représente la France,
2 Allégorie de la France,
3 La Gloire entourée des dieux grecs tend une couronne destinée à Louis XIV, lequel tend la main vers elle,
4 Enfants symbolisant les activités et divertissements du roi

Qui est-il ?

Charles Le Brun (1619-1690)

Premier peintre du roi et décorateur français.

4 Un lieu pour démontrer sa puissance

Le Doge vient présenter ses excuses pour avoir aidé l'Espagne en guerre contre la France.

C.-G. Hallé, *Réception du Doge de Gênes dans la Grande Galerie le 15 mai 1685*, huile sur toile, 52 cm × 95 cm, 1710, musée des Beaux-Arts/Palais Longchamp, Marseille.

Identifier et analyser une œuvre d'art

Présenter

1. DOC. 1 ET 3 Présentez l'œuvre étudiée (les dates, les artistes, la localisation…).
2. DOC. 1 ET 3 Pourquoi peut-on parler d'une collaboration artistique au sujet de la galerie ?
3. DOC. 2 Que ressentent les visiteurs en découvrant Versailles ?

Décrire et comprendre

4. DOC. 1 Décrivez la galerie des Glaces. Quels éléments la rendent spectaculaire ? Quel effet d'optique crée la multiplication des miroirs en face des fenêtres ?
5. DOC. 3 Comment le peintre glorifie-t-il la figure du roi ?
6. DOC. 4 Que peut ressentir le Doge en parcourant les 76 mètres qui le séparent du roi ? Quel rôle politique jouent ici la décoration et l'architecture de la galerie ?

Conclure

7. Comment la galerie des Glaces illustre-t-elle la volonté de puissance du roi ?

L'atelier de l'historien

Confronter des sources mettant en scène la cour

Vivre à la cour du Roi-Soleil

De quelles sources l'historien dispose-t-il pour raconter la vie à la cour de Louis XIV ?

Source 1

Des images commémorent les grands événements de la cour

Manufacture des Gobelins, *L'Audience du légat, le 29 juillet 1664 à Fontainebleau*, tapisserie réalisée d'après un dessin de Ch. Le Brun, 1667-1672, musée du Louvre, Paris.

1. Le roi écoute une lettre d'excuse lue par l'envoyé du pape
2. Les courtisans assistent debout à l'entrevue depuis la partie publique de la chambre
3. Une balustrade isole la partie privée de la chambre

Source 2

Certaines correspondances dévoilent l'envers du décor

Tout ici n'est qu'intérêt et mensonge, et cela rend la vie très désagréable. Si l'on ne veut pas se mêler aux intrigues, il faut vivre à part, ce qui est aussi passablement ennuyeux. En effet, si l'on parle franchement, on se met chaque jour sur les bras une nouvelle querelle, et si l'on doit se gêner, on n'a plus de plaisir à rien. Les jeunes gens ont des manières si brutales qu'on en a peur ; quant aux vieux, ils sont pleins de politique et ils ne vont avec quelqu'un que lorsqu'ils voient que le roi regarde cette personne. On ne peut donc avoir aucun échange honnête.

D'après une lettre de la princesse Palatine à la duchesse de Hanovre, 7 mars 1696.

Qui est-elle ? Élisabeth-Charlotte de Bavière (1652-1722)
Princesse allemande, belle-sœur de Louis XIV.

Vocabulaire

Cour : personnes qui entourent le roi (famille, nobles…).

Source 3

Les objets témoignent du faste de la cour

Louis XIV et sa cour sur le grand canal de Versailles, miniature destinée à l'éventail d'une courtisane, 1676, musée des Beaux-Arts de Reims.

1. Le roi
2. Navires d'apparat
3. Les musiciens de la cour
4. Un festin offert par le roi
5. Courtisans ayant la faveur du roi et jouissant de la fête
6. Courtisans spectateurs des festivités

Source 4

Les *Mémoires* du duc de Saint-Simon prétendent dévoiler à posteriori le système de cour

Le roi aima en tout la splendeur, la magnificence. Ce goût, il l'inspira à toute sa cour. C'était lui plaire que de dépenser en habits, en équipage, en bâtiments, en jeux. C'étaient des occasions pour lui parler. Le fond était qu'il tendait par là à épuiser les ressources des courtisans[1] en mettant le luxe à l'honneur et les réduisait ainsi peu à peu à dépendre entièrement de ses bienfaits pour subsister.

Saint-Simon, *Mémoires,* rédigés sous le règne de Louis XV et restés totalement inédits jusqu'en 1788.

Qui est-il ? Louis de Rouvroy, duc de Saint-Simon (1675-1755)
Il fréquente la cour de Versailles à partir de 1693. Ses *Mémoires* témoignent à posteriori sur la cour de Louis XIV.

1. Nobles.

La démarche de l'historien

Étape 1 ▶ **Identifier les documents sources**

1. Présentez les différentes sources proposées dans l'ensemble documentaire : nature, auteur, sujet, date et lieu de création…
2. Quelles sont celles contemporaines du règne de Louis XIV ?

Étape 2 ▶ **Comprendre les documents sources**

3. SOURCE 1 Pourquoi peut-on dire que les courtisans sont les premiers spectateurs du roi ?
4. SOURCE 2 De quels comportements chez les courtisans la princesse Palatine se plaint-elle ? Comment de telles attitudes peuvent-elles s'expliquer ?
5. SOURCE 4 Comment, d'après Saint-Simon, le roi fait-il obéir la noblesse ?

Étape 3 ▶ **Confronter les sources et conclure**

6. Toutes les sources donnent-elles la même image de la vie à la cour de Versailles ? Justifiez.
7. Préparez une présentation orale sur la vie de la cour.

Contexte

Le royaume de France au XVIIe siècle, « un roi, une foi, une loi » ?

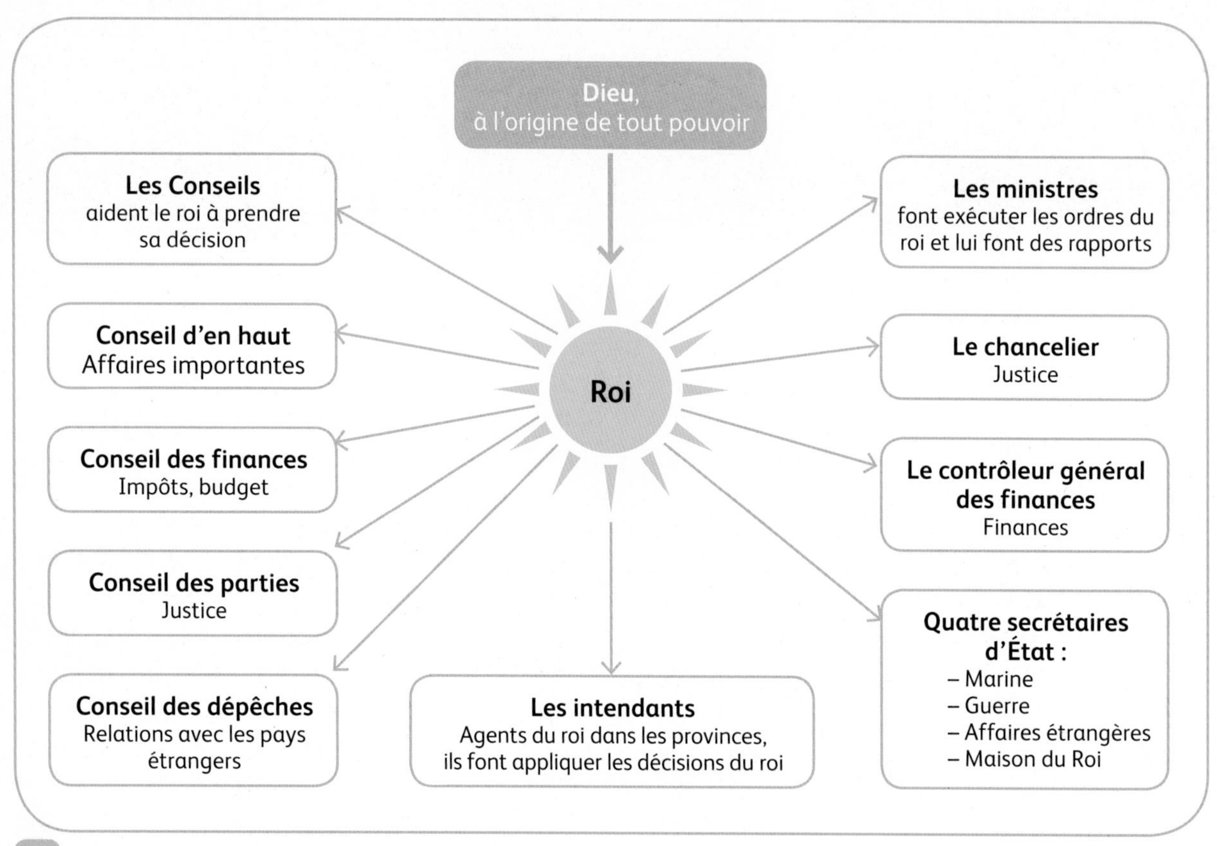

1 | La monarchie absolue de droit divin selon la conception de Louis XIV

2 Les limites de la monarchie absolue à l'époque de Louis XIV

Les historiens en parlent

Entre l'absolutisme proclamé et sa réalité effective sur le territoire du royaume, il y a un pas à l'allure de grand écart. Les obstacles qui s'opposent à l'application des décisions autoritaires de Louis sont nombreux : l'immensité du royaume, la diversité des peuples, la multiplicité des coutumes et des privilèges... Comment y faire admettre la raison du roi quand on connaît le faible nombre des officiers qui représentent l'État ? Quelques dizaines de milliers pour 20 millions de Français, soit un officier pour 250 habitants. Et la maréchaussée, chargée du maintien de l'ordre et de la police, elle compte à peine plus de 2 000 gendarmes pour l'ensemble du royaume ! À ces quelques indices, on mesure que l'État absolu n'a guère les moyens de s'exercer sur le terrain. Nous voilà loin du mythe de Louis XIV qui aurait discipliné l'ensemble du royaume. À l'époque de Louis XIV, l'absolutisme c'est tout simplement un jeu de compromis et d'accommodements pour tenter de faire coïncider les théories et les pratiques.

D'après J. Cornette, *La Monarchie entre Renaissance et Révolution,* 1515-1792, Le Seuil, 2000.

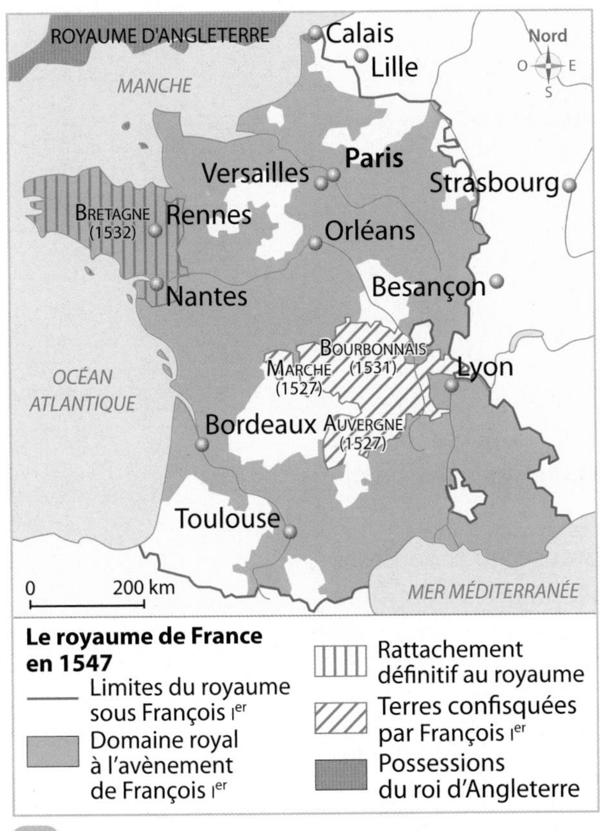

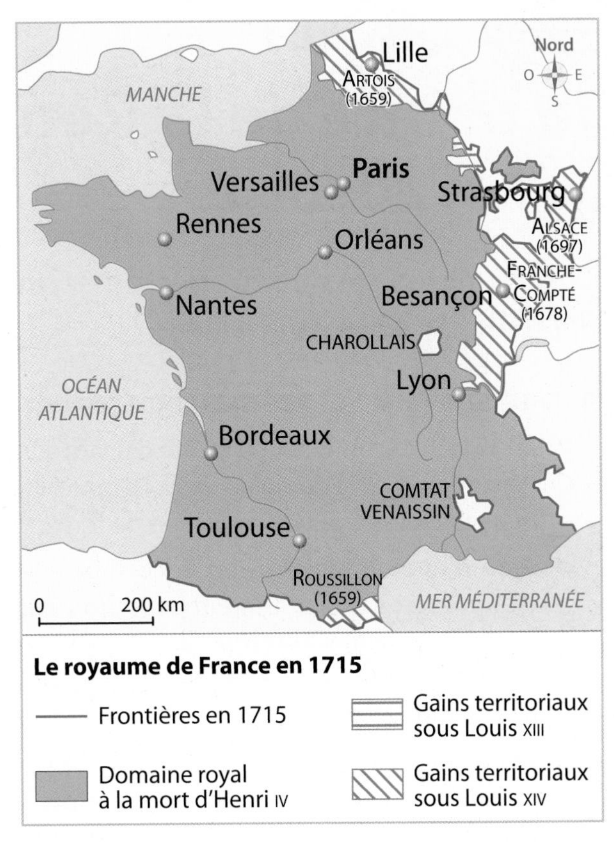

3 Un territoire agrandi et unifié au début du XVIIIe siècle

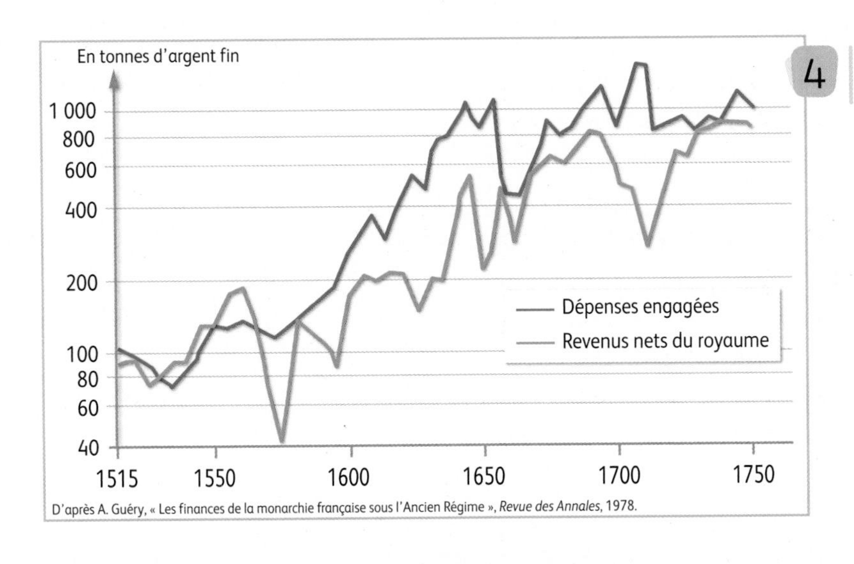

D'après A. Guéry, « Les finances de la monarchie française sous l'Ancien Régime », *Revue des Annales*, 1978.

4 Un royaume en difficulté financière

Comprendre le contexte

Un royaume dirigé par un roi qui se veut absolu

1. DOC. 1 Précisez de qui le roi est censé tenir son pouvoir dans une monarchie de droit divin.
2. DOC. 1 Indiquez sur qui le roi s'appuie pour gouverner.
3. DOC. 2 Relevez les arguments qui permettent à l'historien d'affirmer que la monarchie absolue est plus un mythe qu'une réalité.

Un royaume entre puissance et fragilité

4. DOC. 3 Montrez que la puissance du royaume s'est affirmée en Europe.
5. DOC. 4 Expliquez les difficultés que le royaume rencontre.

Du prince de la Renaissance au roi absolu

Comment les rois de France deviennent-ils des rois absolus entre le XVe et le XVIIe siècle ?

I François Ier, « Tel est mon bon plaisir »

- En 1515, François Ier prend la tête d'un royaume agrandi, qui se confond désormais avec le domaine royal. Le pouvoir des grands seigneurs diminue et le roi se trouve en position de force.
- Aidé d'une administration encore peu nombreuse qu'il ne cesse de renforcer, le roi entend imposer son autorité, même s'il consulte avant de décider. Il unifie ainsi le royaume par l'ordonnance de Villers-Cotterêts en 1539 : le français devient la langue officielle de l'État sur tout le territoire.
- Le roi, mécène, protège les arts, qui exaltent sa personne. Il s'entoure d'une cour somptueuse qui le suit dans tous ses déplacements. Il réside alors dans les châteaux, tels Amboise, Fontainebleau ou Chambord, qu'il fait construire pour montrer sa puissance.

II Henri IV, « J'ai rétabli l'État »

- Henri de Navarre, chef des protestants, devient roi à la mort de Henri III. Dans le contexte des guerres de Religion, Henri IV doit alors combattre la Ligue pour reconquérir son royaume.
- Malgré ses victoires, il lui faut se convertir au catholicisme pour être reconnu par tous ses sujets (1593) et être sacré roi de France (1594). La paix civile est rétablie dans le royaume grâce à l'édit de Nantes en 1598. Le catholicisme est la religion d'État. Cependant, la pratique du protestantisme est tolérée sous certaines conditions.
- Henri IV réorganise ensuite le pays afin de renforcer son autorité. Désormais, la fidélité au roi est supérieure aux opinions religieuses.

III Louis XIV, « Le métier de roi »

- Louis XIV est un monarque absolu de droit divin. « Roi-Soleil », il a tous les pouvoirs : il rend la justice, crée les lois et les fait appliquer. Catholique intransigeant, il révoque l'édit de Nantes en 1685.
- **En 1661, Louis XIV décide de gouverner seul** : il ne nomme pas de Premier ministre et écarte du pouvoir les grands nobles. Il s'entoure de conseils qu'il compose d'un nombre restreint de ministres. Le roi travaille avec eux au quotidien et prend toutes les décisions. **Des intendants le représentent dans les provinces.** Ils l'informent et font appliquer ses décisions.
- Dans son palais de Versailles où les arts célèbrent sa gloire, Louis XIV crée une cour brillante. Il contrôle ainsi la noblesse.

Vocabulaire

Monarque absolu de droit divin : roi qui a tous les pouvoirs et dit tenir son pouvoir de Dieu.

Cour : entourage du roi.

Édit : décision royale sur un problème précis qui a valeur de loi.

Ligue : association catholique fondée pour s'opposer aux protestants.

Ordonnance : décision royale qui a valeur de loi.

Règne personnel : roi qui gouverne et prend ses décisions seul.

Je retiens l'essentiel

L'essentiel en schéma

La construction du roi absolu

François Ier inaugure une nouvelle forme de monarchie

Une administration au service du roi

Elle généralise l'usage du français dans le royaume.

Les arts

Ils participent au prestige du roi.

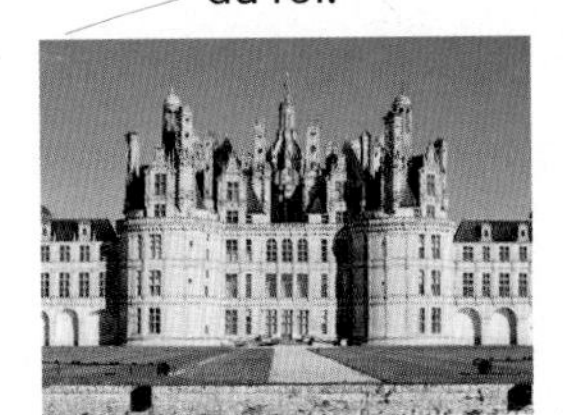

Henri IV affirme son pouvoir

Un royaume déchiré par les guerres de Religion

Le roi s'impose dans ce nouvel État.

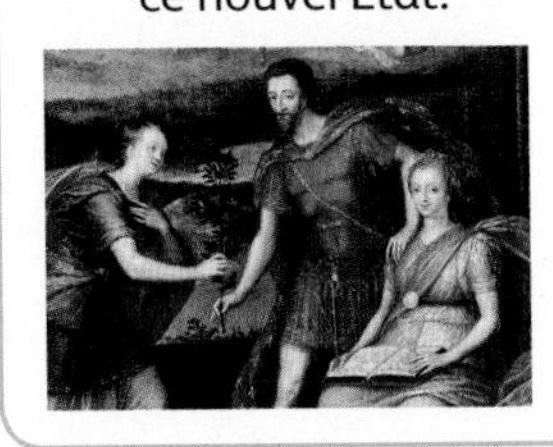

La paix religieuse

Elle est rétablie dans le royaume grâce à l'édit de Nantes.

Louis XIV définit une nouvelle forme de pouvoir : l'absolutisme

Une monarchie absolue de droit divin

Le roi impose son règne personnel.

La mise en scène du pouvoir

Un art au service du roi.

XVIe siècle — XVIIe siècle

- François Ier : 1515 – 1547
- 1539 : Ordonnance de Villers-Cotterêts
- Henri IV : 1589 – 1610
- 1598 : Édit de Nantes
- Louis XIV : 1643 – 1715
- 1661 : Début du règne personnel de Louis XIV
- 1685 : Révocation de l'édit de Nantes

J'apprends, je m'entraîne

▸ **Socle** *Méthodes et outils pour apprendre*

Du prince de la Renaissance au roi absolu

1. Construire sa fiche de révision : notez le titre de la leçon sur votre feuille

Je connais...

Objectif 1 ▸ Connaître les repères chronologiques

Reproduisez la frise chronologique suivante et placez-y les périodes et événements ci-dessous :
Le règne de François Ier – Édit de Nantes – Règne personnel de Louis XIV – Règne de Henri IV.

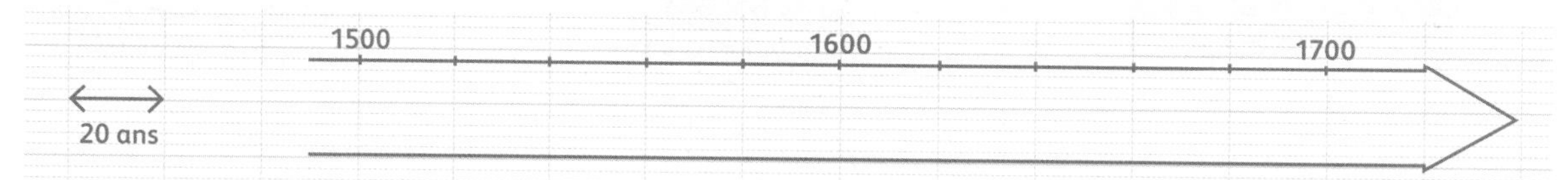

Objectif 2 ▸ Connaître les repères géographiques

Reproduisez et complétez la légende de la carte ci-contre à partir des éléments suivants :

1. Nommez les villes désignées par les lettres (A) et (B). À quel roi pouvez-vous associer chacune d'elles ?
2. À quoi correspondent les limites vertes et rouges sur la carte ?

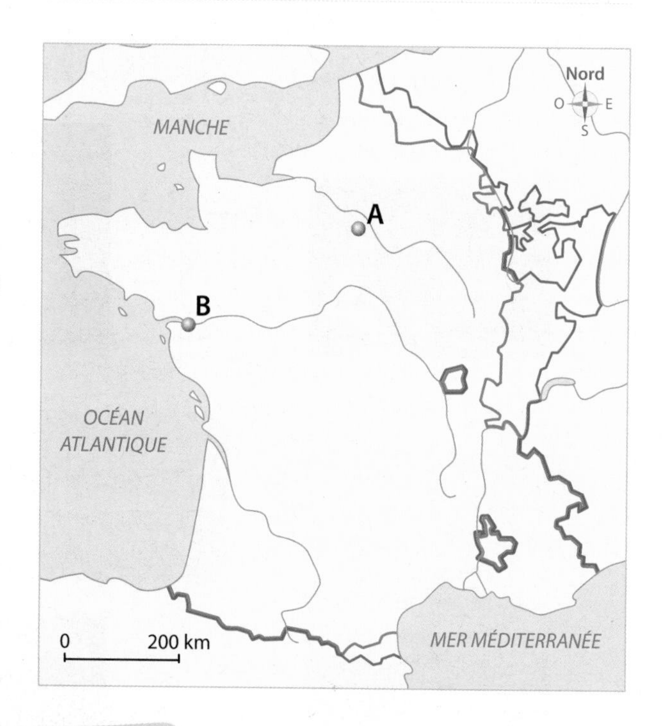

Objectif 3 ▸ Les mots-clés

Recopiez les mots suivants et donnez leur définition :
Édit – Monarchie absolue de droit divin – Souverain – Règne personnel.

Je suis capable de...

Pour chacun des objectifs suivants, construisez une réponse à la consigne.

Objectif 4 ▸ Expliquer la modernisation de l'État sous le règne de François Ier

Aide *Montrez que François Ier met en place une administration plus moderne dans le royaume et expliquez comment elle permet au roi d'imposer son pouvoir.*

Objectif 5 ▸ Expliquer comment Henri IV pacifie le royaume de France

Aide *Décrivez la situation qu'il reçoit en héritage et comment il rétablit la paix dans le royaume.*

Objectif 6 ▸ Expliquer comment Louis XIV construit son pouvoir absolu

Aide *Montrez comment Louis XIV dirige son royaume.*

2. S'entraîner

1 Construire des repères historiques

Les rois de France, des rois absolus ?

a.

b.

c.

Pour chacun des rois suivants, indiquez son nom et ses dates de règne.
À quel roi l'édit de Nantes est-il rattaché ? Et sa révocation ?

2 Analyser et comprendre un texte

Le gouvernement selon Louis XIV

Je résolus de ne point prendre de Premier ministre, rien n'étant plus indigne que de voir d'un côté toutes les fonctions et de l'autre le seul titre de roi. Pour cela, il était nécessaire de partager ma confiance et l'exécution de mes ordres sans la donner tout entière à un seul, appliquant diverses personnes à diverses choses selon leurs divers talents. Dans les intérêts les plus importants de l'État, ne voulant pas les confier à un seul ministre, les trois que je crus pouvoir y servir le plus utilement furent Le Tellier, Fouquet et Lionne[1]. Pour découvrir toute ma pensée, il n'était pas de mon intérêt de prendre des hommes d'une qualité plus éminente. Il fallait avant toute chose établir ma propre réputation, et faire connaître au public, par le rang même d'où je les prenais, que mon intention n'était pas de partager mon autorité avec eux.

Louis XIV, *Mémoire pour servir à l'instruction du dauphin*, 1666.

1. Le Tellier, secrétaire d'État devenu chancelier ; Fouquet, surintendant des Finances ; H. de Lionne, secrétaire d'État aux Affaires étrangères.

1. Qui est l'auteur du texte ? Quel en est le destinataire ?
2. Quelle décision annonce-t-il ? Comment la justifie-t-il ?
3. Parmi quelle catégorie sociale ses ministres sont-ils choisis ?
4. D'après la dernière phrase, quel est le rôle réservé à ses ministres ?

Auto-Évaluation **Je me positionne sur une marche :**

1.
- Je lis le texte.
- Je repère sa nature.

Question 1

2.
- Je lis le texte.
- Je repère sa nature.
- **Je comprends son idée générale.**

Questions 1 et 2

3.
- Je lis le texte.
- Je repère sa nature.
- Je comprends son idée générale.
- **Je sélectionne des informations pertinentes pour répondre**

Questions 1, 2, 3 et 4

4.
- Je lis le texte.
- Je repère sa nature.
- Je comprends son idée générale.
- **Je reformule les informations sélectionnées pour répondre.**

Questions et

Pour progresser, j'analyse mes axes de progrès. Que devrais-je améliorer ?

J'apprends, je m'entraîne

3 Analyser et comprendre une image

Un portrait royal

J. Clouet, *François Ier*, roi de France, huile sur bois, 74 cm x 96 cm, vers 1530, musée du Louvre, Paris.

Identifier le document

1. Présentez le document (nature, auteur, date, sujet).
2. Dans quel contexte historique est-il réalisé ?

Extraire et classer des informations pertinentes

3. Associez chaque lettre sur le portrait A B C D à l'une des propositions suivantes : Toque de velours noir ornée d'une plume d'autruche – Collier de l'ordre de Saint-Michel – Pourpoint de velours de soie brodé d'or – Chemise en toile fine
4. Quels éléments montrent la magnificence (la richesse, le luxe) ? Justifiez.
5. Où trouve-t-on l'indication qu'il est roi ?

Construire une hypothèse d'interprétation

6. Décrivez l'attitude du roi (sa posture, son visage, son regard…). En quoi est-elle royale ?
7. Sachant que le roi est prisonnier de Charles Quint et vit loin de la cour de France, quel but poursuit-il en faisant réaliser un tel portrait ?

Auto-évaluation Je me positionne sur une marche :

1.	2.	3.	4.
• J'observe l'image. • Je repère **sa nature, son auteur, sa date.**	• J'observe l'image. • Je repère sa nature, son auteur, sa date. • **Je présente son contexte de réalisation.**	• J'observe l'image. • Je repère sa nature, sa date et le sujet montré. • Je présente son contexte de réalisation. • **J'identifie et classe les éléments importants**	• J'observe l'image. • Je repère sa nature, sa date et le sujet montré. • Je décris ce que j'observe. • J'identifie et classe les éléments importants de l'image. • **J'interprète (je donne du sens) en m'appuyant sur mes connaissances**
Question 1	Questions 1 et 2	Questions 1, 2, 3, 4 et 5	Questions 1, 2, 3, 4, 5, 6 et 7

Pour progresser, j'analyse mes axes de progrès. Que devrais-je améliorer ?

4 S'informer dans le monde numérique

Sur les traces de Louis XIV à Versailles

Tapez dans le moteur de recherche l'adresse suivante : « www.chateauversailles.fr/homepage » Cliquez sur l'étiquette « L'Histoire », puis « Versailles au cours des siècles », puis « Vivre à la cour » et choisissez la proposition « Une journée de Louis XIV ».

1. Relevez les différentes activités du roi et les lieux qu'il fréquente durant une journée. Classez ces activités en deux catégories, celles qui concernent les affaires du royaume et celles qui concernent les divertissements dans le tableau suivant :

Activités du roi	Type d'activités	Lieu concerné

2. Par une phrase courte, montrez que Versailles est le théâtre du pouvoir absolu.

Enquêter Pourquoi Louis XIV révoque-t-il l'édit de Nantes ?

En 1685, le périodique* La Gazette de France *publie une décision royale, de grande importance. Pourquoi le roi a-t-il pris une telle décision ?

Les faits

La publication de l'édit de Fontainebleau, qui révoque l'édit de Nantes

Sa Majesté a révoqué l'édit de Nantes de l'an 1598. Sa Majesté défend de faire aucun exercice public de la religion prétendue réformée et ordonne que tous les temples seront démolis, que les pasteurs protestants sortent du royaume dans les quinze jours et leur défend de faire aucun prêche ni aucune fonction de ministère sous peine de galères.

La Gazette de France, octobre 1685.

J. Luicken, *Louis XIV révoque l'édit de Nantes*, gravure sur cuivre, BnF, Paris.

Indice n°1

Un édit de Nantes devenu inutile ?

Henri le Grand, notre aïeul, n'a pas pu réunir à l'Église ceux qui s'en étaient si facilement, éloignés en raison de sa mort précipitée. Nous accomplissons son grand dessein, reconstituer l'unité religieuse du royaume. La plus grande partie de nos sujets de ladite RPR[1] ont embrassé la Catholique.

D'après Louis XIV, 18 octobre 1685.

1. Religion prétendument réformée.

Indice n°2

Un édit voulu par la population du royaume ?

Vous avez vu sans doute l'édit par lequel le roi révoque celui de Nantes. Rien n'est si beau que tout ce qu'il contient, et jamais aucun roi n'a fait et ne fera rien de plus mémorable.

D'après une lettre de Madame de Sévigné à son cousin Bussy-Rabutin, 28 octobre 1685.

Qui est-elle ?

Mme la marquise de Sévigné (1626-1696)
Femme de lettres française.

Indice n°3

Un roi trop catholique et intolérant ?

À huit heures, le premier valet de chambre l'éveillait. Dès que le roi était habillé, il allait prier Dieu près de son lit.

D'après Saint-Simon, *Mémoires*, 1723-1750.

Dans les actes de la vie, le roi est très réglé. À midi et demi, il va à la messe toujours en famille avec la reine.

D'après P. Visconti, *Mémoires sur la vie de Louis XIV*, 1673-1681.

Avez-vous pris connaissance des indices ? Quelle est votre conviction : pour quelle raison Louis XIV révoque-t-il l'édit de Nantes en 1685 ?

Par équipe, complétez le carnet de l'enquêteur :
1. L'édit de Nantes permettait aux protestants…
2. Les raisons de sa révocation sont…

Faites votre rapport d'enquête aux autres équipes.

L'atelier d'écriture

Le pouvoir du roi en France, un pouvoir qui s'affirme aux XVe-XVIIe siècles

À l'aide de vos connaissances, rédigez un texte qui explique comment les rois affirment leur pouvoir en France entre le XVIe et le XVIIe siècle.

Travail préparatoire (au brouillon)

Étape 1 ▶ Comprendre le sujet et repérer le mot-clé, la période et l'espace géographique

1. Recopiez le sujet. Entourez (ou surlignez) d'une couleur le mot-clé et définissez-le.
2. Entourez (ou surlignez) d'une autre couleur l'espace géographique et la période concernés.

Étape 2 ▶ Mobiliser ses connaissances pour répondre au sujet

3. Autour du sujet précédemment recopié, notez les idées principales en répondant par des mots aux questions suivantes :

Le pouvoir du roi en France, un pouvoir qui s'affirme (XVIe-XVIIe siècles)

- pouvoir du roi en France :
  a. Quels synonymes utiliser pour le mot pouvoir ?
  b. Quels sont les différents pouvoirs du roi ?
- un pouvoir qui s'affirme :
  c. Quel est le mot-clé sous-entendu par le sujet ?
- (XVIe-XVIIe siècles) :
  d. Qui sont les rois étudiés concernés ? Quelles sont leurs dates de règne ?
  e. Comment chacun d'eux a-t-il renforcé son pouvoir ? Face à qui ?

4. Vérifiez dans le manuel et votre cahier que vous n'avez pas oublié d'élément important.

Travail de rédaction (au propre)

À vous de choisir votre niveau de difficulté et votre ceinture !

Je rédige un texte **sans aide.**

Rédigez votre texte en vérifiant que :
- Vous construisez un paragraphe pour chaque idée abordée.
- Une phrase d'introduction présente le sujet.

Je rédige un texte **avec un guide.**

Rédigez votre texte autour d'une phrase d'introduction et de trois paragraphes :
- L'introduction définit le mot-clé et évoque l'idée que le pouvoir du roi se renforce durant la période concernée.
- Le premier paragraphe évoque les moyens mis en place par François Ier pour contrôler son royaume.
- Le deuxième paragraphe décrit la façon dont Henri IV réussit à s'imposer et à restaurer son autorité.
- Le troisième paragraphe explique comment Louis XIV contrôle le royaume.

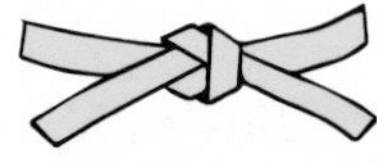

Je rédige un texte **en répondant à des questions.**

Rédigez votre texte autour de trois paragraphes qui commencent par un alinéa et qui répondent aux questions suivantes :

Paragraphe 1 : Comment François Ier utilise-t-il les arts, la langue française et les voyages pour renforcer son pouvoir et contrôler son royaume ?

Paragraphe 2 : Quelles difficultés Henri IV rencontre-t-il au début de son règne ? Comment restaure-t-il son autorité ?

Paragraphe 3 : Quels moyens Louis XIV utilise-t-il pour contrôler la noblesse ? Quelles difficultés rencontre-t-il ?

La citoyenneté dans une démocratie

Qui détient le pouvoir en France ?

1 Louis XIV, un roi de droit divin

Toute puissance, toute autorité résident dans la main du roi et il ne peut y en avoir d'autres dans le royaume. Dieu a donné des rois aux hommes. Il a voulu qu'on les respectât. La volonté de Dieu est que tous les sujets obéissent. Même si un prince est mauvais, la révolte de ses sujets est toujours un crime.

D'après Louis XIV, *Mémoires*, 1661-1668.

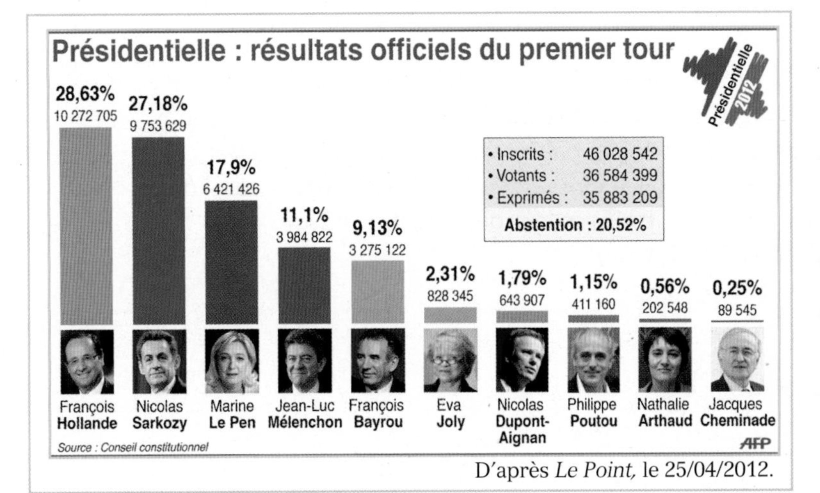

D'après *Le Point*, le 25/04/2012.

2 L'élection présidentielle de 2012

3 Des élections régionales (nov. 2015)

Mayssane et Ryane ont posé leurs questions à Roland Cayrol, politologue, sur les élections régionales :

Roland Cayrol : Les élections régionales, c'est pour élire les conseillers régionaux. L'Assemblée régionale va diriger les affaires de la Région.

Ryane : Est-ce que c'est des gens qui travaillent qui peuvent se présenter ?

Roland Cayrol : Tout citoyen, âgé de 18 ans et plus peut se présenter : des gens qui travaillent, des chômeurs, des étudiants, des femmes qui restent à la maison...

D'après « C'est quoi les élections régionales ? », *France Info junior*, le 05/12/2015.

4 Que dit la loi aujourd'hui ?

Art. 3 : Le principe de toute souveraineté réside essentiellement dans la Nation.

Art. 6 : Tous les citoyens ont droit de concourir personnellement, ou par leurs représentants, à sa formation.

D'après la Déclaration des droits de l'homme et du citoyen, 26 août 1789.

Le droit et la règle : des principes pour vivre avec les autres

1. DOC. 1 Selon Louis XIV, qui détient la souveraineté ? Pour quelle raison ? Ses sujets peuvent-ils contester son pouvoir ?
2. DOC. 2 Comment le chef de l'État a-t-il été choisi en 2012 ? Savez-vous si son pouvoir est limité dans le temps ?
3. DOC. 3 À quoi servent les élections régionales ? Qui peut être élu ? Connaissez-vous d'autres élections ? Citez-les.
4. DOC. 2, 3 ET 4 Qui détient aujourd'hui la souveraineté ? Montrez comment en citant un exemple.

Le jugement : penser par soi-même et avec les autres.

5. En quelques lignes, expliquez pourquoi on peut dire que la souveraineté appartient désormais à l'ensemble des citoyens français.

Vocabulaire

Souveraineté : qualité de celui qui détient le pouvoir.
Nation : ensemble des citoyens d'un État.

Propositions d'EPI

Votre mission EPI 1 Un carnet de voyage

Thématique EPI **Culture et création artistiques**

Sujet EPI **« Chrétientés et Islam, des mondes en contact »**

chapitres 1 p. 16 et 2 p. 40

Disciplines associées
Histoire : Chrétientés et Islam, des mondes en contact
Arts plastiques : L'objet et l'œuvre
Français : Le voyage et l'aventure : pourquoi aller vers l'inconnu ?

Vous êtes un groupe de voyageurs. Au IXe siècle, vous rencontrez les peuples vivant autour de la Méditerranée. Vous découvrez alors les mondes byzantin et carolingien (chapitre 1, p. 16) et le monde arabo-musulman (chapitre 2, p. 40).

Charlemagne, empereur carolingien

Point méthode
Réaliser un carnet de voyage

Étape 1 Sélectionner les informations nécessaires pour chacun des trois mondes étudiés en histoire

- Localisez précisément l'empire, avec ses dates de début et de fin.
- Nommez la capitale.
- Donnez le titre du chef politique (empereur, calife…) et présentez ses pouvoirs.
- Listez les activités économiques de l'empire (commerce, agriculture…).
- Désignez un bâtiment caractéristique et décrivez-le (mosquée, palais…).
- Listez les activités artistiques et décrivez une œuvre au choix.

Étape 2 Construire les pages du carnet

- Pour chacun des trois mondes étudiés, construisez deux pages de votre carnet de voyage.
- Vous pouvez les organiser comme vous voulez, cependant tous les éléments ci-dessous sont présents.

Un exemple de travail d'élève
Voici deux pages que Mila a proposées :

Nom de l'Empire visité et dates

Carte de l'Empire visité dessinée (+ nom de la capitale)	Texte sur le chef politique et ses pouvoirs Dessin éventuel

Description de l'habitat ou du bâtiment choisi Aquarelle

Texte sur les richesses de l'Empire Dessin éventuel	Texte sur les croyances des populations

Description d'une œuvre artistique Aquarelle

- N'oubliez pas de relier vos feuilles et de faire une couverture avec un titre à votre carnet.
- Notez les références des ouvrages ou des sites consultés lors des séances de recherche au CDI.

Une autre piste EPI

Sciences, technologie et société - Les mathématiques et l'art musulman
Découvrez que l'architecture et les décors de l'art musulman obéissent à des règles mathématiques. Réalisez un décor à la manière de l'art musulman.

L'Alhambra de Grenade

Disciplines associées
Histoire : Société, Église et pouvoir politique dans l'Occident féodal
Éducation musicale : Écouter, comparer, construire une culture musicale et artistique
Français : Héros / héroïnes *(extraits d'œuvres de l'époque médiévale, chansons de geste ou romans de chevalerie)*

Votre mission EPI 2 **Un reportage**

Thématique EPI **Culture et création artistiques**

Sujet EPI **« La vie et les fêtes au Moyen Âge »**

➔ chapitres 3 p. 64 et 4 p. 84

Vous êtes journaliste et vous devez réaliser un reportage sur les fêtes et festivités au Moyen Âge. Votre reportage sera diffusé sur le site du collège.

Par équipe, vous rédigez un article sur un des thèmes suivants : À la cour des seigneurs, trouvères et troubadours – Le banquet au château – Les tournois et fêtes d'armes – Les grandes fêtes religieuses – Le joli mois de Mai – Le carnaval, la ville en fête – Les feux de la Saint-Jean – Jongleurs, trouvères et troubadours : maîtres du chant et de la poésie – Les instruments du Moyen Âge.

Réaliser un reportage audio

Étape 1 ▶ Comprendre le sujet de son article

1. Reformulez le sujet en plusieurs questions.
2. Définissez les termes importants.
3. Délimitez la période, les lieux qui intéressent le sujet.

Étape 2 ▶ Faire les recherches préalables

4. Cherchez et sélectionnez les informations nécessaires pour répondre aux consignes de l'étape 1.
5. Notez les références des ouvrages ou des sites consultés lors des séances de recherche au CDI.

Étape 3 ▶ Mettre au point le reportage avant l'enregistrement

6. Rédigez votre reportage en trouvant des titres accrocheurs à chacune de vos parties.
7. Choisissez les musiques qui vont accompagner le reportage.
8. Répétez votre texte, de manière à avoir une diction parfaite au moment de l'enregistrement de votre reportage.

Fresque du Bon gouvernement, Sienne.

Une autre piste EPI

Culture et création artistique : la représentation du Moyen Âge au cinéma
Réalisez des critiques de films et établissez un palmarès des films les plus intéressants pour représenter le monde médiéval.

Propositions d'EPI

Votre mission EPI 3 Une exposition

Thématique EPI **Sciences, technologie et société**

Sujet EPI **« Les bouleversements scientifiques, techniques de l'Europe de la Renaissance »**

➔ chapitre 7 p. 152

Disciplines associées

Histoire : Transformations de l'Europe et ouverture au monde aux XVIe et XVIIe siècles

Sciences physiques : Décrire l'organisation de la matière

SVT : La planète Terre, l'environnement et l'activité humaine

Vous devez réaliser une exposition sur le thème « Les mystères du système solaire » et montrer comment les avancées dans le domaine de l'astronomie aux XVIe et XVIIe siècles ont changé le monde.

Par équipe, construisez un des panneaux de l'exposition. En voici les thèmes :

Histoire : La connaissance de l'univers au début du XVIe siècle : le système de Ptolémée vu par l'Église – De nouvelles théories : 1 - Copernic, un monde héliocentré, 3 - Les observations de Galilée, 4 - Le mouvement selon Newton.

Sciences physiques : Les instruments d'observation astronomique d'hier et d'aujourd'hui – La formation du système solaire – La matière constituant la Terre et les étoiles.

SVT : Le système solaire, les planètes telluriques et les planètes gazeuses – Le globe terrestre, forme et rotation.

Le système de Copernic : un monde centré autour du soleil

Préparer une exposition

Étape 1 ▶ L'analyse du sujet

1. Reformulez le sujet en plusieurs questions.
2. Définissez les termes importants.
3. Délimitez la période, les lieux qui intéressent le sujet.

Étape 2 ▶ La recherche sur Internet

4. Répondez aux consignes de l'étape 1, en croisant les informations (au moins deux sites qui donnent la même information). Un site conseillé pour commencer : http://www.astronomes.com/
5. Veillez à noter les références des sites consultés.
6. Sélectionnez les illustrations en vérifiant qu'elles sont libres de droits.

Étape 3 ▶ La confection d'une affiche

7. Faites une maquette du panneau, sur une feuille A4, afin de positionner les différents éléments (titre, informations, illustrations).
8. Réalisez le panneau, en soignant la calligraphie et l'orthographe.

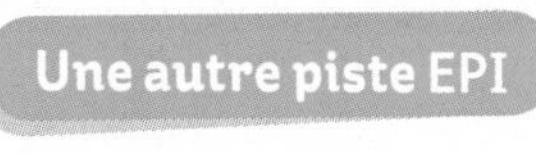

Sciences, technologie et société : Chambord, un château scientifique ?

Réalisez une maquette virtuelle de ce château.

Disciplines associées
Histoire : Transformations de l'Europe et ouverture au monde aux XVIe et XVIIe siècles
Français : Vivre en société *(comédie du XVIIe siècle)*.
Latin : les divinités gréco-romaines

Votre mission EPI 4 Un guide touristique

Thématique EPI **Langues et cultures de l'Antiquité**

Sujet EPI **« La permanence de l'Antiquité à Versailles »**

➔ chapitre 8 p. 174

Vous avez à construire un guide touristique sur le château de Versailles et ses jardins, en particulier sur les bassins.
Par équipe de deux, choisissez la page que vous allez rédiger :
Partie 1 Présentation générale : Le château de Versailles – Les jardins – Les fontaines – Le style de Versailles – La chambre du roi – La galerie des Glaces.
Partie 2 Les bassins : Le bassin de Latone – Le bassin de Bacchus – Le bassin de Saturne – Le bassin d'Apollon – Le bassin de Cérès – Le bassin de Flore – Le bassin de Neptune – Le bassin du Dragon.

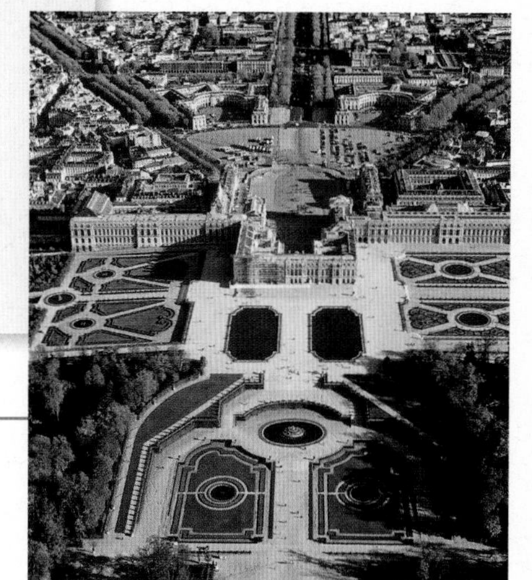

Point méthode

Construire un guide touristique

Étape 1 ▶ L'analyse du sujet

1. Reformulez le sujet en plusieurs questions.
2. Définissez les termes importants.
3. Délimitez les lieux et décors importants, que vous présenterez et qui apparaîtront dans votre reportage.

Étape 2 ▶ Faire les recherches préalables

4. Répondez aux questions posées dans l'étape 1 en croisant les informations (au moins deux sites qui donnent la même information). Un site conseillé pour commencer : http://www.chateauversailles.fr/homepage.
5. Veillez à noter les références des sites consultés.
6. Sélectionnez des illustrations en vérifiant qu'elles sont libres de droits.

Étape 3 ▶ La rédaction du guide

Un exemple de travail d'élève
Axelle et Chiara ont choisi de travailler sur le bassin d'Apollon. À l'aide de leurs recherches, elles ont localisé ce bassin sur un plan des jardins. Elles ont décrit les statues et présenté Apollon.

Apollon sur son char

Une autre piste EPI

Culture et création artistique : « Versailles : l'art au service du pouvoir royal »
Découvrez comment les arts ont participé à la « fabrication du roi absolu » au travers des artistes travaillant pour Louis XIV. Vous réaliserez un diaporama de style Pecha Kucha (voir p. 339) pour les présenter.

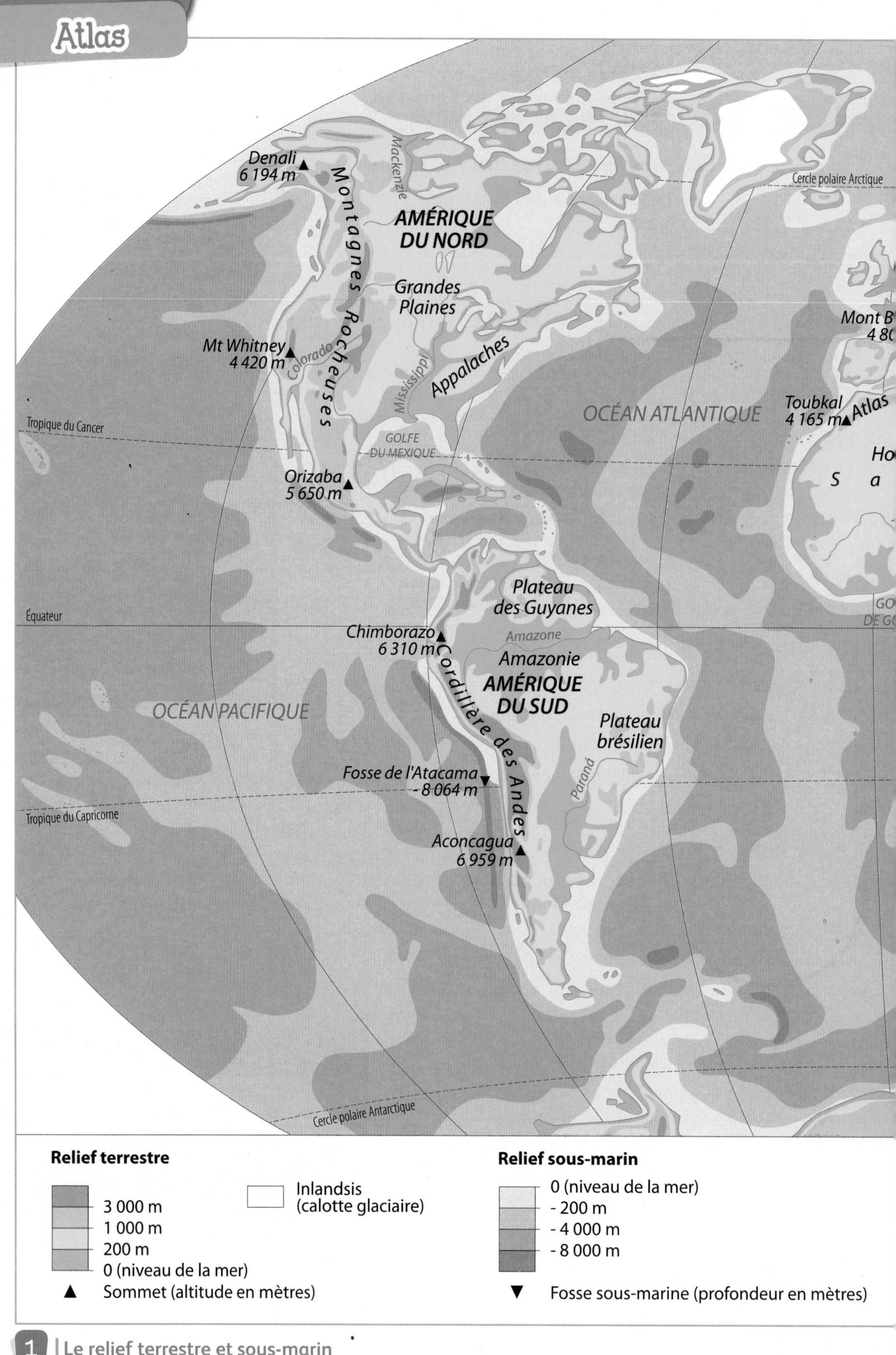

1 | Le relief terrestre et sous-marin

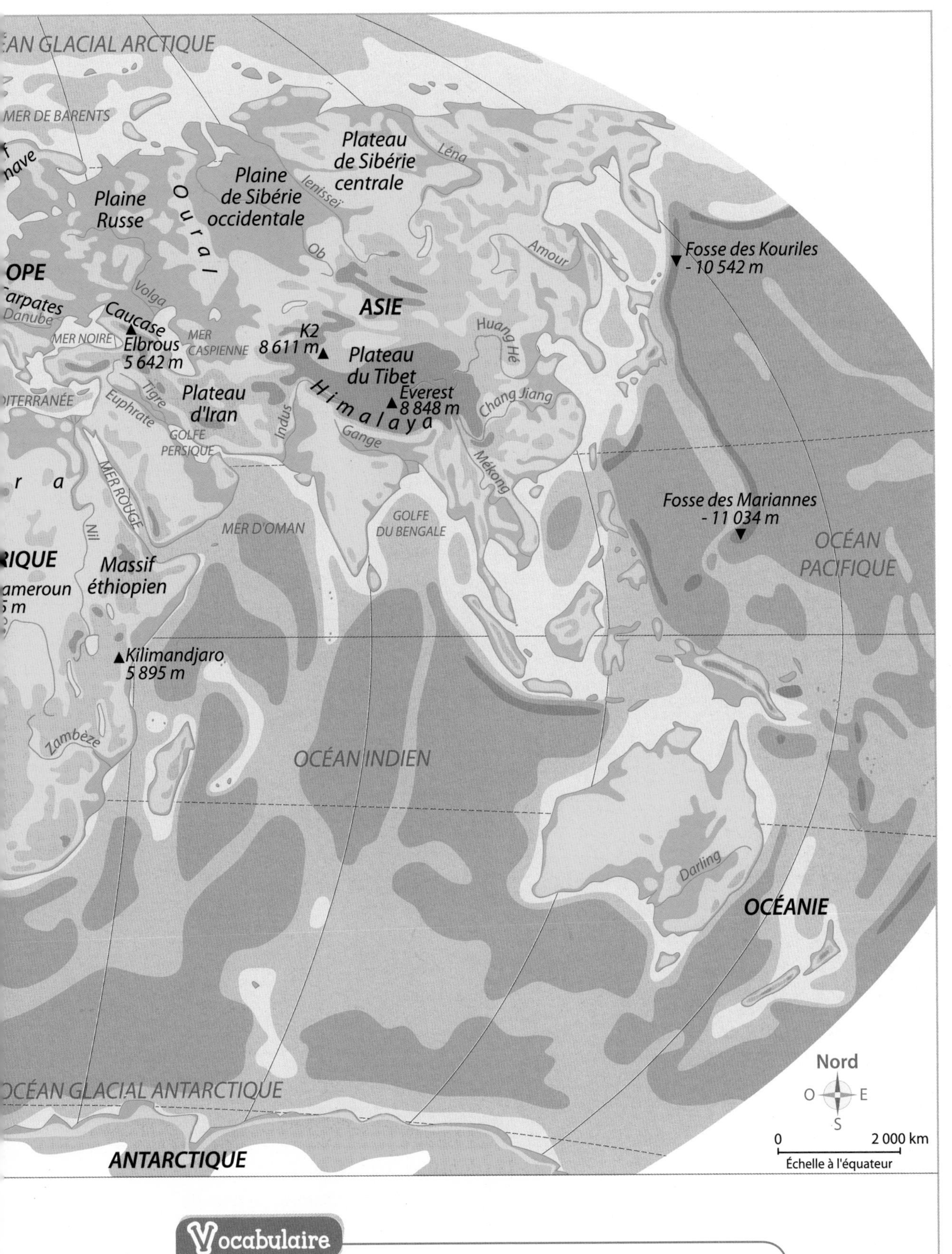

Vocabulaire

Continent : vaste étendue de terres entourée par des océans ou des mers.

Équateur : ligne imaginaire qui partage la Terre en deux hémisphères. Elle est située à égale distance des deux pôles.

Méridien : ligne imaginaire qui joint les deux pôles.

Océan : vaste étendue d'eau salée.

Parallèle : ligne imaginaire parallèle à l'Équateur.

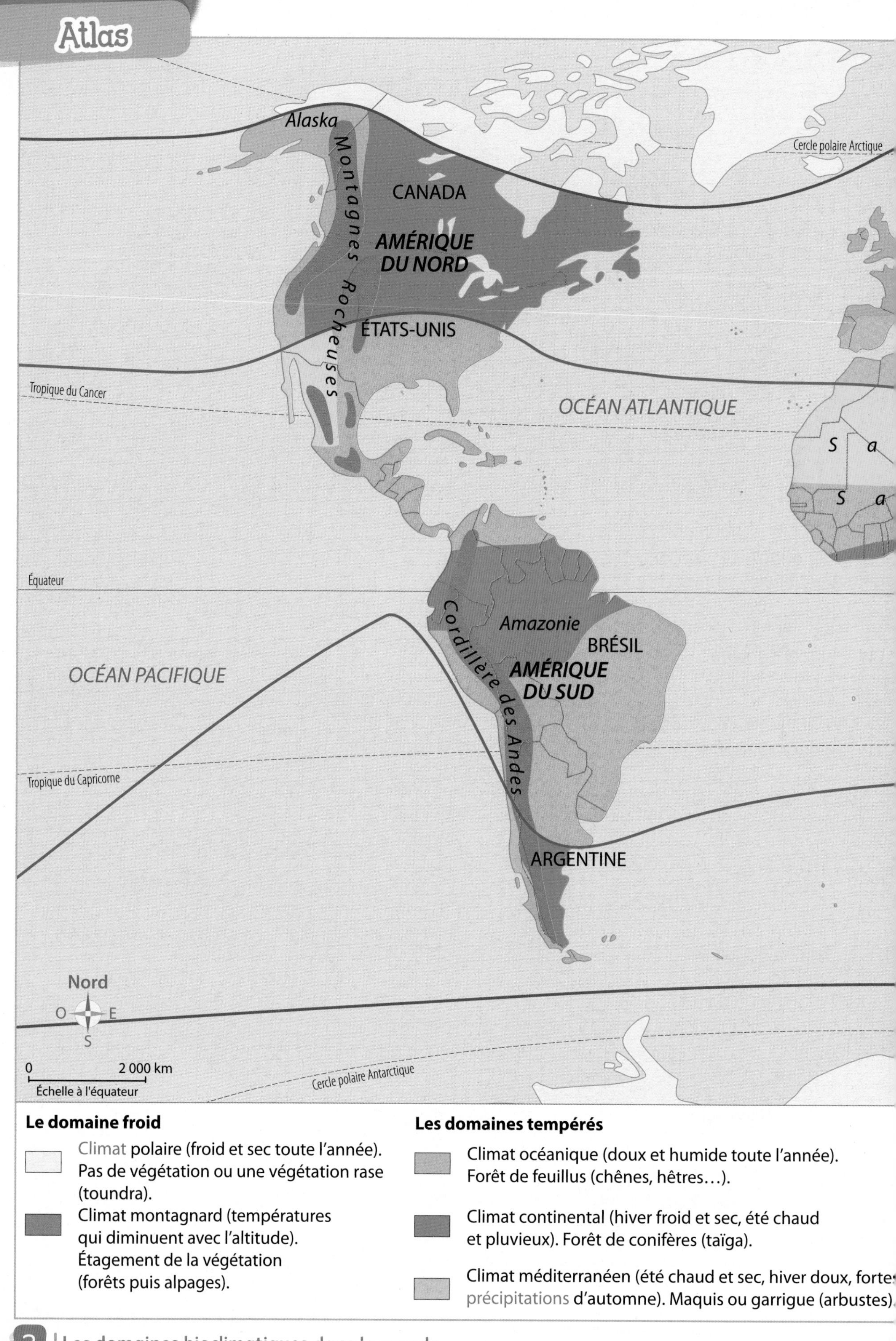

2 | Les domaines bioclimatiques dans le monde

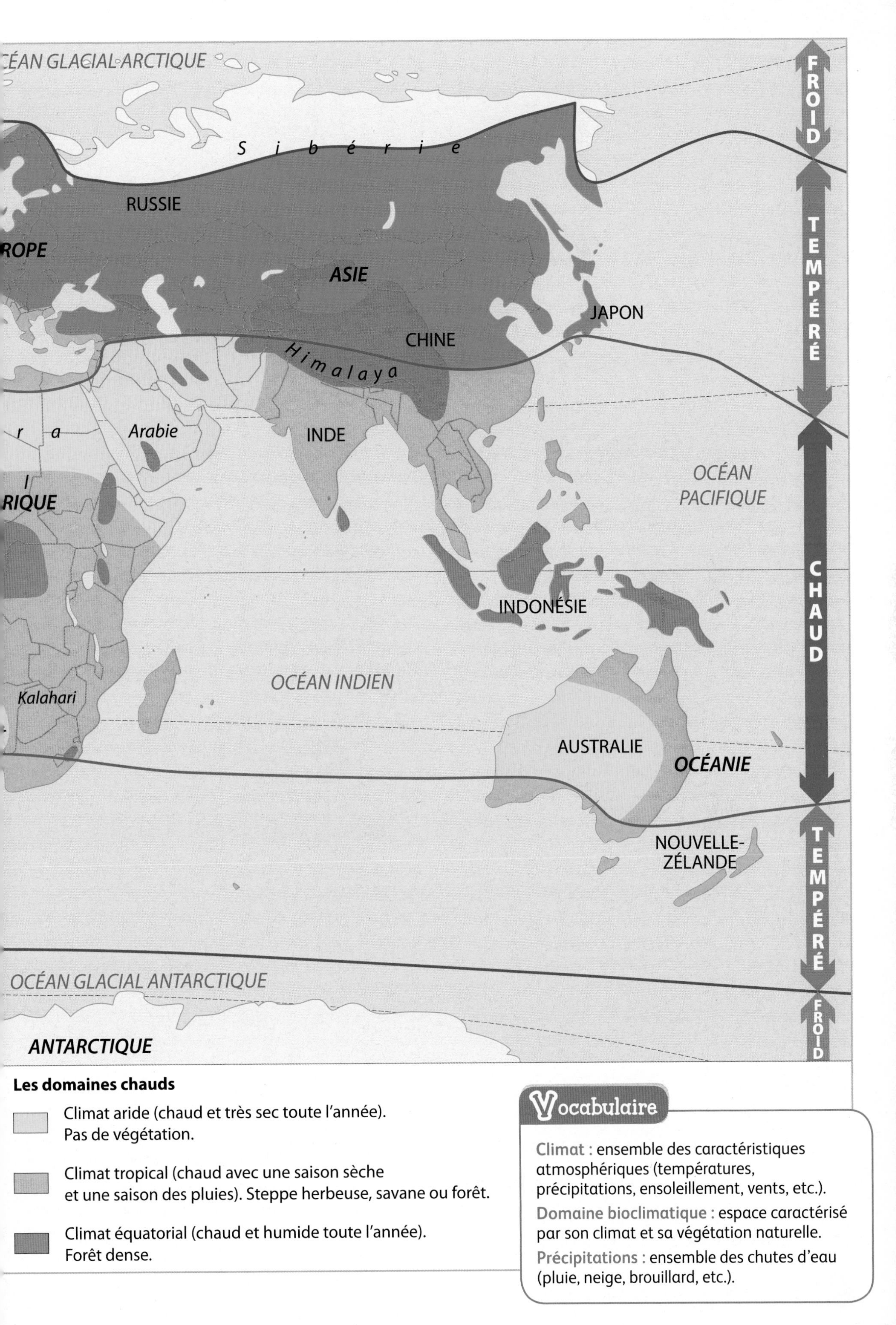

Vocabulaire

Climat : ensemble des caractéristiques atmosphériques (températures, précipitations, ensoleillement, vents, etc.).

Domaine bioclimatique : espace caractérisé par son climat et sa végétation naturelle.

Précipitations : ensemble des chutes d'eau (pluie, neige, brouillard, etc.).

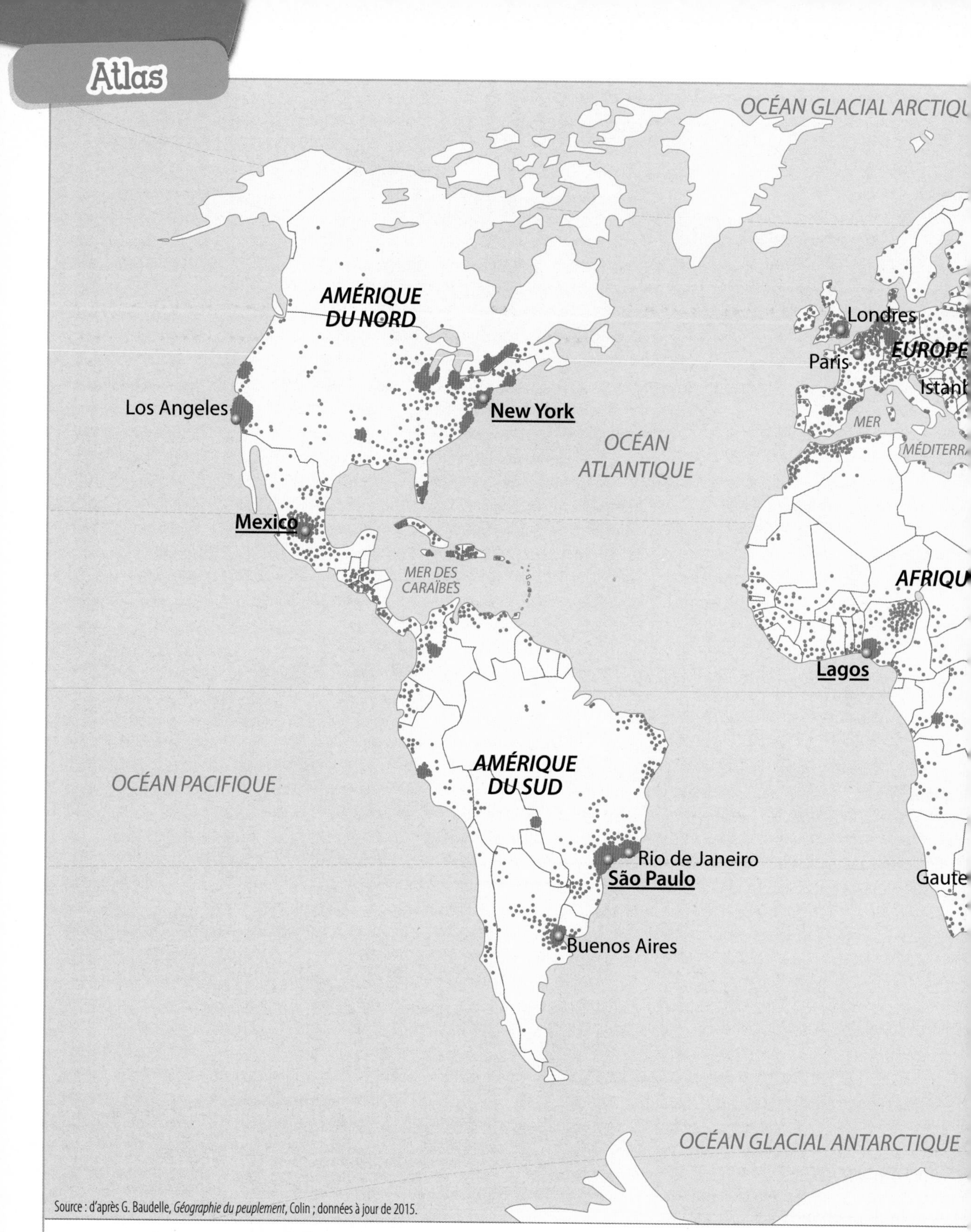

Source : d'après G. Baudelle, *Géographie du peuplement*, Colin ; données à jour de 2015.

· Chaque point représente environ 500 000 habitants

Les plus grandes villes du monde en 2015

● Très grandes villes (plus de 12 millions d'habitants)

Tokyo Les plus grandes métropoles (population supérieure à 20 millions d'habitants)

QUELQUES DONNÉES MONDIALES

Population	7,3 milliards d'habitants
Superficie	19,8 millions de km²
Densité	50 habitants par km²

3 | La répartition de la population mondiale

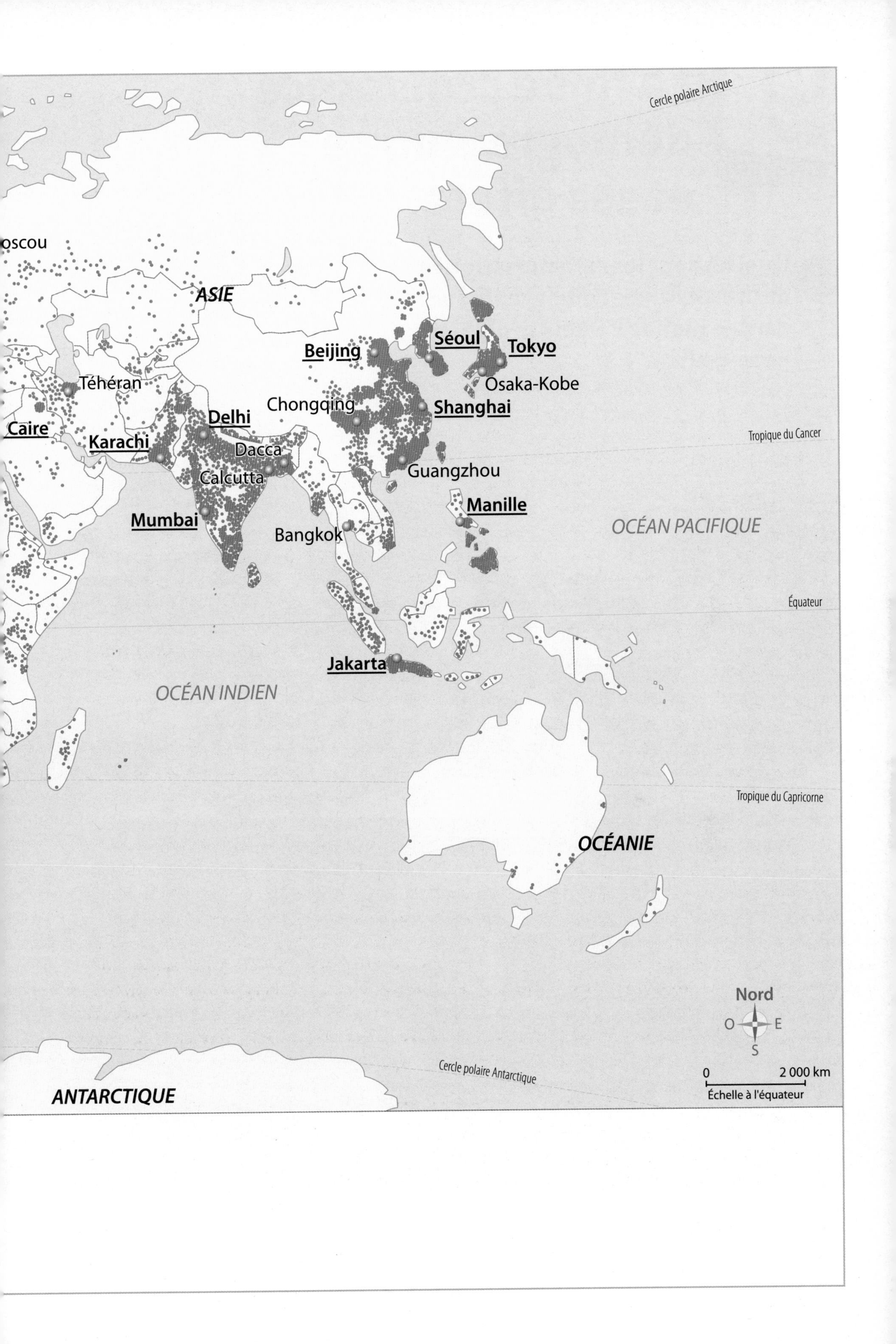
Cercle polaire Arctique
oscou
ASIE
Séoul
Tokyo
Beijing
Osaka-Kobe
Téhéran
Chongqing
Shanghai
Delhi
Caire
Karachi
Dacca
Tropique du Cancer
Calcutta
Guangzhou
Manille
Mumbai
Bangkok
OCÉAN PACIFIQUE
Équateur
Jakarta
OCÉAN INDIEN
Tropique du Capricorne
OCÉANIE
Nord
O
E
S
Cercle polaire Antarctique
0
2 000 km
Échelle à l'équateur
ANTARCTIQUE

EPI
p. 336

La forte croissance démographique et ses effets

Quelles sont les caractéristiques de la croissance démographique dans le monde ? Quels problèmes pose-t-elle ?

Souvenez-vous !
Pouvez-vous citer deux grands foyers de peuplement dans le monde ?

1 | Un monde jeune dans les pays émergents
Un transport public bondé aux Philippines en 2015.

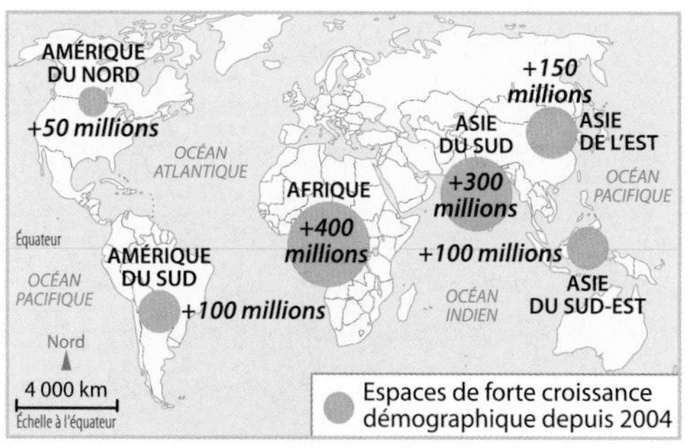

2 | **Un monde qui vieillit dans les pays développés**
La journée pour le Respect des Anciens au Japon en 2014.

1. DOC. 1 ET 2 Localisez les deux photographies. Dans quels types de pays ont-elles été prises ?
2. DOC. 1 ET 2 Quelles différences démographiques entre les deux pays ces photographies évoquent-elles ?
3. DOC. 1 ET 2 **Émettez une hypothèse** pour répondre à la question suivante : quelles raisons peuvent expliquer ces différences ?

Vocabulaire

Croissance démographique : augmentation de la population.

Pays développé : pays riche où la majorité de la population accède à tous ses besoins vitaux ainsi qu'à un certain confort.

Pays émergent : pays qui s'enrichit rapidement, ce qui permet de satisfaire progressivement les besoins essentiels de la population (alimentation, accès à l'eau, logement, éducation…).

Étude de cas

L'Inde, le défi d'une population jeune et nombreuse

Comment la population indienne évolue-t-elle ? Comment répondre à ses besoins ?

FICHE D'IDENTITÉ DE L'INDE

Population	1,3 milliard d'habitants dont la moitié a moins de 25 ans
Superficie	3,3 millions de km²
PIB/hab	5 833 $ par hab.

1 Des enfants indiens sur le chemin de l'école en rickshaw (New Delhi)

2 Éducation et développement

Les progrès de l'éducation sont très lents en Inde. Environ 20% des Indiens âgés de 6 à 14 ans n'allaient pas à l'école dans les années 2005-2006. Ce problème est particulièrement important pour les filles dont la moitié n'étaient pas scolarisées dans des régions comme le Bihar. Il y a là un déficit alarmant d'éducation primaire, pourtant très importante dans le processus de développement[1].

D'après Jean Drèze et Amartya Sen, *Splendeur de l'Inde ? Développement, démocratie et inégalités*, Flammarion, 2014.

1. Une personne analphabète est moins bien équipée pour faire valoir ses droits. L'éducation des filles permet de rapidement faire baisser la natalité.

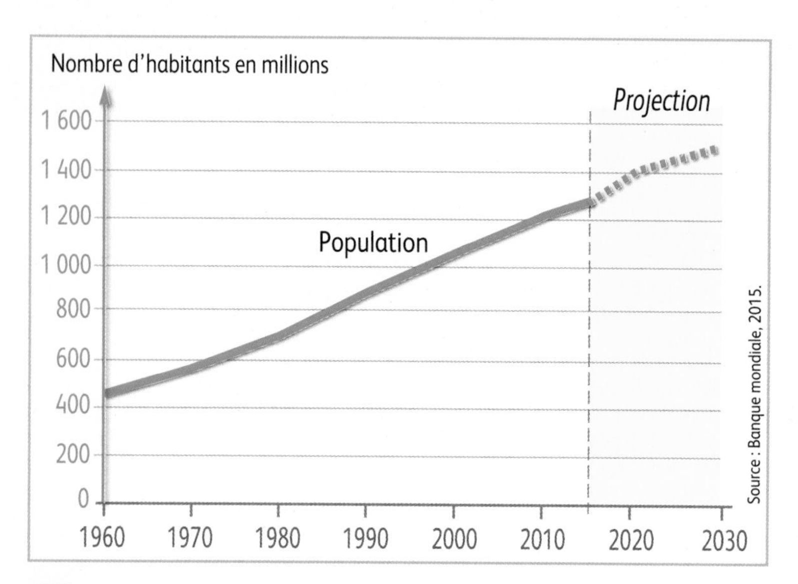

3 Une population qui connaît une forte croissance

Vocabulaire

Bidonville : quartier pauvre dont les maisons ont été construites par les habitants eux-mêmes, sans autorisation et avec des matériaux de récupération.

Développement : enrichissement d'un pays qui permet à sa population de satisfaire ses besoins essentiels (alimentation, santé, éducation, transports).

4 | **Un manque de logements décents**
Des bidonvilles au pied d'immeubles à Mumbai.

5 Un difficile accès aux soins

Un témoin raconte

Les Indiens n'ont pas de couverture sociale comme en France. Lorsqu'ils sont hospitalisés, tout reste à leur charge. On peut dire que l'accès aux soins est facile mais pour ceux qui en ont les moyens. Un patient avec un ulcère, par exemple, aura besoin de soins quotidiens et aura du mal à payer 20 roupies (0,28 €) par pansement chaque jour s'il est pauvre. Souvent, ces patients ne consultent pas ou trop tard, quand ils ont trop mal.

D'après le témoignage de Céline, une infirmière française qui travaille en Inde depuis 2008.

Activités

Socle *Lire un graphique*

1. DOC. 3 Comment la population indienne évolue t-elle depuis 1960 ? Justifiez votre réponse en utilisant des données chiffrées provenant du graphique.

Socle *Comprendre le sens général d'un document*

2. DOC. 4 Décrivez la photographie par plans successifs (1er plan / 2e plan).
3. DOC. 4 Quels sont les éléments qui montrent que le paysage est dégradé ? Quels sont ceux qui montrent les besoins à satisfaire ?

Point méthode

Une évolution

Une évolution peut être :
- ↗ : une augmentation, une hausse
- → : une stagnation
- ↘ : une diminution, une baisse

Pour conclure

Socle *Extraire des informations pertinentes*

Reproduisez et complétez le schéma à l'aide des documents indiqués et de la liste ci-dessous :

d'écoles pour éduquer – de logements –de préserver l'environnement –d'emplois pour faire reculer la pauvreté –de santé – de transports.

Une population jeune est un défi puisqu'il faut répondre au besoin…

- Doc. 1 et 2 ....
- Doc. 1 ....
- Doc. 4 ....
- Doc. 1 ....
- Doc. 4 ....
- Doc. 5 ....

Étude de cas

La Chine face au défi de la croissance démographique

Quels sont les effets de la croissance démographique sur le développement chinois ?

FICHE D'IDENTITÉ DE LA CHINE

Population	1,4 milliard d'hab.
Superficie	9,6 millions de km^2
PIB/hab	13 127 $ par hab.

1 | De jeunes ouvrières dans une usine (Huaibei)

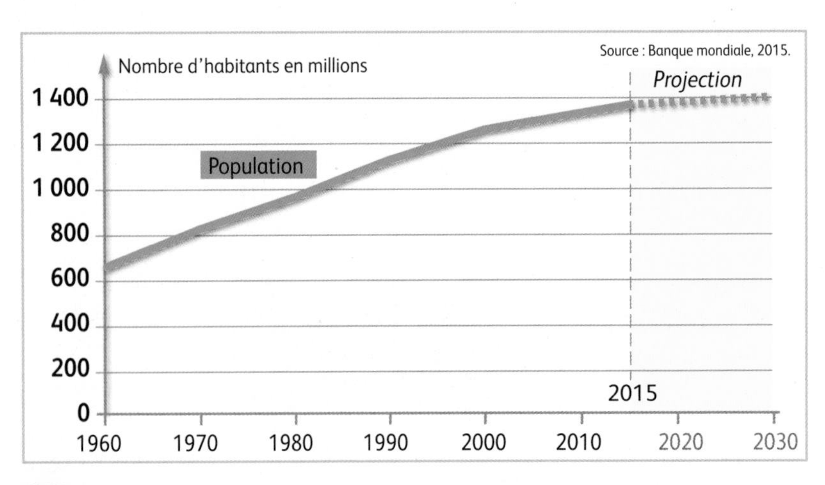

2 | En Chine, une croissance démographique forte

Vocabulaire

Politique de l'enfant unique : de 1979 à 2015, obligation pour les couples de n'avoir qu'un enfant.

Vieillissement de la population : augmentation du nombre de personnes âgées dans une population.

3 Des logements construits sur des terres agricoles (Shanghai)

4 Une conséquence de la politique de l'enfant unique

Un témoin raconte

Li Xue est née en 1993 au moment de la politique de l'enfant unique. Sa mère a été licenciée parce qu'enceinte de Li Xue, son second enfant. Comme elle n'a pas payé l'amende de 560 €, une fortune pour le couple qui gagne 100 € par mois, une autre sanction tombe : pas de carte d'identité pour leur deuxième enfant. Sans existence légale, Li Xue n'a jamais été scolarisée, elle ne peut même pas se faire soigner.

D'après un témoignage recueilli par l'AFP en 2011.

5 Le défi du vieillissement de la population chinoise

Le problème crucial[1] de la Chine est désormais d'enrayer l'inexorable[2] vieillissement de sa population, après trois décennies de contrôle des naissances. Pour la troisième année consécutive, la population en âge de travailler a chuté : moins 3,7 millions en 2014.
Un déficit de main-d'œuvre se profile d'ores et déjà dans certains secteurs. Les Chinois de plus de 60 ans devraient représenter 30 % de la population totale en 2050, contre 10 % en l'an 2000, selon l'ONU. La population vieillissante laisse présager dans l'avenir de grosses difficultés économiques et sociales. Dans les décennies à venir, le financement des retraites et le poids grandissant des dépenses de santé pèseront de plus en plus lourd sur le budget de l'État.

D'après P. Saint-Paul, « La Chine dans le piège démographique », *Le Figaro*, 3 mars 2015.

1. Crucial : très important. **2.** Inexorable : qui ne peut pas être arrêté.

Activités

Socle *Lire et comprendre un graphique*

1. DOC. 2 Décrivez l'évolution globale de la population chinoise depuis 1960.
2. DOC. 2 ET 4 Pourquoi la croissance démographique ralentit-elle ?

Socle *Raisonner*

3. DOC. 1 Pourquoi la croissance démographique est-elle une chance pour la Chine ?
4. DOC. 1 ET 3 À quels besoins de sa population la Chine doit-elle faire face ?
5. DOC. 5 Quelles sont les conséquences du ralentissement de la croissance démographique ?

Pour conclure Rédigez un texte d'une dizaine de lignes qui répond à la consigne suivante :

Décrivez les conséquences de la croissance démographique en Chine.

Construisez deux paragraphes qui commencent par un alinéa :
- *La forte croissance démographique qu'a connue la Chine est un atout… (reprendre les réponses aux questions 1 à 3).*
- *Aujourd'hui cependant la Chine se trouve face à un véritable défi… (reprendre les réponses aux questions 4 et 5).*

Géohistoire

Maîtriser la croissance démographique : l'exemple de la Chine

Dans l'histoire, la population chinoise a toujours été importante. Elle a varié entre 1/3 et 1/6 de la population mondiale.

Pourquoi la croissance démographique est-elle une préoccupation constante en Chine depuis des siècles ?

1740 — 1950 — 1960 — 1970 — 1980

- **1740** : **143 millions d'habitants** (estimations)
- **1953** : **594 millions d'habitants** (premier recensement)
- **1958-1961** : **La Grande famine** (entre 15 et 50 millions de morts)
- **1979** : Mise en place de la **politique de l'enfant unique, abandonnée en 2015**
- **1981** : **1 milliard d'habitants**

1 | Chronologie de la démographie en Chine

2 La croissance démographique inquiète déjà au XVIIIe siècle

Pendant cette époque de paix[1], la population a quintuplé en trente ans, décuplé en soixante ans. L'habitation d'une personne est déjà trop étroite pour en loger dix, comment serait-il possible d'en loger cent ? De même, la nourriture d'une personne est déjà insuffisante pour en nourrir dix, comment serait-il possible d'en nourrir cent ?
C'est pourquoi je suis inquiet pour le peuple pendant la paix. La population est extrêmement nombreuse. La nature ne peut créer plus de ressources pour l'augmentation de cette population, ni la terre ne peut produire plus de grains.

D'après Hong Liangji, *Opinions*, 1793.

1. Quand Hong Liangji rédige son traité, la Chine voit s'achever une longue période d'expansion économique.

Qui est-il ? Hong Liangji (1746-1809) fut un conseiller des gouvernements et un philosophe chinois.

3 | **Une population nombreuse, conséquence d'une croissance démographique ancienne**
Portrait de Mao Tsé-toung, fondateur de la République populaire de Chine, entouré d'enfants vers 1960.

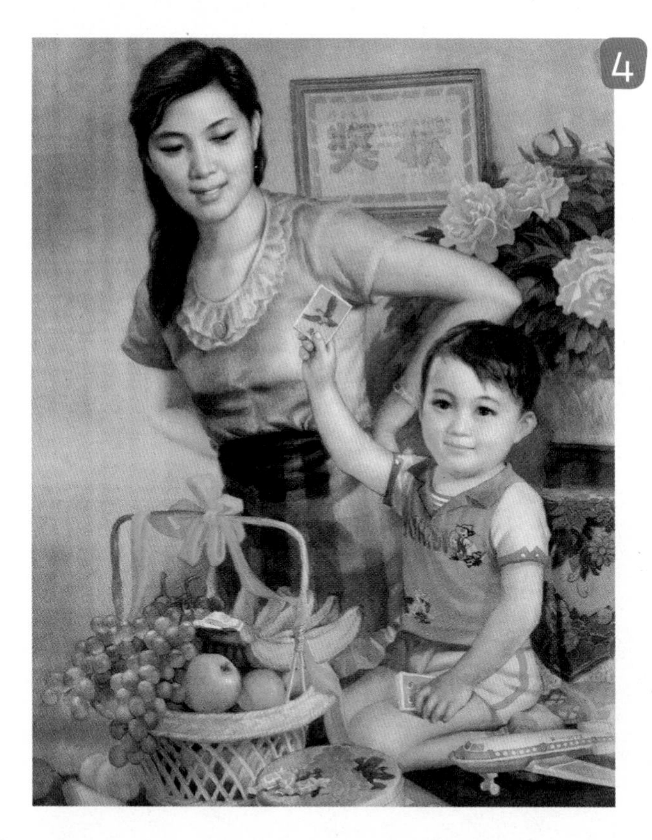

4 L'enfant unique, une solution pour maîtriser la croissance démographique ?

Affiche du gouvernement chinois, 1987.

5 Le déséquilibre des sexes, une conséquence de la politique de l'enfant unique

Dessin de Chaunu, 2012.

6 La fin de la politique de l'enfant unique[1]

La Chine pense à abandonner la politique de l'enfant unique. Sur le principe, tout le monde s'accorde à dire que l'enfant unique n'est plus viable et que cela nuit à l'économie chinoise. Selon les estimations, près d'un tiers des Chinois auront plus de 60 ans en 2050.
Le problème c'est que faire un enfant en Chine, ça coûte cher. Avec les standards d'excellence imposés par la politique de l'enfant unique, il faut avoir un bel appartement, lui payer une bonne éducation, des cours particuliers, une bonne université, voire des études à l'étranger. Beaucoup de parents disent en fait ne pas avoir les moyens d'assurer ces dépenses pour un deuxième enfant.

D'après D. Sureau, *France info*, 28 juillet 2015.

1. La politique de l'enfant unique est officiellement abandonnée en octobre 2015.

Découvrez l'intégralité du reportage sur :
http://www.franceinfo.fr/actu/monde/article/va-t-vers-la-fin-de-la-politique-de-l-enfant-unique-en-chine-710227

Étape 1 ▶ Repérer les permanences

1. DOC. 1 ET 2 Quelle crainte la croissance démographique en Chine fait-elle naître ?
2. DOC. 3 Quelle image la photographie donne-t-elle de la jeunesse chinoise ?
3. DOC. 1 ET 4 Quelle solution le gouvernement a-t-il mise en place au XXe siècle ?

Étape 2 ▶ Souligner les évolutions

4. DOC. 6 La politique de l'enfant unique est-elle toujours d'actualité ?
5. DOC. 5 ET 6 Quelles conséquences a-t-elle eues ?

Étape 3 ▶ Envisager des solutions futures

6. Réfléchissons ensemble : quelles mesures le gouvernement chinois pourrait-il prendre pour faire face à l'évolution de sa population ?

Étude de cas

Démographie et développement : le Nigeria

Quels problèmes la forte croissance démographique pose-t-elle pour le développement du Nigeria ?

FICHE D'IDENTITÉ DU NIGERIA

Population	183 millions d'hab.
Superficie	924 000 km²
PIB/hab	5 877 $ par hab.

Nord
NIGERIA
Lagos
OCÉAN ATLANTIQUE
500 km

1 | Un embouteillage dans les rues de Lagos

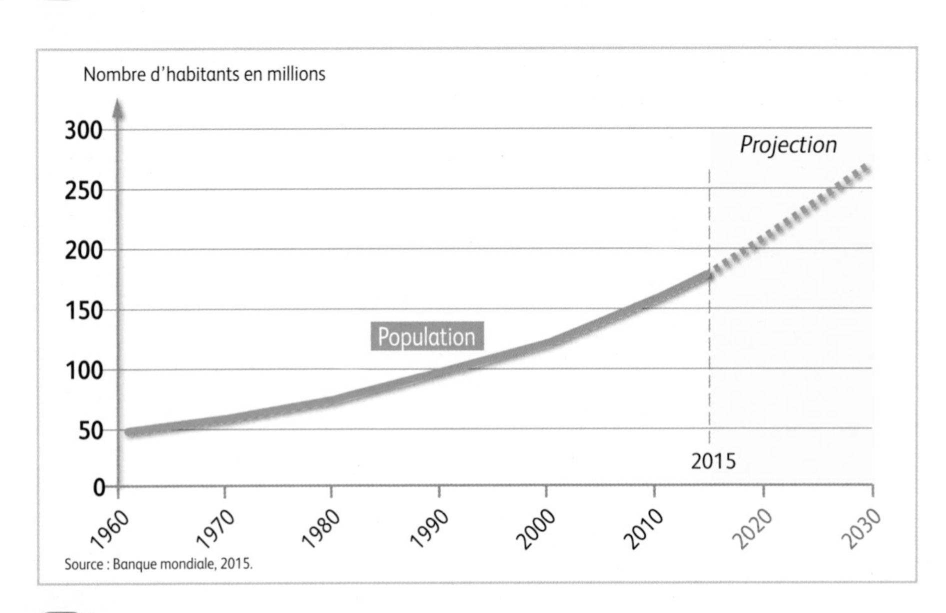

2 | L'explosion démographique du Nigeria

Vocabulaire

Bidonville : quartier pauvre dontles maisons ont été construites par les habitants eux-mêmes, sans autorisation et avec des matériaux de récupération.

Explosion démographique : très forte augmentation de la population sur une période courte.

3 **Un bidonville à Lagos**
Lagos, 25 millions d'habitants, est l'agglomération la plus peuplée et la capitale économique du Nigeria.

4 La croissance démographique, un frein au développement ?

Un atout pour sortir du sous-développement ou une bombe à retardement ? La question est régulièrement posée au Nigeria où 70 % de la population vit avec moins d'un dollar par jour. Selon une récente étude de l'ONU, au moins 50 millions de jeunes sont actuellement sous-employés ou sans travail. Et les observateurs estiment qu'à long terme, il y a un risque qu'ils s'orientent vers le banditisme ou l'extrémisme religieux, notamment dans le nord du pays. Cependant, les indicateurs économiques sont favorables. Encore faut-il que les autorités investissent dans la formation pour faire des 250 millions de Nigérians à naître les travailleurs et les consommateurs de demain.

D'après www.rfi.fr, « En 2050, le Nigeria sera le troisième pays le plus peuplé au monde », 20 septembre 2015.

5 Des difficultés à répondre au besoin alimentaire

Un témoin raconte

Le Nigeria est le premier producteur mondial de manioc. Mais sa production ne suffit pas à couvrir les besoins des Nigérians.

Je cultive le manioc sur 2 hectares et sur le reste, je plante d'autres variétés de légumes. Je pourrais produire largement plus si je disposais de moyens techniques modernes. Si j'en avais les moyens, je m'équiperais mieux. J'achèterais un tracteur et le travail serait plus facile pour moi. Et puis ce qui me manque, ce sont des fertilisants. Des engrais me permettraient d'avoir une meilleure récolte.

D'après le témoignage d'Adé, un paysan nigérian, recueilli par Radio France internationale en 2015.

Activités

Socle *Lire un graphique*

1. DOC. 2 Comment la population nigériane a-t-elle évolué depuis 1960 ? Justifiez votre réponse en utilisant des données chiffrées du graphique.

Socle *Extraire des informations pertinentes*

2. DOC. 1, 3 ET 5 À quelles difficultés la population du Nigeria est-elle confrontée ?
3. DOC. 3 Quels dangers la croissance démographique fait-elle peser sur l'environnement ?
4. DOC. 4 Pourquoi la forte croissance du Nigeria peut-elle être un atout pour son développement ?
5. DOC. 4 Que devrait faire le Nigeria pour éviter que la croissance démographique ne soit un frein au développement ?

Pour conclure Rédigez une réponse courte à la question pour l'exposer aux autres à l'oral.

À votre avis, que devrait faire en priorité le Nigeria pour faire face à la croissance démographique ?

La croissance démographique dans les pays développés

Bilan des Études

A. La croissance démographique en Inde

Causes	Évolution	Conséquences
Une forte natalité. Une population jeune.	Une croissance démographique forte.	Des difficultés pour répondre aux besoins de la population (éducation, santé).

B. La croissance démographique en Chine

Cause	Évolution	Conséquences
Une natalité basse en raison du contrôle des naissances.	Une croissance démographique qui ralentit.	Un vieillissement de la population et un manque de main-d'œuvre à venir.

C. La croissance démographique au Nigeria

Causes	Évolution	Conséquences
Une baisse de la mortalité et une natalité élevée.	Une croissance démographique très forte.	Une main-d'œuvre abondante mais des difficultés à satisfaire les besoins de la population.

Les États-Unis et l'Europe connaissent-ils une situation démographique semblable à celles des pays en développement ?

A. L'exemple des États-Unis : une population en croissance

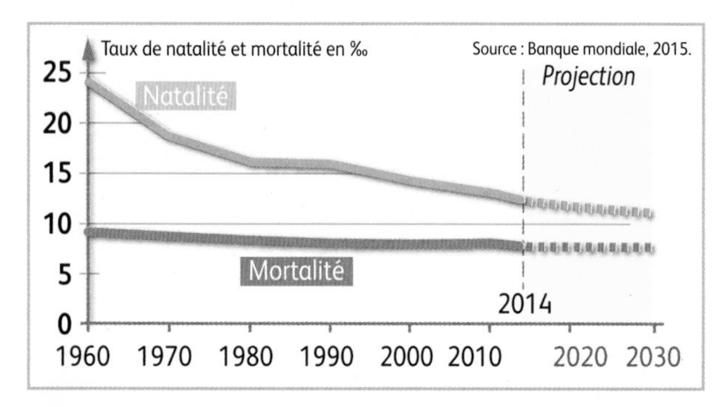

1 | L'évolution de la population aux États-Unis

L'apport démographique de l'immigration aux États-Unis

L'immigration représente aujourd'hui 40 % de la croissance démographique américaine[1]. Pour le dire autrement, sur 100 nouveaux habitants aux États-Unis, 60 naissent sur le territoire et 40 sont des immigrés. Ce sont les Hispaniques qui connaissent la croissance la plus rapide : leur nombre devrait tripler d'ici 2050. Un autre grand groupe est la communauté des Asiatiques. Il s'agit là de personnes immigrées souvent hautement qualifiées ou diplômées, et ce à la différence des Hispaniques. La main-d'œuvre immigrée occupe une place de plus en plus grande dans le fonctionnement de l'économie américaine.

D'après *Le dessous des cartes*, « États-Unis : la fin des WASP ? », www.ddc.arte.tv, septembre 2015.

1. Depuis 20 ans, le solde migratoire est d'environ 1 million de personnes chaque année.

3 | Des immigrés obtiennent la citoyenneté américaine

B. L'exemple de l'Allemagne : une population qui stagne

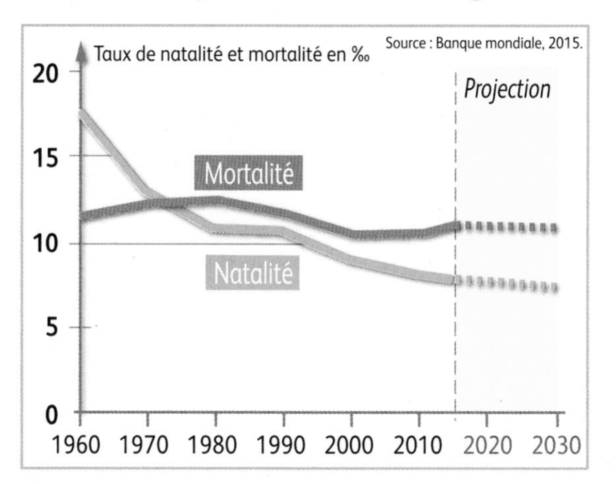

4 | L'évolution de la population en Europe : l'exemple de l'Allemagne

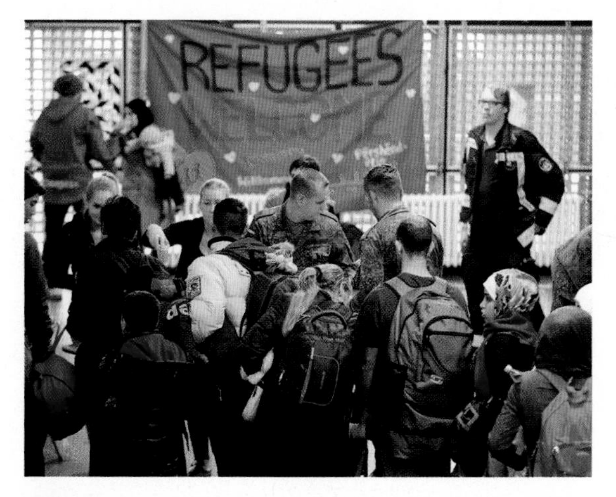

6 | Des migrants en Allemagne en 2015

5 Un défi démographique majeur

Le vieillissement accéléré de la population allemande est directement lié à sa faible natalité. Ainsi, l'Allemagne est dans le trio de tête mondial des pays avec la plus petite proportion de jeunes. L'**indice de fécondité** est très faible, 1,36 enfant par femme en moyenne, quand un indice de 2,1 est nécessaire pour assurer le maintien de la population.

Les conséquences pour l'Allemagne seront majeures. Le principal problème porte sur le poids des dépenses publiques de retraite et de santé qui va mécaniquement augmenter. [...] La démographie déclinante et la nécessité de trouver de la main-d'œuvre pour l'industrie sont à l'origine de l'afflux de populations étrangères provenant d'Europe du Sud.

D'après Sylvain Fontan, « Le défi démographique de l'Allemagne », www.leconomiste.eu, 9 juillet 2015.

Vocabulaire

Immigration : fait de s'installer dans un pays autre que le sien. Le contraire est l'émigration.

Indice de fécondité : nombre moyen d'enfants par femme en âge d'en avoir.

Solde migratoire : différence entre les arrivées (immigration) et les départs (émigration) dans un pays.

Activités

Socle *Réaliser une production graphique*

Reproduisez et complétez les schémas suivants à l'aide des documents. Pour chacun des documents indiqués, relevez un argument qui correspond soit à une cause soit à une conséquence.

La croissance démographique aux États-Unis

Causes	Évolution	Conséquences
Doc. 1 et 2	Une croissance démographique qui se poursuit.	Doc. 2 et 3 ....

La croissance démographique en Europe : l'exemple de l'Allemagne

Causes	Évolution	Conséquences
Doc. 4 et 5	Pas de croissance démographique.	Doc. 5 et 6 ....

Pour conclure

Comparez les deux schémas à ceux donnés pour l'Inde, la Chine et le Nigeria. Relevez les différences et les points communs.

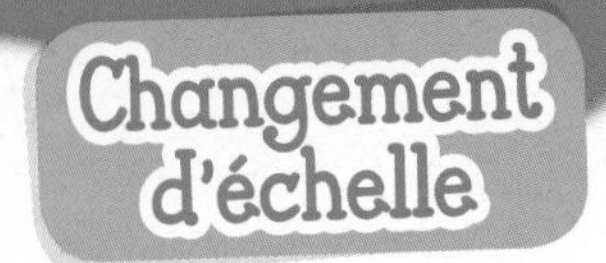

▸ **Socle** *Se repérer dans l'espace*

La croissance démographique dans le monde et ses effets

Recopiez les tableaux et répondez aux questions

Des cas étudiés (à l'échelle locale)…		
	Études p. 208-209 et p. 210-211	Étude p. 214-215
	Un pays émergent d'Asie : l'Inde ou la Chine	**Un pays en développement : Nigeria (Afrique)**
Décrivez l'évolution de la population.		
Expliquez l'évolution de la population.		
Quelles difficultés la croissance démographique pose-t-elle ?		
Quelles solutions peuvent être apportées ?		

… au planisphère (à l'échelle mondiale)	
Où la croissance démographique est-elle la plus forte ?	
Où la croissance démographique est-elle faible voire négative ?	

Aide *Pour compléter le deuxième tableau, utilisez également l'activité « Mise en perspective : La croissance démographique dans les pays développés » p. 216-217.*

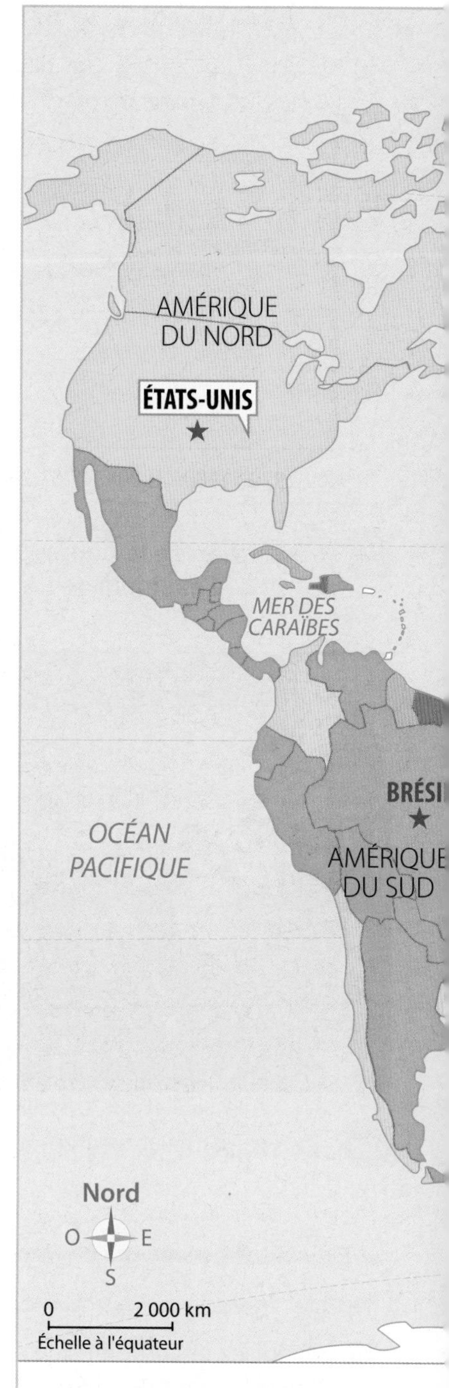

1- Des pays inégalement peuplés et développés...

★ Les 10 pays les plus peuplés en 2015

BRÉSIL Principaux pays émergents

JAPON Principaux pays développés

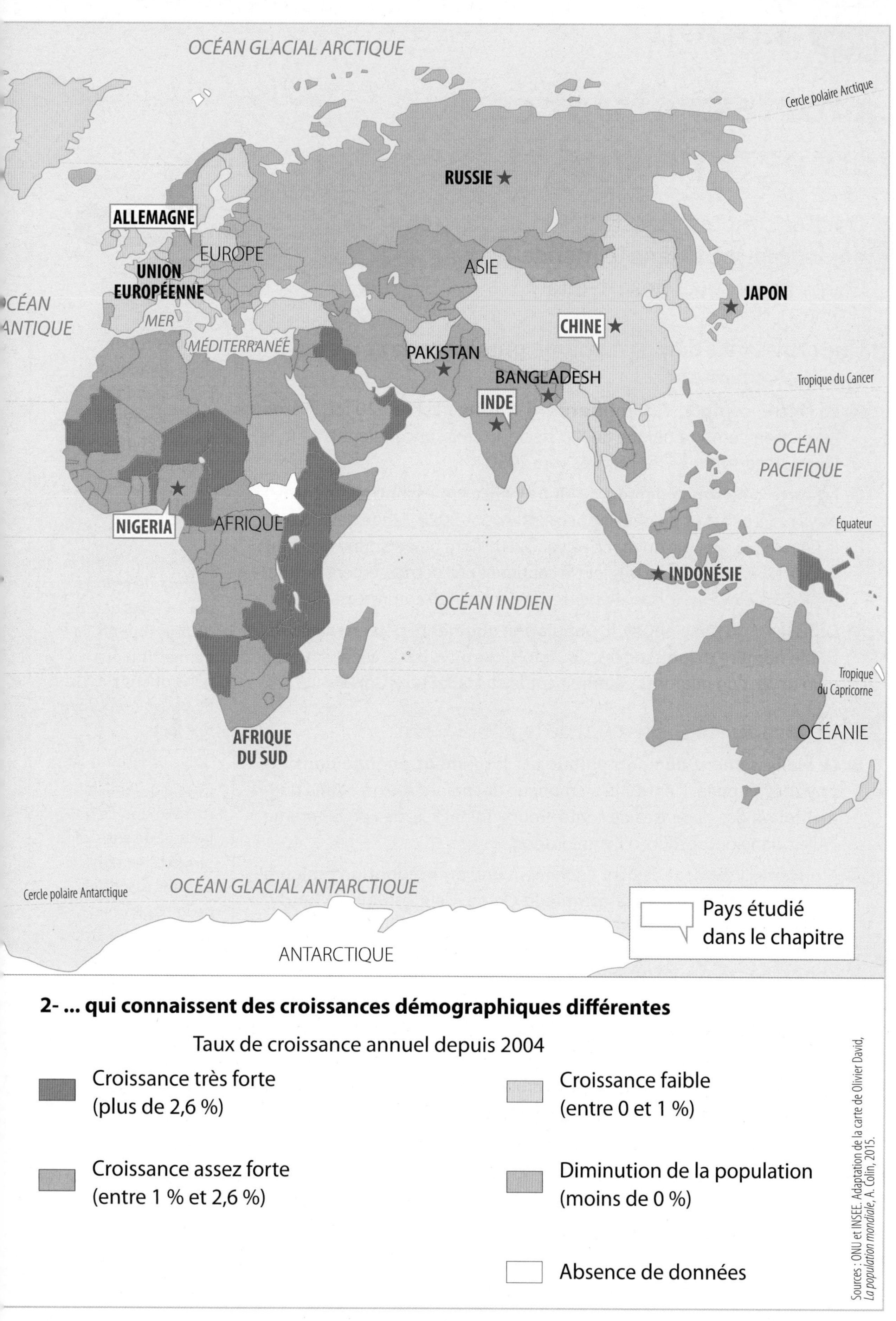

1 | La croissance démographique dans le monde

La forte croissance démographique et ses effets

Quelles sont les caractéristiques de la croissance démographique dans le monde ?
Quels problèmes pose-t-elle ?

I Une croissance démographique plus forte dans les pays en développement

- La Terre compte **7,3 milliards d'habitants** en 2015. Après l'explosion démographique au XXe siècle, la croissance ralentit. 10 milliards de personnes sont prévues vers 2050.
- **La forte croissance démographique concerne essentiellement les** pays émergents **et en développement**. Avant 2022, l'Inde devrait être le pays le plus peuplé au monde avec 1,4 milliard de personnes, devant la Chine. L'Afrique est de très loin le continent où l'accroissement naturel est le plus élevé en raison d'une très forte natalité comme au Nigeria.
- **Dans les** pays développés**, la population augmente peu en raison du faible nombre de naissances.** Toutefois, ces pays bénéficient souvent d'un apport de migrants comme c'est le cas aux États-Unis.

II Faire face au vieillissement de la population

- **Le vieillissement démographique est largement engagé dans les pays développés.** Il entraîne un manque de main-d'œuvre et une augmentation des dépenses de santé. Pour y faire face, des pays comme l'Allemagne ont recours à l'immigration.
- Mais le vieillissement devient également **une préoccupation majeure pour des pays émergents comme la Chine**. Cela conduit ce pays à revoir sa politique de contrôle des naissances.

III Permettre un développement durable et équitable

- Par ailleurs, **la forte croissance démographique peut représenter un frein au** développement durable et équitable. Répondre aux besoins vitaux des populations (alimentation, santé, logement, éducation) fait peser de fortes contraintes sur l'environnement. La déforestation, la pollution et les pressions sur les terres agricoles en témoignent.
- **Une population jeune et nombreuse est aussi un atout pour la croissance économique** puisqu'elle fournit une main-d'œuvre abondante. C'est le cas dans les pays émergents et dans les pays en développement. Cependant il faut qu'elle soit formée. L'éducation est le meilleur moyen pour lutter contre la pauvreté.

Vocabulaire

Croissance démographique : augmentation de la population. Elle dépend de l'accroissement naturel et du solde migratoire.

Développement durable et équitable : développement qui permet de répondre aux besoins actuels de tous tout en permettant aux générations futures de pouvoir répondre aux leurs.

Pays émergent : pays qui s'enrichit rapidement, ce qui permet de satisfaire progressivement les besoins essentiels de la population (alimentation, accès à l'eau, logement, éducation…).

Pays développé : pays riche où la majorité de la population accède à tous ses besoins vitaux ainsi qu'à un certain confort.

Vieillissement de la population : augmentation du nombre de personnes âgées dans une population.

Je retiens l'essentiel

L'essentiel en schéma

Les données démographiques à l'echelle mondiale

Dans les pays développés

- Vieillissement de la population.
- Faible natalité.

La journée pour le Respect des Anciens au Japon.

Dans les pays en développement

- Croissance démographique très forte.
- Fécondité élevée.

Bidonville à Lagos.

Dans les pays émergents

- Croissance démographique forte.
- Natalité en baisse mais population jeune et nombreuse.

Des enfants indiens sur le chemin de l'école.

Comment permettre un développement durable et équitable pour une population mondiale en croissance ?

Satisfaire les besoins vitaux de tous.

- Alimentation, santé, logement, éducation

Des bidonvilles au pied d'immeubles pour les Indiens aisés à Mumbai.

Limiter les fortes pressions sur l'environnement.

Des logements construits sur des terres agricoles (Shanghai).

Chiffres clés

La forte croissance démographique et ses effets en quelques chiffres :

- L'Afrique compte actuellement 1,2 milliard d'habitants. Sa population devrait doubler d'ici 2050.
- Entre 2000 et 2050, la proportion de la population mondiale de plus de 60 ans devrait doubler et passer de 11% à 22%.

J'apprends, je m'entraîne

▶ Socle 2 *Méthodes et outils pour apprendre*

La forte croissance démographique et ses effets

1. Construire sa fiche de révision : notez le titre de la leçon sur votre feuille.

Je connais…

Objectif 1 ▶ Connaître les repères géographiques.

À l'aide du planisphère, localisez et nommez :

1. les principaux espaces de forte croissance démographique identifiés par les cercles et les lettres de A à E.
2. les pays présentés dans le chapitre et numérotés de 1 à 8 : États-Unis, Brésil, Russie, Inde, Nigeria, Japon, Chine, Philippines.
3. Parmi ces pays, lesquels sont des pays développés ?

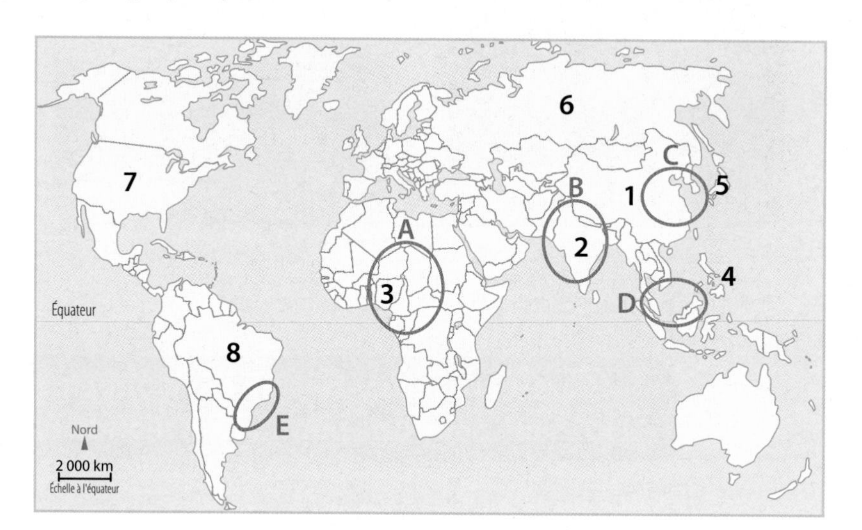

Objectif 2 ▶ Connaître les mots-clés.

Notez la définition des mots-clés demandés ci-dessous :

Croissance démographique – Explosion démographique – Pays développé – Pays émergent – Développement – Vieillissement de la population

Je suis capable de…

Pour chacun des deux objectifs suivants, construisez une réponse courte qui répond à la consigne.

Objectif 3 ▶ Décrire et expliquer la croissance démographique dans un pays en développement.

Aide | *Choisissez la bonne réponse.*
Dans un pays en développement, la population augmente / stagne / diminue…

Objectif 4 ▶ Décrire les conséquences de la forte croissance démographique dans un pays en développement.

Aide | *Utilisez la liste de mots ci-dessous : main-d'œuvre abondante – besoins vitaux de la population – éducation – fortes pressions sur l'environnement.*

2. S'entraîner

1 Connaître les mots-clés du chapitre

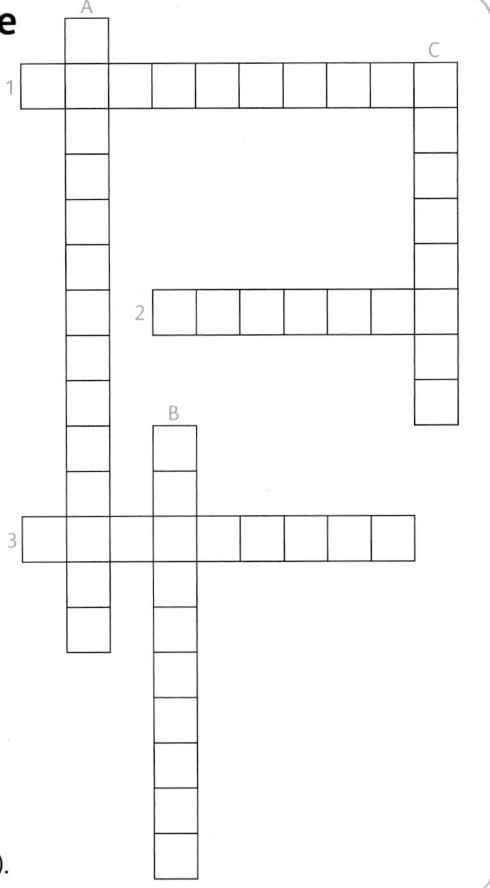

Horizontal

1. Quartier pauvre dont les maisons ont été construites par les habitants eux-mêmes, sans autorisation et avec des matériaux de récupération.
2. Adjectif utilisé pour qualifier le développement qui permet de répondre aux besoins actuels de tous sans empêcher les générations à venir d'en faire de même (voir p. 220).
3. Nombre moyen d'enfants par femme en âge d'en avoir.

Vertical

a. Associé à l'adjectif démographique, ce mot désigne l'augmentation du nombre de personnes âgées dans une population.
b. Associé à l'adjectif démographique, ce mot désigne l'augmentation de la population.
c. Adjectif utilisé pour qualifier un pays qui s'enrichit rapidement, ce qui permet à la population de satisfaire ses besoins essentiels (alimentation, eau, logement, instruction…).

2 Écrire un texte

Décrivez les avantages et les inconvénients d'une population jeune très nombreuse dans un pays émergent.

Exemple d'une production d'élève

Romy a commencé par donner la définition d'un pays émergent en citant un exemple.
Puis, dans un premier paragraphe qui commence par un alinéa, elle a présenté les avantages.
Enfin, dans un deuxième paragraphe qui commence par un alinéa, elle présente les inconvénients.

J'apprends, je m'entraîne

3 Analyser et comprendre une image

Identifier le document.

1. Relevez les éléments suivants pour présenter l'image : nature, auteur, date, journal de parution.

Extraire des informations pertinentes

2. Décrivez l'image.
3. Quel groupe de personnes représente les pays développés ? et les pays en développemement ? Justifiez.
4. Comment l'auteur montre t-il la forte croissance démographique dans les pays en développement ?
5. À quelles difficultés le groupe de droite est-il confronté ? Justifiez.

La diversité des évolutions démographiques dans le monde.
En France, les retraites sont payées par ceux qui travaillent.
Dessin de Plantu, *Le Monde*[1], 15 mai 1991.

1. *Le Monde* est un des grands quotidiens français créé en 1944 à Paris.

Utiliser ses connaissances pour expliciter et exercer son esprit critique

6. Pourquoi la situation est-elle très différente dans les pays développés ?
7. Montrez comment l'auteur exagère la situation pour faire réfléchir le lecteur.

Auto-évaluation **Je me positionne sur une marche :**

1.	2.	3.	4.
• J'observe l'image. • **Je repère sa nature, son auteur, sa date.**	• J'observe l'image. • Je repère sa nature, son auteur, sa date. • **Je décris ce que j'observe.**	• J'observe l'image. • Je repère sa nature, sa date et le sujet montré. • Je décris ce que j'observe. • **J'identifie les personnages.**	• J'observe l'image. • Je repère sa nature, sa date et le sujet montré. • Je décris ce que j'observe. • J'identifie les personnages. • **J'interprète (je donne du sens) en m'appuyant sur mes connaissances.**
Question 1	Questions 1 et 2	Questions 1, 2, 3 et 4	Questions 1, 2, 3, 4, 5, 6 et 7

Pour progresser, j'analyse mes axes de progrès. Que devrais-je améliorer ?

4 S'informer dans le monde numérique

À l'aide d'un moteur de recherche, allez sur le site de l'Ined. Cliquez sur « Tout savoir sur la population » puis « les jeux » et enfin « La population et moi ».

1. Indiquez votre âge et relevez l'évolution de la population mondiale depuis votre naissance.
2. Cliquez sur les continents. Quel est celui dont la population a le plus augmenté ?
3. Cliquez sur le monde puis indiquez l'âge de 45 ans. Par combien la population mondiale a-t-elle été multipliée depuis 45 ans ?
4. Cliquez sur les continents. Quel est celui dont la population a le moins augmenté ?

Enquêter Pourquoi défricher la forêt amazonienne?

Les faits

Une biodiversité unique au monde

La région abrite environ 2,5 millions d'espèces d'insectes. La diversité d'espèces de plantes est la plus importante sur Terre. Actuellement, 438 000 espèces de plantes ayant un intérêt économique et social ont été répertoriées dans la région, beaucoup plus restant à être découvertes.

D'après le quotidien *La Croix*, 29 septembre 2011.

Les indices

Indice n°1

La croissance démographique

La croissance démographique et la forte expansion de la demande d'aliments, de fibres et de combustible ont accéléré la déforestation[1].

D'après un rapport de la FAO en 2010.

1. Destruction de forêts pour les transformer en terres agricoles.

Indice n°2

Le développement de l'élevage

L'élevage bovin est l'activité agricole la plus importante en Amazonie à l'heure actuelle. Il est principalement réalisé de manière extensive, supposant l'ouverture de surfaces considérables de pâturages pour le supporter.

D'après François-Michel Le Tourneau, « Le Brésil maîtrise-t-il (enfin) la déforestation en Amazonie ? », Cybergeo, 10 décembre 2015.

Indice n°3

La grande culture mécanisée de soja

Exploitation agricole près de Santarem (Para, Brésil).

Indice n°4

Les migrations de population

Beaucoup de petits agriculteurs pauvres arrivent du Nordeste et du Sudeste. Ils défrichent et brûlent la forêt pour ensemencer de petites parcelles de terres.

D'après *www.notre-planete.info.fr*, 2015.

Avez-vous pris connaissance des faits et des indices ? Quelle est votre conviction : Pourquoi défricher la forêt amazonienne ?

Par équipe de 3 ou 4, complétez le carnet de l'enquêteur.

1. L'ampleur de la déforestation : ...
2. Les effets sur la biodiversité : ...
3. Les raisons de la déforestation : ...

Rédigez en quelques lignes le rapport d'enquête.

La croissance démographique vue par la caricature

Comment la caricature dénonce-t-elle la forte croissance démographique dans le monde ?

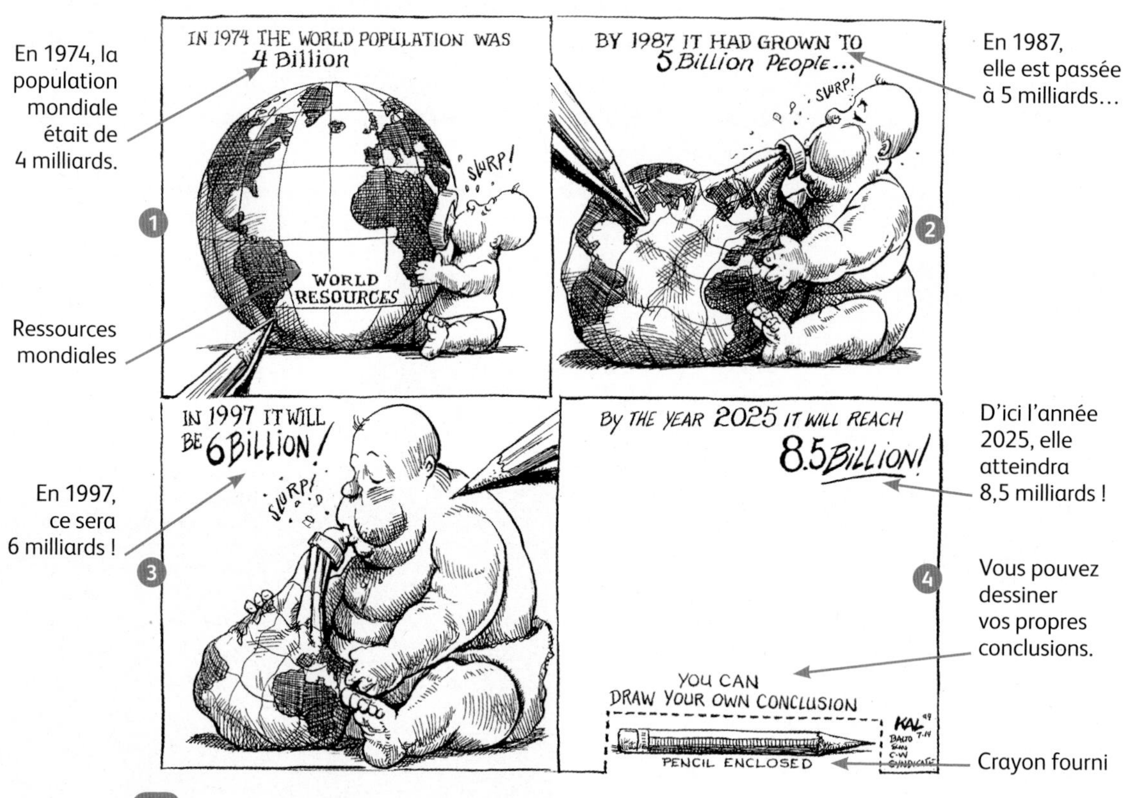

1 | Caricature de Kal, parue dans le journal *Baltimore Sun* (États-Unis), septembre 1996

Identifier et analyser une œuvre

Présenter

1. DOC. 1 Présentez le document : sa nature, sa date de réalisation, son auteur.

Décrire et comprendre

2. DOC. 1 Décrivez le document en respectant le sens de lecture.
3. DOC. 1 Ce message correspond-il à la réalité ?

Exprimer sa sensibilité et conclure

4. DOC. 1 Trouvez-vous cette caricature drôle ? Expliquez votre avis.
5. Dessinez sur votre cahier la dernière image. Présentez votre réalisation oralement à la classe en expliquant le sens du dessin.

Une caricature

- C'est un dessin qui exagère la réalité pour s'en moquer.
- Elle accentue certains traits pour que l'on identifie immédiatement les personnages.
- Elle cherche à capter l'attention pour émouvoir ou dénoncer une situation.
- Elle interprète la réalité pour faire réfléchir le lecteur.

L'atelier du géographe

Lire et étudier un graphique

Pour étudier la croissance démographique, le géographe utilise des données chiffrées. Elles peuvent être présentées sous forme de graphiques.

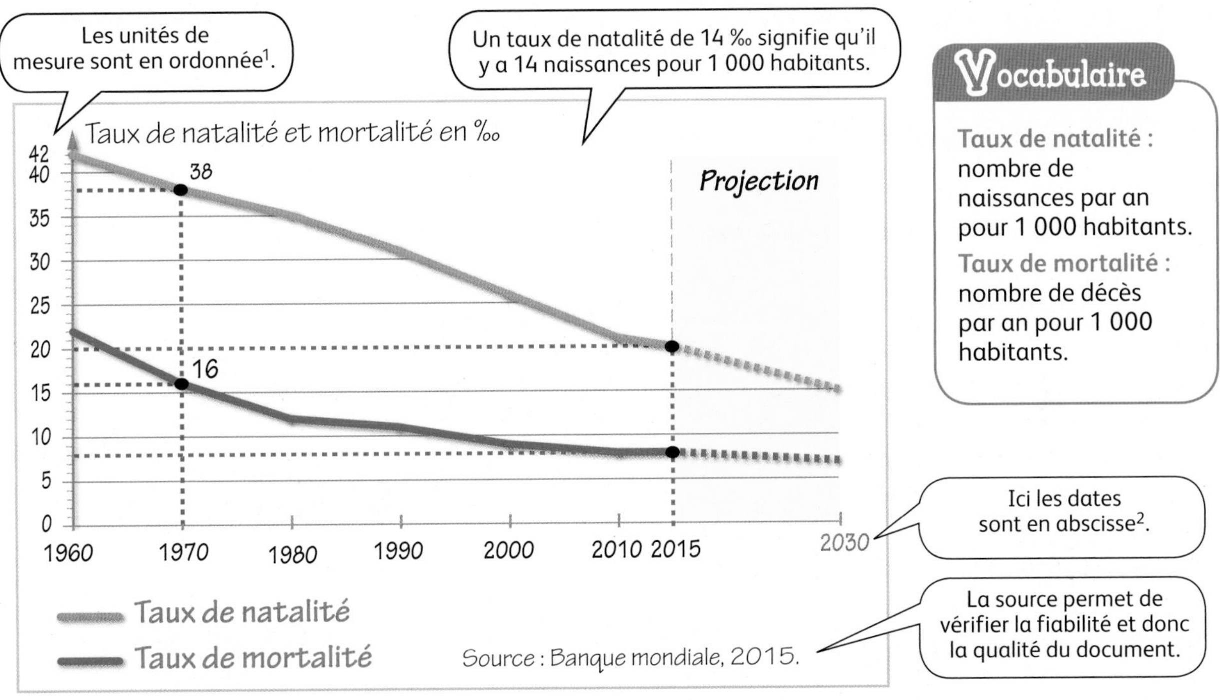

Vocabulaire

Taux de natalité : nombre de naissances par an pour 1 000 habitants.

Taux de mortalité : nombre de décès par an pour 1 000 habitants.

| Taux de natalité et de mortalité en Inde

1. Ordonnée : indication verticale.
2. Abscisse : indication horizontale.

Lire et étudier un graphique

Étape 1 ▶ Présenter le graphique

1. Présentez le document :
- la nature du graphique,
- le thème,
- les indicateurs et unités de mesures,
- la période concernée,
- la source.

RAPPEL

Une évolution

Une évolution peut être :
- ↗ : une augmentation, une hausse
- → : une stagnation
- ↘ : une diminution, une baisse

Étape 2 ▶ Décrire le graphique

2. Comment le taux de natalité de la population indienne évolue-t-il jusqu'à aujourd'hui ? Justifiez votre réponse en relevant le taux en 1970 et en 2015.
3. Recommencez la même démarche avec le taux de mortalité.

Étape 3 ▶ Tirer des conclusions

4. Comment la forte croissance démographique en Inde s'explique-t-elle ?
5. Pour quelle raison la croissance démographique devrait-elle demeurer forte ?

L'atelier d'écriture

La croissance démographique dans les pays en développement

À l'aide de vos connaissances, rédigez un texte qui explique les effets de la forte croissance démographique dans les pays en développement.

Travail préparatoire (au brouillon)

1. Comprenez bien le sujet :
« La forte croissance démographique dans les pays en développement et ses effets »

Que désigne cette expression ? Quels sont ces pays ? Que signifie « effets » ?

2. Notez toutes les informations qui vous viennent à l'esprit et qui évoquent la croissance démographique et ses effets, autour du « Pense pas bête ».
3. Vérifiez avec votre cahier ou votre manuel que vous n'avez pas oublié d'informations essentielles.

Travail de rédaction (au propre)

À vous de choisir votre niveau de difficulté et votre ceinture !

Soignez la présentation de votre texte et votre écriture. N'oubliez pas de relire et de vérifier vos accords.

Je rédige un texte **sans aide.**

Rédigez votre texte en vérifiant que :
- Vous commencez votre texte par un alinéa.
- Vous organisez vos idées en paragraphes.

Je rédige un texte **avec un guide.**

Rédigez votre texte en construisant deux paragraphes qui commencent par un alinéa :
- Les pays en développement sont localisés … . La population y connaît une … .
- La croissance démographique pose des problèmes comme … .
Mais elle peut aussi être un atout si … .

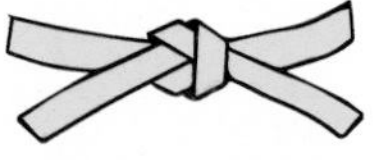

Je rédige un texte **en répondant à des questions.**

Rédigez votre texte en construisant deux paragraphes qui commencent par un alinéa et répondent à des questions.

Votre 1er paragraphe commence par « Les pays en développement sont », puis il répond aux questions suivantes :
- Où les pays en développement sont-ils localisés ?
- Comment la population évolue-t-elle dans ces pays ?
- Comment cette évolution s'explique-t-elle ?

Votre 2e paragraphe commence par « La croissance démographique pose des problèmes comme », puis il répond aux questions suivantes :
- Quels besoins essentiels la forte croissance démographique peut-elle rendre difficiles à satisfaire ?
- Quelle en est la conséquence sur l'environnement ?
- Quelle évolution démographique peut être préoccupante pour des pays comme la Chine ?
- À quelle condition une population nombreuse peut-elle être un atout ?

EMC **Objet d'enseignement** *Les différentes dimensions de l'égalité*

Le système des retraites est-il solidaire ?

1 | Les actifs paient les retraites

L'équilibre financier de la caisse nationale d'allocations vieillesses (CNAV) est fragile car il dépend du nombre d'actifs cotisants et aujourd'hui, il n'y a que 1,4 cotisant pour 1 retraité.

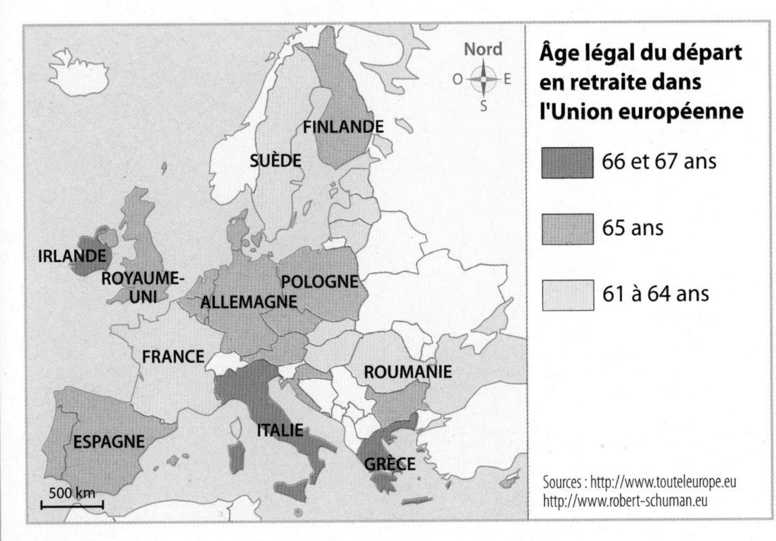

3 | L'âge de la retraite en Europe en 2015

2 Que dit la loi ?

[La République] garantit à tous, notamment à l'enfant, à la mère et aux vieux travailleurs, la protection de la santé, la sécurité matérielle, le repos et les loisirs. Tout être humain qui, en raison de son âge, de son état physique ou mental, de la situation économique, se trouve dans l'incapacité de travailler a le droit d'obtenir de la collectivité des moyens convenables d'existence.

Article 11 du préambule de la Constitution de la IVe République (1946), repris dans la Constitution de la Ve République (1958).

Vocabulaire

Actif : personne qui travaille ou qui est à la recherche d'un travail.

Retraite : somme d'argent versée tous les mois à une personne qui, après un nombre d'années fixé par la loi, a cessé de travailler.

Activités

Le jugement : penser par soi-même et avec les autres

1. DOC. 1 ET 3 Qui paie les retraites actuellement en France ? En quoi est-ce solidaire ?
2. DOC. 2 À partir de quel âge les Français ont-ils le droit de partir à la retraite ? Comparez avec les autres pays de l'Union européenne.
3. DOC. 1 À 3 En France, le régime des retraites manque actuellement d'argent. Par groupe, discutez de solutions possibles pour répondre à ce problème.

L'engagement : agir individuellement et collectivement

4. Choisissez les solutions qui vous paraissent les meilleures et faites une affiche pour présenter à la classe vos solutions pour que le système des retraites puisse continuer à fonctionner.

La répartition de la richesse et de la pauvreté dans le monde

Quelles sont les inégalités de richesse dans le monde à différentes échelles ?

Souvenez-vous !
Comment nomme-t-on les quartiers très pauvres construits sans autorisation et avec des matériaux de récupération ?

1 Richesse et pauvreté dans un pays en développement (Kigali, Rwanda)

Vocabulaire

Richesse : abondance de biens et de ressources.

Pauvreté : situation où le manque de ressources ne permet pas de mener une vie décente ni de satisfaire ses besoins essentiels (alimentation, logement, santé…).

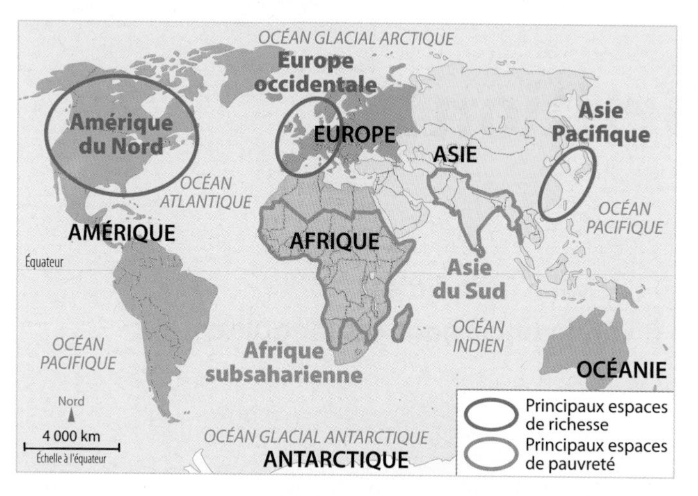

2 | **Richesse et pauvreté dans un pays développé (quartier de Skid Row, Los Angeles, États-Unis)**

1. DOC. 1 ET 2 Localisez les deux photographies et situez-les en utilisant la carte repères ci-dessus.
2. DOC. 1 ET 2 Comment la richesse est-elle visible sur chaque photographie ?
3. DOC. 1 ET 2 Quels indices de la pauvreté pouvez-vous relever ?
4. DOC. 1 ET 2 **Émettez une hypothèse** pour répondre à la question suivante : Comment sont réparties la richesse et la pauvreté à l'échelle du monde?

Échelle mondiale

Une inégale répartition des richesses

CHIFFRES CLÉS	
PIB/hab. moyen dans le monde en 2014 :	10 100 $
Part de la population mondiale vivant sous le seuil de pauvreté absolue :	10 %

Quelles sont les inégalités de richesse à l'échelle mondiale ?
Quelles sont les évolutions récentes et à venir concernant les inégalités ?

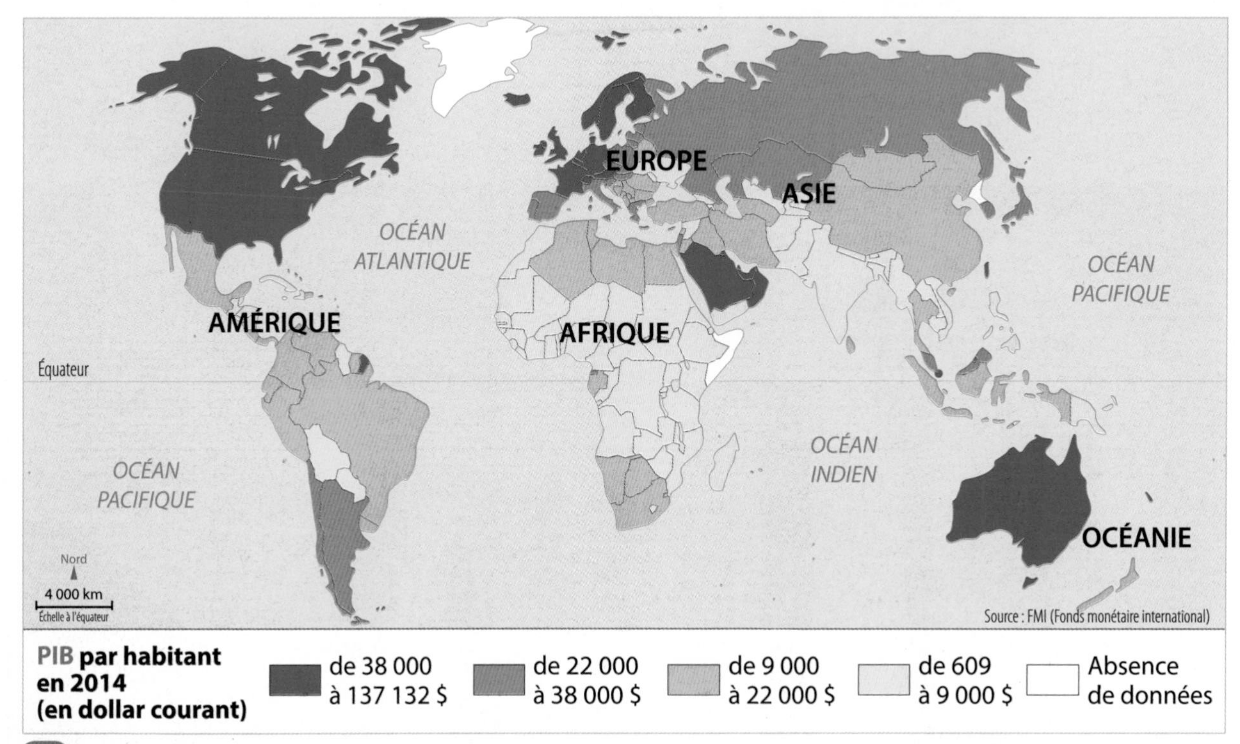

1 | La répartition de la richesse et de la pauvreté dans le monde

2 Vers la fin de la pauvreté ?

L'extrême pauvreté recule dans le monde. Le nombre de personnes vivant sous le seuil de pauvreté est passé pour la première fois sous la barre des 10 % de la population mondiale. C'est une excellente nouvelle pour notre monde actuel, puisque ces prévisions prouvent que nous sommes la première génération de toute l'histoire de l'humanité en mesure de mettre fin à l'extrême pauvreté. D'importants progrès ont été faits en Asie ou encore en Amérique du Sud. Ils contrastent avec la lente amélioration de la situation en Afrique subsaharienne.

D'après Jim Yong Kim, président de la Banque mondiale, 2015.

Vocabulaire

Indice de développement humain (IDH) : indicateur qui mesure la capacité d'un pays à répondre aux besoins vitaux de sa population. Il est compris entre 0 et 1. Il prend en compte le niveau de richesse, de santé et l'accès à l'éducation.

PIB (produit intérieur brut) par habitant : indicateur qui mesure la richesse moyenne de la population d'un pays.

Seuil de pauvreté absolue : limite de revenu au-dessous de laquelle une personne est considérée comme pauvre (moins de 1,80 € par jour).

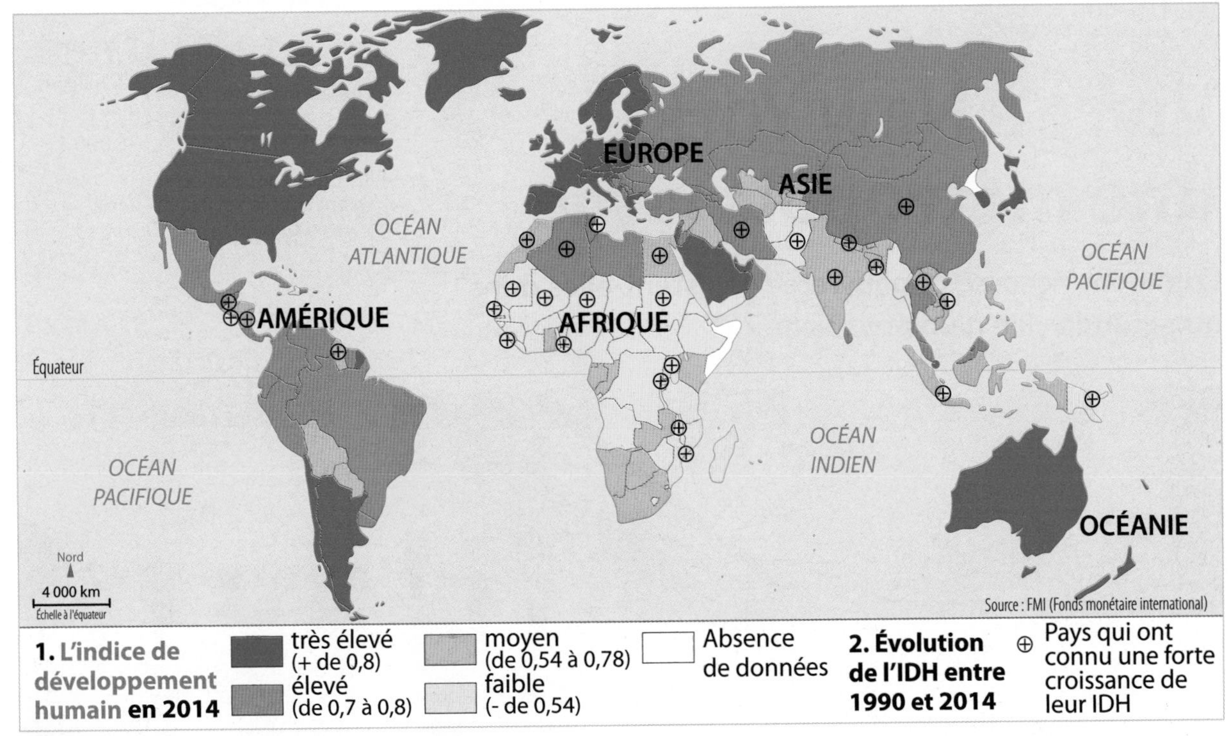

3 | L'inégal développement en 2014

4 Des inégalités qui se creusent

Les richesses dans le monde se concentrent de plus en plus entre les mains d'une petite élite fortunée. La part du patrimoine mondial détenu par les 1 % les plus riches est passée de 44 % en 2009 à 48 % en 2014. Elle dépassera les 50 % en 2016. L'explosion des inégalités entrave la lutte contre la pauvreté dans le monde. Voulons-nous vraiment vivre dans un monde où 1 % possède plus que le reste d'entre nous ?

D'après Winnie Byanyima, directrice générale de l'organisation non gouvernementale Oxfam, 2015.

Activités

Socle *Construire des repères géographiques*

1. DOC. 1 ET 3 Quels sont les indicateurs utilisés pour mesurer les inégalités dans le monde ? Pourquoi celui du document 3 est-il plus complet que celui du document 1 ?
2. DOC. 1 Nommez trois pays riches situés dans trois continents différents.
3. DOC. 1 ET 3 Quel continent compte le plus grand nombre de pays pauvres et faiblement développés ? Quel continent connaît un développement rapide ?

Socle *Confronter deux points de vue*

4. DOC. 2 Pourquoi le président de la Banque mondiale est-il optimiste concernant l'avenir ?
5. DOC. 4 La directrice d'Oxfam partage-t-elle cette vision optimiste ? Justifiez votre réponse.

Pour conclure Rédigez un texte d'une dizaine de lignes qui répond aux questions suivantes :

Quelles sont les inégalités de richesse dans le monde ? Comment évoluent-elles ?

Aide *Dans un 1er paragraphe, vous pouvez localiser les principaux pôles de richesse et de pauvreté (questions 1 à 3).*
Dans un 2nd paragraphe, vous évoquerez les évolutions actuelles (questions 3 à 5).

Étude de cas

Vivre à New York, une métropole riche

Comment richesse et pauvreté coexistent-elles dans une grande ville d'un pays riche ?

FICHE D'IDENTITÉ DE LA VILLE DE NEW YORK

Pays	États-Unis
Population en 2014	8,5 millions d'habitants
PIB/hab. en 2014	58 000 $
Part de la population vivant sous le seuil de pauvreté en 2014	21 %

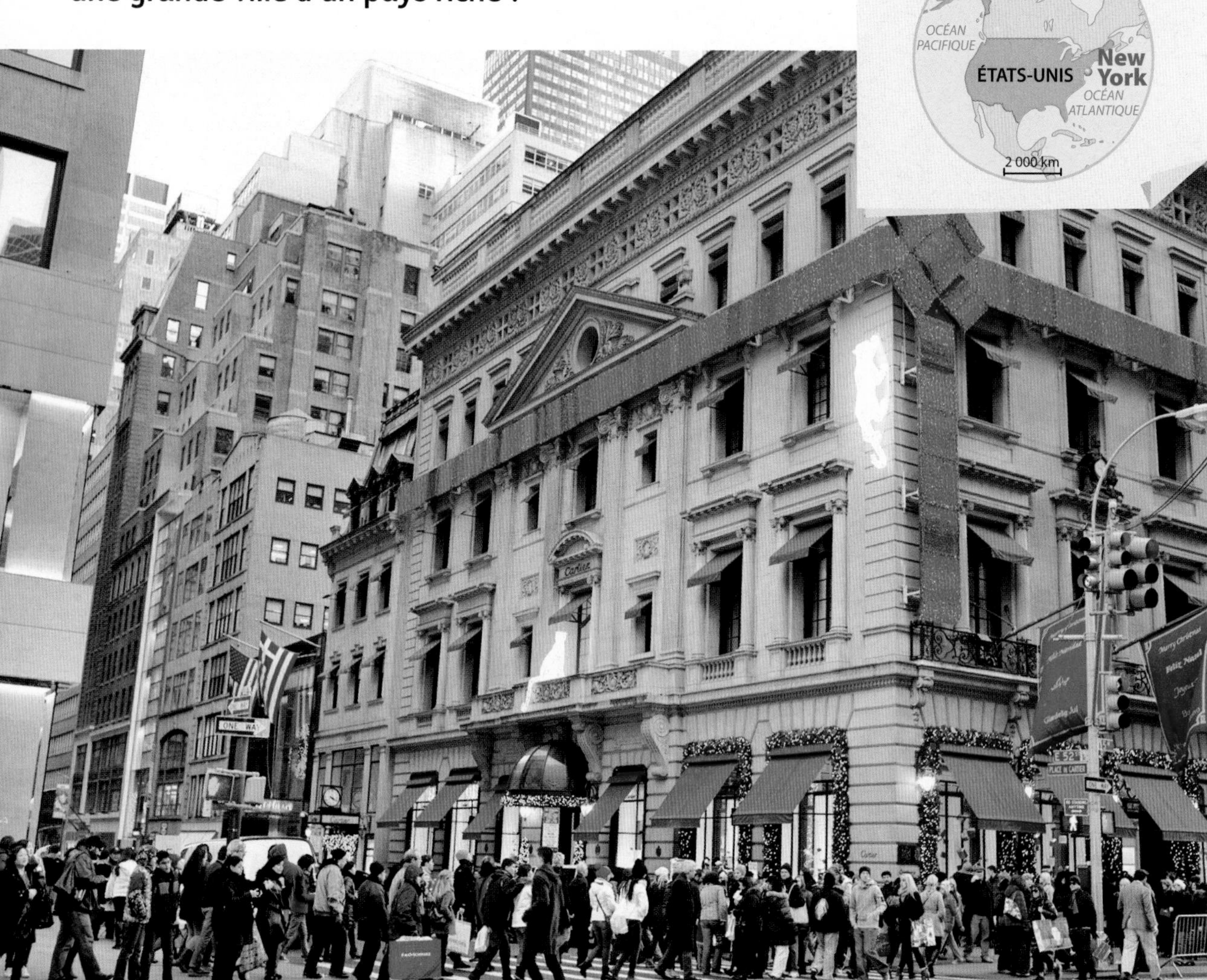

1 | Des New-Yorkais font leurs achats de Noël sur la Cinquième Avenue à Manhattan

2 | New York, une ville riche avec de nombreux pauvres

	New York City	État de New York	États-Unis
Revenu médian[1] en 2013 en $	58 003	54 310	53 657
Taux de pauvreté[2] en 2014 en %	21	16	15

Source : United States Census bureau, 2016.

1. La moitié de la population gagne plus que le revenu indiqué.
2. Aux États-Unis, le seuil de pauvreté est d'environ 24 000 $ par an pour un couple avec 2 enfants.

Vocabulaire

Ghetto : quartier dégradé d'une ville où se concentrent des populations pauvres et de même origine ethnique, souvent noire ou latino-américaine aux États-Unis.

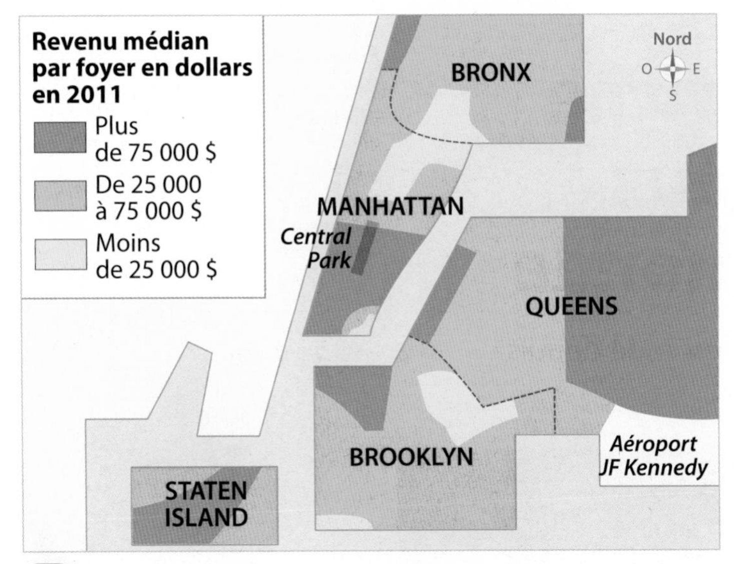

3 | Les inégalités de revenus à New York

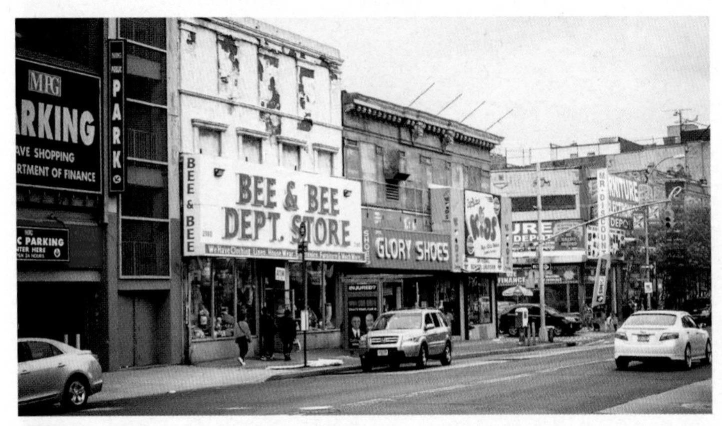

5 | Le quartier pauvre du Bronx à New York

4 Vivre dans un ghetto à New York

Santiago, 51 ans, originaire de Porto Rico et installé dans le Bronx depuis trente ans, témoigne de la vie dans son quartier.

Si vous habitez dans le quartier du Bronx, c'est que vous êtes pauvre. C'est tout simplement impossible d'essayer de rejoindre la classe moyenne ici. Il n'y a pas de travail. Près de 40% de la population vit au-dessous du seuil de pauvreté. Il y a 90 cafés Starbucks à East Manhattan, un seul ici dans le South Bronx. Il y a quatre fois plus de meurtres et deux fois plus de vols. À 10 heures du matin la police est déjà présente et surveille. Cela n'empêche pas les trafiquants de drogue de faire leurs affaires à côté. Ici, on vend des vêtements bon marché et on accepte les bons alimentaires[1].

D'après « Du luxe à la misère en quatre stations de métro », *Courrier international*, 2011.

1. Bons distribués par le gouvernement pour aider les plus pauvres à se nourrir.

Activités

Extraire des informations pertinentes

1. DOC. 1 Localisez et situez la photographie (quartier, ville, pays). Quels sont les éléments de la photographie qui indiquent la richesse de la ville ?
2. DOC. 2 Comparez le niveau de richesse de la ville de New York à celui de l'État de New York et à celui du pays.
3. DOC. 2 ET 3 Pourquoi pouvez-vous dire qu'il y a de fortes inégalités sociales à New York ?
4. DOC. 3 Quels sont les quartiers les plus riches de New York ? Les plus pauvres ?
5. DOC. 4 ET 5 Quels sont les signes de pauvreté dans le quartier du Bronx ?
6. DOC. 4 Quelles sont les conséquences de la pauvreté à New York ?

Pour conclure

Reproduisez et complétez la carte mentale pour présenter les inégalités de richesse à New York.

New York
- Une ville riche — ....
- Une partie de la population pauvre — ....

Géohistoire

L'Inde, un pays riche qui compte le plus de pauvres au monde

Comment la pauvreté évolue-t-elle en Inde depuis un siècle ?

FICHE D'IDENTITÉ

Population	1,2 milliard
PIB en 2014	9e rang mondial
PIB/hab. en 2014	142e rang mondial sur 187
Part de la population vivant sous le seuil de pauvreté	22 %, soit 300 millions de personnes

Nord
Delhi
INDE
Mumbai
OCÉAN INDIEN
Hyderabad
Bangalore
1 000 km

1 | Une famille d'Intouchables près de Bombay en 1930

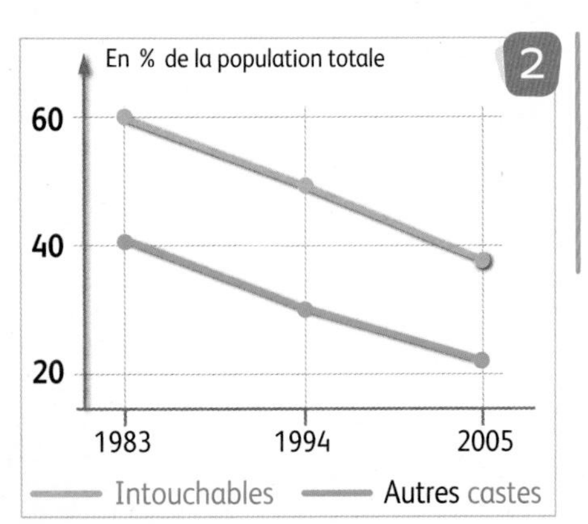

2 | Part de la population vivant sous le seuil de pauvreté en Inde.

Vocabulaire

Castes : divisions de la société en groupes héréditaires et hiérarchisés. Les mariages se font entre membres d'une même caste.

Discrimination : traitement défavorable d'une personne ou d'un groupe par rapport aux autres.

Intouchables : population considérée comme en dehors du système des castes car pratiquant à l'origine des activités considérées comme impures

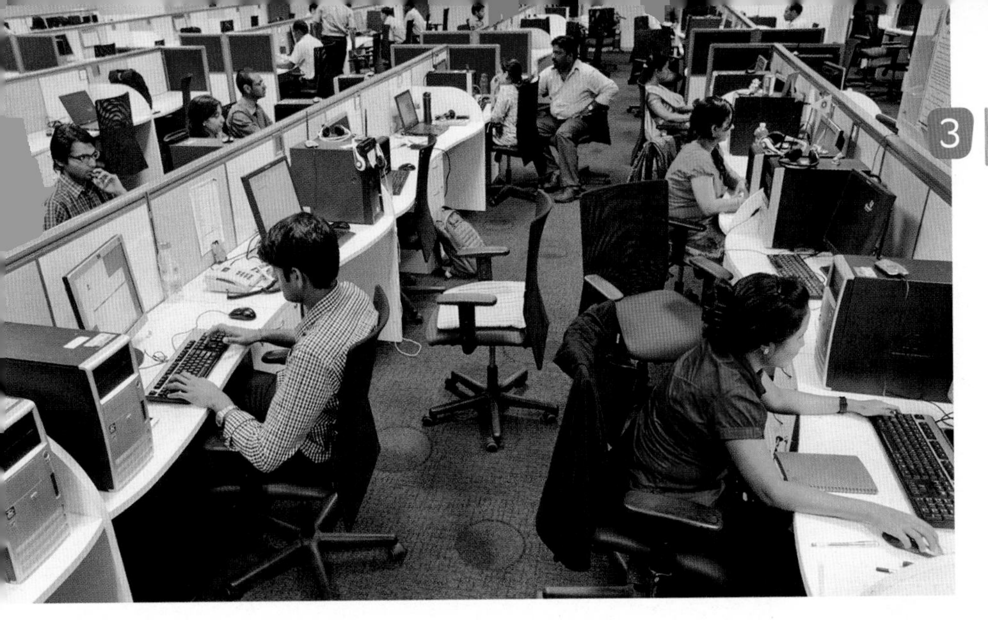

3 La modernisation de l'économie indienne

Une entreprise informatique installée à Bangalore.
Les services (informatique, banque, assurance) représentent aujourd'hui plus de 50 % du PIB de l'Inde contre moins de 30 % en 1950.

4 Une politique pour réduire les inégalités sociales

Soumis aux pires **discriminations**, les intouchables étaient encore récemment cantonnés aux métiers les moins qualifiés, comme celui de travailleur agricole, sans terre. Mais les choses évoluent. La structure de « discrimination positive » mise en place ces dernières décennies aide incontestablement. Prenez l'exemple du docteur Nanda K.K. « Quand j'étais jeune, même quand il n'y avait rien à manger nous étudiions. Comme, dans l'Andhra Pradesh, où j'habite, il y avait un dispositif pour aider les intouchables à faire des études, j'ai pu devenir médecin : j'ai eu une place réservée à l'université, un logement, une bourse. Après avoir pratiqué quinze ans dans une petite ville, j'ai créé un hôpital à Hyderabad, la capitale de l'État, avec un ensemble de subventions. Mais ces programmes nous aident à obtenir une stabilité financière, c'est tout. Fondamentalement, il faut que nous soyons de bons médecins si nous voulons réussir. » Aujourd'hui, Nanda est à la tête d'un établissement de 150 lits qui emploie 15 spécialistes.

D'après l'article « Intouchables… et hommes d'affaires », *Les Echos*, 2011.

Étape 1 ▶ Repérer les permanences

1. DOC. 1 Quels sont les signes de la pauvreté sur cette photographie de 1930 ?
2. DOC. 2 Montrez que la pauvreté demeure importante en Inde.
3. DOC. 2 Quelle catégorie de population demeure la plus touchée par la pauvreté ? Qu'en concluez-vous sur les inégalités en Inde ?

Étape 2 ▶ Souligner les évolutions

4. DOC. 2 Comment la part des pauvres dans la population indienne évolue-t-elle entre 1983 et 2005 ?
5. DOC. 3 Quelle transformation économique explique cette évolution ?
6. DOC. 4 Quelles mesures permettent de réduire les inégalités et les discriminations ?

Étape 3 ▶ Envisager des solutions futures

7. À votre avis, comment réduire la pauvreté et les inégalités en Inde ?

Aide *Souvenez-vous de ce que vous avez vu dans le chapitre précédent « La forte croissance démographique et ses effets »*

Étude de cas

Vivre au Kenya

Comment les inégalités se manifestent-elles dans un pays pauvre ?

FICHE D'IDENTITÉ DU KENYA

Population	44 millions d'hab.
PIB/hab.	1 320 $ en 2014
Part de la population vivant sous le seuil de pauvreté	40 %
IDH et rang	0,53 ; 147e sur 187

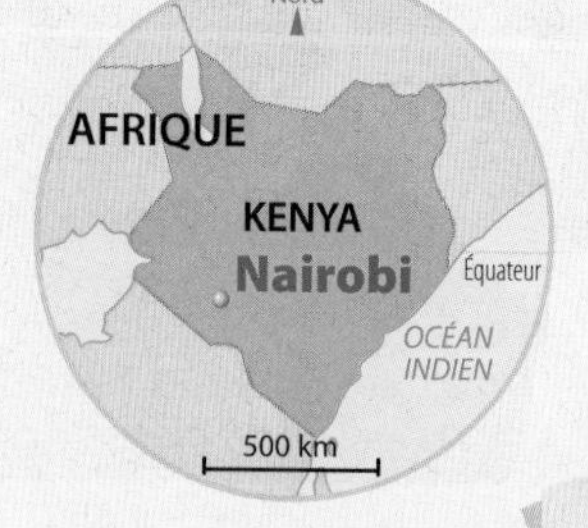

1 | Le bidonville de Kibera à Nairobi

1 million de personnes vit dans ce bidonville, l'un des plus grands d'Afrique.

2 | Les indicateurs de la pauvreté en 2014

	Kenya	France (pour comparer)
Espérance de vie à la naissance	62 ans	82 ans
Nombre de médecins	2 pour 10 000 hab.	32 pour 10 000 hab.
Population ayant un accès à l'eau traitée	62 %	100 %
Taux de mortalité infantile	49 ‰	4 ‰
Taux d'analphabétisme des adultes	27 %	1 %

Vocabulaire

Analphabétisme : incapacité à lire et à écrire pour une personne qui n'a jamais été scolarisée.

Exode rural : migration d'une population qui quitte la campagne pour s'installer en ville.

Mortalité infantile : décès d'enfants âgés de moins d'un an.

3 La pauvreté, une cause de l'exode rural

Dans le Bas-Mukurweini[1], la vie est caractérisée par la pauvreté et la faim. La plupart des gens vivent dans des zones rurales et ils sont agriculteurs. À cause des sécheresses prolongées, la situation est alarmante, puisqu'ils n'ont pas d'autres moyens de subsistance. Ils plantent du maïs et des haricots à chaque saison, mais ils ne récoltent rien. La région n'est plus une zone de maïs, mais les agriculteurs continuent d'en semer péniblement et sans succès parce qu'il n'y a pas d'autre travail. Sans nourriture ou un accès à l'eau, les personnes âgées meurent de faim. Certains préfèrent alors partir avec leur famille pour trouver du travail en ville et avoir une meilleure vie.

D'après « Kenya, quand la pauvreté devient une catastrophe », Agence Inter Press Service (IPS), 2013.

1. Zone centrale du Kenya.

4 | La modernisation agricole financée par l'État

Une grande exploitation agricole de blé à Timau (nord de Nairobi).

5 | Un supermarché dans le centre-ville de Nairobi

Activités

▸ **Socle** *Extraire des informations pertinentes*

1. Recopiez le schéma et complétez-le à l'aide de la liste suivante : se nourrir – se loger – se soigner – être éduqué – travailler

Être pauvre au Kenya signifie avoir des difficultés pour :

DOC. 1 …	DOC. 2 …	DOC. 3 …

2. **DOC. 1 ET 3** Comment certains Kenyans cherchent-ils à échapper à la pauvreté dans les campagnes ?
3. **DOC. 4 ET 5** Tous les habitants du Kenya vivent-ils dans la pauvreté ? Justifiez votre réponse.

Pour conclure Préparez une réponse courte à la question pour l'exposer à l'oral :

➔ **Quelles inégalités existent au Kenya ? Quel problème cela pose-t-il ?**

L'atelier du géographe

Construire un croquis de paysage : les inégalités à Nairobi, Kenya

1 | Paysage urbain à Kibera en 2013 (Nairobi, Kenya)
1 Le bidonville – 2 Les nouvelles habitations – 3 La route en construction – 4 Un talus – 5 Espace non urbanisé

2 Vivre dans la pauvreté à Kibera

Il n'y a pas de vieux à Kibera. C'est ce qui frappe le plus quand on parcourt ce gigantesque bidonville situé aux portes de Nairobi. Pas étonnant : ici, l'espérance de vie tourne autour de 35 ans, contre 54 ans dans le reste du Kenya. L'autre chose qui frappe, ce sont les ordures. On marche sur une épaisseur indescriptible d'immondices. On les respire à pleins poumons et, lorsque les habitants décident de les brûler, l'atmosphère devient irrespirable. Pas de route, mais une voie de chemin de fer qui traverse tout le bidonville. Entre trois et six trains y passent chaque jour sans s'arrêter. Tout le monde marche sur les rails, y compris les enfants. Chaque année, il y a des morts. Pas d'eau courante. Pas de système d'évacuation des eaux usées mais des rigoles à ciel ouvert. Les maladies contagieuses font partie de la vie quotidienne. Mais le pire, c'est la pluie. L'eau ruisselle dans les taudis, réveillant les familles étendues sur le sol, et Kibera se transforme en un champ de boue.

D'après Florence Beaugé, « Kibera : la plaie de Nairobi », *Le Monde*, 31/03/2011.

Construire un croquis de paysage

Étape 1 ▶ Localiser et situer

1. Localisez ce paysage (pays, continent).
2. Relevez le PIB par habitant et l'IDH de ce pays. Qu'en concluez-vous ? (voir p. 232-233)
3. DOC. 2 Quelles sont les conséquences du manque d'hygiène et d'équipements à Kibera ?

Étape 2 ▶ Identifier différents espaces et en tirer des conclusions

4. Décrivez le paysage par plans successifs (1er plan, 2e plan,...).
5. Que révèlent les différences d'habitat ?

Étape 3 ▶ Classer les informations

6. Recopiez le tableau suivant et complétez-le à l'aide de vos observations et des réponses aux questions 4 et 5.

Les différents espaces	… …
Les voies de communication et obstacles	… …

Point méthode

Choisir des figurés

- **des figurés de surface** (cases rouge, jaune, verte) pour représenter des espaces plus ou moins étendus ;
- **des figurés ponctuels** (triangle, rond, carré) pour représenter des lieux ou des aménagements précis ;
- **des figurés linéaires** (une ligne et une flèche) pour représenter des flux et des axes de circulation (route, voie ferrée par exemple).

Après avoir relu le point méthode, choisissez des figurés et des couleurs adaptés.

Étape 4 ▶ Réaliser le croquis

Reportez les différents figurés sur le croquis puis faites la légende à partir du tableau ci-dessus. N'oubliez pas de donner un titre à votre croquis.

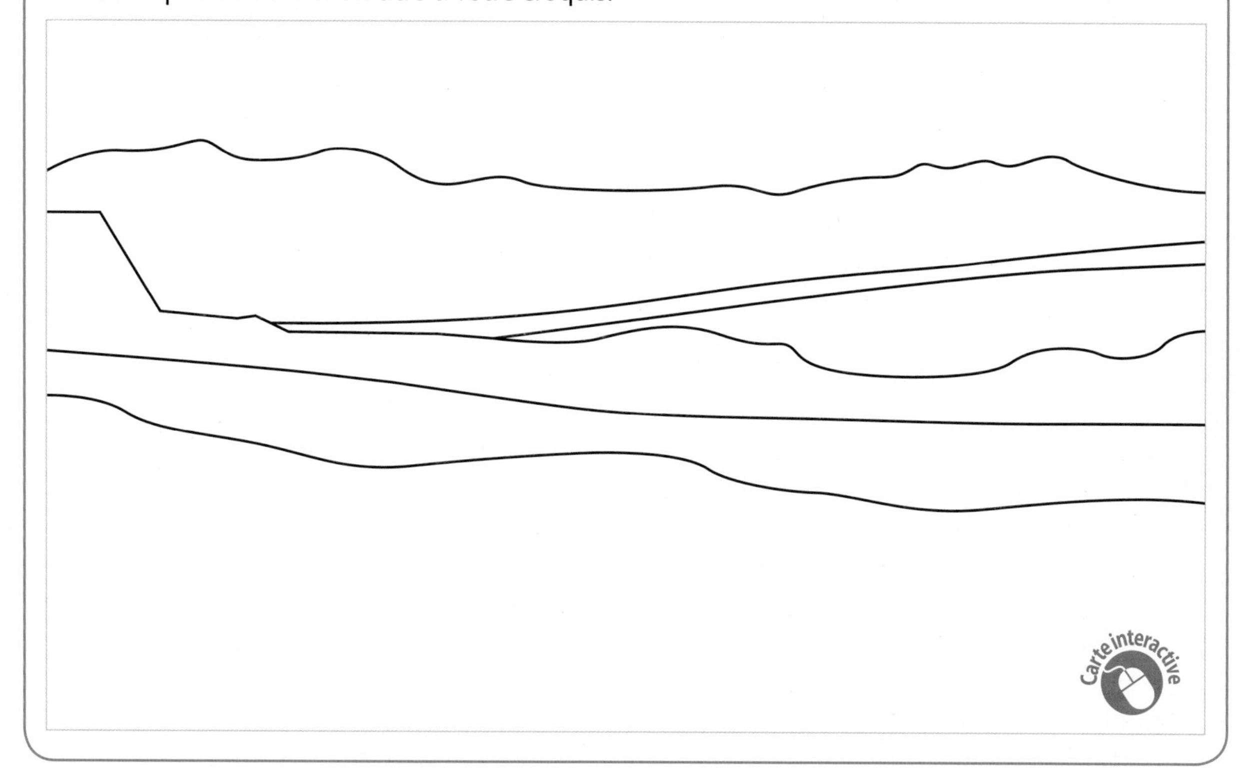

La répartition de la richesse et de la pauvreté dans le monde

Quelles sont les inégalités de richesse dans le monde à différentes échelles ?

I La pauvreté recule mais les inégalités se creusent

- **Depuis 1990, l'on compte dans le monde un milliard de pauvres en moins.** Dans de nombreux pays, des progrès sont faits en matière de développement. La proportion de personnes sous-alimentées a ainsi baissé de moitié.
- Toutefois, **la pauvreté n'a pas disparu et les inégalités se sont fortement creusées.** Les progrès sont lents en Afrique et dans le monde, les riches concentrent une part de plus en plus importante des richesses.

II Des pays riches, des pays pauvres

- **Toutes les populations du monde n'ont pas les mêmes niveaux de richesse et de développement.** Ceux-ci sont mesurés grâce à des indicateurs comme le PIB et l'IDH. Le premier est seulement économique. Le second prend en compte d'autres critères liés à la qualité de vie. Il révèle donc mieux les inégalités au sein des sociétés.
- Dans le monde, **les principaux pôles de richesse sont l'Amérique du Nord, l'Europe et une partie de l'Asie orientale.** L'Australie et la Nouvelle-Zélande constituent également un pôle de richesse. Avec le développement des pays émergents, des zones de richesses apparaissent également dans d'autres régions du monde, comme en Chine. Ces régions ne connaissent pas la famine, l'analphabétisme est rare et l'espérance de vie est longue.
- À l'échelle mondiale, **la majorité des pauvres vit en Asie et en Afrique**. Dans de nombreux pays d'Afrique, la pauvreté touche la majorité de la population. En Asie, la situation est plus contrastée et des pays très pauvres (Bangladesh, Afghanistan) sont proches de pays en plein développement (Malaisie...). Dans les pays pauvres, une grande partie de la population a **des difficultés pour se loger, se nourrir, se soigner et pour accéder à l'éducation**.

III Des inégalités présentes dans tous les pays

- **Des inégalités sont observables dans les pays développés** et en particulier dans les métropoles. Certains quartiers concentrent des populations fortement touchées par la pauvreté. De nombreux sans-abris n'ont pas où se loger.
- **Mais c'est dans les pays émergents et en développement que les inégalités sont les plus fortes.** Les principales opposent les villes aux campagnes qui sont toujours très peuplées et abritent de nombreux pauvres comme au Kenya. Cette situation est à l'origine d'un fort exode rural. Les inégalités existent aussi au sein des villes comme le montre l'extension des bidonvilles qui accueillent les migrants des campagnes.

Vocabulaire

Indice de développement humain (IDH) : indicateur qui mesure la capacité d'un pays à répondre aux besoins vitaux de sa population. Il est compris entre 0 et 1. Il prend en compte le niveau de richesse, de santé et l'accès à l'éducation.

Pauvreté situation où le manque de ressources ne permet pas de satisfaire ses besoins essentiels (alimentation, logement, santé ...).

Bidonville : quartier dont les maisons ont été construites sans autorisation et avec des matériaux de récupération.

Exode rural : migration d'une population qui quitte la campagne pour s'installer en ville.

Je retiens l'essentiel

L'essentiel en schéma

À l'échelle mondiale

Le constat :
- des pays développés
- des pays en développement

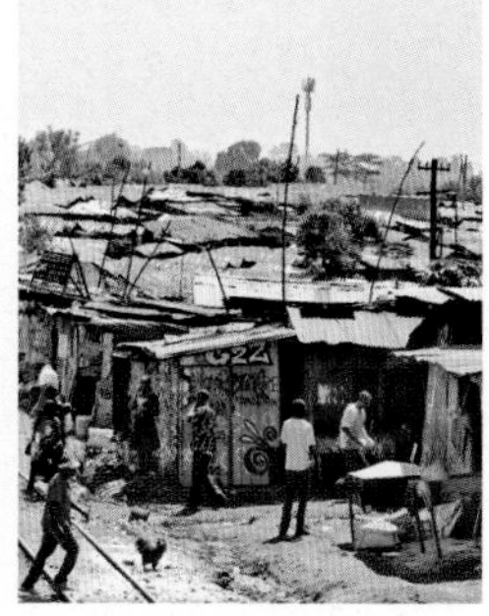

Des évolutions :
- la pauvreté recule
- les inégalités se creusent

La répartition de la richesse et de la pauvreté

À l'échelle nationale

Dans les pays développés :
de fortes inégalités surtout dans les métropoles

Dans les pays émergents et en développement :
- de fortes inégalités dans les campagnes ;
- entre villes et campagnes ;
- à l'intérieur des villes

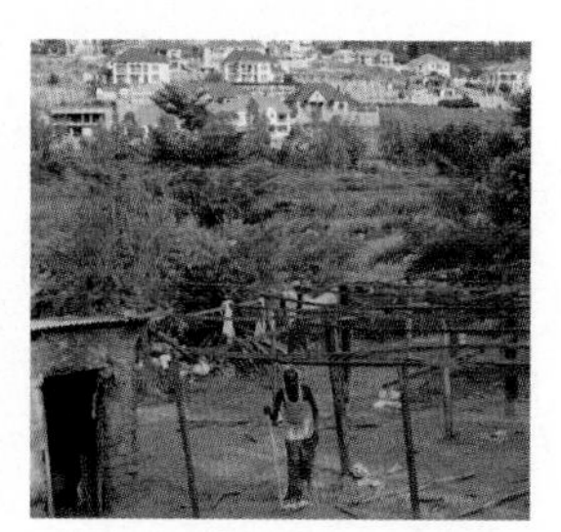

Chiffres clés

- 700 millions de personnes vivent sous le seuil de pauvreté dans le monde en 2015.
- 800 millions de personnes sont analphabètes dans le monde en 2015.
- Même si elle recule rapidement, la sous-alimentation concerne encore 780 millions de personnes dans les pays en développement.
- 3 milliards de personnes n'ont toujours pas accès à de l'eau potable.

J'apprends, je m'entraîne

▶ **Socle 2** *Méthodes et outils pour apprendre*

La répartition de la richesse et de la pauvreté dans le monde

1. Construire sa fiche de révision : notez le titre de la leçon sur votre feuille

Je connais...

Objectif 1 ▶ **Connaître les repères géographiques**

1. **Sur le planisphère :**
   – localisez et nommez les espaces les plus riches du monde identifiés par les lettres A, B et C ;
   – localisez et nommez les espaces les plus pauvres du monde numérotés **1** et **2** ;
   – À l'aide de la carte p. 232, localisez et nommez trois pays qui se situent dans les régions pauvres, et trois pays dans les régions riches.

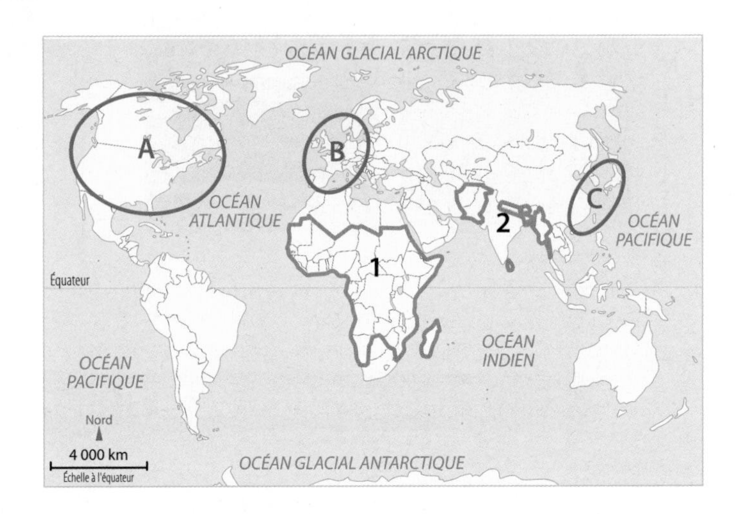

2. **Reproduisez le tableau suivant et complétez-le à l'aide des mots :** élevé – faible

	PIB par habitant	IDH
Pays riche		
Pays pauvre		

Objectif 2 ▶ **Connaître les mots-clés**

Notez la définition des mots-clés demandés :
pauvreté, exode rural, indice de développement humain, bidonville

Je suis capable de...

Pour chacun des objectifs suivants, construisez une réponse à la consigne.

Objectif 3 ▶ **Décrire la répartition de la richesse et de la pauvreté à l'échelle mondiale**

Aide *Utilisez les indicateurs du PIB et de l'IDH pour distinguer les principaux espaces de richesse et de pauvreté dans le monde.*

Objectif 4 ▶ **Décrire les inégalités dans une métropole d'un pays riche**

Aide *Construisez deux paragraphes qui commencent par un alinéa :*
– dans le premier, décrivez les conditions de vie de la majorité des habitants ;
– dans le deuxième, montrez que la pauvreté existe et qu'elle se concentre en particulier dans certains quartiers.

Objectif 5 ▶ **Décrire les inégalités dans un pays pauvre**

Aide *Construisez deux paragraphes qui commencent par un alinéa :*
– Dans un pays pauvre, la vie quotidienne est difficile en raison de problèmes pour…
– Cependant, des inégalités sociales et spatiales existent dans…

2. S'entraîner

1 Construire des repères géographiques

1 | Photographie vue p. 234

2 | Photographie vue p. 238

1. Localisez et situez chacune des deux photographies.
2. Ces photographies ont-elles été prises dans un pays du Nord ou dans un pays du Sud ? Justifiez votre réponse par vos observations.

2 S'informer dans le monde numérique : l'IDH

1. Dans un moteur de recherche, tapez : « perspective usherbrooke »
2. Sélectionnez « Statistiques » puis « Indicateur de développement humain (IDH) ».
   Le menu déroulant vous permet de visualiser l'IDH à différentes dates.

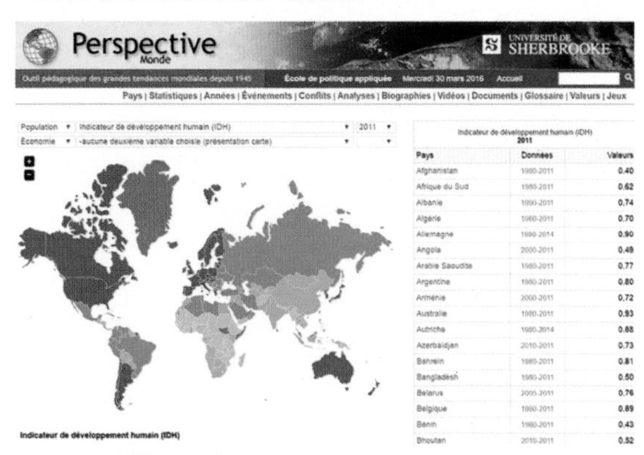

3. Reproduisez le tableau suivant et complétez-le en relevant des chiffres sur la carte.

Pays / IDH	1980	1990	2000	2011
France				
États-Unis				
Chine				
Niger				

Aide *Passez la souris sur la carte pour relever l'IDH précis de chaque pays.*

4. Décrivez l'évolution de l'IDH dans chacun des pays. Quelles conclusions pouvez-vous en tirer sur les inégalités dans le monde ?

Aide *Utilisez vos connaissances pour la répartition de la richesse et de la pauvreté et son évolution.*

Auto-évaluation **Je me positionne sur une marche :**

1. • Je vais sur la page demandée. — **Question** 1
2. • Je vais sur la page demandée. • Je m'y déplace. — **Questions** 1 **et** 2
3. • Je vais sur la page demandée. • Je m'y déplace. • **Je trouve des informations.** — **Questions** 1, 2 **et** 3
4. • Je vais sur la page demandée. • Je m'y déplace. • Je trouve des informations. • **Je les sélectionne pour répondre aux consignes.** — **Questions** 1 **à** 4

Pour progresser, j'analyse mes axes de progrès. Que devrais-je améliorer ?

J'apprends, je m'entraîne

Socle 2 *Méthodes et outils pour apprendre*

3 Analyser et comprendre un texte

Nord
CANAL DU MOZAMBIQUE
Antananarivo
MADAGASCAR
OCÉAN INDIEN
100 km

Comment une jeune femme pauvre vit-elle à Madagascar ?

J'ai quitté l'orphelinat à 14 ans où j'ai été recueillie après que ma mère est morte en couches et mon père de tuberculose. Depuis je survis avec mon compagnon dans le bidonville des 67 hectares[1] en récoltant des déchets dans les marécages. Je les revends ensuite à une chiffonnière pour gagner péniblement 1 euro par jour. Ici, les adultes comme les enfants travaillent : porteurs de briques, lessiveuses, ramasseuses de jacinthes d'eau, cette plante qui sert à nourrir le bétail. Problèmes respiratoires, peste, choléra sont des maladies courantes ici. Pascal et moi habitons dans une baraque en bois, un taudis de 6 m^2 que nous louons 7 euros par mois. Un seul lit pour toute la famille, celui où j'ai accouché de ma petite fille. Aucun confort, pas d'électricité, l'eau est payante et il faut aller la chercher au puits. Je ne lave ma fille que toutes les deux semaines. Dans ces conditions, il y a un an, j'ai perdu mon premier enfant. À Madagascar, une fille sur deux a un enfant avant l'âge de 15 ans.

D'après le témoignage d'Aina, jeune maman de 17 ans, diffusé sur TF1 lors du reportage *Deuxième famille*, le 8 novembre 2015.

1. Ce bidonville est le plus grand de Madagascar avec plus de 300 000 personnes ; il est situé dans la capitale Antananarivo où la moitié des 2 millions d'habitants vivent dans des bidonvilles.

Identifier le document

1. Relevez les éléments suivants pour présenter le texte : nature, auteur, date.
2. Quel est le sujet traité dans ce texte ?

Extraire et classer des informations pertinentes

3. Où vit Aina avec sa famille ?
4. Complétez le schéma suivant en relevant des informations dans le texte.

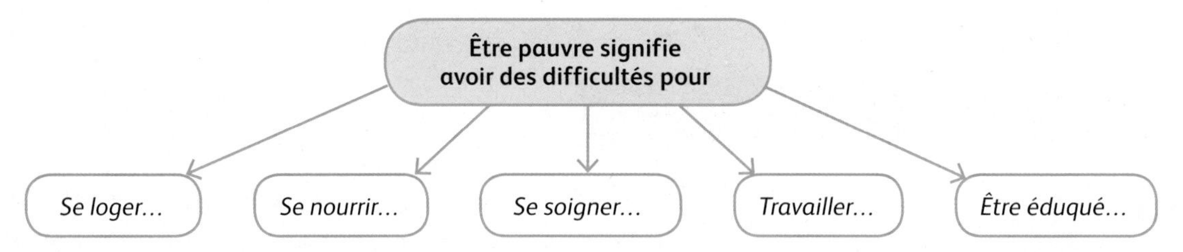

Utiliser ses connaissances pour expliciter et exercer son esprit critique

5. Pourquoi les bidonvilles sont-ils de plus en plus peuplés et étendus ?
6. Quel lien existe-t-il entre la pauvreté et la mortalité infantile ?

Auto-évaluation **Je me positionne sur une marche.**

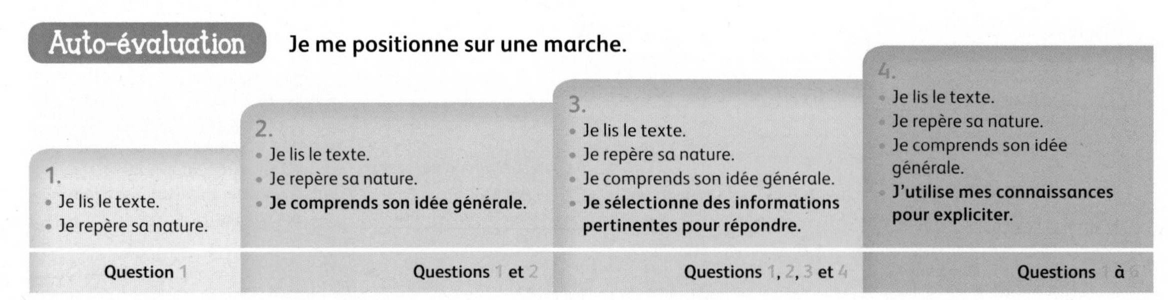

Pour progresser, j'analyse mes axes de progrès. Que devrais-je améliorer ?

Enquêter Richesses et pauvreté au Congo (RDC)

Malgré des richesses naturelles abondantes, pourquoi la pauvreté persiste-t-elle au Congo ?

Les faits

3 Congolais sur 4 vivent en dessous du seuil de pauvreté

Un bidonville dans la capitale Kinshasa.

Des richesses naturelles abondantes

Le sous-sol congolais compte parmi les plus riches au monde avec ses ressources minières, les principales étant les diamants, le cuivre, le cobalt, l'étain et l'or. Le pays est également doté d'abondantes ressources forestières ainsi que de sols fertiles, idéals pour l'agriculture.

D'après le site www.afriqueexpansion.com, 2013.

Les indices

Indice n°1

*La **malgouvernance***

La corruption est l'un des principaux problèmes qui minent la RDC ; l'argent est systématiquement détourné par les hommes de pouvoir. Le faible niveau d'investissement du gouvernement dans l'éducation et la santé aggrave la situation.

D'après Kambamba Darly, professeur d'économie à l'université de Kinshasa, 2015.

Vocabulaire

Malgouvernance : mauvaise gestion d'un pays par son gouvernement.

Malnutrition : alimentation inadaptée aux besoins de la population en quantité ou en qualité.

Indice n°2

Les conflits

Des millions de personnes souffrent de **malnutrition** en raison de l'insécurité et des conflits permanents qui empêchent les gens de cultiver leurs champs.

D'après le porte-parole du PAM (Programme alimentaire mondial), 2014.

Plus d'un milliard de dollars sont exploités en ressources naturelles en RDC. Ces fonds sont en très grande partie captés par des groupes criminels qui entretiennent des conflits, au lieu d'être utilisés pour bâtir des écoles, des routes, des hôpitaux et un avenir au peuple congolais.

D'après Martin Kobler, chef de la Monusco (Mission de l'ONU pour la RDC), 2015.

Avez-vous pris connaissance des faits et des indices ? Quelle est votre conviction : Malgré des richesses naturelles abondantes, pourquoi la pauvreté persiste-t-elle au Congo?

Par équipe, complétez le carnet de l'enquêteur.

1. Les richesses naturelles : …
2. L'extrême pauvreté : …
3. Les raisons de cette situation : …

Rédigez en quelques lignes le rapport d'enquête.

L'atelier d'écriture

La pauvreté dans le monde

À l'aide de vos connaissances, rédigez un texte qui décrit la répartition de la pauvreté dans le monde.

Travail préparatoire (au brouillon)

1. Comprenez bien le sujet :

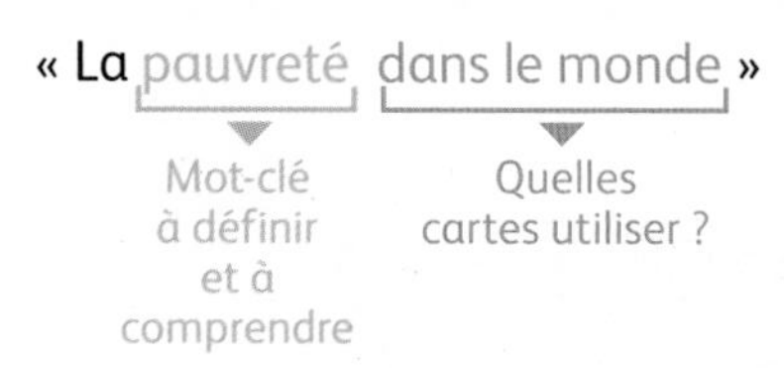

2. Notez toutes les informations qui vous viennent à l'esprit et qui évoquent la pauvreté autour du « pense pas bête ».

3. Vérifiez avec votre cahier ou votre manuel que vous n'avez pas oublié d'informations essentielles.

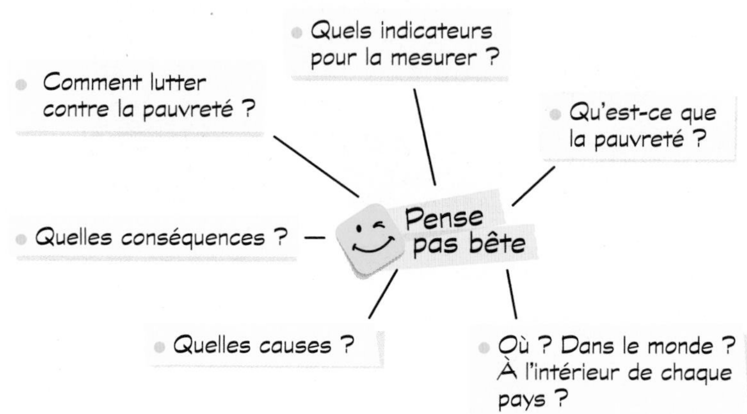

Travail de rédaction (au propre)

Soignez la présentation de votre texte et votre écriture. Évitez les ratures. N'oubliez pas de relire et de vérifier vos accords.

À vous de choisir votre niveau de difficulté et votre ceinture !

Je rédige un texte **sans aide.**

Rédigez votre texte en vérifiant que :

- Vous commencez votre texte par un alinéa ;
- Vous organisez vos idées en paragraphes.

Je rédige un texte **avec un guide.**

Rédigez votre texte en construisant deux paragraphes qui commencent par un alinéa :

- Les pays pauvres sont localisés… Dans ces pays, être pauvre signifie…
- Mais les inégalités existent dans les pays pauvres… La pauvreté est également présente dans les pays riches…

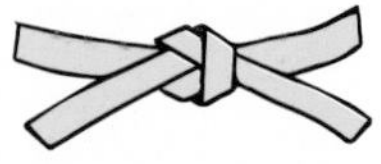

Je rédige un texte **en répondant à des questions.**

Rédigez votre texte en construisant deux paragraphes qui commencent par un alinéa et répondent à des questions.

Votre 1er paragraphe commence par « Les pays pauvres sont », puis il répond aux questions suivantes :

- Où sont localisés les pays pauvres ?
- Quelles difficultés la population rencontre-t-elle au quotidien ?

Votre 2e paragraphe commence par « Mais des inégalités existent », puis il répond aux questions suivantes :

- Que font certains habitants des campagnes pour fuir la pauvreté ?
- Quelles inégalités existe-t-il dans les villes des pays pauvres ?
- Comment la pauvreté se manifeste-t-elle dans les pays riches, en particulier dans les métropoles ?

EMC

Est-il possible de se soigner dans un monde inégal ?

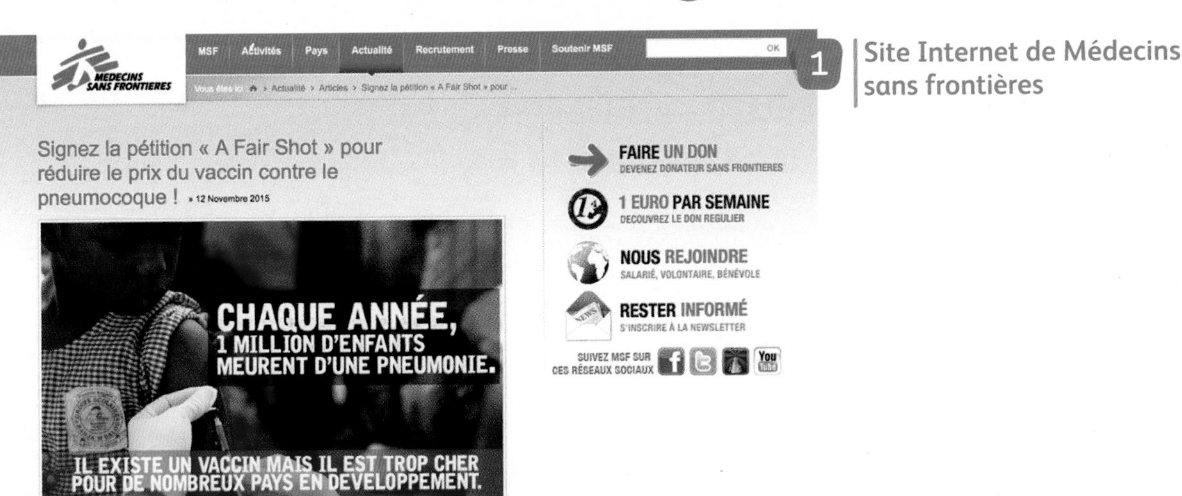

© MSF

1 | Site Internet de Médecins sans frontières

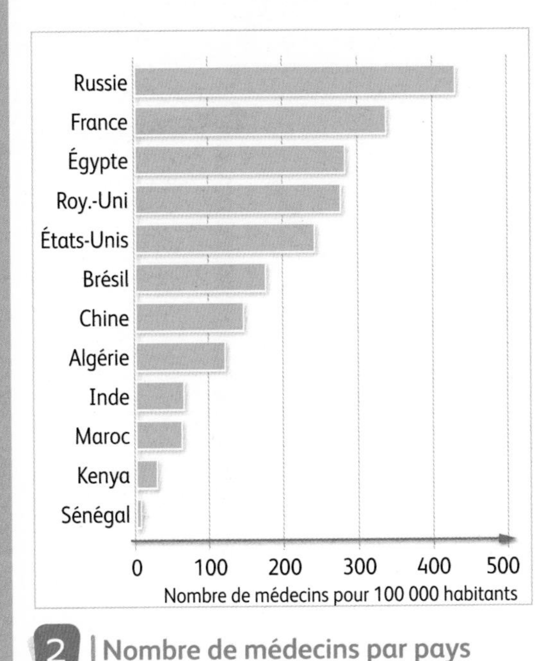

2 | Nombre de médecins par pays

3 Que dit la loi ?

Article 25

1. Toute personne a droit à un niveau de vie suffisant pour assurer sa santé, son bien-être et ceux de sa famille, notamment pour l'alimentation, l'habillement, le logement, les soins médicaux ainsi que pour les services sociaux nécessaires ; elle a droit à la sécurité en cas de chômage, de maladie, d'invalidité, de veuvage, de vieillesse ou dans les autres cas de perte de ses moyens de subsistance par suite de circonstances indépendantes de sa volonté.

2. La maternité et l'enfance ont droit à une aide et à une assistance spéciales. Tous les enfants, qu'ils soient nés dans le mariage ou hors mariage, jouissent de la même protection sociale.

D'après la Déclaration universelle des droits de l'Homme, 1948.

Le jugement : penser par soi-même et avec les autres

1. DOC. 1 Comment comprenez-vous ce document ?
2. DOC. 2 Quelles inégalités pouvez-vous constater ? Quelles peuvent être les conséquences sur les populations ?
3. DOC. 1, 2 ET 3 Les documents que vous venez d'étudier sont-ils en accord avec la Déclaration des droits de l'Homme ? Justifiez.

L'engagement : agir individuellement et collectivement

4. Imaginez une action à faire avec la classe pour agir contre cette forme d'inégalité. Pour pousser les autres élèves à participer, rédigez un petit texte qui résume la situation.

L'énergie et l'eau : des ressources limitées à gérer et à renouveler

EPI p. 336

Comment gérer et mieux utiliser les énergies et l'eau sur notre planète ?

Souvenez-vous !
Dans quels types d'espaces la gestion de l'eau est-elle la plus difficile ?

1 Des ressources naturelles en énergie
Puits de pétrole et éoliennes au Texas (États-Unis).

Vocabulaire

Ressource naturelle : élément apporté par la nature et exploité par les êtres humains.

2 | **Ressource naturelle en eau**
Puits dans la province du Gujarat en Inde.

1. DOC 1 ET 2 Quelles sont les ressources naturelles présentées sur les photographies ?
2. DOC 2 Quels problèmes peuvent apparaître dans l'accès à cette ressource ?
3. DOC 1 ET 2 **Émettez une hypothèse** pour répondre à la question suivante : Comment permettre aux populations de profiter durablement de ces ressources ?

Étude de cas

Conflits d'usage pour l'eau en Californie

Quels problèmes se posent dans la gestion de l'eau dans le sud de la Californie ?

FICHE D'IDENTITÉ DE L'IMPERIAL VALLEY EN CALIFORNIE

Pays	États-Unis
Population	175 000 hab.
Superficie	2 000 km²

Nord
CALIFORNIE
OCÉAN PACIFIQUE
ÉTATS-UNIS
Imperial Valley
Los Angeles
500 km

1 | Champs irrigués à proximité de la Salton Sea en Californie

2 Des barrages indispensables pour l'irrigation

L'Hoover Dam (1935)

La nécessité de construire des retenues d'eau et des barrages date du milieu du XIXe siècle quand les premiers colons ont cherché à dériver l'eau des fleuves vers l'Imperial Valley, trop aride, où ils s'étaient installés.

Dès 1901, le fleuve Colorado a été détourné vers l'Imperial Valley par un grand canal. L'approvisionnement en eau de ces terres agricoles a été facilité par la construction d'immenses barrages dans les années 1930 comme le barrage Hoover (1935).

D'après *Imperial irrigation district*, 2015.

Vocabulaire

Aride : où les précipitations sont faibles.

Artificialisation : modification d'un élément naturel (fleuve, forêt, etc.) par les êtres humains.

Conflit d'usage : conflit entre plusieurs acteurs pour l'utilisation d'une même ressource ou d'un même espace.

Irrigation : apport artificiel d'eau.

3 La concurrence pour l'eau du Colorado

Le Colorado est un exemple des tensions à la fois internes (concurrence villes/agriculture) et internationales (tensions États-Unis/Mexique). Le fleuve et ses affluents sont aujourd'hui entièrement **artificialisés** : aux grands barrages construits dans les années 1930 se sont ajoutées les dérivations vers Phoenix, Los Angeles et le Nouveau-Mexique. Juste avant la frontière avec le Mexique, l'Imperial Dam détourne une grande partie des eaux du Colorado vers les grands périmètres irrigués de l'Imperial Valley. La répartition des eaux entre les villes et l'agriculture irriguée est une source de tensions permanentes. Lorsque le fleuve franchit la frontière mexicaine, il lui reste moins de 7 % de son débit théorique.

D'après René-Eric Dagorn, *Sciences humaines*, 2011.

4 Des mesures face à une sécheresse historique

Face à une sécheresse historique, la Californie a annoncé des mesures d'urgence pour réduire de 25 % la consommation d'eau. La sécheresse met à rude épreuve les nappes d'eau souterraines et menace l'approvisionnement en eau dans cette région où vivent 40 millions de personnes.

Les agriculteurs, souvent accusés de pomper dans les nappes phréatiques[1] de manière inconséquente, vont devoir se restreindre. Un sujet tendu au vu du poids économique de ce secteur.

D'après *Le Monde*, 2 avril 2015.

1. Nappes d'eau souterraines.

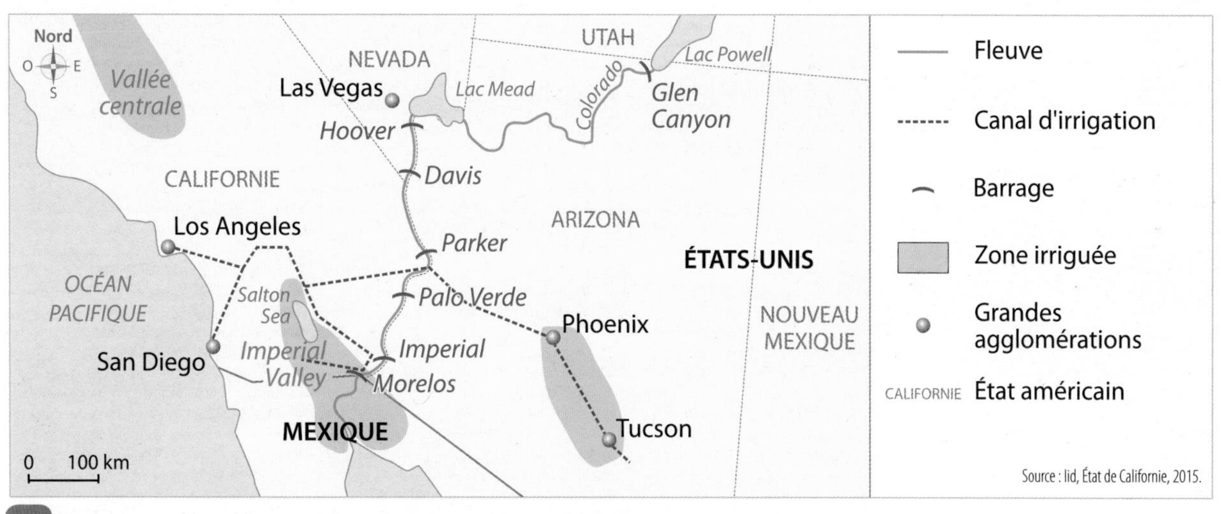

5 | Des transferts d'eau très importants dans une zone aride

Activités

Socle *Extraire des informations pertinentes*

1. DOC. 1 ET 2 Quel est le domaine climatique de cette région ?
2. DOC. 2, 4 ET 5 Quels aménagements et actions les hommes ont-ils développés ?
3. DOC. 3 ET 4 Quels problèmes l'exploitation excessive de l'eau pose-t-elle ?
4. DOC. 3, 4 ET 5 Pourquoi et pour qui l'eau est-elle une source de tensions ?

Socle *Formuler une hypothèse*

5. Quelles solutions durables envisager pour maintenir l'activité humaine et réduire les **conflits d'usage** ?

Pour conclure Répondez par une phrase courte à la question suivante :

Quels problèmes se posent dans la gestion de l'eau au sud de la Californie ?

La gestion de l'eau à Dubai

Comment la ville de Dubai parvient-elle à satisfaire ses immenses besoins en eau dans une région aride ?

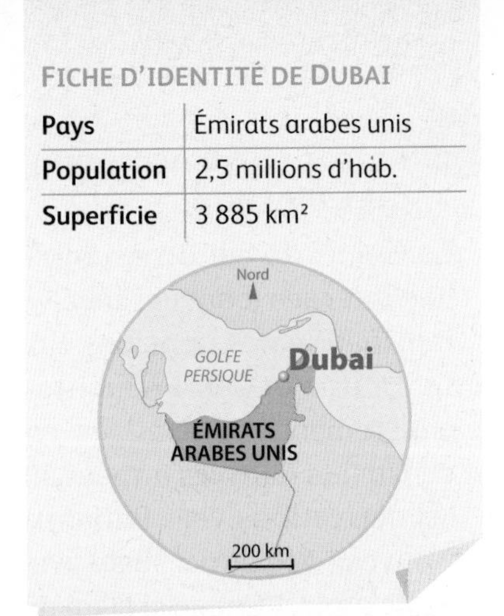

1 | Golf en périphérie de Dubai et du désert

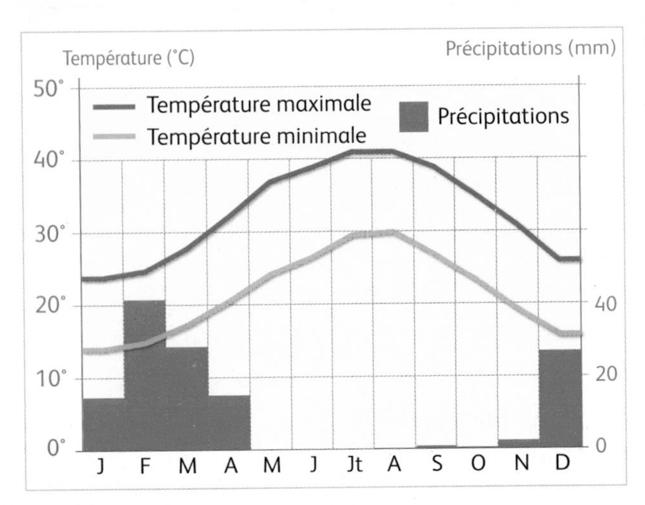

2 | Un milieu de vie hyperaride

Vocabulaire

Aridité : phénomène climatique caractérisé par de faibles précipitations (moins de 400 mm par an).

Hyperaridité : phénomène climatique caractérisé par de très faibles précipitations (moins de 200 mm par an).

3 | Piscine et végétation dans un grand hôtel à Dubai

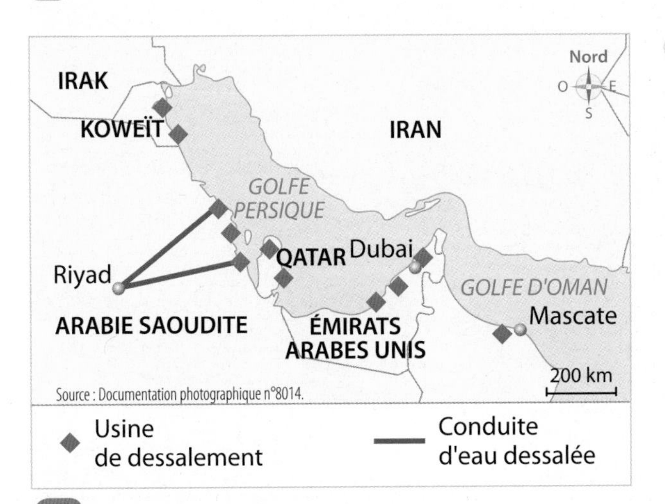

4 | Produire de l'eau

1,26 milliard de litres d'eau de mer sont dessalés chaque jour à Dubai. Le dessalement de l'eau de mer à grande échelle consomme beaucoup d'énergie et génère de nombreux déchets.

5 La pénurie d'eau menace

« L'eau, c'est le problème que l'on peut qualifier de menace principale pour les Émirats arabes unis (É.A.U.). Nous nous trouvons dans une situation très inconfortable », a déclaré le ministre Rashid Ahmed bin Fahad.

Selon lui, les 83 usines de dessalement d'eau de mer en activité dans les Émirats assurent 65 % des besoins en eau potable. Vers 2017, elles ne pourront plus satisfaire la demande. Chaque habitant des Émirats consomme chaque jour 550 litres d'eau, alors que la moyenne mondiale est de 250.

The National, quotidien des Émirats arabes unis, 2010.

Activités

Socle *Construire des repères géographiques*

1. DOC. 1 Où se trouve Dubai ?
2. DOC. 1 ET 2 Quel est le domaine climatique de Dubai ?

Socle *Extraire des informations pertinentes*

3. DOC. 1 ET 3 Quels sont les usages de l'eau présents sur ces photographies ?
4. DOC. 1 ET 3 Pourquoi ces activités consomment-elles beaucoup d'eau ? En quoi est-ce problématique dans ce domaine climatique ?
5. DOC. 4 ET 5 Comment Dubaï parvient-elle à obtenir de telles ressources en eau?

Pour conclure Préparez une réponse orale à la question :

Comment la ville de Dubai parvient-elle à satisfaire ses immenses besoins en eau dans une région aride ?

Étude de cas

L'énergie éolienne dans l'Aude, France

Quels sont les enjeux de la production d'énergie éolienne dans l'Aude ?

FICHE D'IDENTITÉ DE L'AUDE

Pays	France
Population	362 000 hab.
Superficie	6 139 km²

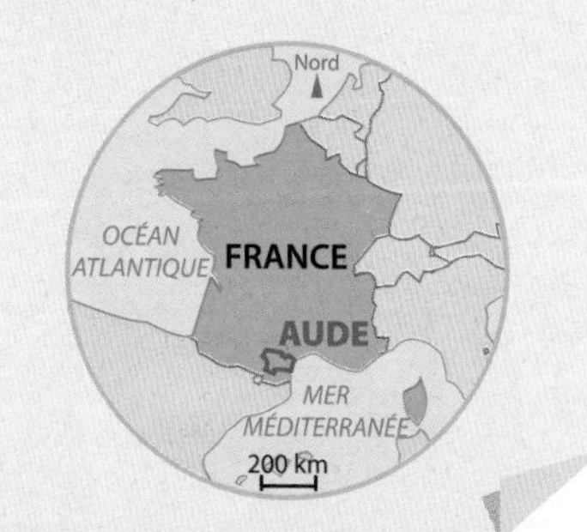

1 | Des éoliennes à Fitou dans l'Aude

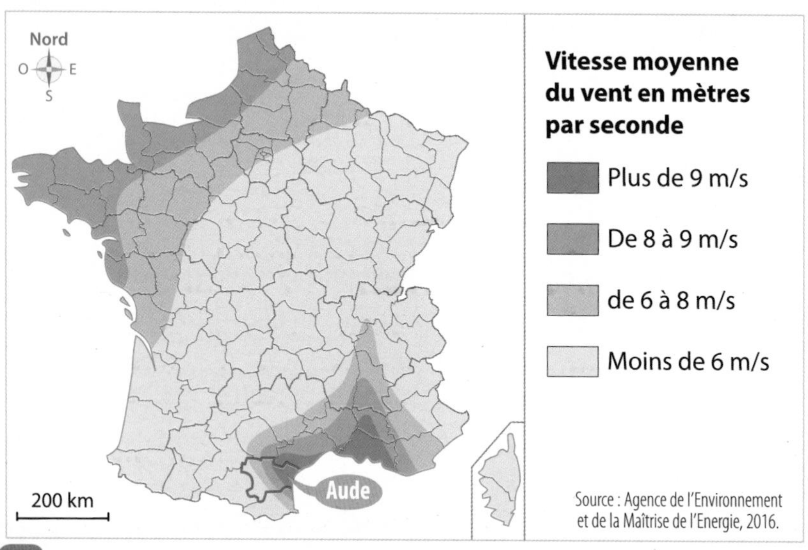

2 | L'Aude : un potentiel éolien important

Vocabulaire

Énergie éolienne : énergie renouvelable produite par le vent.

Enjeux : ce que l'on peut gagner en agissant.

Transition énergétique : abandon progressif des énergies fossiles au profit des énergies renouvelables.

3 Une politique locale de transition énergétique

Dans le cadre des politiques nationale et européenne de lutte contre le changement climatique et de diversification des sources d'énergie, la France s'est engagée dans un programme ambitieux de développement des énergies renouvelables. Elles seront portées à 23 % du total de la production énergétique en 2020 pour encourager la **transition énergétique**.

Au plan national, l'Aude occupe une place stratégique en matière de développement de l'éolien. Avec ses 151 éoliennes implantées ou prévues, l'Aude couvrira pratiquement 10 % de sa consommation annuelle d'électricité. Le département se caractérise par des gisements conséquents en matière d'énergies renouvelables hydraulique, solaire et éolienne (deux tiers du département bénéficient de vents entre 6 et 9 m/s). En matière d'énergie éolienne, l'Aude dispose de 59 % de la puissance régionale installée (478 MW, données mi-2013).

D'après la préfecture de l'Aude, 2015.

4 Des oppositions à l'éolien dans l'Aude

Depuis quelques jours, l'horizon est barré par la perspective des cinq mâts prochainement érigés, pour les premières rangées d'habitations, à 500 mètres à peine. Au total, 600 personnes sont directement concernées par le projet éolien que le juge vient d'autoriser.

« Je suis désolée, exprime une habitante. Car nous les aurons sous le nez. S'il n'y avait pas de terrain disponible, je comprendrais, mais c'est tout le contraire ! Là, il y a énormément d'espace autour et ils installent des éoliennes de 100 mètres de hauteur devant nous. Imaginez-vous le bruit ? Les valeurs des maisons ont baissé. Ce permis a été autorisé avec deux éoliennes en moins par rapport au permis initial, pour des raisons liées à la protection des animaux. »

D'après Véronique Durand, l'*Indépendant*, 21 janvier 2015.

5 | Le futur, l'éolien offshore ?

Projet VertiWind d'éoliennes flottantes à 12 km au large des côtes françaises en Méditerranée en 2018.

Activités

Socle *Construire des repères géographiques*

1. **DOC. 1** Localisez et décrivez le paysage présenté.

Socle *Extraire des informations pertinentes*

2. **DOC. 2 ET 3** Pourquoi le département de l'Aude a-t-il la possibilité de développer les énergies renouvelables ?
3. **DOC. 2 ET 3** Citez plusieurs énergies renouvelables présentes dans l'Aude.
4. **DOC. 4** Quelles sont les réactions de certains habitants au sujet de l'éolien ? Expliquez pourquoi ils réagissent ainsi.
5. **DOC. 5** Quelle autre solution envisage-t-on pour produire de l'énergie éolienne ?

Socle *S'informer dans le monde du numérique*

Tapez dans un moteur de recherche : « développement durable 8 énergies » ou rendez-vous sur le site : www.developpement-durable.gouv.fr/8-energies-renouvelables.html. Présentez les moyens qui permettraient d'atteindre l'objectif de plus de 20 % de production d'énergie à partir des énergies renouvelables en 2020.

Pour conclure Listez les arguments qui répondent à la question :

Quels sont les enjeux de la production d'énergie éolienne dans l'Aude ?

Le charbon, une énergie fossile ancienne toujours très utilisée

Quels sont les intérêts de l'utilisation du charbon ?

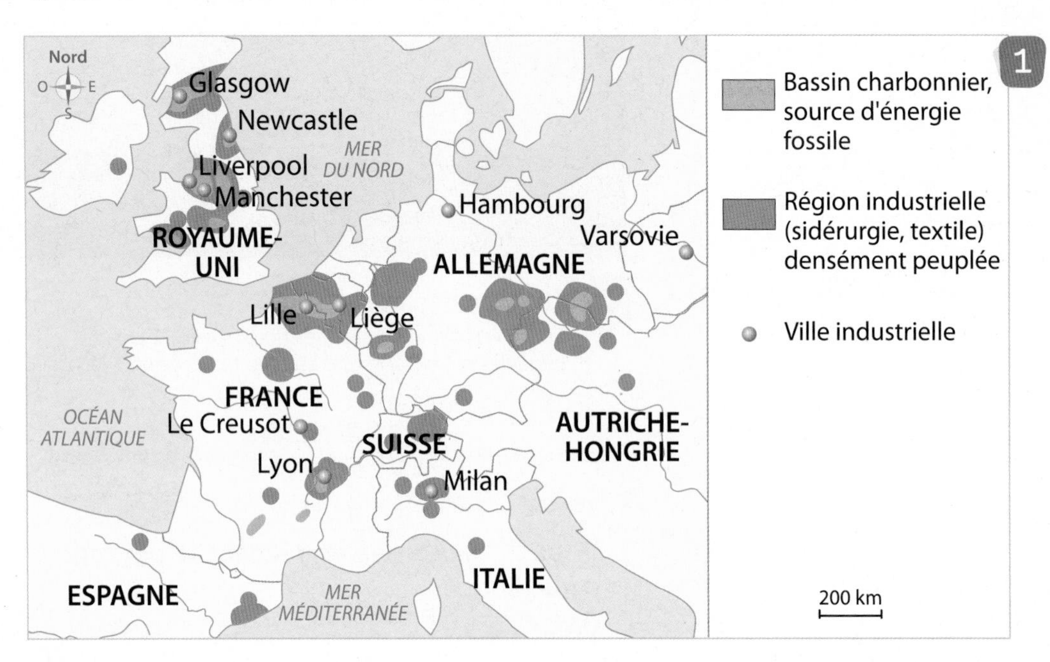

1 L'Europe, berceau de la révolution industrielle au XIXe siècle

2 La mine, un travail très difficile

Le puits avalait des hommes par bouchées de vingt et de trente [...]. Dès quatre heures, la descente des ouvriers commençait. Ils arrivaient de la baraque, pieds nus, la lampe à la main, attendant par petits groupes d'être en nombre suffisant. Sans un bruit, d'un jaillissement doux de bête nocturne, la cage de fer montait du noir, se calait sur les verrous, avec ses quatre étages contenant chacun deux berlines pleines de charbon. Des moulineurs, aux différents paliers, sortaient les berlines, les remplaçaient par d'autres, vides ou chargées à l'avance des bois de taille. Et c'était dans les berlines vides que s'empilaient les ouvriers, cinq par cinq, jusqu'à quarante d'un coup, lorsqu'ils tenaient toutes les cases. Un ordre partait du porte-voix, un beuglement sourd et indistinct, pendant qu'on tirait quatre fois la corde du signal d'en bas, « sonnant à la viande », pour prévenir de ce chargement de chair humaine.

Émile Zola, *Germinal*, 1885.

3 | Le charbon, énergie du XXIe siècle ?

	Part du charbon dans la production d'électricité en 2015	Projet de construction de centrales à charbon
Monde	40 %[1]	1 200
Chine	79 %	363
Inde	68 %	455
Allemagne	47 %	10
États-Unis	40 %	36
France	4 %	0

1. 89 % en 1914

Sources : *IFPEN*, World Resources Institute, 2015.

Vocabulaire

Révolution industrielle : passage d'une société agricole à une société commerciale et industrielle.

4 La ville industrielle du Creusot en France au début du XXe siècle

Dès le XIXe siècle, les usines Schneider au Creusot sont spécialisées dans le travail des métaux dans les forges. L'énergie utilisée dans la métallurgie et la sidérurgie était le charbon.

5 Centrale à charbon près de Pékin (Chine) en 2015

La pollution atmosphérique des grandes villes chinoises est essentiellement due à l'utilisation du charbon et à la circulation automobile.

Étape 1 ▶ Repérer les permanences

1. DOC. 3 ET 4 À quoi sert le charbon ?
2. DOC. 2, 4 ET 5 Quels problèmes l'exploitation et l'utilisation du charbon peuvent-elles générer ?

Étape 2 ▶ Identifier les évolutions

3. DOC. 1 ET 3 Quelle région du monde a exploité le charbon pour réaliser la révolution industrielle au XIXe siècle ? Et au XXIe siècle ?
4. DOC. 3 ET 5 Pourquoi peut-on dire que l'exploitation du charbon est généralisée dans le monde aujourd'hui ?

Étape 3 ▶ Envisager des solutions futures

5. DOC. 3 Pourquoi peut-on affirmer que l'utilisation du charbon semble continuer de progresser ?
6. Quels aménagements pourrait-on envisager pour produire de l'électricité propre ?

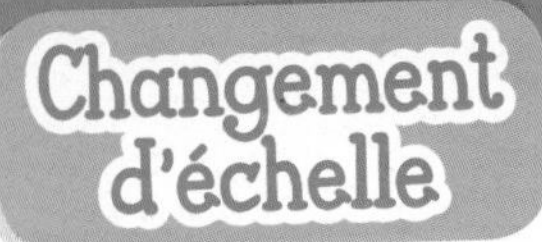

L'énergie et l'eau dans le monde

Recopiez les tableaux et répondez aux questions

Des cas étudiés (à l'échelle locale)...		
	Quelle est la ressource utilisée ?	Comment les êtres humains ont-ils accès à la ressource ?
Étudier un territoire L'Imperial Valley p. 252		
Étudier un territoire Dubai p. 254		
Étudier un territoire L'Aude p. 256		

...au planisphère (à l'échelle mondiale)	
Localisez des espaces où l'eau est rare.	
Localisez des espaces où la consommation d'énergie est très importante.	

1. L'eau, une ressource vitale

Disponibilité en eau douce

- Pénurie
- Stress hydrique
- Ressource suffisante

Vocabulaire

Stress hydrique : situation d'un espace dans lequel la demande en eau est supérieure à la ressource.

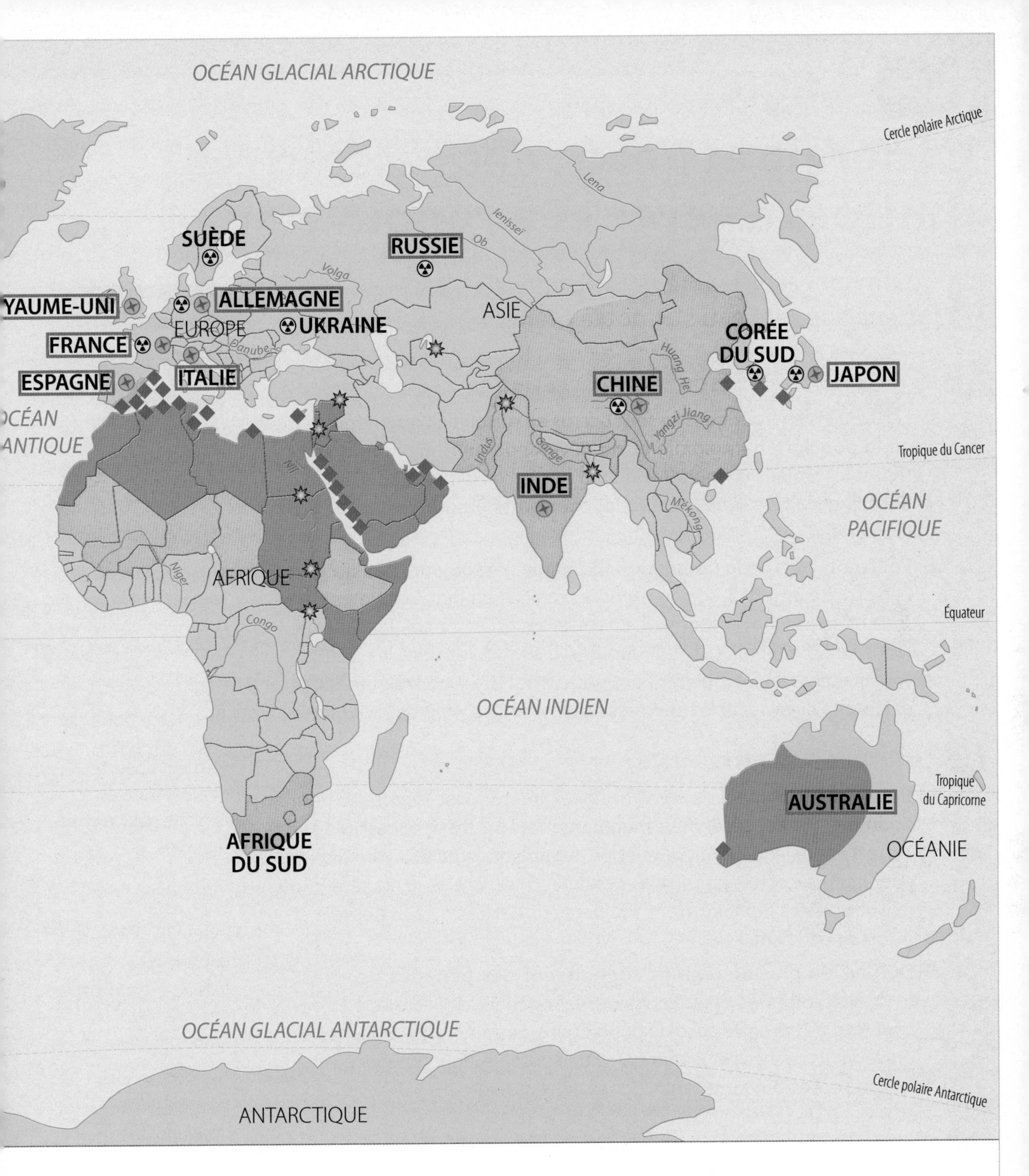

Conflits liés à l'eau entre États

Principales usines de dessalement d'eau de mer

2. L'enjeu énergétique

CHINE Principaux consommateurs d'énergie

10 premiers producteurs d'électricité d'origine nucléaire

10 premiers producteurs d'énergies renouvelables

Sources : UNWater 2014, CEA, AIE 2014.

Leçon

L'énergie et l'eau : des ressources limitées à gérer et à renouveler

Comment gérer et mieux utiliser les énergies et l'eau sur notre planète ?

I La question des ressources énergétiques

- **Les besoins énergétiques se sont accrus en raison de l'augmentation de la population mondiale et du développement économique** de toutes les régions du monde. Aujourd'hui, la consommation d'énergie dans l'agriculture, l'industrie et les transports progresse encore très rapidement.
- **Pourtant, 16 % de la population mondiale n'a toujours pas accès à l'électricité en 2015,** surtout dans les régions en développement, en Inde et en Afrique notamment. La consommation mondiale d'énergie repose à 80 % sur l'utilisation des énergies fossiles dont les réserves sont limitées et qui produisent des gaz à effet de serre. Aujourd'hui, le défi est de développer les énergies renouvelables, propres et durables.

II L'eau, une ressource vitale

- **L'eau douce est une** ressource naturelle renouvelable **essentielle pour l'homme.** Elle est cependant **inégalement répartie et accessible sur Terre.** Les populations ont développé des aménagements hydrauliques pour maîtriser cette ressource. Cependant, à l'échelle de la planète, 748 millions d'êtres humains n'ont toujours pas d'accès à l'eau potable et à l'assainissement.
- **De plus en plus de régions connaissent des périodes de** stress hydrique **voire des** pénuries d'eau, cela génère des tensions et des conflits d'usage entre pays ou populations. Les pays pauvres sont très gravement touchés par le manque d'eau potable. Pour accéder à cette ressource, de nombreuses personnes doivent migrer.

III Pour une gestion plus durable des ressources

- **L'eau est un bien commun de l'humanité** qu'il faut préserver car c'est une ressource limitée. Il faut donc l'économiser, moins la gaspiller et recycler les eaux usées. Les réflexes d'économie d'énergie et le recours aux énergies renouvelables s'installent peu à peu (transition énergétique).
- **Les politiques de** durabilité **sont aujourd'hui nécessaires dans les pays riches, qui sont les plus grands consommateurs d'énergies et d'eau.** La demande croissante des pays en développement risque d'entraîner une surexploitation des ressources, notamment des ressources fossiles qui sont les plus accessibles.

Vocabulaire

Énergie fossile : énergie ne pouvant être renouvelée (comme les hydrocarbures : pétrole, gaz).

Énergie renouvelable : énergie issue de sources que la nature renouvelle en permanence (éolien, solaire…).

Ressource naturelle renouvelable : élément apporté par la nature et exploité par les êtres humains.

Transition énergétique : abandon progressif des énergies fossiles au profit des énergies renouvelables.

Durabilité : mise en pratique du développement durable pour la gestion des ressources.

Gaz à effet de serre : gaz à l'origine du changement climatique.

Stress hydrique : situation d'un espace dans lequel la demande en eau est supérieure à la ressource.

Je retiens l'essentiel

L'essentiel en schéma

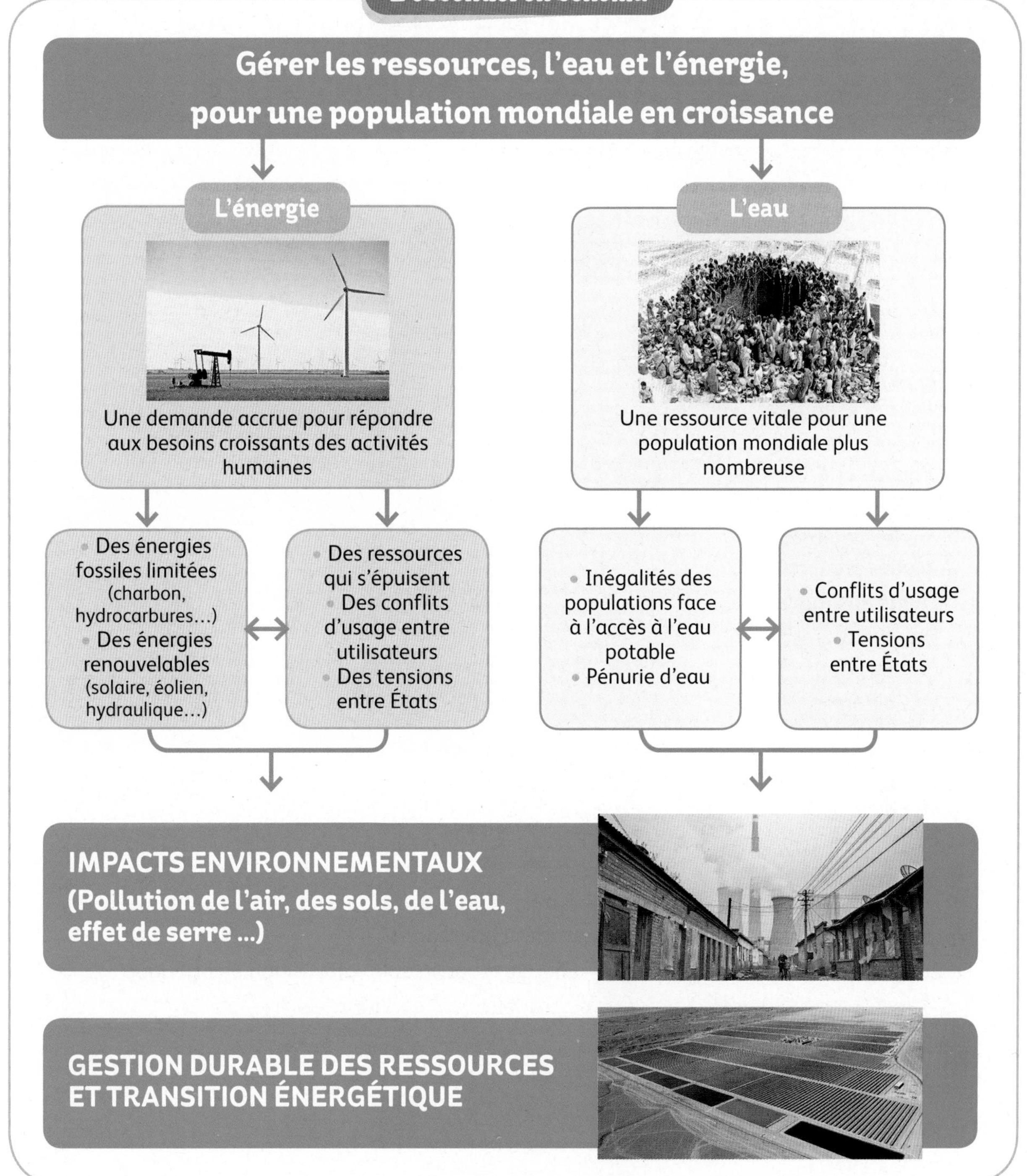

Chiffres clés

- 748 millions d'êtres humains n'ont pas accès à l'eau potable.
- 1 000 enfants meurent chaque jour à cause d'une eau non potable.
- 1 Français consomme 234 litres d'eau par jour, alors qu'un Américain en consomme 541 litres, un Indien 120 litres et un habitant du désert du Sahara 5 litres.
- 1,2 milliard d'hommes n'ont pas accès à l'électricité.

Sources : *OMS*, *UNICEF*, Banque mondiale, EDF, 2015.

J'apprends, je m'entraîne

▸ **Socle 2** *Méthodes et outils pour apprendre*

PDF
FICHE DE RÉVISION À TÉLÉCHARGER
Fiche 11

L'énergie et l'eau, des ressources limitées, à gérer et à renouveler

1. Construire sa fiche de révision : notez le titre de la leçon sur votre feuille

Je connais...

Objectif 1 ▸ Connaître les repères géographiques

Sur le planisphère, localisez et nommez :

1. Les continents numérotés de 1 à 6.
2. Les espaces présentés dans le chapitre et indiqués par une lettre :
   - l'Aude en France
   - Dubai aux Émirats arabes unis
   - La Californie aux États-Unis
   - Le Gujarat en Inde
   - Le Texas aux États-Unis d'Amérique

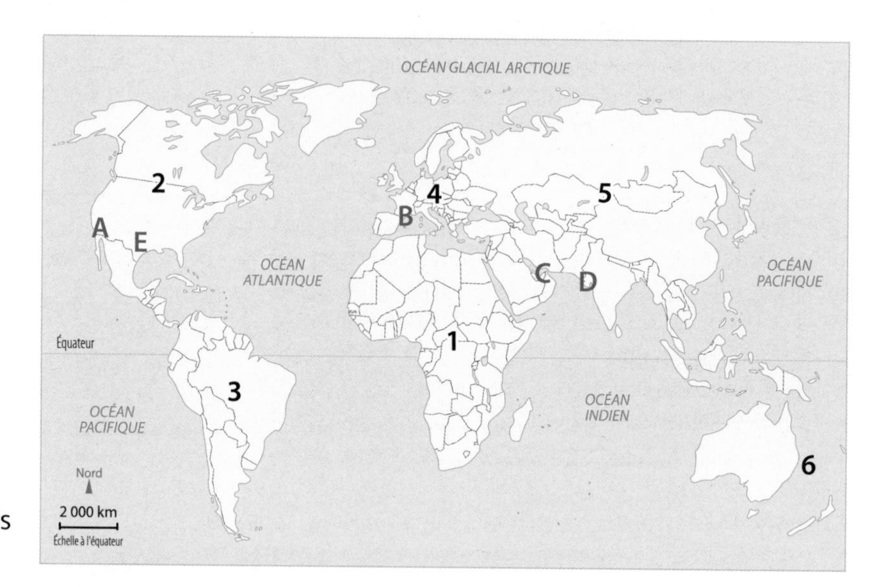

Objectif 2 ▸ Connaître les mots-clés

Notez la définition des mots-clefs demandés ci-dessous :

Ressources naturelles – Énergie fossile – Énergie renouvelable – Transition énergétique

Je suis capable de...

Pour chacun des deux objectifs suivants, construisez une réponse courte qui répond à la consigne.

Objectif 3 ▸ Expliquer quelles sont les différences d'accès et de gestion des ressources énergétiques et en eau entre les pays développés et les pays en développement

Aide *Rappelez comment les habitants ont pu mettre en valeur leur territoire de vie. Utilisez l'étude sur les ressources dans l'Imperial Valley (p. 252), l'Aude en France (p. 256) et à Dubai (p. 254).*

Objectif 4 ▸ Expliquer comment les habitants mettent en place la transition énergétique à l'échelle mondiale

Aide *Rappelez comment les habitants tentent de développer une gestion plus durable des ressources.*

2. S'entraîner

1 Construire des repères

Des ressources fossiles épuisables dans le monde

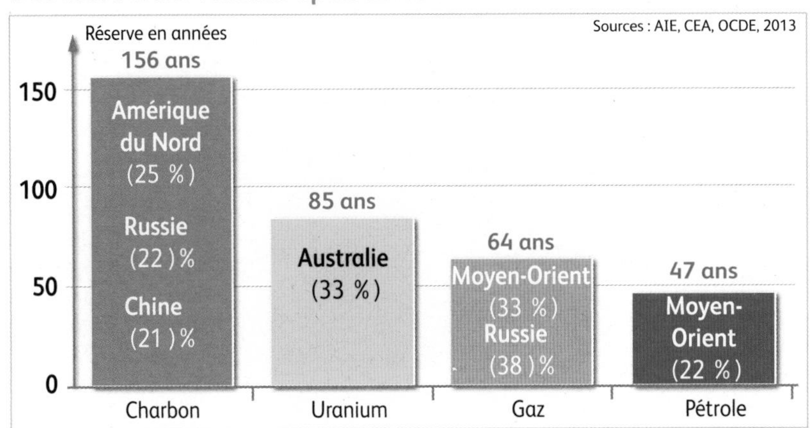

1. Quelles sont les ressources énergétiques fossiles ?
2. Quelle est l'énergie fossile dont l'humanité dispose de la plus grande réserve ?
3. Quels États possèdent des ressources fossiles importantes ?

2 Comprendre et analyser un document

Un tableau statistique comparatif

Production d'électricité en France et en Allemagne en 2014

Sources d'énergie	FRANCE	ALLEMAGNE
Nucléaire	77 %	15,4 %
Charbon	1,5 %	45,4 %
Gaz	2,7 %	10,7 %
Fioul	0,8 %	1,1 %
Hydraulique	12,6 %	3,2 %
Éolien	3,1 %	8,4 %
Photovoltaïque solaire	1,1 %	4,7 %
Autres dont biomasse	1,2 %	11,1 %
Total	100 %	100 %

Source : Ministères de l'environnement des deux pays, 2015.

Identifier le document

1. Présentez le document (nature, auteur, date, thème traité).

Extraire des informations pertinentes

2. Quelle est la principale source de production d'électricité en France ? En Allemagne ?
3. Quelle est la part des énergies fossiles dans la production d'électricité en France et en Allemagne ?
4. Quelle est la part des énergies renouvelables dans la production d'électricité en France et en Allemagne ?

Auto-évaluation Je me positionne sur une marche.

1.
- **J'observe le document.**
- **Je repère sa nature, sa source, sa date et le thème traité.**

Question 1

2.
- J'observe le document.
- Je repère sa nature, sa source, sa date et le thème traité.
- **Je lis le document et en extrais des informations simples.**

Questions 1 et 2

3.
- J'observe le document.
- Je repère sa nature, sa source, sa date et le thème traité.
- Je lis le document et en extrais des informations simples.
- **Je justifie ma réponse en citant les données chiffrées du document.**

Questions 1, 2 et 3

4.
- J'observe le document.
- Je repère sa nature, sa source, sa date et le thème traité.
- Je lis le document et en extrais des informations simples.
- Je justifie ma réponse en citant les données chiffrées du document.
- **J'utilise mes connaissances pour extraire des données statistiques.**
- **Je les compare.**

Questions 1, 2, 3 et 4

Pour progresser, j'analyse mes axes de progrès. Que devrais-je améliorer ?

J'apprends, je m'entraîne

3 Comprendre et analyser un document

Toit végétalisé en milieu urbain

Toit de l'ACROS building garden à Fukuoka, Japon. Un édifice haut de 12 étages avec un toit constitué d'un jardin de tilleuls et d'érables qui limite le réchauffement global de la température, constitue un lieu de préservation de la biodiversité et peut contribuer à l'isolation d'un bâtiment. Les toits végétaux contribuent ainsi à assainir le climat des villes et à réduire les émissions de gaz à effet de serre.

Source : Kenta Mabuchi, 2015

Identifier le document

1. Présentez le document (nature, auteur, date, sujet).

Extraire des informations pertinentes

2. Décrivez le document.
3. Quels peuvent être les différents avantages des toits végétalisés ?

Utiliser ses connaissances pour expliciter et exercer son esprit critique

4. Pourquoi les toits végétalisés se multiplient depuis la fin du XXe siècle dans les grandes agglomérations mondiales ?
5. Quelles autres solutions peut-on envisager pour « construire les villes durables de demain » ? Vous penserez à citer des exemples localisés dans différentes régions du monde.

Auto-évaluation Je me positionne sur une marche.

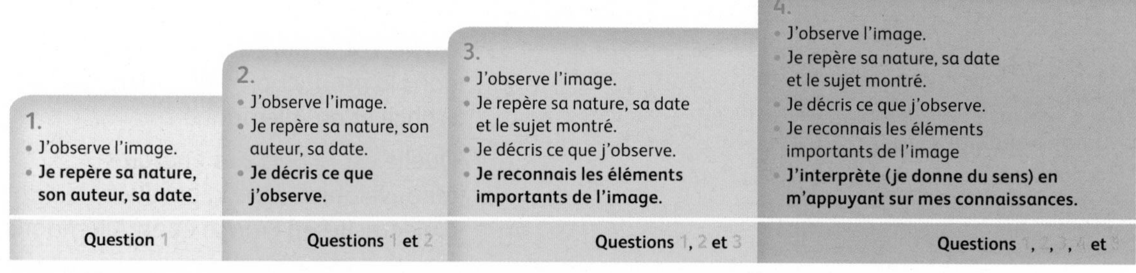

Pour progresser, j'analyse mes axes de progrès. Que devrais-je améliorer ?

4 S'informer dans le monde numérique

Dans un moteur de recherche, tapez « UNICEF ». Cliquez sur le site puis allez sur l'onglet Comprendre. Cliquez sur le troisième thème : « *Eau, assainissement, hygiène* ».

À l'aide des informations que vous trouverez sur le site de l'UNICEF, répondez aux consignes suivantes :

1. Présentez l'UNICEF.
2. Expliquez pourquoi la question de l'eau est une préoccupation majeure au sein de l'UNICEF.
3. Présentez des actions de l'UNICEF mises en place pour satisfaire le besoin en eau des populations.

Enquêter Le solaire, une ressource énergétique durable ?

Les faits

Centrale solaire Noor à Ouarzazate au Maroc inaugurée en février 2016

Elle fournira de l'électricité à près de 1 million de personnes.

Panneaux solaires dans l'écoquartier Vauban à Fribourg en Allemagne

Les indices

Indice n°1

Stocker l'énergie solaire

Le talon d'Achille des panneaux solaires installés sur les toits des maisons particulières est qu'ils produisent de l'électricité au moment même où les parents sont au bureau et les enfants à l'école. Le problème du stockage des énergies renouvelables est l'éternel argument avancé par les défenseurs du nucléaire, du charbon et du gaz naturel. Aujourd'hui une réponse à ce problème semble trouvée : des batteries qui stockent l'électricité produite durant la journée.

F. Thérin, « Des batteries pour enfin stocker l'énergie solaire... », lepoint.fr, le 06/03/2015.

Indice n°2

Promosol, un four solaire produit au Tchad en Afrique

Au Tchad, où seulement 5 % de la population a accès à l'électricité, le four Promosol offre la possibilité de cuire les aliments grâce à l'énergie solaire. Ce four constitue une alternative écologique à la déforestation. Les matériaux utilisés pour sa fabrication proviennent à 100 % du Tchad. Le projet a permis de créer des dizaines d'emplois et a déjà conquis près de 800 utilisateurs grâce à un argument irréfutable : l'énergie solaire est gratuite... et inépuisable.

D'après *Jeune Afrique*, mars 2015.

Indice n°3

Le solaire et le développement durable

SOCIÉTÉ
Le solaire améliore la qualité de vie (accès au chauffage, à l'électricité)

ÉCONOMIE
Le solaire permet la création d'emplois et de richesse au niveau local

Le solaire, une énergie durable

ENVIRONNEMENT
Le solaire est une énergie renouvelable et non polluante

À l'aide des différents éléments présentés, quelle est votre conviction ?

Le solaire est-il une ressource énergétique durable ?

Par équipe, complétez le carnet de l'enquêteur.

1. Des usages du solaire dans le monde : lesquels ? ... Pourquoi ? ...
2. Les différents apports du solaire pour un développement durable : ...

Rédigez en quelques lignes le rapport d'enquête.

Le Pont du Gard, un ouvrage antique pour gérer l'eau

Comment un ouvrage utile pour les Romains est-il devenu une œuvre d'art pour nous ?

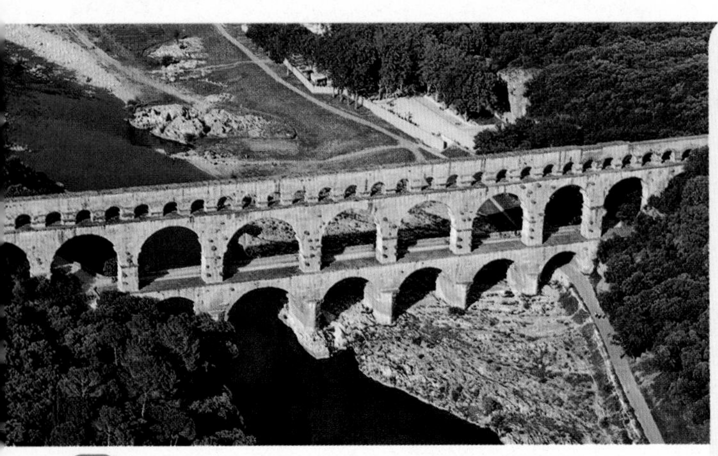

1 | Le Pont du Gard de nos jours

En 1985, le Pont du Gard a été inscrit sur la liste des biens du Patrimoine mondial par l'UNESCO (Organisation des Nations unies pour l'éducation, la science et la culture).

LE PONT DU GARD EN CHIFFRES

Longueur :	275 m.
Hauteur :	49 m.
Nombre d'arches :	6 arches au premier niveau, 11 arches au second niveau et 47 arceaux à l'origine.
Poids total :	50 000 tonnes.
Matériau :	pierre calcaire.
Technique de construction :	rouleaux d'arches juxtaposées, ce qui est une forme de standardisation de la construction.
Visiteurs annuels :	plus de 1,5 million.

D'après le site Internet du Pont du Gard, http://www.pontdugard.fr, 2016.

2 Un ouvrage antique apportant l'eau à Nîmes

Le Pont du Gard est un pont-aqueduc construit par les Romains vers 50 après J.-C. Avec ses 49 m de hauteur, c'est le pont-aqueduc romain le plus haut du monde. Il est le seul exemple de pont antique à trois étages encore debout aujourd'hui. Près d'un millier d'hommes ont travaillé sur ce chantier colossal achevé en seulement cinq ans. L'aqueduc auquel le Pont du Gard appartient alimenta pendant cinq siècles la ville de Nîmes en eau. L'aqueduc acheminait par gravité 30 000 à 40 000 m^3 d'eau courante par jour depuis une source située à 50 kilomètres de la cité. Cette réalisation donne à la ville (qui compte alors 20 000 habitants) un prestige nouveau : fontaines, thermes, eau courante dans les riches demeures, propreté des rues contribuent à l'agrément et au bien-être de ses habitants.

D'après le site Internet du Pont du Gard, http://www.pontdugard.fr, 2016.

Identifier et analyser une œuvre d'art

Présenter et décrire

1. **DOC. 1** Présentez et décrivez l'œuvre en insistant sur la taille, les matériaux et les techniques employées.

Comprendre

2. **DOC. 1 ET 2** Pourquoi cette œuvre est-elle impressionnante et remarquable ?

Exprimer sa sensibilité et conclure

3. Imaginez que vous défendez à l'UNESCO le maintien de cet ouvrage au patrimoine mondial : quels arguments emploieriez-vous ?
4. Trouvez d'autres ouvrages romains inscrits à l'UNESCO.

Aide *Rendez-vous sur le site http//whc.unesco.org/fr/list/*

L'atelier du géographe

Réaliser une carte à partir de données statistiques

1 | La consommation d'énergie dans le monde.

	Part de la consommation d'énergie
Amérique du Nord	18,6 %
Amérique latine	6,4 %
Europe	13,4 %
Russie	5,6 %
Asie-Pacifique	28,0 %
Moyen-Orient	5,6 %
Asie (hors Asie-Pacifique et Moyen-Orient)	38,4 %
Afrique	5,5 %
Océanie	1,1 %

Source : *AIE*, Enerdata, 2014.

2 | Réserves d'hydrocarbures dans le monde

Pays	% des réserves mondiales
Moyen-Orient dont Arabie saoudite	60,2 % 22,1 %
Amérique dont Venezuela	24,4 % 23 %
Asie dont Russie	8,3 % 5,4 %
Afrique	7,1 %

Source : *OPEP*, 2014.

PDF
À IMPRIMER

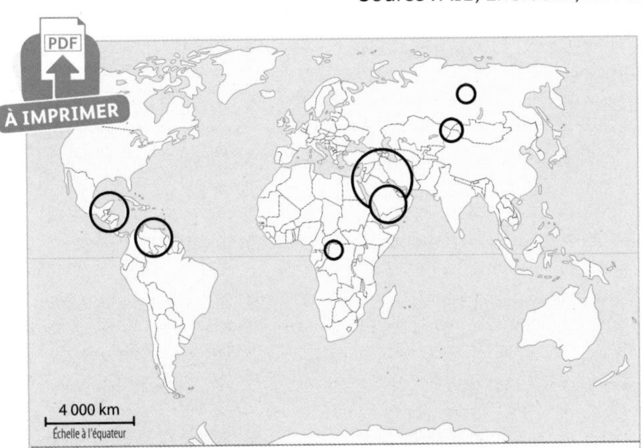

1. La consommation d'énergie
- Les trois principales zones de consommation d'énergie
- Les deux continents où la consommation d'énergie est faible

2. Les réserves mondiales d'hydrocarbures

Source : OPEP, 2014.

Point méthode RAPPEL

Toute carte doit réunir quatre éléments indispensables dénommés TOLE :
- un **Titre** qui précise le thème et le type d'espace ;
- une **Orientation** qui indique la direction du nord ;
- une **Légende** qui permet de décoder toutes les informations lisibles sur la carte ;
- une **Échelle** qui permet de calculer des distances.

Étape 1 ▶ **Lire et comprendre les documents**

1. Présentez les deux documents en précisant quels sont les auteurs des statistiques, les dates, et les deux thèmes exposés.

Étape 2 ▶ **Comprendre les documents et hiérarchiser les informations**

2. DOC. 1 Quelles sont les régions du monde où la consommation d'énergie est la plus importante ?
3. DOC. 1 Dans quelles régions la consommation d'énergie est-elle faible ?
4. DOC. 2 Sur quels continents les réserves d'hydrocarbures sont-elles les plus importantes ?

Étape 3 ▶ **Réaliser sa carte**

5. Sur le fond de carte fourni par votre professeur, complétez la légende.

Aide *Pensez à utiliser la légende, le planisphère politique du manuel et vos réponses aux questions de l'étape 2. Pensez à localiser les lieux en écrivant leurs noms sur la carte.*

6. Vérifiez que vous n'avez oublié aucun élément obligatoire sur votre carte (voir Point méthode).

L'atelier d'écriture

La gestion durable de l'eau

À l'aide de vos connaissances, rédigez un texte qui explique comment gérer durablement la ressource en eau dans le monde.

Travail préparatoire (au brouillon)

1. Comprenez bien le sujet.

« Gérer la ressource en eau dans le monde. »

- Gérer : S'occuper de la qualité et quantité d'eau disponible pour les populations.
- ressource : Élément exploité par les populations.
- monde : Des pays développés, des pays en développement.

2. Organisez vos idées en reproduisant et complétant la carte mentale suivante :

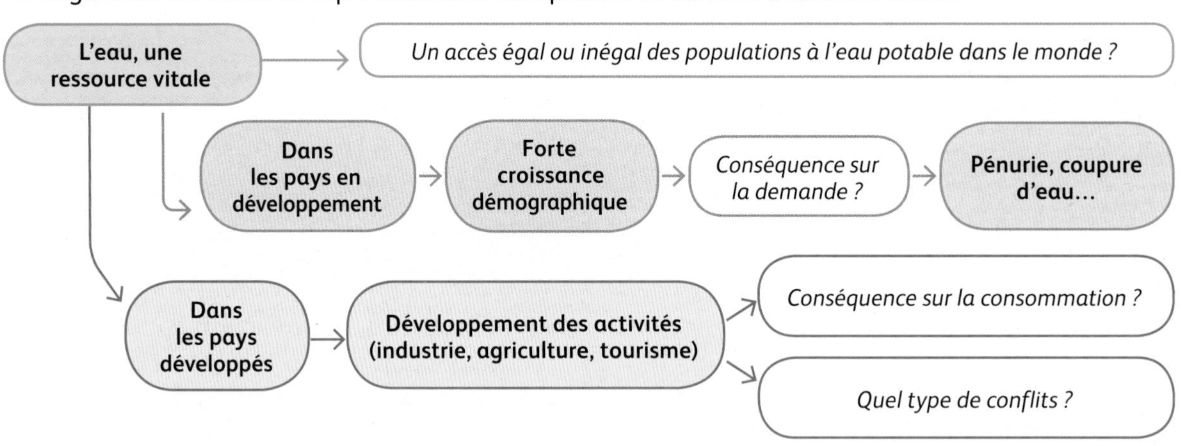

3. Vérifiez avec votre cahier ou votre manuel que vous n'avez pas oublié d'informations essentielles.

Travail de rédaction (au propre)

À vous de choisir votre niveau de difficulté et votre ceinture !

Je rédige un texte **sans aide**.

Rédigez votre texte en vérifiant que :
- Vous commencez votre texte par un alinéa.
- Vous organisez vos idées en paragraphes.
- Vous pensez à citer des exemples localisés dans l'espace.

Soignez la présentation de votre texte et votre écriture. Évitez les ratures. N'oubliez pas de relire et de vérifier vos accords.

Je rédige avec un guidage léger.

Rédigez votre texte en construisant trois paragraphes qui commencent par un alinéa :
- Chaque paragraphe correspond à une couleur de la carte mentale.
- Vous reprenez les idées qui y sont notées en rédigeant plusieurs phrases simples et complètes.

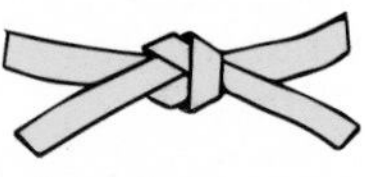

Je rédige avec un guidage.

Rédigez votre texte en construisant trois paragraphes qui commencent par un alinéa :

Chaque paragraphe correspond à une couleur de la carte mentale.
Vous reprenez les idées qui y sont notées en rédigeant plusieurs phrases simples et complètes.
Vous pouvez vous inspirer des amorces suivantes :
L'eau est une ressource… cependant…
Dans les pays en développement, la forte croissance démographique…
Dans les pays développés, en revanche, les activités comme…

EMC

▸ **Objet d'enseignement** *L'engagement politique, associatif, syndical et humanitaire : ses motivations, ses modalités, ses problèmes*

S'engager pour que tous aient accès à l'eau

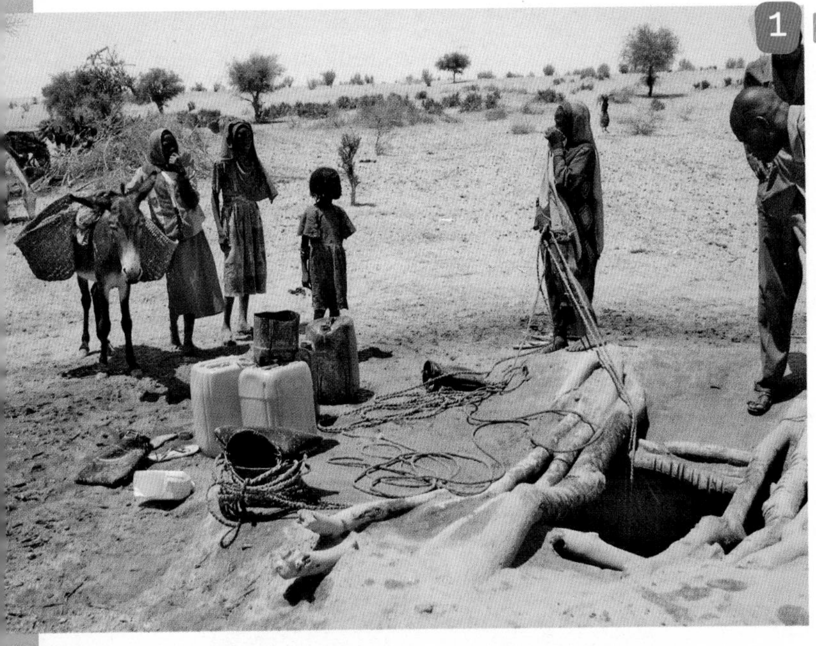

1 | Un accès à l'eau potable difficile
Un puits traditionnel près de Sassa au Tchad en Afrique.

2 Que dit la loi ?

L'Assemblée générale de l'ONU

1. Reconnaît que le droit à l'eau potable et à l'assainissement est un droit de l'homme, essentiel à la pleine jouissance de la vie et à l'exercice de tous les droits de l'homme.
2. Demande aux États et aux organisations internationales d'apporter des ressources financières.

Résolution A/64/L.63/Rev.1 adoptée par l'Assemblée générale de l'ONU, 28 juillet 2010.

3 Des collégiens qui se mobilisent

25 élèves volontaires de cinquième au collège Henry-Berger de Fontaine-Française (21) se mobilisent afin d'aider le village tchadien de Koro Bémara au sud du pays à avoir un puits. Le coût de cet équipement est de 8250 euros. À ce jour 218,81 € ont été récoltés. Actuellement les élèves fabriquent des objets, cartes postales, marque-pages, et confectionneront des gâteaux, qui seront vendus lors des portes ouvertes de l'établissement. À cette occasion, le projet sera présenté aux visiteurs.
Des gouttes d'eau sont collées sur un pilier de l'établissement pour symboliser chaque don.

D'après http://remydelavingeanne.blog.lemonde.fr/2015/04/13/de-leau-pour-un-village-du-tchad/.

La sensibilité, soi et les autres

1. **DOC. 1** Que pouvez-vous dire de l'accès à l'eau des habitants de ce village tchadien ?

Comparez avec les conditions en France

2. **DOC. 3** Selon vous, pourquoi les élèves du collège Henry-Berger veulent-ils aider un village du Tchad à avoir un puits ?
3. **DOC. 1, 2 ET 3** Quelles actions ont-ils mises en place ? Qu'en pensez-vous ?

L'engagement : agir individuellement et collectivement

4. En groupes, choisissez une cause en lien avec l'accès aux ressources qui vous tient à cœur. Proposez un plan d'action pour aider cette cause, sur le modèle de ce qui a été vu. Pour cela recopiez et remplissez le tableau ci-joint :

La cause	...
Pourquoi cette cause ?	...
Une association peut-elle nous aider ?	...
Quel objectif avons-nous ?	...
Nos idées pour y arriver ?	...

12 Nourrir une population toujours plus nombreuse

EPI p. 338

Comment assurer la sécurité alimentaire durable d'une population mondiale qui augmente ?

Souvenez-vous !
Quelles régions du monde connaissent une forte croissance démographique ?

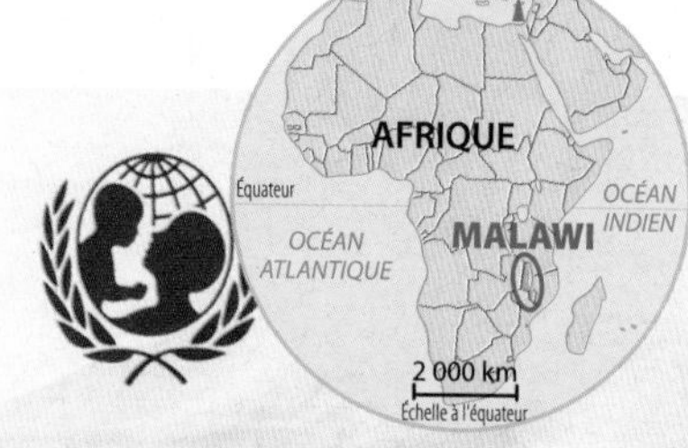

1 | Aide alimentaire de l'UNICEF au Malawi (Afrique), 12 mars 2015

▸ **Socle** *Construire des repères géographiques*

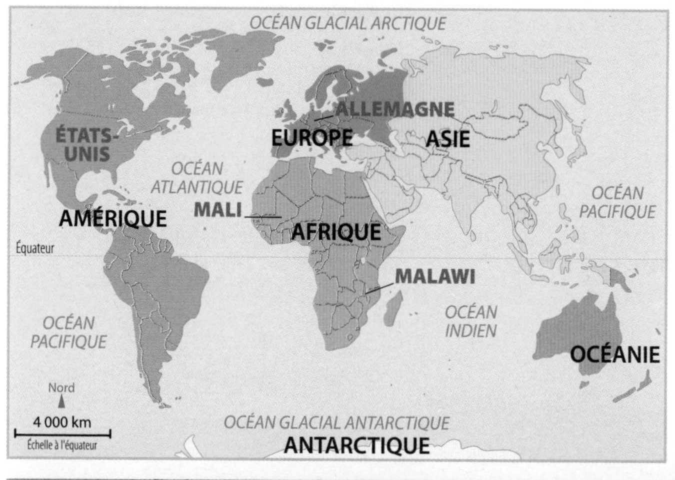

2 | **Un fast-food dans le quartier de Harlem à New York**

1. DOC. 1 Pourquoi les habitants du Malawi reçoivent-ils une aide alimentaire ?
2. DOC. 2 Quelle est la conséquence de ce type d'alimentation sur la santé des gens ?
3. DOC. 1 ET 2 **Émettez une hypothèse** pour répondre à la question suivante : quelle est la situation alimentaire des populations des deux pays ?

Vocabulaire

Sécurité alimentaire : accès à une alimentation suffisante et saine qui satisfait les besoins de la population.

Durable : qui prend en compte les intérêts des populations actuelles et futures.

Étude de cas

Se nourrir en Allemagne

Comment les Allemands assurent-ils leur sécurité alimentaire ?

FICHE D'IDENTITÉ DE L'ALLEMAGNE

Population	80,6 millions d'hab.
Superficie	357 000 km²
IDH	0,911 (6e rang mondial sur 187)

Nord
MER DU NORD
ALLEMAGNE
OCÉAN ATLANTIQUE
EUROPE
MER MÉDITERRANÉE
500 km

1 | **Agriculture intensive et productiviste de céréales en Allemagne**

2 Une agriculture biologique ancienne et en plein essor

L'Allemagne est le pays avec la plus longue tradition d'agriculture biologique et de commercialisation de produits diététiques. Les premiers magasins ont ouvert il y a plus de 100 ans dans le cadre d'un mouvement de réforme alimentaire. Les premiers magasins d'alimentation naturelle ont été créés il y a environ 25-30 ans. Vendant principalement des produits biologiques, ils traduisaient une critique de la société industrielle et offraient une alternative au commerce d'épicerie conventionnel.
Aujourd'hui, l'Allemagne est l'un des plus grands marchés mondiaux et aussi un des premiers importateurs de produits biologiques. Les scandales alimentaires semblent avoir un impact positif sur le marché biologique en raison de la sensibilisation accrue des consommateurs à l'égard de la santé.

D'après FAO, 2015.

Vocabulaire

Agriculture biologique : agriculture durable respectant l'environnement en interdisant l'utilisation de produits chimiques (engrais, pesticides).

Agriculture intensive et productiviste : système de production agricole où les rendements sont élevés.

IDH : indice de développement humain. Il mesure le niveau de développement d'un pays, compris entre 0 (faible IDH) et 1 (fort IDH).

Obésité: excès de poids qui entraîne des problèmes pour la santé et réduit l'espérance de vie.

3 Une semaine de nourriture en Allemagne

Une famille allemande pose devant la nourriture qu'elle consomme en une semaine. Budget hebdomadaire : 375,39 euros pour nourrir cinq personnes.

4 Malnutrition et obésité en Allemagne

En Allemagne, la malnutrition et la surnutrition sont un problème de société. 51 % des femmes et 66 % des hommes entre 18 et 80 ans sont en surpoids, soit 37 millions d'adultes. 22 % des femmes et 19 % des hommes de cette tranche d'âge sont considérés comme obèses. De nombreuses initiatives, programmes et plans d'actions ont été lancés afin d'infléchir la progression de l'**obésité** et du surpoids dans le pays. Outre-Rhin, les chercheurs s'activent pour concevoir de nouvelles approches pour prévenir et soigner l'obésité.

D'après *Science Allemagne*, « La recherche sur l'obésité en Allemagne », juin 2014.

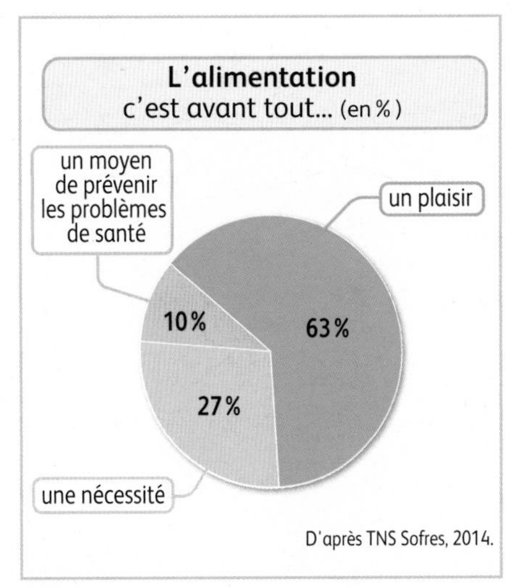

5 Manger est un plaisir en Allemagne

Activités

Socle *Construire des repères géographiques*

1. DOC. 1 Localisez et décrivez le paysage.
2. DOC. 1 ET 2 Quels sont les deux principaux types d'agriculture présents en Allemagne ?

Socle *Extraire des informations pertinentes*

3. DOC. 3 Quels sont les aliments consommés par cette famille ?
4. DOC. 3 ET 4 Quelles sont les conséquences de la malnutrition pour certains Allemands ?
5. DOC. 3 ET 5 Pourquoi peut-on dire que l'alimentation est variée et abondante en Allemagne ?
6. DOC. 2 ET 4 Quelles solutions envisage-t-on pour continuer à consommer une alimentation abondante et saine ?

Pour conclure Construisez un schéma qui répond à la question suivante :

Comment l'Allemagne assure-t-elle la sécurité alimentaire de sa population ?

Aide *Vous pouvez utiliser les propositions suivantes : sécurité alimentaire, forts rendements, agriculture intensive, obésité, nourriture abondante.*

Étude de cas

Se nourrir au Mali

Dans quelle mesure le Mali assure-t-il sa sécurité alimentaire ?

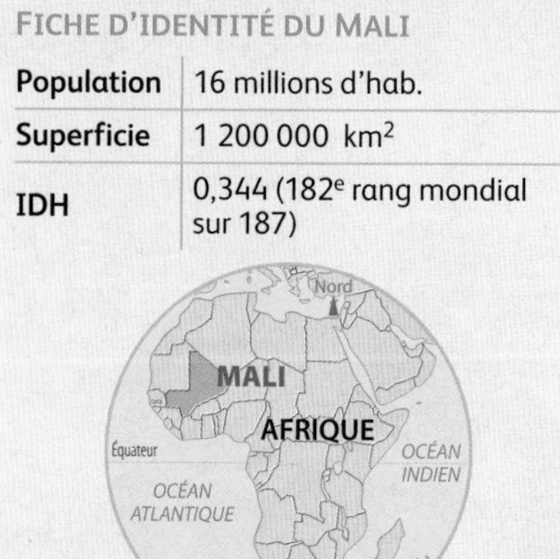

FICHE D'IDENTITÉ DU MALI

Population	16 millions d'hab.
Superficie	1 200 000 km^2
IDH	0,344 (182e rang mondial sur 187)

1 | Agriculture vivrière au Mali

2 Une ONG[1] intervient dans ce milieu de vie aride et difficile

Avec 64 % de la population vivant au-dessous du seuil de pauvreté, les problèmes au Mali sont profonds. Les deux tiers du territoire sont arides et les sécheresses récurrentes aggravent l'insécurité alimentaire des populations les plus vulnérables. De plus, les conflits armés au Nord du pays aggravent la situation.
La malnutrition est la deuxième cause de mortalité des enfants de moins de cinq ans.
ACF intervient au Mali depuis 1996. ACF travaille aussi à travers des aides alimentaires d'urgence sur l'atténuation des causes de la faim à travers une approche qui lie nutrition, sécurité alimentaire, eau, hygiène et assainissement.

D'après Action contre la faim (ACF), 2015.

1. ONG : Organisation non gouvernementale.

Vocabulaire

Agriculture vivrière : ensemble de productions destinées à la consommation personnelle du paysan et de sa famille.

Aride : très sec.

Malnutrition : déséquilibre de la ration alimentaire (carence alimentaire ou suralimentation).

Sous-nutrition : situation dans laquelle les apports alimentaires ne comblent pas les besoins.

3 | Un marché au Mali à Djenné, ville située à 400 km au nord de Bamako

4 Sous-nutrition et malnutrition au Mali

La forte croissance démographique accentue la pression sur les ressources. Le régime alimentaire est essentiellement basé sur les céréales (mil, riz, sorgho, maïs). À ces aliments de base s'ajoutent des produits laitiers, et dans une moindre mesure, des légumineuses (niébé), des racines et tubercules (patates douces, ignames, manioc) et des fruits et légumes.

Aujourd'hui, le pays connaît un changement dans les pratiques alimentaires en milieu urbain où près d'une femme adulte sur trois est en surpoids ou obèse. En parallèle, la sous-nutrition persiste chez les femmes en milieu rural.

D'après FAO, Organisation des Nations unies pour l'alimentation et l'agriculture, 2010.

5 | Une semaine de nourriture au Mali

Cette famille malienne dispose d'un budget de 20 euros par semaine pour nourrir quinze personnes. Les plats préparés sont à base de riz.

Activités

Socle *Construire des repères géographiques*

1. DOC. 1 Localisez et décrivez le paysage. Quels types d'outils sont utilisés pour cultiver la terre ?

Socle *Extraire des informations pertinentes*

2. DOC. 3, 4 ET 5 Quels sont les principaux aliments consommés au Mali ?
3. DOC. 1 ET 3 Comment les populations se les procurent-elles ?
4. DOC. 1 ET 2 Quelles sont les raisons de l'insécurité alimentaire au Mali ?
5. DOC. 2 ET 4 Comment la FAO et l'ONG ACF aident-elles le Mali à améliorer sa situation alimentaire ?
6. DOC. 2 ET 4 Quelles sont les conséquences de la malnutrition au Mali ?

Pour conclure Construisez un schéma qui répond à la consigne suivante :

➔ **Montrez que le Mali assure difficilement la sécurité alimentaire de sa population.**

Aide *Vous pouvez utiliser les propositions suivantes : insécurité alimentaire, faibles rendements, agriculture vivrière, malnutrition, croissance démographique, nourriture pas assez abondante, sous-nutrition.*

Géohistoire

Produire davantage pour nourrir l'humanité

Comment les populations ont-elles transformé l'agriculture et leur environnement pour assurer leur sécurité alimentaire?

1 Gagner des terres agricoles en défrichant

Le Rustican, traité d'agriculture composé vers 1305-1306 par le Bolonais Pietro dei Crescenzi.

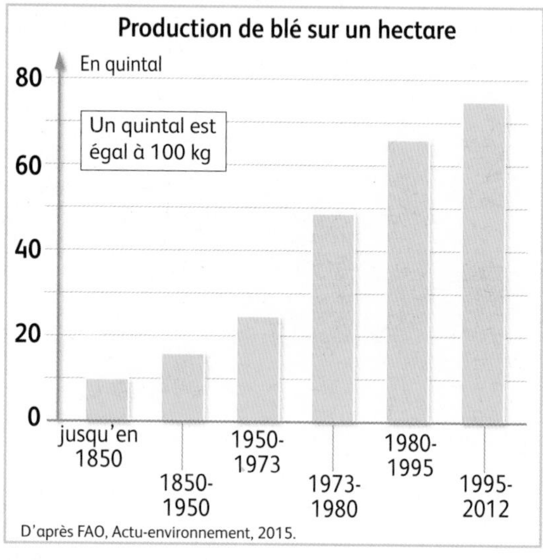

3 Une production de blé en croissance en France

2 Agriculture vivrière à Domont (Val-d'Oise) en France au début du XXe siècle

4 Un agriculteur épand des pesticides sur ses champs

Bailleul, dans le Nord de la France, en juin 2015.

5 | Récolte du soja au Brésil
Région de Cuiabá, Mato Grosso.

6 Une « Révolution verte » en Inde

À l'indépendance, les besoins en nourriture étaient immenses. Toutes les terres furent progressivement mises en culture. En 1968, le gouvernement adopta une politique agricole volontariste reposant à la fois sur la sélection de variétés de plantes produisant davantage, l'utilisation des engrais chimiques et le développement de l'irrigation.

D'après L. Dejouhanet, « L'Inde, puissance en construction », *Documentation Photographique*, 2016.

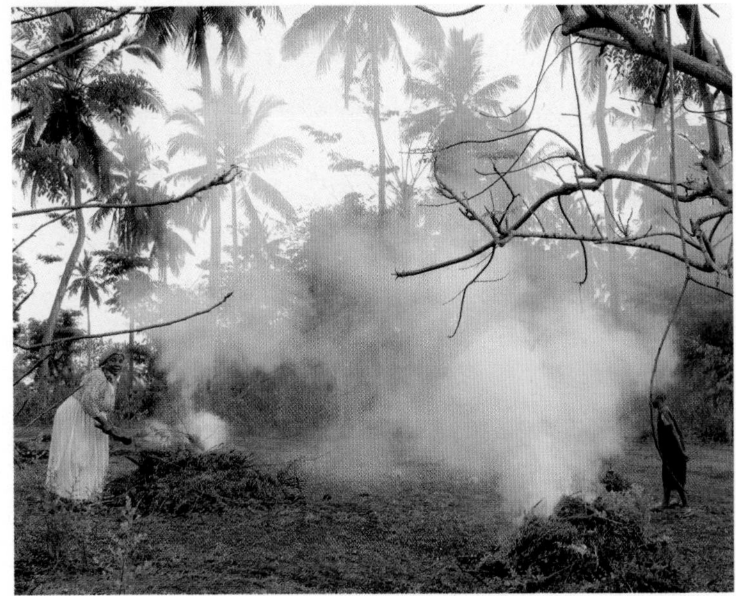

7 | Cultures sur brûlis à Mayotte

Activités

Étape 1 ▶ Repérer les permanences

1. **DOC. 1** Quand et pourquoi les grands défrichements ont-ils débuté?
2. **DOC. 7** Pourquoi les défrichements continuent-ils aujourd'hui ?

Étape 2 ▶ Identifier les évolutions

3. **DOC. 2, 4, 5 ET 6** Comment les techniques agricoles ont-elles évolué au XXe siècle ?
4. **DOC. 3 ET 5** Quelle conséquence cela a-t-il eu sur les productions agricoles et sur la sécurité alimentaire des populations ?
5. **DOC. 4, 6 ET 7** Quelles conséquences cela a-t-il sur l'environnement ?

Étape 3 ▶ Envisager des solutions futures

6. Comment allier agriculture performante et protection de l'environnement pour assurer une sécurité alimentaire durable pour les populations ?

▸ **Socle** *Se repérer dans l'espace*

L'alimentation dans le monde

Recopiez les tableaux et répondez aux questions

Des cas étudiés (à l'échelle locale)…		
	Étude p. 274	Étude p. 276
	L'Allemagne	**Le Mali**
Quelle est la situation alimentaire ?		
Comment les hommes accèdent-ils aux ressources alimentaires ?		

… au planisphère (à l'échelle mondiale)	
Où les populations sont-elles fortement obèses ?	
Localisez des espaces où la sécurité alimentaire n'est pas satisfaite.	
Localisez les espaces où la sécurité alimentaire est satisfaite.	

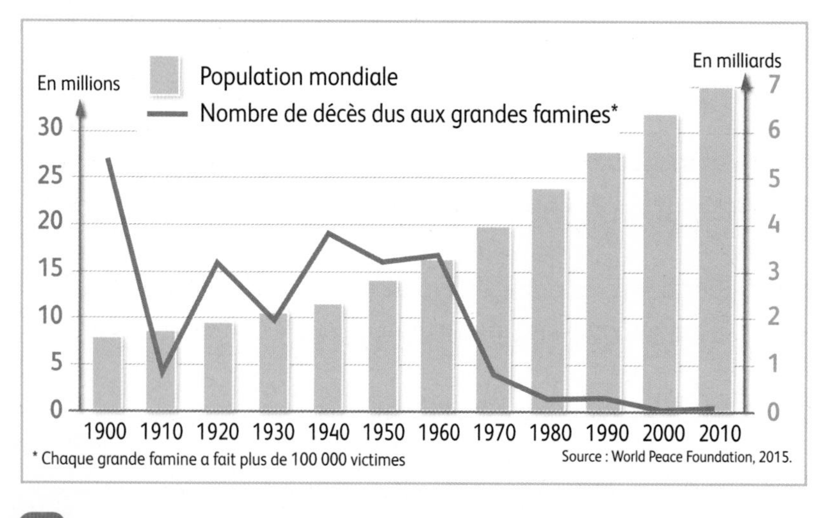

1 Croissance démographique mondiale et bilan des victimes des grandes famines, 1900-2015

Je retiens l'essentiel

L'essentiel en schéma

L'alimentation, un besoin vital pour une population toujours plus nombreuse

Dans les pays riches

Une agriculture moderne et très productive

Une alimentation variée et abondante

Mais malnutrition (surpoids, obésité) Gaspillage alimentaire

Dans les pays pauvres

Une agriculture encore souvent vivrière

Une demande alimentaire accrue

- liée à une croissance démographique encore forte

Crises alimentaires, sous-alimentation et malnutrition

Une nécessité : la gestion durable des ressources alimentaires pour assurer la sécurité alimentaire des populations

Chiffres clés

- 795 millions d'êtres humains souffrent de la faim en 2015.
- 1 enfant sur 4 souffre d'un retard de croissance dû à la sous-alimentation.
- 3 millions d'enfants meurent tous les ans de malnutrition.
- Le surpoids et l'obésité concernent près de 42 millions d'enfants de moins de 5 ans en 2013.
- 1,9 milliard d'adultes sont en surpoids, dont 600 millions d'obèses.

D'après FAO, UNICEF, OMS, 2015.

J'apprends, je m'entraîne

▸ **Socle 2** *Méthodes et outils pour apprendre*

Nourrir une population toujours plus nombreuse

1. Construire sa fiche de révision

Notez le titre de la leçon sur votre feuille.

Je connais...

Objectif 1 ▸ Connaître les repères géographiques

À l'aide du planisphère :

1. Indiquez le nom des continents numérotés de 1 à 6.
2. Localisez et nommez les espaces présentés dans le chapitre et indiqués par une lettre : L'Allemagne – Le Mali – Le Malawi – Les États-Unis d'Amérique.

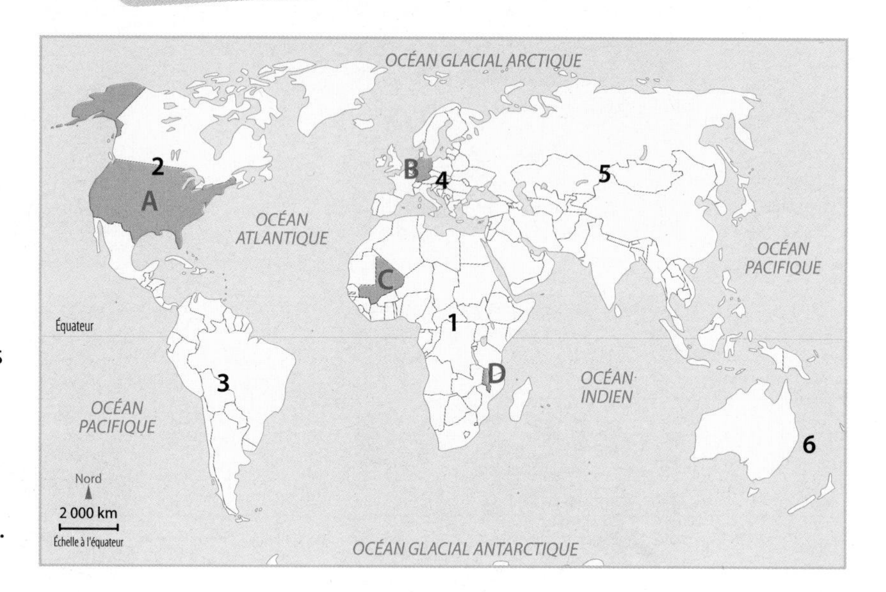

Objectif 2 ▸ Connaître les mots-clés

Notez la définition des mots-clés demandés ci-dessous :

Sécurité alimentaire – Sous-alimentation – Malnutrition – Agriculture vivrière – Agriculture productiviste – Agriculture biologique et durable.

Je suis capable de...

Pour chacun des deux objectifs suivants, construisez une réponse courte qui répond à la consigne.

Objectif 3 ▸ Expliquer comment les habitants d'un pays développé accèdent aux ressources alimentaires et les gèrent

Aide
- *Rappelez comment ces habitants ont accès aux ressources alimentaires en montrant les aspects positifs et négatifs.*
- *Pensez à citer au moins un exemple localisé.*

Objectif 4 ▸ Expliquer comment les habitants d'un pays en développement accèdent aux ressources alimentaires et les gèrent

Aide
- *Rappelez comment ces habitants des Suds ont accès aux ressources alimentaires en montrant les aspects positifs et négatifs.*
- *Pensez à citer au moins un exemple localisé.*

1 Construire des repères géographiques

Agriculture et sécurité alimentaire dans le monde

1. Associez à chacun de ces paysages le type d'agriculture qui lui correspond.
2. Associez à chacun d'eux la situation alimentaire qui lui correspond.

2 Analyser et comprendre une image : une caricature

1. Présentez le document (nature, auteur, date, thème présenté).
2. Décrivez le document.
3. Quelles sont les différences entre les Nords et les Suds du point de vue de l'auteur ?
4. Quelles sont les situations alimentaires dans ces deux espaces ?
5. Est-ce qu'aujourd'hui, l'auteur pourrait réaliser le même dessin ? Justifiez votre réponse.

Plantu, 1987.

Auto-évaluation Je me positionne sur une marche :

1.	2.	3.	4.
• J'observe l'image. • **Je repère sa nature.**	• J'observe l'image. • **Je repère sa nature, sa date et le sujet montré.**	• J'observe l'image. • Je repère sa nature, sa date et le sujet montré. • **J'identifie les lieux et personnages.**	• J'observe l'image. • Je repère sa nature, sa date et le sujet montré. • Je décris ce que j'observe. • **J'interprète (je donne du sens).**
Question 1	Questions 1 et 2	Questions 1, 2, 3 et 4	Questions 1, 2, 3, 4 et 5

Pour progresser, j'analyse mes axes de progrès. Que devrais-je améliorer ?

J'apprends, je m'entraîne

3 Analyser et comprendre un texte

Nourrir 9 milliards d'êtres humains en 2050

Comment faire pour que 9 milliards d'humains arrivent à manger à leur faim ? Et ce, alors même que les contraintes, notamment environnementales, se font de plus en plus pressantes : l'agriculture consomme en effet 70 % de l'eau douce de la planète et contribue pour 25 % aux émissions de CO_2 (dioxyde de carbone), et à 50 % de celles de méthane, gaz à effet de serre contribuant au changement global. Difficile donc d'augmenter la production sans remettre à plat les modes de culture et de consommation actuels. Il ne s'agit bien entendu pas de demander aux plus pauvres de restreindre leur alimentation. En revanche, il faudrait infléchir les modes de consommation dans les pays développés mais aussi dans les pays émergents (comme la Chine, l'Inde, le Brésil) où les habitudes alimentaires sont en plein bouleversement : la hausse des revenus s'accompagnant d'une augmentation de la consommation.

D'après Catherine Bernard, *slate.fr*[1], 2012.

1. Slate.fr est la version française, créée en 2009, d'un magazine. gratuit d'informations en ligne créé en 1996.

Identifier le document.

1. Présentez le document (nature, auteur, date, thème).
2. Sur quel site ce document est-il consultable ?

Extraire des informations pertinentes

3. Quelles sont les principales contraintes pour permettre à la population mondiale d'accéder à la sécurité alimentaire ?

Utiliser ses connaissances pour expliciter et exercer son esprit critique

4. Comment pourrait-on assurer une alimentation suffisante à une population mondiale en croissance ?
5. Comment réaliser cet objectif en respectant le développement durable ?

Auto-évaluation Je me positionne sur une marche :

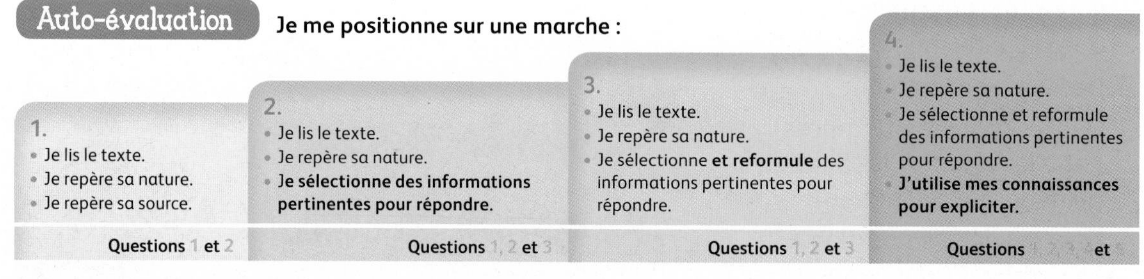

Pour progresser, j'analyse mes axes de progrès. Que devrais-je améliorer ?

4 S'informer dans le monde du numérique.

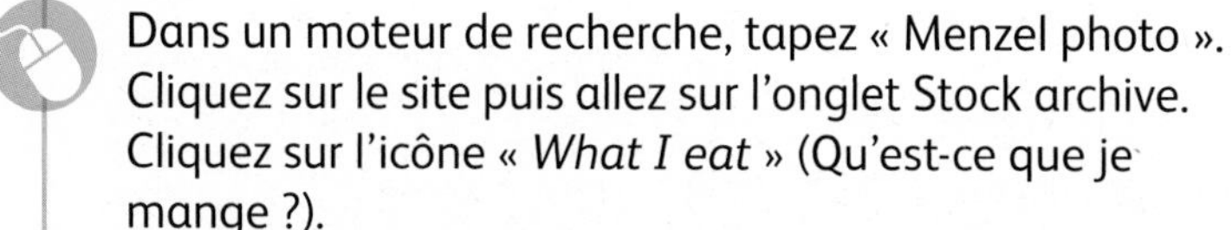

Dans un moteur de recherche, tapez « Menzel photo ». Cliquez sur le site puis allez sur l'onglet Stock archive. Cliquez sur l'icône « *What I eat* » (Qu'est-ce que je mange ?).

À l'aide des photographies de Peter Menzel, présentez la situation alimentaire de trois pays développés et de trois pays en développement en insistant sur la quantité des ressources alimentaires et leur variété.

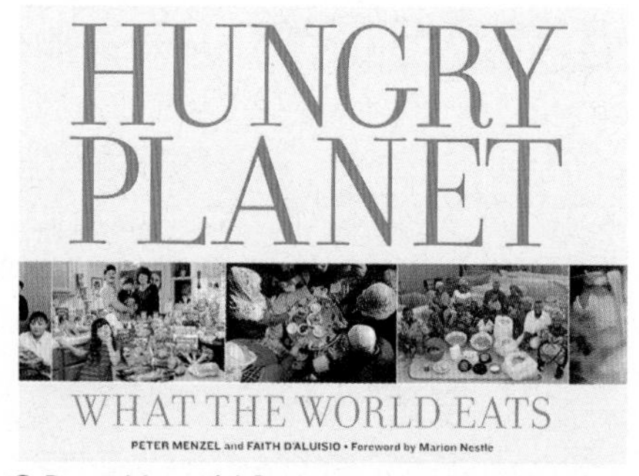

© Peter Menzel / Cosmos

Enquêter De nouvelles solutions pour nourrir les hommes ?

Les faits

La sous-alimentation dans les pays en développement

	1996-98	2015	2030
Pourcentage de la population sous-alimentée			
Afrique subsaharienne	34	22	15
Proche-Orient/Afrique du Nord	10	8	6
Amérique latine et Caraïbes	11	7	5
Chine et Inde	16	7	3
Autres pays d'Asie	19	10	5
Pays en développement	**18**	**10**	**6**

D'après FAO, 2015.

Lutter contre la faim en stoppant le gaspillage alimentaire

La FAO estime que plus de 40 % des cultures de racines, de fruits et légumes sont perdus ou gaspillés, tout comme 35 % des poissons, 30 % des céréales et 20 % de la viande et des produits laitiers. Le total des déchets alimentaires représente une valeur économique immense.

Les études de la FAO ont également montré que le gaspillage alimentaire est responsable de la libération de milliards de tonnes de gaz à effet de serre dans l'atmosphère.

D'après IFPRI.org et FAO, 2015.

Les indices

Indice n° 1

Fermes verticales à Honshu (Japon)

Indice n° 2

Manger des insectes, une tradition et une nouveauté

L'alimentation à base d'insectes pourrait bien se généraliser pour parvenir à nourrir plus de 9 milliards d'êtres humains d'ici à 2030.

Deux milliards de personnes en consomment déjà, particulièrement en Afrique, en Asie et en Amérique latine. En Europe, de plus en plus de restaurants et de grandes surfaces se lancent dans ce marché en éclosion.

D'après A. Garric, *Le Monde*, avril 2015.

Avez-vous pris connaissance des faits et des indices ? Quelle est votre conviction : quelles sont les nouvelles solutions pour nourrir les hommes ?

En équipe, complétez le carnet d'enquêteur :

1. Les différentes nouvelles solutions alimentaires peuvent être…
2. Ces solutions sont durables car…
3. Ces solutions permettront-elles de nourrir une population en constante croissance ?

Rédigez en quelques lignes le rapport d'enquête.

De nouvelles solutions pour nourrir les hommes : lesquelles ? … Pourquoi ? …

Histoire des Arts

L'art et l'alimentation

Pourquoi l'alimentation est-elle un thème qui a inspiré certains artistes américains du XXe siècle ?

1 | *Campbell's Soup Cans* (Boîtes de soupe Campbell)
Andy Warhol, **sérigraphie** à l'acrylique sur toile, 1962, Museum of Modern Art (MoMA), New York (États-Unis).

Point art

Pop art : courant artistique anglo-saxon des années 1950-1970 se référant à la culture populaire avec un ton ironique, voire provocateur.

Hyperréalisme : courant artistique américain des années 1960-1970 dont les œuvres ressemblent à des photographies.

Qui est-il ?

Andy Warhol (1928-1987)
Artiste américain, figure du pop art.

Présenter

1. Présentez les deux œuvres (nom, type d'œuvre, lieu, date, dimensions, matériaux…).

Décrire et comprendre

2. Décrivez ces deux œuvres (composition, couleurs, motifs…).
3. Que veulent exprimer ces deux artistes à travers leur production ?
4. En quoi ces œuvres sont-elles représentatives du pop art et de l'hyperréalisme ?
5. Pourquoi l'alimentation est-elle un thème qui a intéressé ces deux artistes ?

Exprimer sa sensibilité et conclure

6. Ces deux œuvres ont pu choquer à l'époque, quelles sont vos impressions personnelles ?

2 | *Supermarket Lady*
Duane Hanson, sculpture en polyester et fibre de verre, 1969-1970, 166 x 130 x 65 cm, Musée d'Aix-la-Chapelle (Allemagne).

Vocabulaire

Sérigraphie : procédé semi-mécanique permettant d'imprimer un motif que l'on peut reproduire plusieurs fois.

Qui est-il ?

Duane Hanson (1925-1996)
Sculpteur américain, figure de l'hyperréalisme et du pop art.

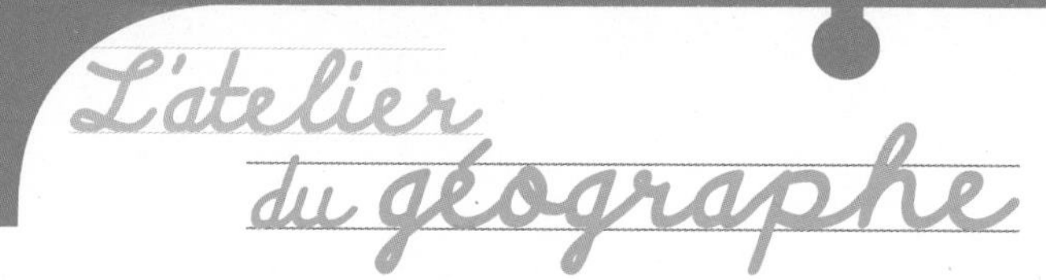

Réaliser une carte de géographie : la faim dans le monde

Les figurés

On peut faire varier la taille ou la couleur d'un figuré en fonction de l'importance du phénomène que l'on veut représenter.

- Un dégradé de couleurs pour les **figurés de surface**

- Une taille de plus en plus grande pour un **figuré ponctuel**

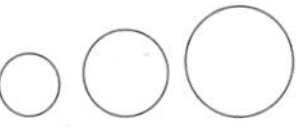

- Une épaisseur plus ou moins large pour un **figuré linéaire**

La faim dans le monde

Régions du monde	Personnes sous-alimentées (en millions)	% de la population
Amérique du Nord	8,7	< 5 %
Europe	5	< 5 %
Asie	511,7	12,1 %
Afrique	232,5	20 %
Océanie	1,4	14,2 %
Amérique latine	34,3	5,5 %

D'après FAO, 2015.

Étape 1 ▶ **Comprendre les données statistiques**

1. Combien de personnes souffrent de la faim dans le monde en 2015 ?
2. Dans quelles parties du monde la situation alimentaire est-elle la plus difficile ?
3. En proportion, quel est le continent le plus touché par la faim ?

Étape 2 ▶ **Réaliser la carte et compléter la légende**

Sur le fond de carte fourni par votre professeur :

4. Localisez chacune des régions évoquées dans le tableau en écrivant son nom en lettres majuscules noires.
5. Recopiez et complétez la légende en vous aidant des données statistiques du tableau et du point méthode :
   a. Renseignez le nombre d'habitants sous-alimentés par rapport à la taille du cercle dans la légende.
   b. Coloriez les cases du figuré de surface pour la part de la population sous-alimentée.
6. Réalisez la carte en respectant vos choix faits dans la légende.
7. Donnez un titre à votre carte.
8. Rappelez quels sont les quatre éléments indispensables à la carte. Vérifiez qu'ils sont présents sur votre carte.

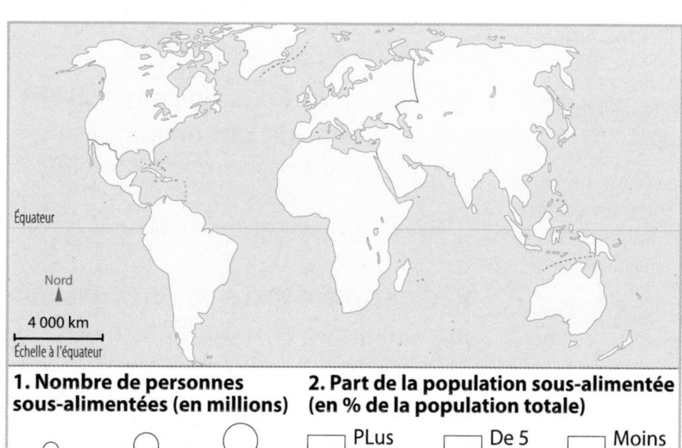

L'atelier d'écriture

La sécurité alimentaire dans le monde au XXIe siècle

À l'aide de vos connaissances, rédigez un texte qui explique comment permettre la sécurité alimentaire des populations au XXIe siècle.

Travail préparatoire (au brouillon)

1. Comprenez bien le sujet :
Recopiez le sujet. Entourez les termes importants et reformulez-les en répondant aux questions sans faire de phrases.

Comment assurer la sécurité alimentaire des populations au XXIe siècle ?

- sécurité alimentaire → Sens de ce mot-clé ?
- populations au XXIe siècle → Quelle évolution démographique ?

2. Organisez vos idées en classant les propositions suivantes dans le tableau que vous recopierez :
Alimentation variée et abondante – exemple de l'Allemagne – production agricole suffisante – agriculture vivrière – agriculture moderne et productive – malnutrition – obésité – sous-nutrition – sécurité alimentaire – exemple du Mali.

1er paragraphe Présentation du sujet	2e paragraphe Dans les pays en développement	3e paragraphe Dans les pays développés
...	...	...

3. Vérifiez avec votre cahier ou votre manuel que vous n'avez pas oublié d'informations essentielles.

Travail de rédaction (au propre)

À vous de choisir votre niveau de difficulté et votre ceinture !

Soignez la présentation de votre texte et votre écriture. N'oubliez pas de relire et de vérifier vos accords.

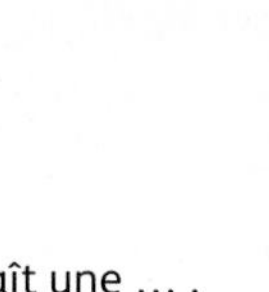

Je rédige un texte **sans aide.**

Rédigez votre texte en vérifiant que :
- Vous commencez votre texte par un alinéa.
- Vous organisez vos idées en paragraphes.

Je rédige un texte **avec un guide.**

Rédigez votre texte en construisant deux paragraphes qui commencent par un alinéa :
- Les pays en développement sont localisés … . La population y connaît une … .
- La croissance démographique pose des problèmes comme … .
Mais elle peut aussi être un atout si … .

Je rédige un texte **en répondant à des questions.**

Rédigez votre texte en construisant deux paragraphes qui commencent par un alinéa et répondent à des questions.
Vous reprenez les idées classées dans le tableau : 1 colonne = 1 paragraphe.
Vous pouvez utiliser les amorces de phrases suivantes :

1er paragraphe : La sécurité alimentaire, c'est …
2e paragraphe : Dans les pays en développement, l'agriculture est souvent …
3e paragraphe : Dans les pays développés, une agriculture productive permet …

EMC

▸ **Objet d'enseignement EMC** *L'engagement politique, syndical, associatif, humanitaire, ses motivations, ses modalités, ses problèmes*

Comment lutter contre le gâchis alimentaire ?

1 | Arrêter le gaspillage à la cantine

2 Des élèves se mobilisent contre le gaspillage

Chaque demi-pensionnaire du collège Molière de Beaumont est amené à peser les aliments non consommés de son assiette. Au menu : radis, poulet au curry, riz aux carottes et poire Belle-Hélène.

Airelle, l'éco-déléguée : Tu n'as même pas mangé tes desserts. Pourquoi en as-tu pris, si tu ne les manges pas ?
Élève A : Je n'ai pas eu le temps, après je devais partir parce que je devais commencer les cours.
Airelle, l'éco-déléguée : Normalement il y a une demi-heure pour pouvoir manger, il y a énormément de gâchis.

Grâce à cette action, le gaspillage a été ramené à 70 grammes par élève, quasiment à la moitié par rapport au début de l'année.

D'après France Bleu Pays d'Auvergne, 03/06/2015.

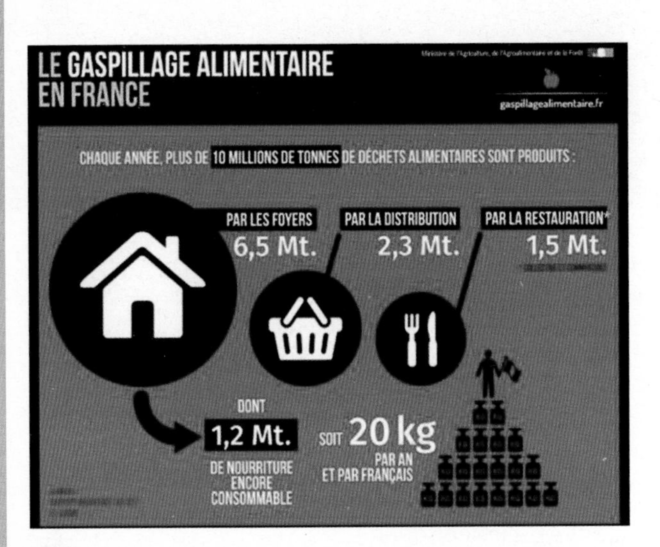

3 | Le gaspillage alimentaire en France
http://agriculture.gouv.fr, chiffres de 2015.

La sensibilité, soi et les autres

1. DOC. 1 Que vous inspire ce document ?
2. DOC. 2 Que pensez-vous du point de vue de ces deux élèves ? Lequel comprenez-vous le mieux ? Pourquoi ?
3. DOC. 3 Où la nourriture est-elle le plus gaspillée ? Que faudrait-il changer à vos habitudes pour jeter moins ?

S'engager

4. Renseignez-vous auprès du personnel de la cantine ou de l'intendance. Beaucoup de déchets alimentaires sont-ils jetés ?
5. Par groupes, réfléchissez à des solutions pour réduire le volume de déchets alimentaires jetés par les élèves de la cantine.

13 Le changement global et ses principaux effets géographiques régionaux

EPI p. 339

Qu'est-ce que le changement global ? Quelles sont les conséquences géographiques de ce phénomène ?

Souvenez-vous !
Connaissez-vous des bouleversements géographiques en cours ?

1 | La fonte des glaciers dans les Alpes
Le recul du glacier des Bossons (Chamonix, Haute-Savoie) entre 2003 et 2015.

Vocabulaire

Changement global : ensemble des modifications de l'environnement produites par les activités humaines, comme le réchauffement climatique, la diffusion de maladies, l'élévation du niveau des mers ou le développement de l'urbanisation.

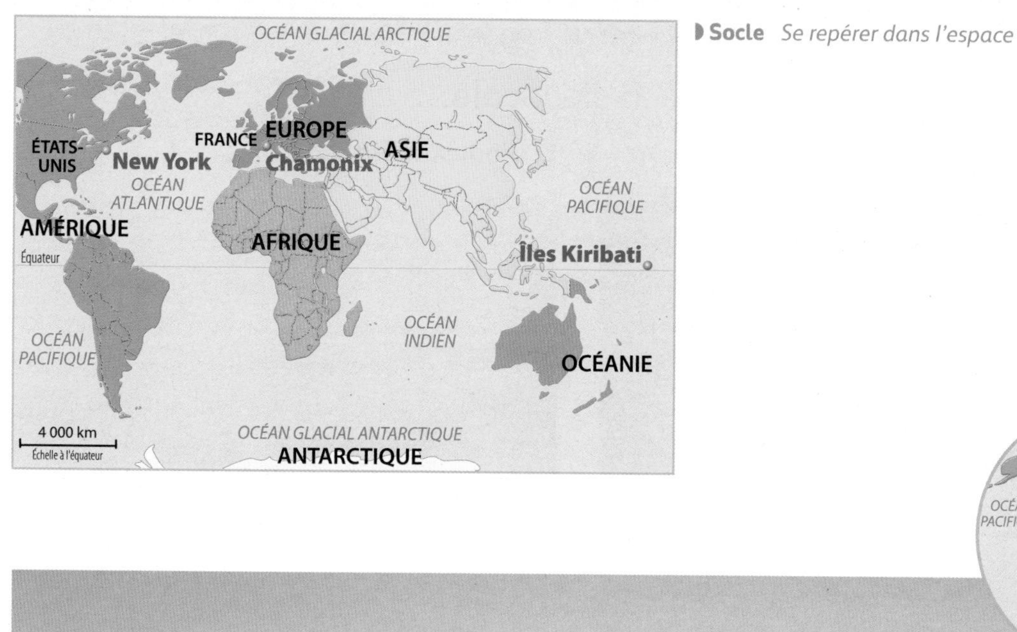

▸ **Socle** *Se repérer dans l'espace*

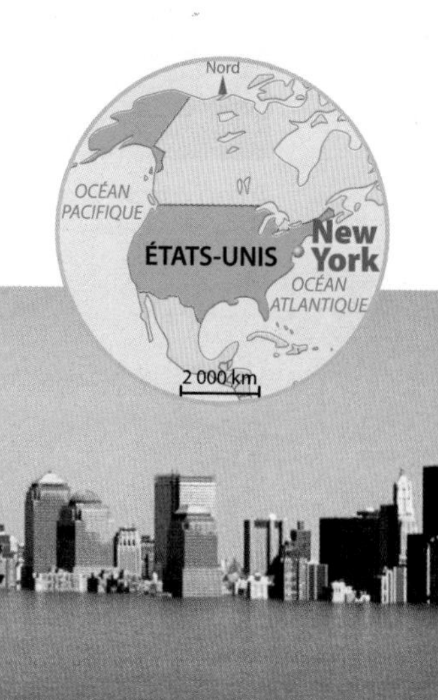

2 | New York sous les eaux, photomontage, 2015

1. DOC. 1 ET 2 Relevez les changements dont il est question dans les deux espaces présentés. Quel est le phénomène qui a lieu et celui qui pourrait arriver ?
2. **Émettez une hypothèse** pour répondre à la question suivante : quelles sont les raisons qui peuvent expliquer ces changements actuels ou éventuels ?

Comprendre le changement global

1 Des activités humaines à l'échelle locale…

A. La déforestation

Amazonie, Brésil.

B. L'industrialisation

Usines à Taiyuan, province du Shanxi, Chine.

2 … qui modifient le climat…

L'augmentation des températures par l'effet de serre

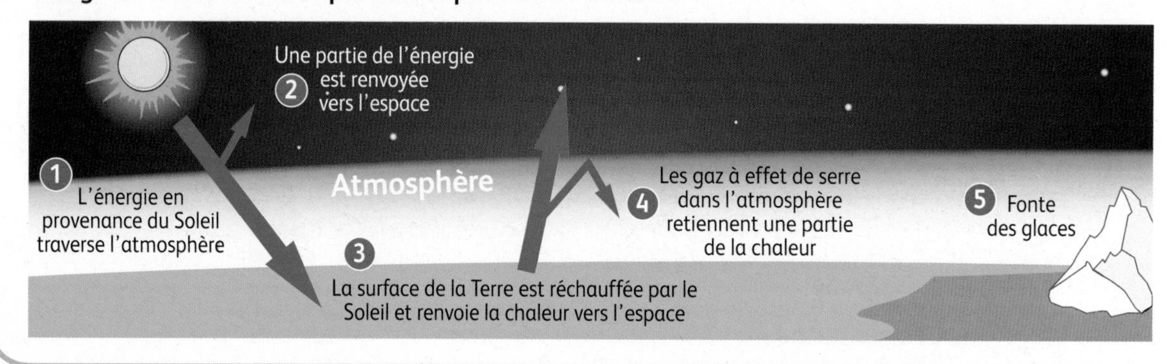

3 … ce qui a des conséquences multiples à l'échelle mondiale

A. Des événements climatiques extrêmes

Tempête de sable à Bagdad (Irak).

B. Diffusion de maladies

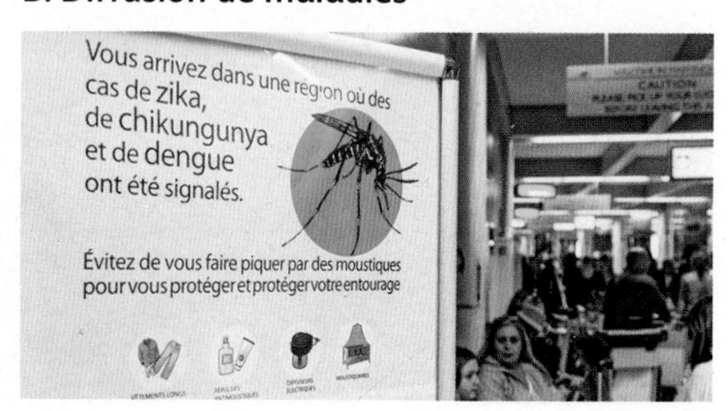

Consignes pour lutter contre les maladies infectieuses.

Vocabulaire

Banquise : glace constituée d'eau de mer.
Biodiversité : diversité des organismes vivants.
Déforestation : destruction de la forêt.
Effet de serre : réchauffement du climat dû à l'augmentation du gaz carbonique dans l'atmosphère.

C. Le développement de l'urbanisation

Wuhan, Chine.

D. La circulation automobile

Pollution à Paris.

Scientifiques et ONG s'alarment de la fonte de la banquise de l'Arctique.

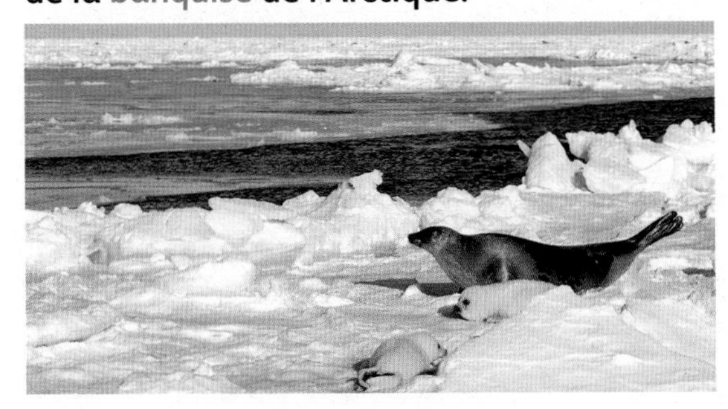

Pour aller plus loin

Une vidéo pour mieux comprendre le changement climatique

- Dans un moteur de recherche, tapez ces mots-clés « vidéo m la terre cause réchauffement global ». Vous pouvez suivre le lien : http://www.mtaterre.fr/le-changement-climatique/44/La-cause-un-rechauffement-global.

C. Perte de biodiversité

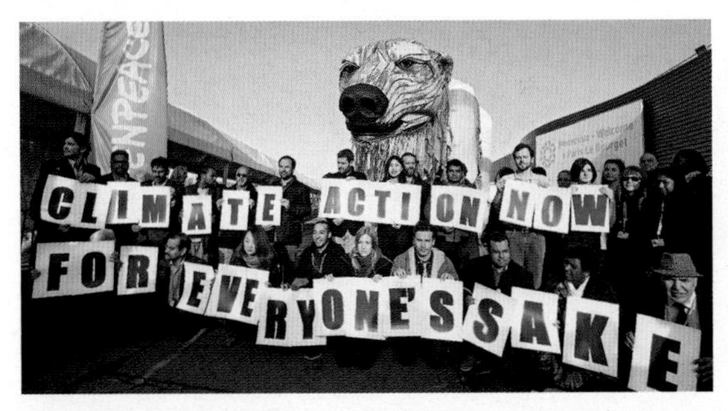

Manifestants de Greenpeace pendant la COP21

D. Élévation du niveau des mers

Miami, en Floride, inondée le 29 septembre 2015.

Activités

Construire des repères géographiques

1. Où sont localisés les événements décrits ?

Extraire des informations pertinentes

2. D'après le schéma, quelles sont les raisons du changement global ?
3. Décrivez, après l'avoir localisée, une de ces raisons. Quels peuvent en être les effets ?
4. Donnez une conséquence de ce changement global. Décrivez-en les effets en précisant qui est ou sera concerné.

Pour conclure Donnez votre définition du changement global.

Étude de cas

Un effet du changement global : la montée des eaux dans le Pacifique

FICHE D'IDENTITÉ DES ÎLES KIRIBATI	
Population	102 300 hab.
Superficie	811 km² Archipel de 33 îles éparpillées sur 3,5 millions de km² d'océan.
PIB/hab	1 650 $ par hab.

Quelles sont les conséquences de l'augmentation du niveau de la mer dans les îles Kiribati ?

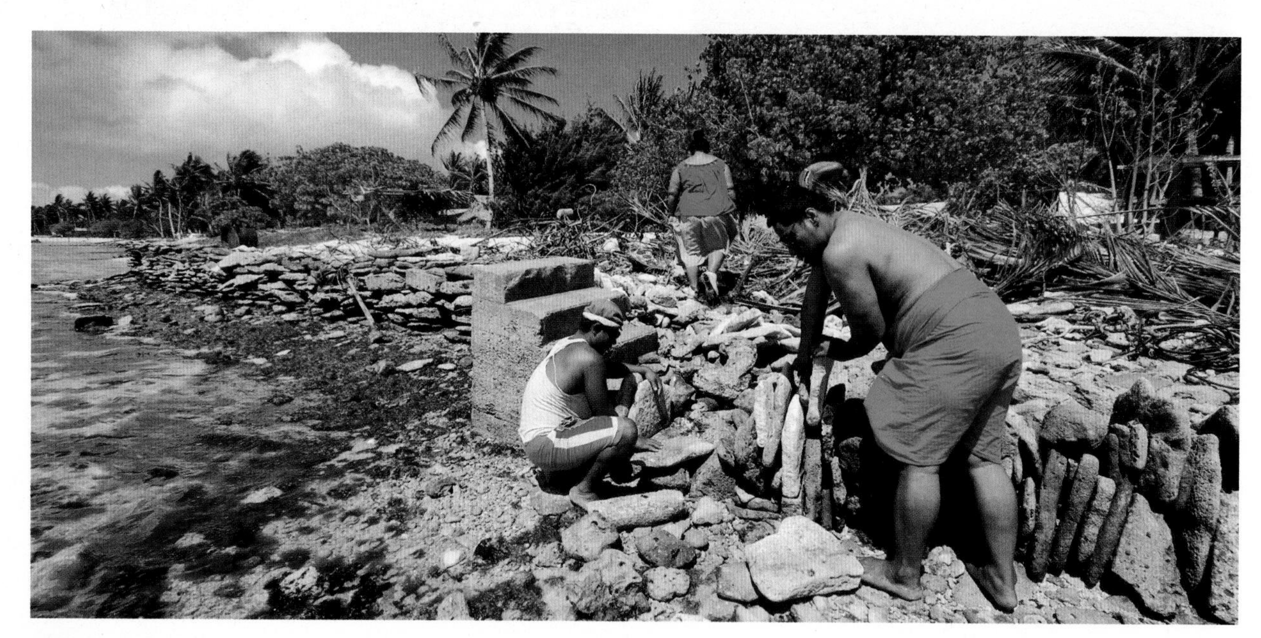

1 | Reconstruction d'une digue détruite à Bairiki

2 Un habitant des Kiribati demande à la Nouvelle-Zélande le statut de réfugié climatique

Un témoin raconte

Selon l'avocat d'Ioane Teitiota, son client est menacé dans cet archipel, dont la plupart des atolls[1] dépassent à peine le niveau de l'eau. Des zones entières de l'archipel sont régulièrement envahies par l'océan et les récoltes s'appauvrissent en raison de l'infiltration d'eau salée dans les réserves d'eau douce. « L'accès à l'eau douce est un droit fondamental. Le gouvernement des Kiribati est incapable, et peut-être réticent, de garantir ces choses car c'est totalement hors de son contrôle ».

D'après « Un habitant des îles Kiribati réclame le statut de réfugié climatique », *Le Monde*, 17/10/2013.

1. Île basse faite de récifs coralliens.

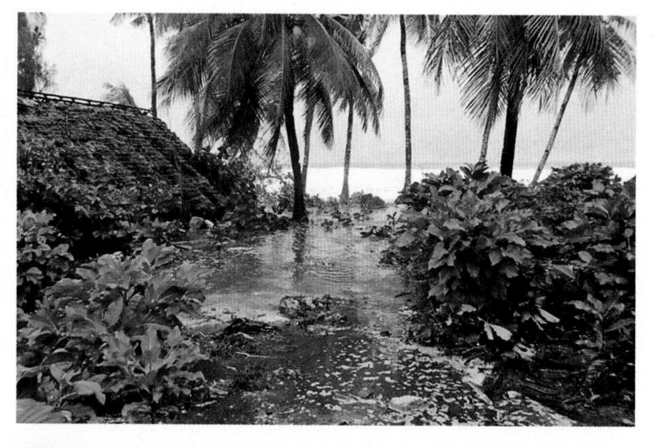

3 | Une île des Kiribati menacée par la hausse du niveau des mers

Vocabulaire

Réfugié climatique : personne qui doit quitter son lieu de résidence en raison de la dégradation de l'environnement liée aux modifications du climat.

Les îles Kiribati devront-elles déménager ?

« Îles paradisiaques cherchent territoire à acheter, cause relogement urgent. » Telle est l'annonce un peu curieuse que pourraient diffuser les trois archipels des Kiribati. Cet État insulaire d'Océanie est en perdition. La faute à la montée des eaux, qui menace les quelque 110 000 habitants qui vivent sur des terres dont les plus hautes ne dépassent que de quelques mètres le niveau de l'océan. Le président des Kiribati, Anote Tong, a reconnu qu'il était en pourparlers avec le gouvernement des Fidji pour acheter 2 000 hectares de terres sur l'île de Vanua Levu. « Le changement climatique est un combat quotidien pour les Kiribati » a avoué le chef d'État.

D'après L.Cunéo, « Les îles Kiribati vont-elles déménager aux Fidji ? », *Le Point*, 08/03/2012.

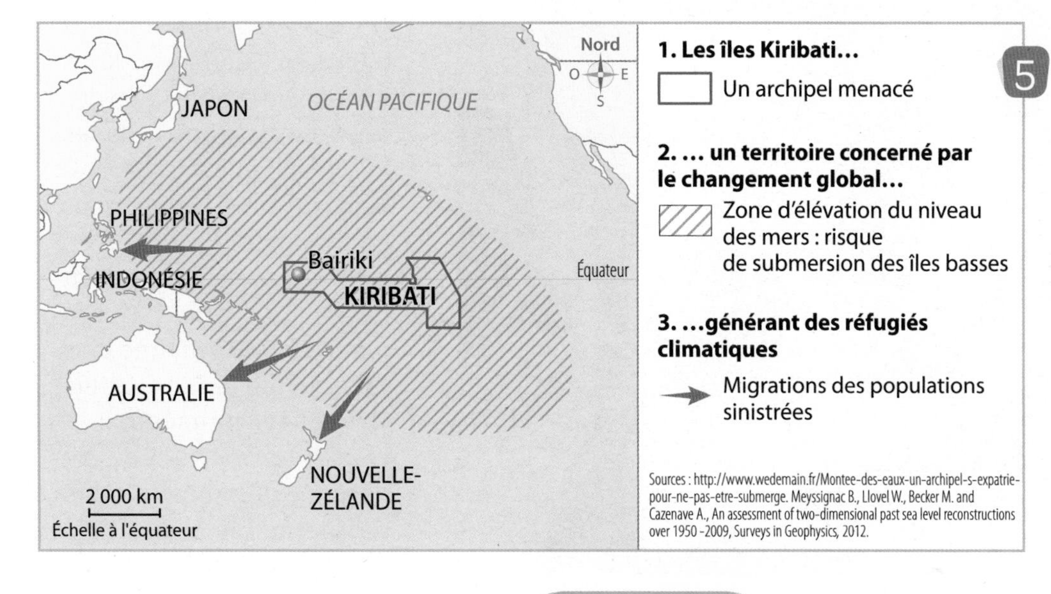

5 Les îles Kiribati et le changement global

Activités

Socle *Construire des repères géographiques*

1. DOC. 1 Présentez la scène. Où est localisé le territoire étudié ?
2. DOC. 1, 3 ET 4 Quelle est la menace qui concerne les îles Kiribati ?

Socle *Extraire des informations pertinentes*

3. DOC. 2 ET 4 Quelles sont les conséquences pour la population des îles Kiribati ?
4. DOC. 1, 2 ET 4 Comment la population et le président essayent-ils de trouver des solutions, de s'adapter à cette montée des eaux ? Que pensez-vous de ces solutions ? Justifiez.

Pour conclure Construisez une réponse courte à la question suivante :

Quelles sont les conséquences de l'augmentation du niveau de la mer dans les îles Kiribati ?

Pour aller plus loin

- Pour aller plus loin ; allez sur le site du *Monde* dans le dossier « Îles Kiribati, enfer et paradis », après avoir tapé ces mots-clés dans un moteur de recherche. Vous pouvez suivre le lien : http://www.lemonde.fr/planete/visuel/2015/09/19/les-iles-kiribati-enfer-et-paradis_4753156_3244.html.
- Choisissez une photographie liée au problème du réchauffement climatique. Préparez une description de ce que vous observez pour la présenter à l'oral.

Étude de cas

Un effet du changement global : la dengue en Asie

QUELQUES CHIFFRES
- 2,5 milliards de personnes exposées.
- 50 millions de cas annuels.
- 500 000 hospitalisations/an.
- 20 à 25 000 décès/an.

Source : OMS, 2015.

Comment la dengue illustre-t-elle certains effets du changement global ?

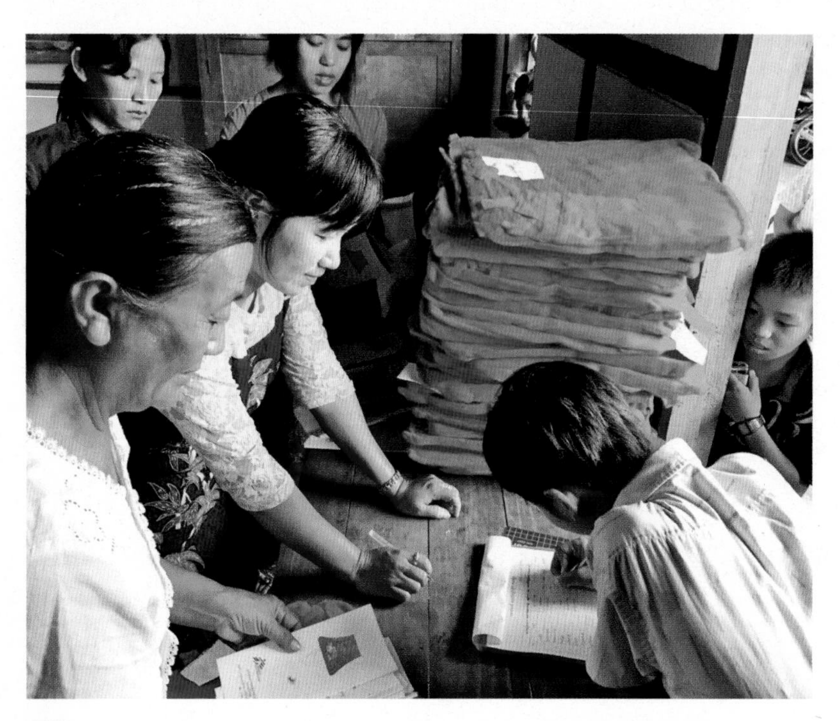

1 | Une distribution de moustiquaires à des victimes d'inondations, au Myanmar (2015)

Les eaux stagnantes, dues à l'inondation, sont propices au développement des larves des moustiques.

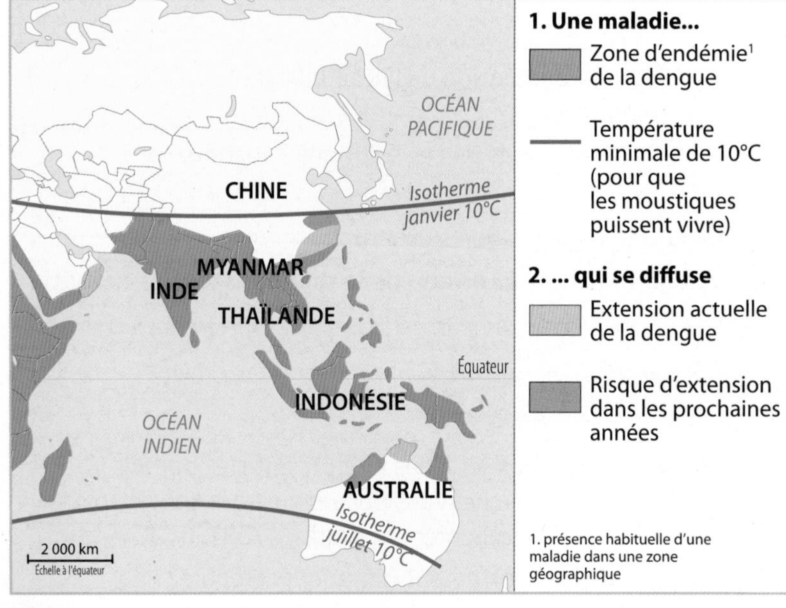

3 | La diffusion de la dengue

Un témoin raconte

2 Un témoignage : « J'ai eu la dengue »

Il y a 3 ans, nous sommes partis en Thaïlande. Nous avons veillé à utiliser des anti-moustiques tous les jours, sauf une fois. L'avant-veille de notre retour, nous sommes sortis dîner en ville. C'est probablement ce soir-là que j'ai été piquée... Une semaine plus tard, je me suis réveillée fiévreuse, nauséeuse et toute courbaturée. Au début, je ne me suis pas inquiétée ; le 5e jour, les symptômes ont augmenté. Quand de petites taches rouges sont apparues sur mes bras et mes jambes et que j'ai commencé à avoir des saignements dans la bouche, j'ai eu peur. Le médecin m'a directement envoyée aux urgences. La convalescence a été longue : j'ai été très fatiguée pendant au moins deux mois !

D'après Magalie, 35 ans, *Médipédia*, 2015.

Vocabulaire

Maladie infectieuse : maladie causée par des bactéries, des virus, des parasites ou des champignons. Elle peut se transmettre d'une personne à l'autre.

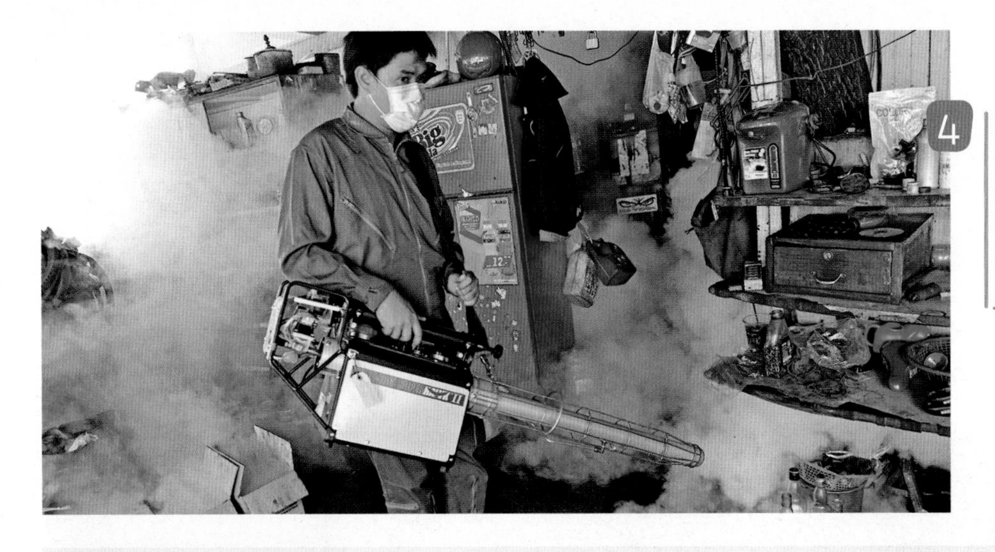

4 | Un employé municipal traite une maison contre les moustiques Bangkok, Thaïlande, janvier 2016

Changement climatique

Modifications du climat (températures et précipitations en hausse).
▶ Des moustiques vecteurs des maladies présents sur de nouveaux territoires. ▶ Multiplication des maladies (choléra, paludisme, zika, dengue...).
▶ Des moustiques vecteurs des maladies qui se multiplient plus rapidement. ▶ Multiplication des maladies (choléra, paludisme, zika, dengue...).

Sources : CNRS, dossier biodiversité, cnrs.fr, 2016.

5 | Le rôle du climat et des maladies infectieuses

Activités

▶ **Socle** *Construire des repères géographiques*

1. DOC. 3 Où trouve-t-on la dengue en Asie ?
2. DOC. 2, 3 ET 5 D'après ces documents, définissez la dengue en répondant aux questions suivantes. Quelles en sont les causes ? De quelle manière se transmet-elle ? Quelles en sont les conséquences ?

▶ **Socle** *Extraire des informations pertinentes.*

3. DOC. 1, 2 ET 4 Quels sont les moyens utilisés face à cette maladie ?
4. DOC. 3 ET 5 Quel est le rôle du changement climatique dans le développement de la dengue ?
5. DOC. 3 ET 5 Quels sont les risques à venir liés à cette maladie ?

Pour conclure

Reproduisez le schéma ci-dessous et complétez-le à l'aide des propositions suivantes : *moustiquaires – augmentation du nombre de personnes touchées – moustiques – humidité (inondations) – diffusion géographique – traitements – augmentation des températures*

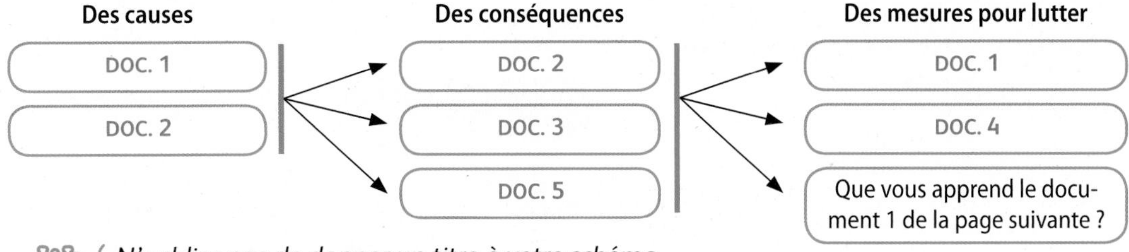

Aide (*N'oubliez pas de donner un titre à votre schéma.*

Géohistoire

Une succession de changements climatiques

Que connaît-on des changements climatiques terrestres ? Pourquoi les recherches aux pôles permettent-elles de connaître l'histoire du climat ?

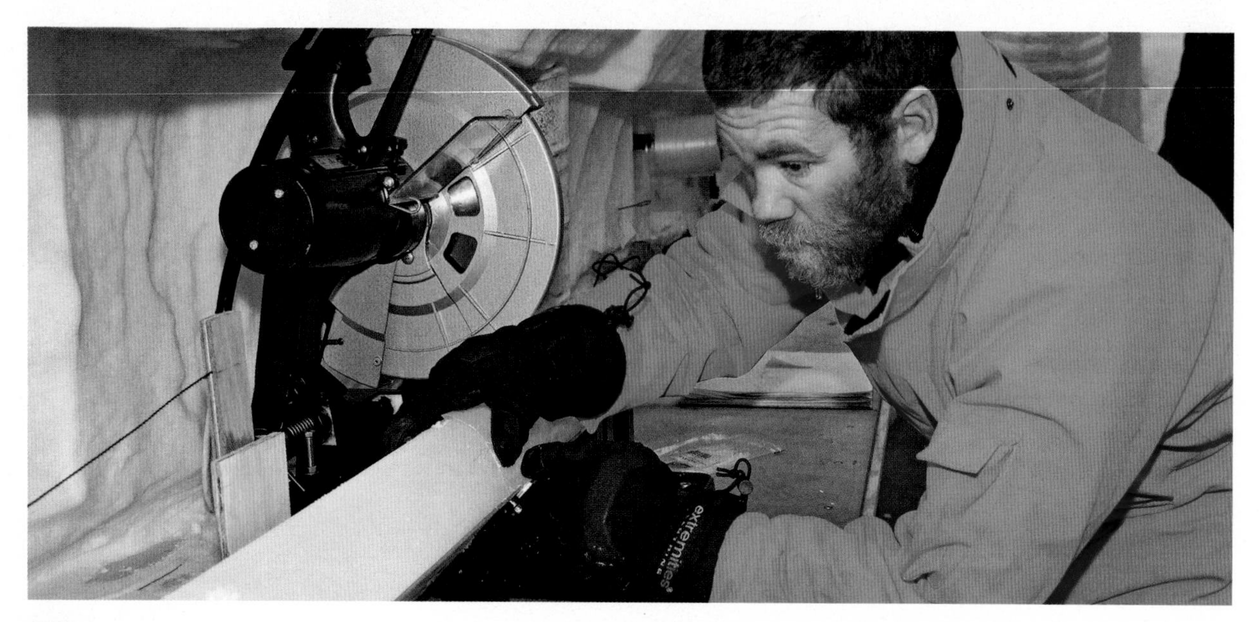

1 | **L'étude des carottes glaciaires permet de connaître les variations du climat dans le passé**
La glace retient des éléments (gaz, pollens, polluants...) capables de donner ces indications.

2 Les variations de températures et de CO_2 dans le monde depuis 400 000 ans

Juste après la fin de l'empire romain (en 476), on constate une période un peu plus tiède, puis le petit maximum médiéval, période de réchauffement, remplacée à partir de 1250-1280 par un léger rafraîchissement. Aux XVIIIe et XIXe siècles, la France se réchauffe un peu. Depuis 1855, le réchauffement, très lent, est en marche, il devient évident à partir de 1980. Après, le réchauffement constaté sur la période récente est de l'ordre de +0,8 degré. Il est évident que l'augmentation de CO_2 est inquiétante, pas pour ma génération, mais pour les suivantes.

E. Le Roy Ladurie : « Il y a une histoire du climat avant et après le réchauffement climatique », culturecommunication.gouv.fr, 30/11/2015.

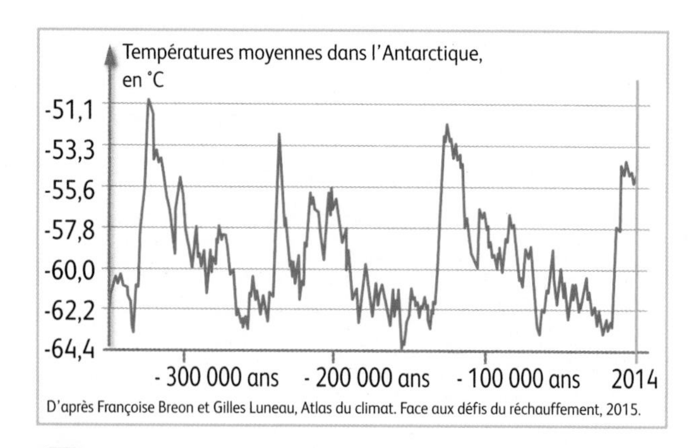

D'après Françoise Breon et Gilles Luneau, Atlas du climat. Face aux défis du réchauffement, 2015.

3 | **Les variations de température en Antarctique depuis 400 000 ans**

Vocabulaire

Carotte glaciaire : glaçon cylindrique prélevé dans la calotte glaciaire par forage profond.

COP21 : 21e conférence internationale sur le climat tenue en décembre 2015 à Paris.

4 La Seine gelée à Paris en janvier 1891

5 Le bilan de la COP21 en cinq chiffres

Les **195** délégations ont signé un accord minimal sans véritables engagements.
1,5 °C : L'accord conclu veut limiter la hausse des températures à 1,5 °C.
Mais :
2020 : L'accord n'entrera en vigueur qu'en 2020 après avoir été accepté par les principaux pays émetteurs de gaz à effet de serre.
100 milliards de dollars : Cette somme devrait être payée par les pays du Nord aux pays du Sud, pour rembourser leur « dette climatique ».
Zéro : Zéro comme zéro sanction si certains États ne respectent pas les objectifs.

D'après P. Passebon, « Le bilan de la COP21 en cinq chiffres », industrie-techno.com, 14/12/2015.

Étape 1 ▶ Repérer les permanences

1. DOC. 1 Quel est l'un des moyens de connaître l'histoire du climat ?
2. DOC. 2 ET 3 Que constatez-vous concernant le climat de la Terre depuis 400 000 ans ? Quelles sont les grandes périodes de l'évolution du climat ?

Étape 2 ▶ Souligner les évolutions

3. DOC. 2, 3 ET 4 Quelles sont les évolutions actuelles ? Selon vous, quelles peuvent en être les raisons ?

Étape 3 ▶ Envisager le futur

4. DOC. 5 Quelles sont les décisions prises par la COP21 ? Quelles sont leurs limites ?
5. D'après les résolutions prises par la COP21, quelles évolutions pouvez-vous imaginer ?

Pour aller plus loin

Une animation « Climat, une enquête aux pôles »

- http://www.cnrs.fr/cw/dossiers/dospoles/index.html
  Allez sur l'onglet « Mieux connaître les pôles », puis « Les recherches aux pôles ».
- Quelles recherches sont faites aux pôles ?

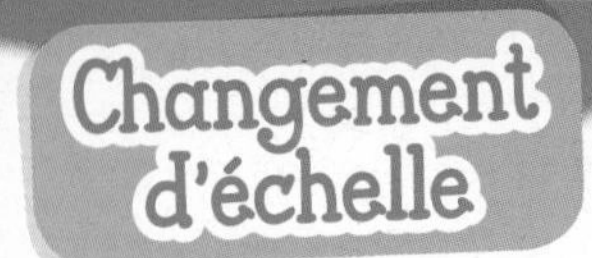

Le changement global et ses principaux effets géographiques régionaux

Recopiez les tableaux et répondez aux questions

Des phénomènes et territoires étudiés …		
	Étude p. 296	Étude p. 298
	La montée des eaux	**Le dévelop-pement de la dengue**
Quel phénomène est étudié ?		
Où se localise le phénomène étudié ?		
Quels problèmes touchent les populations ?		

… au planisphère (à l'échelle mondiale)		
Quelles sont les conséquences de ces phénomènes ?		
À partir de ces phénomènes, expliquez ce qu'est le changement global.		

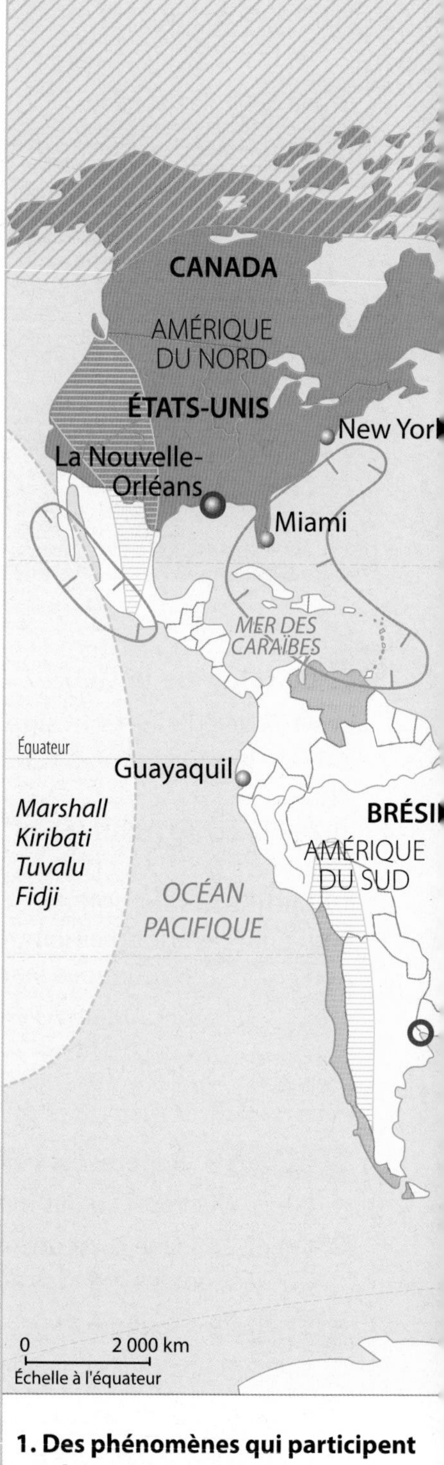

1. Des phénomènes qui participent au changement global...

Émissions de CO_2 en 2013

- Supérieur à 10 tonnes de CO_2/hab.
- Entre 5 et 10 tonnes de CO_2/hab.
- Dégel (fonte de la calotte glaciaire et du pergélisol)

Vocabulaire

Cyclone : tempête très violente.
Désertification : espace qui se transforme en désert.
Pergélisol : sol gelé depuis des milliers d'années.
Sommet de la Terre : conférence internationale pour lutter contre les effets du changement global.

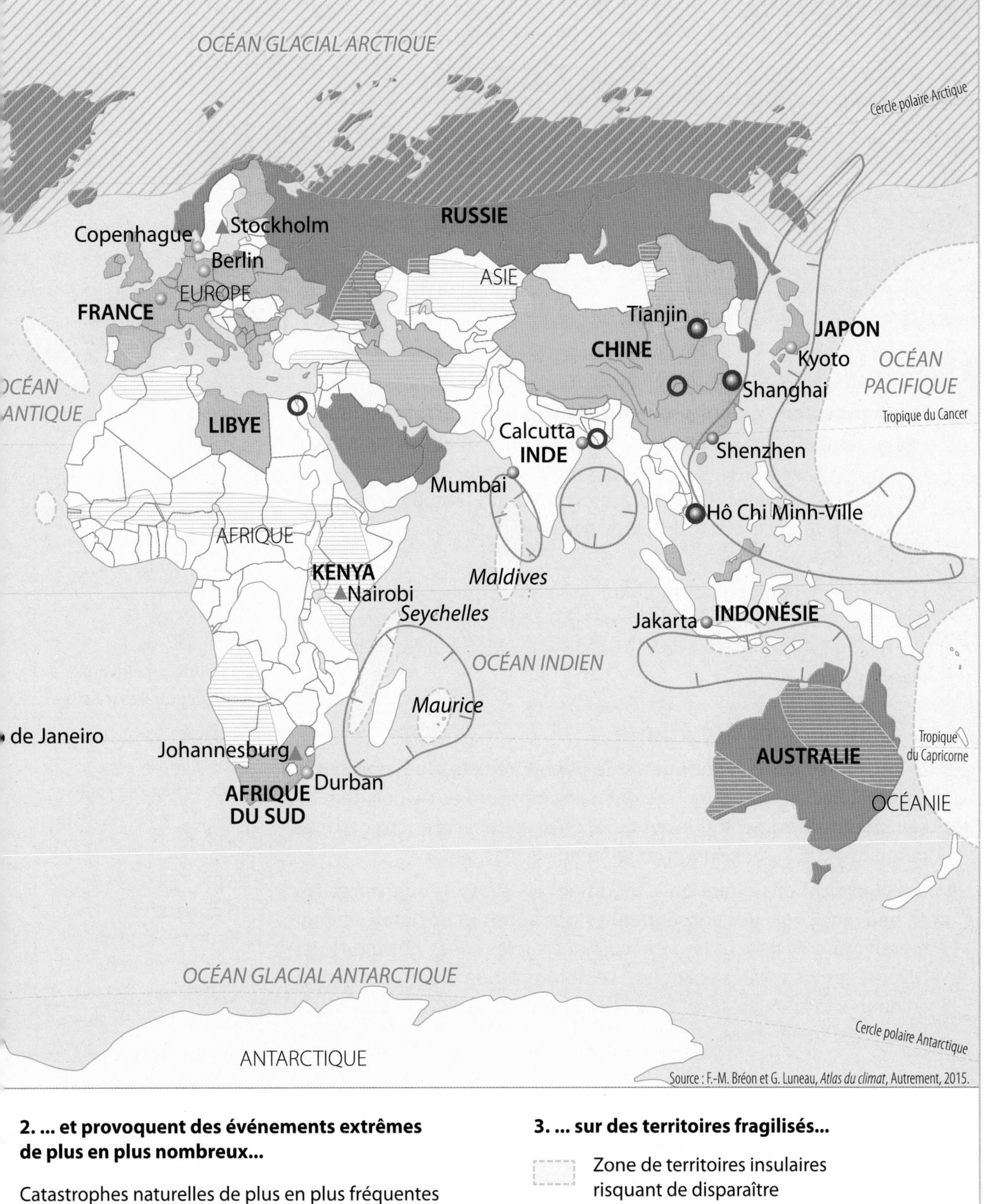

Source : F.-M. Bréon et G. Luneau, *Atlas du climat*, Autrement, 2015.

2. ... et provoquent des événements extrêmes de plus en plus nombreux...

Catastrophes naturelles de plus en plus fréquentes

- Des cyclones de plus en plus puissants
- Inondations de plus en plus régulières et dévastatrices
- Désertification croissante

3. ... sur des territoires fragilisés...

- Zone de territoires insulaires risquant de disparaître
- Principales villes sujettes aux inondations à l'horizon 2050

4. ... d'où une certaine prise de conscience

- Sommets de la Terre
- Principales COP

1 | Le changement global et ses principaux effets géographiques régionaux

Le changement global et ses principaux effets géographiques régionaux

Qu'est-ce que le changement global ? Quelles sont les conséquences géographiques de ce phénomène ?

I Définir le changement global

- **Le changement global provoque de multiples effets** comme le réchauffement climatique, l'augmentation du niveau des mers liée à la fonte des glaces ou le développement de maladies infectieuses (dengue, zika, paludisme…). Les aggravations des tempêtes, des inondations et de la déforestation sont des phénomènes marquants qui fragilisent les populations.
- **Le changement global est mondial.** Même si certaines conséquences semblent limitées géographiquement, les effets secondaires, comme par exemple les migrations de réfugiés climatiques des îles Kiribati, nous concernent tous.

II Le réchauffement climatique

- **Le réchauffement climatique est le phénomène le plus connu et le plus visible.** Le GIEC a montré que certaines formes de pollution de l'air, comme l'augmentation des gaz à effet de serre, liées aux activités humaines et à l'urbanisation, modifient le climat.
- **Les modifications climatiques modifient les écosystèmes terrestres et peuvent avoir des conséquences politiques et sociales.** La progression des déserts a des répercussions sur les zones de cultures et favorise les instabilités politiques. La déforestation en Amazonie met en danger la première réserve de biodiversité de la planète et le mode de vie des Amérindiens.

III Des conséquences géographiques inégales

- **Certains territoires sont plus en danger que d'autres.** Avec la montée des eaux, des villes et des États insulaires risquent de disparaître, comme les Maldives ou les îles Kiribati, ainsi que certaines parties du Bangladesh ou des Pays-Bas.
- **Toutes les populations ne sont pas égales face à ces risques.** La richesse, les moyens techniques, l'éducation, les infrastructures ont un rôle important. Les pays en développement sont bien plus vulnérables que les pays développés. Aujourd'hui, de plus en plus d'êtres humains sont conscients de ces risques. Les États et l'ONU organisent des conférences internationales, comme la COP21, pour essayer de trouver des solutions.

Vocabulaire

Biodiversité : diversité des organismes vivants.

Changement global : phénomène qui touche le monde entier, comme le réchauffement climatique, la diffusion de maladies, l'élévation du niveau des mers.

COP21 : 21e conférence internationale sur le climat, tenue en 2015 à Paris.

GIEC : groupe d'experts intergouvernemental sur l'évolution du climat.

Maladies infectieuses : maladies causées par des bactéries, des virus, des parasites ou des champignons. Elles peuvent se transmettre d'une personne à l'autre.

Réfugié climatique : personne qui doit quitter son lieu de résidence en raison de la dégradation de l'environnement.

Je retiens l'essentiel

Les effets du changement global

Des glaciers qui fondent	Des territoires qui risquent de disparaître	Des maladies qui se développent

Ours en Arctique.

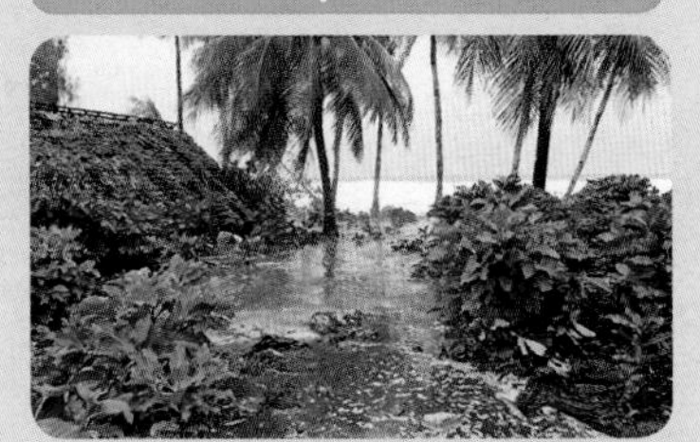

Les îles Kiribati en danger.

Traitement contre les moustiques.

La prise de conscience du problème

Grâce aux recherches scientifiques

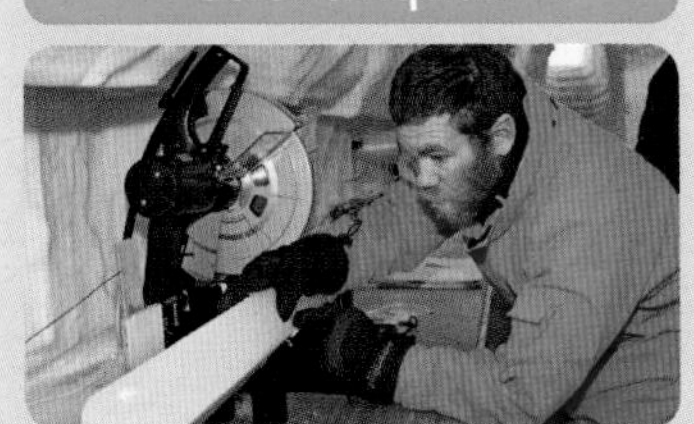

L'étude des carottes glaciaires permet de connaître les changements climatiques.

Grâce aux médias

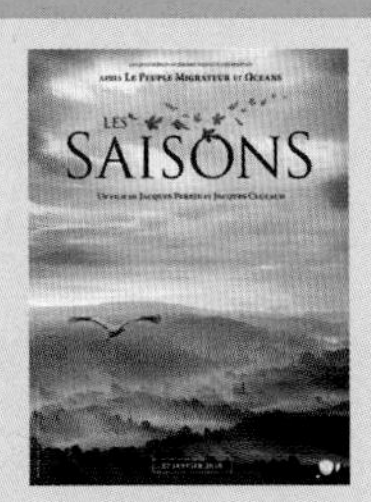

Les Saisons de Jacques Perrin et Jacques Cluzaud.

Les mesures mises en œuvre

Se protéger

Construire des digues contre l'élévation des mers.

Investir pour faire face au changement global

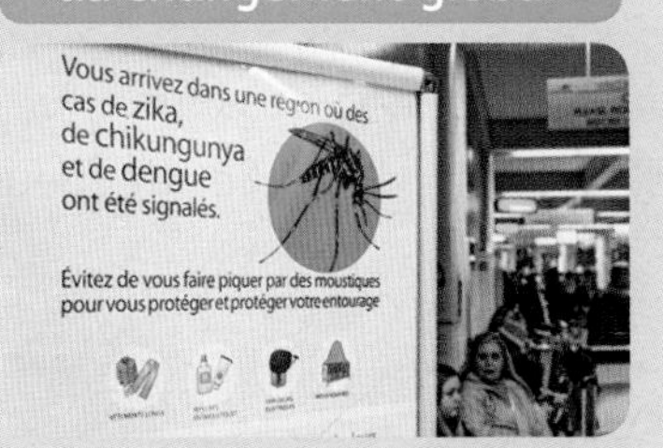

Informer pour mieux combattre les épidémies.

Prendre des décisions au niveau mondial

Nations Unies
Conférence sur les Changements Climatiques 2015
COP21/CMP11
Paris, France

La COP21 de décembre 2015.

Le saviez-vous ?

- Un réchauffement de 1,9 à 4,6 °C aurait probablement pour conséquence une élévation du niveau de la mer d'environ 7 mètres (comme il y a 125 000 ans) d'après l'ONU.
- Le transport mondial dépend à 94 % du pétrole.
- Le GIEC a déterminé que les hausses de température devaient être limitées à 2 °C, pour éviter qu'elles ne causent des dommages irréparables à la planète.

J'apprends, je m'entraîne

Le changement global et ses principaux effets géographiques régionaux

▸ **Socle** *Méthodes et outils pour apprendre*

1. Construire sa fiche de révision

Notez le titre de la leçon sur votre feuille.

Je connais...

Objectif 1 ▸ Connaître les repères géographiques

À l'aide du planisphère :

1. Repérez les numéros correspondant à chacune des grandes villes littorales menacées par la montée des eaux.
2. Nommez les océans indiqués par les lettres a à e.

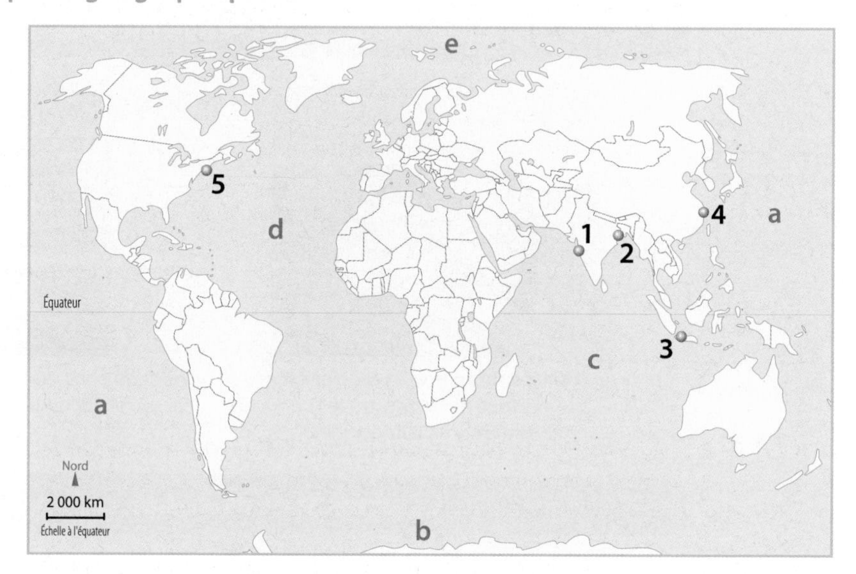

Objectif 2 ▸ Les mots-clés

Notez la définition des mots-clés indiqués ci-dessous.

Changement global – Réfugié climatique – Maladie infectieuse – GIEC – Biodiversité

Je suis capable de...

Pour chacun des objectifs suivants, répondez par une phrase courte.

Objectif 3 ▸ Expliquer ce qu'est le changement global

Aide (*Donnez des exemples de phénomènes liés au changement climatique.*

Objectif 4 ▸ Présenter le rôle des activités humaines dans le changement global

Aide (*Expliquez comment les êtres humains participent au changement global.*

2. S'entraîner

1 Construire des repères : le changement global et ses principaux effets

1. De quelles évolutions liées au changement global est-il question ci-dessous ? Pour chacune d'elles, rédigez deux ou trois phrases qui les localisent et expliquent ces phénomènes, leurs conséquences géographiques et humaines.

a.

b.

2. D'après vos connaissances, identifiez le document suivant et expliquez quelle prise de conscience il symbolise. Indiquez où cette photographie a pu être prise.

2 S'informer dans le monde numérique: quel futur pour les pôles?

1. Dans un moteur de recherche, vous pouvez taper les mots-clés suivants « climat une enquête aux pôles ». Depuis la page d'accueil http://www.cnrs.fr/cw/dossiers/dospoles/index.html expliquez le but de ce site. Puis vous pouvez entrer dans le site et aller sur « Quel futur pour les pôles ? ».
2. Cliquez sur l'un de ces onglets : « Conséquences du réchauffement sur les pôles », « Conséquences de la fonte des glaces », « Conséquences pour la biodiversité », « Conséquences sur les populations humaines », « Damoclès : étudier la banquise arctique ». Choisissez une de ces propositions et étudiez-la.
3. Rédigez un texte de cinq à dix lignes pour décrire cette conséquence du changement global à vos camarades.

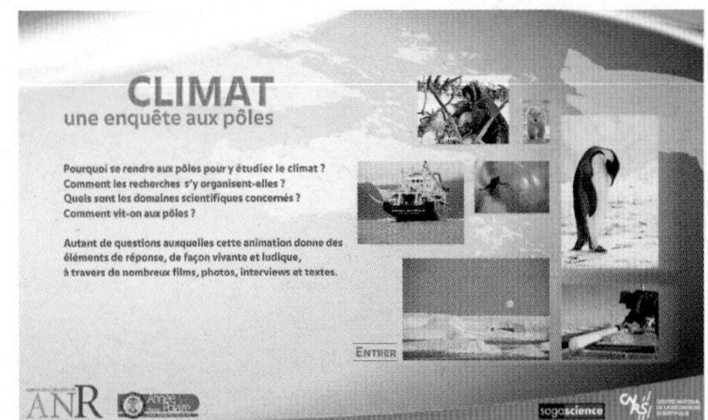

Comprendre le changement global et ses conséquences à venir.

Auto-évaluation **Je me positionne sur une marche :**

1.	2.	3.	4.
• Je vais sur la page demandée.	• Je vais sur la page demandée. • **Je m'y déplace.** • **Je trouve des informations.**	• Je vais sur la page demandée. • Je m'y déplace. • Je trouve des informations. • **Je les sélectionne pour répondre aux consignes.**	• Je vais sur la page demandée. • Je m'y déplace. • Je trouve des informations. • Je les sélectionne pour répondre aux consignes. • **Je compare les données sélectionnées à d'autres documents.**
Question 1	Questions 1 et 2	Questions 1, 2 et 3	Questions 1, 2 et 3

Pour progresser, j'analyse mes axes de progrès. Que devrais-je améliorer ?

J'apprends, je m'entraîne

3 Analyser et comprendre un texte.

1 Des satellites pour dresser une « carte météo » des épidémies de dengue.

Où et quand dans le monde frappera la prochaine épidémie de dengue ? La réponse à cette question tombera peut-être des satellites qui vont tenter d'établir une « carte météo » des moustiques transmettant à l'homme ce virus. Le CNES, l'agence spatiale française, et Sanofi Pasteur, qui développe un vaccin contre cette maladie, ont annoncé s'allier dans un projet destiné à cartographier les zones menacées par la dengue.

Dans l'attente d'un vaccin, le seul moyen de lutter contre la dengue consiste à lutter contre les moustiques, notamment en dépistant l'eau stagnante où les larves se développent.

La maladie touche chaque année 50 à 100 millions de personnes dans le monde, principalement dans les zones tropicales et sub-tropicales mais aussi en Europe, où les premiers cas ont été détectés en 2010.

D'après 20minutes.fr, 06/02/2012.

2 Le seul moyen de lutter contre la dengue, pour l'instant, consiste à lutter contre les moustiques.

http://www.ars.guyane.sante.fr/Dengue-en-Guyane-epidemie-te.154583.0.html

Identifier le document.

1. DOC. 1 Présentez le document : son auteur, sa date, sa nature exacte, le sujet traité.
2. DOC. 1 Localisez et situez les lieux de ce phénomène.

Extraire des informations pertinentes et utiliser ses connaissances pour expliciter

3. DOC. 1 ET 2 Quel est le problème qui touche les populations ?
4. DOC. 1 ET 2 Quelles en sont les causes ?
5. DOC. 1 Quelles en sont les conséquences ?
6. DOC. 1 ET 2 Quels sont les moyens pour lutter contre ce phénomène ?

Auto-évaluation Je me positionne sur une marche :

1.	2.	3.	4.
• **Je lis le texte.** • **Je présente le texte (auteur, date, nature, sujet).**	• Je lis le texte. • Je présente le texte (auteur, date, nature, sujet). • **Je comprends l'idée principale et je localise le phénomène.**	• Je lis le texte. • Je présente le texte (auteur, date, nature, sujet). • Je comprends l'idée principale et je localise le phénomène. • **J'extrais des informations.**	• Je lis le texte. • Je présente le texte (auteur, date, nature, sujet). • Je comprends l'idée principale et localise le phénomène. • **J'extrais, je reformule et j'explicite des informations.**
Question 1	Questions 1 et 2	Questions 1, 2 et 3	Questions 1, 2, 3, 4, 5 et 6

Pour progresser, j'analyse mes axes de progrès. Que devrais-je améliorer ?

Enquêter Comment lutter contre les effets du changement global?

Les faits

Affiche lors de la COP 21

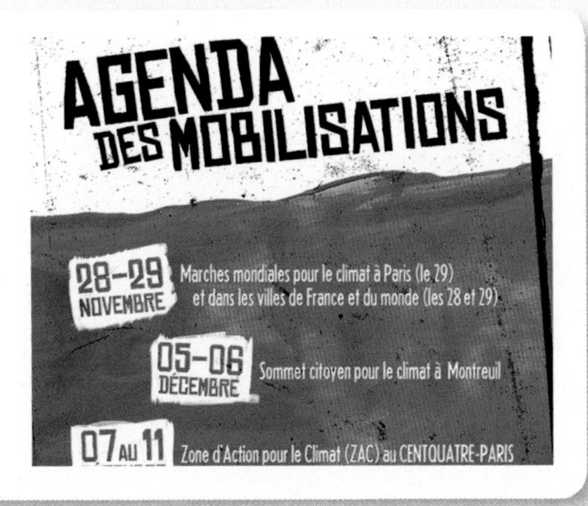

Étudier les changements en cours

Le rapport du **GIEC**[1] de 2014 fait état d'un réchauffement d'environ 1 °C entre 1901 et 2012 et d'une hausse du niveau des mers de 20 cm. La température pourrait atteindre les + 4 °C d'ici 2100 et le niveau des mers pourrait monter de 60 cm.

IFP Énergies nouvelles, 2015.

1. Groupe d'experts intergouvernemental sur l'évolution du climat.

Les indices

Indice n°1

L'augmentation du CO_2

Les émissions mondiales de CO_2 ont augmenté de 30 % entre 1990 et 2010. Cette hausse des émissions d'origine humaine a créé une concentration de CO_2 dans l'atmosphère provoquant un réchauffement global.

IFP Énergies nouvelles, 2015.

Indice n°2

***Éco quartier** Vauban à Fribourg-en-Brisgau (Allemagne)*

Indice n°3

Modifier ses habitudes

UN BIEN TRISTE BILAN... CARBONE

La moitié du CO_2 émis dans l'atmosphère en France est lié à nos comportements quotidiens. En France chaque ménage émet 15,5 tonnes de CO_2 par an ! Pour atteindre les objectifs que le monde s'est fixé au sommet de Tokyo, elle devra diviser par quatre ces émissions.

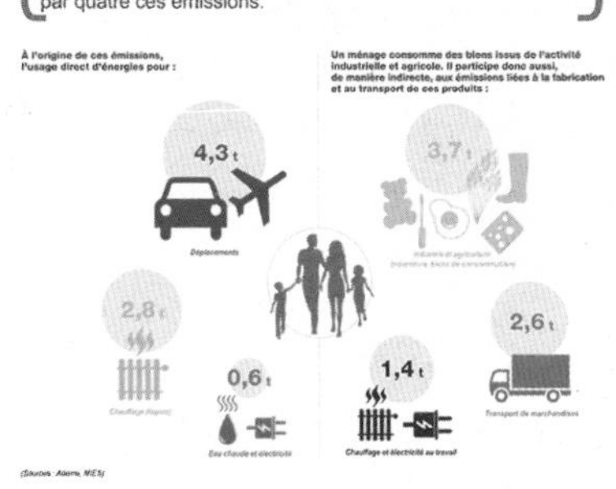

Avez-vous pris connaissance des faits et des indices ?
À l'aide des différents éléments présentés, quelle est votre conviction ?
Comment lutter contre les effets du changement global ?

Par équipe, complétez le carnet de l'enquêteur.

1. Une prise de conscience …
2. Les effets négatifs du changement global : …
3. Les solutions mises en place : …

Rédigez en quelques lignes le rapport d'enquête en utilisant vos réponses.

Vocabulaire

Éco quartier : quartier construit selon des objectifs de développement durable, en particulier la volonté de réduire les émissions de CO_2.

L'évolution du climat vue par le documentaire *Les Saisons*

Comment un film documentaire peut-il diffuser des informations scientifiques ?

1 | *Les Saisons* (2015) de Jacques Perrin et Jacques Cluzaud

2 « Jacques Perrin montre le beau pour créer l'envie de le défendre »

Cette chronique montre ce qui reste de ce paradis des animaux, avant que les hommes ne prennent le pouvoir. Une façon de poser la question de la responsabilité de ce que nous en avons fait. J'aimerais que mon film soit vécu comme une prise de conscience, parce qu'il n'est pas trop tard pour agir. Je suis persuadé qu'il faut montrer le beau pour créer l'envie de le défendre. Je manie plus la carotte que le bâton.

D'après T. Chèze, « Jacques Perrin montre le beau pour créer l'envie de le défendre », *L'Express*, 27/01/2016.

Présenter

1. DOC. 1 ET 2 Présentez le document : sa nature, sa date de réalisation, ses réalisateurs.

Décrire et comprendre

2. DOC. 1 Décrivez le document. Selon vous, pourquoi cette capture d'écran a-t-elle été choisie ?
3. DOC. 2 Quel message l'auteur veut-il transmettre ?

Exprimer sa sensibilité et conclure

4. DOC. 1 ET 2 Trouvez-vous qu'il soit intéressant de faire ce type de documentaire ? Expliquez votre avis.
5. Allez voir la bande annonce de ce documentaire en tapant « Les saisons film Perrin bande annonce » sur un moteur de recherche. Que ressentez-vous en la visionnant ?

Point art

Le film documentaire

- C'est un film qui décrit et explique un phénomène.
- Il nécessite un travail de recherche et d'investigation sur le terrain très important.
- Il cherche à interpeller les spectateurs pour les amener à réfléchir sur le phénomène présenté.

L'atelier du géographe

Faire un schéma à partir d'un texte et d'une photographie

1 La forêt amazonienne, une forêt urbanisée

L'Amazonie est une « forêt urbanisée ». Cette région, encore occupée en majeure partie par la plus grande forêt tropicale au monde, compte aussi un grand nombre de villes, de toutes tailles, anciennes ou récentes. Il est bon de rappeler que la plupart des 20 millions d'habitants de l'Amazonie brésilienne vivent aujourd'hui en ville.
L'Amazonie brésilienne a deux villes de plus d'un million d'habitants, Manaus et Belém. Manaus a connu une croissance spectaculaire depuis la création de la Zone Franche qui a permis d'y créer des industries d'assemblage (électro-ménager, électronique) dont les produits entrent ensuite sans taxe dans le pays.

D'après « L'Amazonie, "forêt urbanisée" », *Braises*, 18/05/2015.

Manaus, zones urbaines et industrielles au bord de l'Amazone

Qui est-il ?
Braises est un carnet de recherches où des géographes publient des articles, des cartes, des photographies sur les transformations du Brésil.

Point méthode

Étape 1 ▶ Comprendre le texte (DOC. 1).

1. Présentez le document (nature, thème traité, source, date).
2. Expliquez quel phénomène touche l'Amazonie.
3. Quelles sont les raisons de ce phénomène ?
4. Quelles en sont les conséquences ?
5. À votre avis, comment pourrait-on lutter contre ce problème ?

Étape 2 ▶ Compléter le schéma

6. Reproduisez et complétez le schéma par des mots.

Titre (= le phénomène étudié) *Vous reprenez le mot important de votre réponse à la question 2.*

Des explications/des raisons (=pourquoi ?) *Vous reprenez les mots importants de votre réponse à la question 3.*	→	**Des conséquences (= quoi ?)** *Vous reprenez les mots importants de votre réponse à la question 4.*	→	**Des solutions (= comment ?)** *Vous reprenez les mots importants de votre réponse à la question 5.*

L'atelier d'écriture

Imaginer des solutions face au changement global (affiche)

À l'aide de vos connaissances, construisez une affiche où vous présenterez des solutions à mettre en place pour lutter contre le changement global.

Travail préparatoire (au brouillon)

Comprenez bien le sujet : « Imaginer des solutions face au changement global ».

- Imaginer des solutions → Réfléchir aux mesures à prendre, aux gestes à avoir.
- face au changement global → Modifications de l'environnement produites par les activités humaines.

1. Répondez aux questions du schéma en mobilisant vos connaissances (repères, mots-clés).

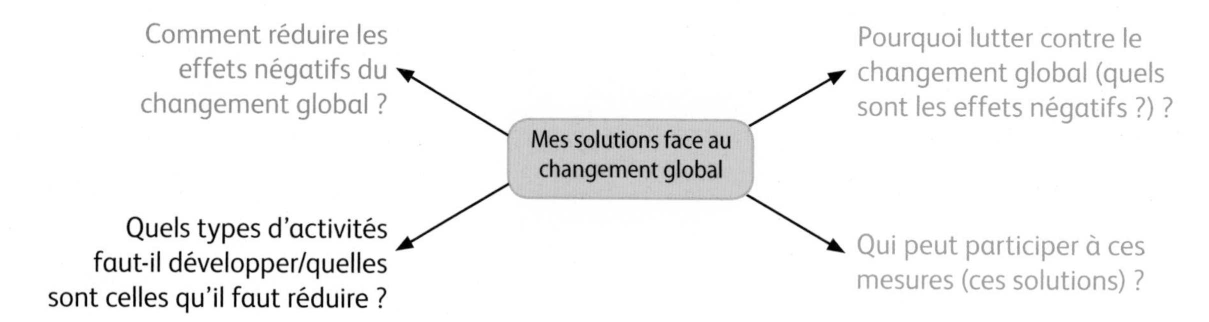

2. Vous pouvez rajouter des branches au schéma si vous le souhaitez.

Travail de construction de l'affiche (au propre)

Utilisez des mots-clés du chapitre.
Organisez vos idées en faisant des dessins, des collages ou même une présentation orale à vos camarades.
À travers votre réalisation, montrez quelles sont les conséquences du changement global.
Présentez des solutions réalisables pour changer les évolutions actuelles.

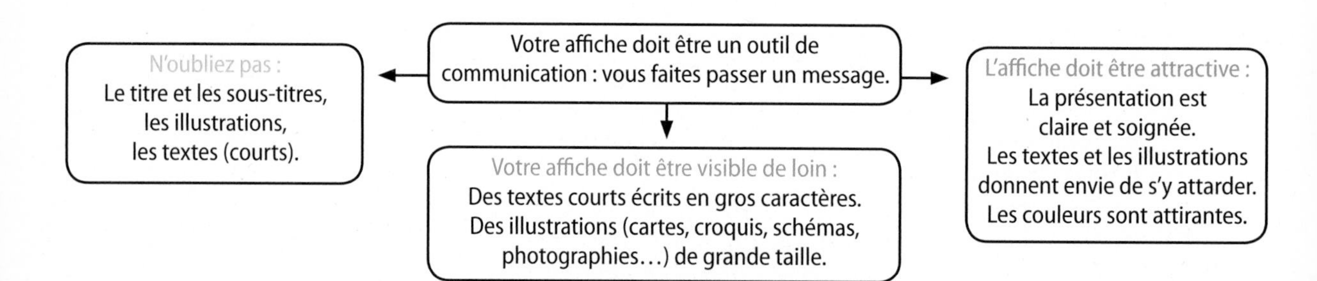

▶ **Objet d'enseignement EMC** : *L'engagement politique, associatif, syndical et humanitaire : ses motivations, ses modalités, ses problèmes*

Comment mieux se déplacer ?

1 Le covoiturage : ne plus rouler seul dans sa voiture

Vocabulaire

Covoiturage : utilisation d'une même voiture par plusieurs personnes pour un même trajet.

2 Des transports en commun gratuits

« Pas besoin de valider votre passe, les transports sont gratuits », répète l'agent RATP d'une station de métro dans le 19e arrondissement de Paris. Face au pic de pollution, la région Île-de-France a demandé aux opérateurs de transports de rendre l'accès à leurs réseaux gratuits le week-end des 21 et 22 mars 2015. Les bus, métros, RER et Transiliens sont donc accessibles librement et gratuitement. Cette décision est destinée à encourager les habitants à privilégier les transports en commun pour leurs déplacements plutôt que la voiture.

D'après G. Russell, « Pollution : la gratuité des transports coûtera 10 millions d'euros », *Lefigaro.fr*, 21 mars 2015.

3 La loi de transition énergétique votée en 2015

– Donner la priorité aux transports propres, plus économes et moins polluants avec l'incitation à acheter des véhicules propres : pour les particuliers, une prime à l'achat d'une voiture électrique pour remplacer un vieux diesel polluant.
– Des plans de mobilité d'entreprise pour favoriser le covoiturage entre salariés et économiser du carburant.
– Un crédit d'impôt de transition énergétique pour financer l'installation à domicile de points de recharge pour un véhicule électrique. Une incitation à réaliser les trajets domicile-travail à vélo.

www.developpement-durable.gouv.fr, 2015.

Activités

Le jugement : penser par soi-même et avec les autres

1. DOC. 2 Quel problème rencontrent régulièrement les grandes villes comme Paris ?
2. DOC. 3 Quels sont les objectifs fixés par la loi de transition énergétique ?
3. DOC. 1 ET 3 Selon vous, le covoiturage est-il une solution adaptée ?

L'engagement : agir individuellement et collectivement

4. Comment venez-vous au collège ? Calculez votre impact écologique. Pour cela, tapez dans un moteur de recherche : « consoglobe modes de transport », puis cliquez sur : http://www.consoglobe.com/les-14-modes-de-transport-les-moins-polluants-cg
Comment pourriez-vous améliorer votre impact écologique ? Quelle action pourriez-vous mettre en place dans votre collège pour sensibiliser les autres élèves et les adultes au problème de la pollution ?

14 Prévenir les risques industriels et technologiques

Qu'est-ce que les risques industriels et technologiques ? De quelle manière peut-on les prévenir ?

Souvenez-vous !
Vous avez étudié le changement global. Pouvez-vous rappeler quels autres types de risques peuvent toucher les populations ?

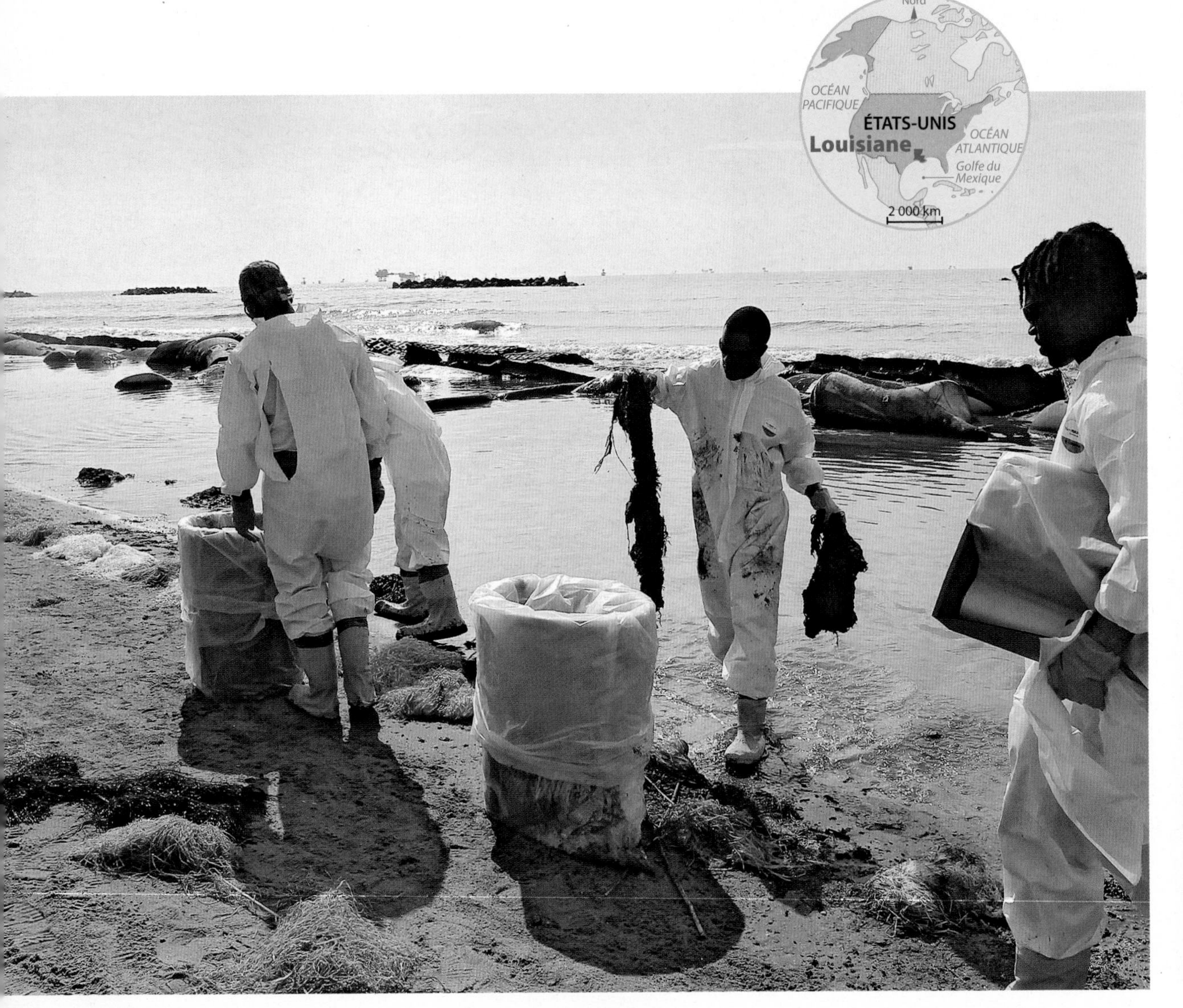

1 **Nettoyage des plages après la marée noire dans le golfe du Mexique (2010)**
Côte de Louisiane (États-Unis)

Vocabulaire

Prévention : dispositions prises pour prévenir un danger, un risque.

Risque : danger éventuel, plus ou moins prévisible, lié à une situation ou à une activité. Les effets peuvent mettre en jeu un grand nombre de personnes, occasionner des dégâts importants.

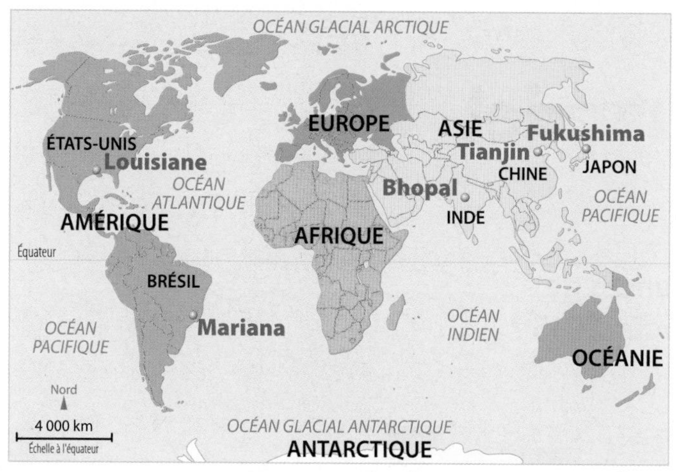

2 | En 1984, une explosion recouvre la ville de Bhopal (Inde) d'un nuage de pesticides
Aujourd'hui, les déchets contaminent toujours les nappes phréatiques et 500 000 personnes sont malades.

1. DOC. 1 ET 2 Quelles sont les catastrophes qui ont touché ces deux espaces ?
2. DOC. 1 ET 2 **Émettez une hypothèse** pour répondre à la question suivante : comment pourrait-on prévenir ces risques ?

Étude de cas

Un accident industriel à Tianjin (Chine)

Quelles sont les causes et les conséquences de l'accident industriel de Tianjin du 12 août 2015 ? Comment prévenir ce type d'accident ?

FICHE D'IDENTITÉ DE TIANJIN

Population (agglomération)	15 millions d'hab.
Densité	1 275 hab./km²
Superficie	11 920 km²
PUB/hab.	16 525 $ par hab.

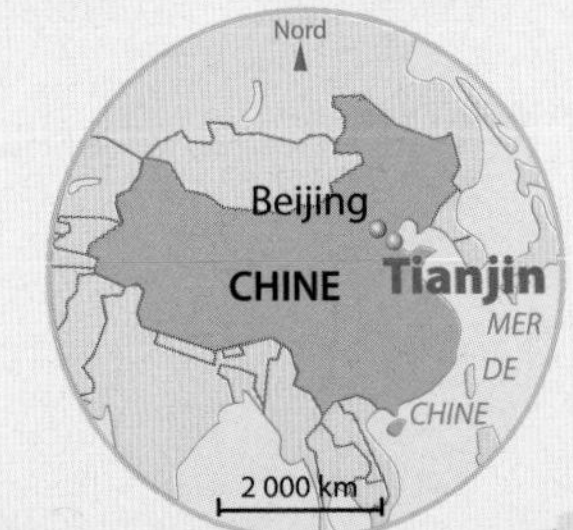

1 | Le cratère laissé par la principale explosion du site de Tianjin

Les pompiers étaient venus pour éteindre un incendie dans l'entrepôt où étaient stockés des produits chimiques. Le contact de l'eau sur ces produits a provoqué une violente explosion.

2 Le 12 août 2015, les explosions de Tianjin ébranlent toute la Chine

Les explosions qui ont touché la zone portuaire et industrielle de Tianjin ont marqué les esprits. Le spectacle quasi post-atomique du site de l'explosion (containers soufflés comme des fétus de paille, bâtiments éventrés et écroulés, voitures calcinées…) a impressionné. 173 morts ont été dénombrés et des milliers de personnes doivent être relogées car leurs appartements ont été détruits par l'explosion ou par la suite pour des raisons de sécurité.

L'explosion de Tianjin n'est que l'une des 62 explosions recensées dans le pays par l'ONG China Labour Bulletin.

D'après C. Fouquet, « Ça s'est passé en 2015 : catastrophes en série en Chine », *Les Echos*, 27/12/2015.

Vocabulaire

Catastrophe : événement qui a des conséquences désastreuses.

Prévention : dispositions prises pour prévenir un danger, un risque.

3 Les dirigeants de l'entrepôt prennent la parole

Témoignage

Le cyanure de sodium[1] était entreposé à proximité de zones habitées, alors que la réglementation chinoise l'interdit. L'un des propriétaires a reconnu avoir utilisé ses relations politiques pour passer sans encombre les inspections. « J'allais rencontrer des responsables des pompiers du port et très vite je recevais leur feu vert. » L'entrepôt a même fonctionné sans licence pendant neuf mois. « En attendant nous n'avons pas arrêté nos activités », a commenté l'autre chef d'entreprise. « Nous ne pensions pas que c'était vraiment un problème. Beaucoup d'autres firmes le font aussi ».

D'après « Explosions à Tianjin : les "confessions" des propriétaires de l'entrepôt », *Le Monde*, 20/08/2015.

1. Substance très toxique.

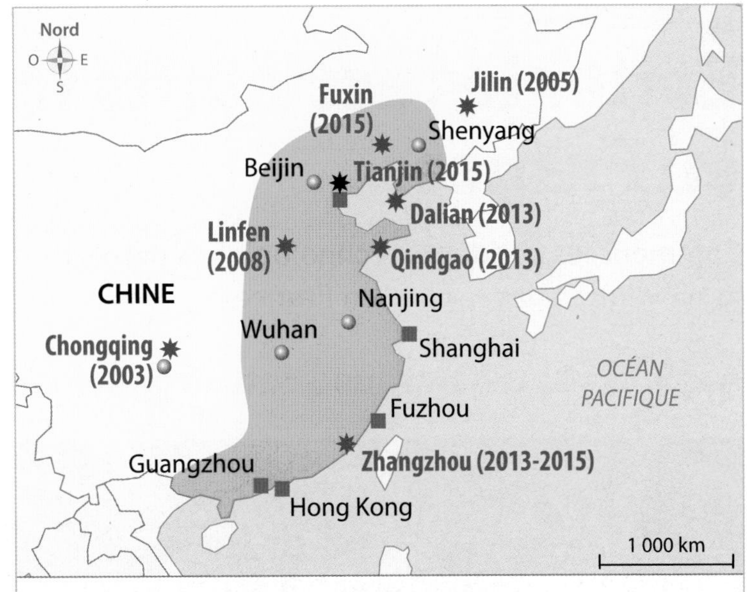

4 | Les catastrophes industrielles en Chine

Activités

Socle *Construire des repères géographiques*

1. **DOC. 1** Où l'explosion a-t-elle eu lieu ?
2. **DOC. 1, 2 ET 3** À quoi est-elle due ? À quoi voit-on que l'explosion a été très violente ?

Socle *Extraire des informations pertinentes*

3. **DOC. 3** Montrez que les normes de sécurité chinoises n'ont pas été respectées.
4. **DOC. 3 ET 4** Quelles sont les conséquences du manque de respect des normes de sécurité en Chine ?
5. **DOC. 3** Quelles précautions peuvent être prises pour prévenir ce type d'accident ?

Pour conclure

Reproduisez le schéma ci-dessous et complétez-le à l'aide des propositions suivantes : *matières dangereuses entreposées – ne pas entreposer de produits dangereux à proximité des habitations – des accidents industriels à répétition – 173 morts – lutter contre la corruption – non-respect des normes de sécurité – destructions très importantes*

N'oubliez pas de donner un titre au schéma.

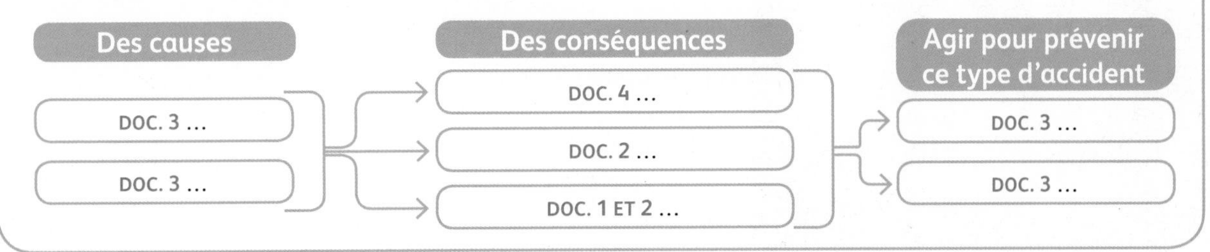

Géohistoire

Éviter les accidents majeurs en France

Comment les accidents technologiques ont-ils fait évoluer la prévention des risques en France ?

A. 1906 : Courrières, une catastrophe minière

1 La plus importante catastrophe minière d'Europe

Une explosion de gaz naturel provoque un incendie (mine de Courrières, Nord de la France). 1 099 mineurs sont tués, asphyxiés ou brûlés.
Illustration, « Le Petit Journal » du 25 mars 1906.

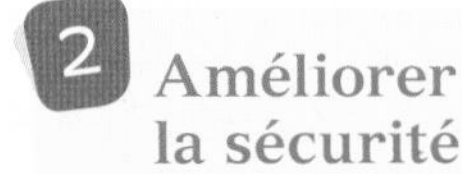

2 Améliorer la sécurité

La catastrophe de Courrières conduit les pouvoirs publics à réformer le code minier : les lampes à feu nu sont interdites, la ventilation est améliorée, l'obligation est désormais faite d'employer des explosifs de sécurité...

D'après D. Varaschin, « 1906 : catastrophe dans les mines de Courrières », *L'Histoire*, n°306, 2006, p. 60.

3 Des progrès dans le matériel de secours à la suite des catastrophes minières

Des sauveteurs équipés d'appareils respiratoires, vers 1931.

Vocabulaire

Accident majeur : conséquence d'un aléa technologique, dont les effets peuvent mettre en jeu un grand nombre de personnes et occasionner des dégâts importants.

Aléa : facteur à l'origine du risque.

Prévention : dispositions prises pour prévenir un danger, un risque.

Risque : danger éventuel, plus ou moins prévisible, lié à une situation ou à une activité.

Sites Seveso : sites industriels présentant des risques d'accidents majeurs.

B. L'explosion de l'usine AZF de Toulouse en 2001

Un aléa :
une substance dangereuse (stocks d'ammonitrate inflammable)

Une population nombreuse à proximité :
Des logements, des entreprises, des équipements (gymnases, lycées...)

Un risque majeur :
une explosion qui mettrait les populations en danger

Le 21 septembre 2001 : **un accident majeur**

Une explosion d'ammonitrate cause 30 morts, 2 500 blessés graves et près de 8 000 blessés légers. Elle détruit de nombreux logements, plusieurs entreprises et des équipements publics (gymnase, lycée, etc.). L'explosion est entendue à 80 km de Toulouse. Elle a créé un cratère de 6 mètres de profondeur.

Le site AZF avant l'explosion

Le site AZF après l'explosion

4 | Un accident majeur sur un site classé Seveso

5 Des mesures européennes

La directive Seveso[1] 3 a été mise en place en 2015. Elle concerne 1 200 sites classés Seveso seuil haut (les plus dangereux) ou Seveso seuil bas. Les mesures de sécurité consistent à diminuer les quantités stockées, contrôler les installations, former le personnel, prévoir des plans d'urgence... En 1976, une fuite de dioxine touche la ville italienne de Seveso.

D'après le site www.risques.gouv.fr.

1. Texte de loi européen.

Étape 1 ▶ Repérer les permanences

1. DOC. 1 ET 4 Localisez les deux catastrophes.
2. DOC. 1 ET 4 Quelles sont les causes de ces catastrophes ?
3. DOC. 1 ET 4 Quelles sont les conséquences des deux explosions ?

Étape 2 ▶ Souligner les évolutions

4. DOC. 2 ET 3 Quelles sont les mesures prises après les catastrophes minières ?
5. DOC. 5 Quelles sont les mesures prises après la catastrophe de Seveso en Italie ? Quel espace géographique concernent-elles ?

Étape 3 ▶ Envisager des solutions futures

6. Réfléchissez à des solutions complémentaires aux demandes de la directive Seveso afin de limiter les risques d'accidents majeurs.

Une coulée toxique au Brésil

**Quelles sont les conséquences de la rupture d'un barrage minier ?
Comment prévenir ce type de catastrophe ?**

L'ACCIDENT DE NOVEMBRE 2015

Lieu de l'accident :
Ville de Mariana (État brésilien de Minas Gerais)
Conséquence de l'événement :
Une vague de boue de 2,5 m de haut qui s'est propagée jusqu'à la mer, à 650 km en aval
Bilan : 15 morts, 4 disparus

Nord
BRÉSIL
Brasilia
MINAS GERAIS
Mariana
OCÉAN ATLANTIQUE
1 000 km

1 | Une coulée de boue qui s'écoule jusqu'à l'océan
Le fleuve Doce est considéré comme « mort » par les scientifiques.

2 Le Brésil frappé par la pire catastrophe écologique de son histoire

Le barrage de déchets de minerais de fer de Samarco a cédé près de la ville de Mariana, libérant une gigantesque coulée de boue qui a totalement submergé le village de Bento Rodrigues, faisant au moins 13 morts. Onze personnes sont toujours portées disparues. La coulée s'est répandue jusqu'à l'océan Atlantique sur 650 km par le Rio Doce. Sur son passage, elle a tué des milliers d'animaux, dévasté des zones de forêt tropicale protégées, et laissé 280 000 personnes sans eau. Les eaux polluées du Rio Doce contiennent des substances toxiques telles que du plomb, de l'arsenic et du chrome.

D'après « Coulée toxique au Brésil : le gouvernement réclame 5,2 milliards de dollars aux pollueurs », *Le Parisien*, 28/11/2015.

Vocabulaire

Barrage : obstacle artificiel qui crée une retenue d'eau.
Catastrophe : événement brutal et destructeur aux conséquences graves.

3 Des négligences multiples

Les causes de l'effondrement des barrages n'ont toujours pas été identifiées. Mais les groupes miniers exploitant le sous-sol sont, comme les autorités brésiliennes, suspectés de négligence. « Il n'y avait aucun plan de surveillance, pas d'alarme prévue », s'indigne Nilo Davila de Greenpeace au Brésil. À ses yeux, la catastrophe était annoncée. « D'autres barrages ont déjà rompu il y a quelques années. Les dommages étaient moindres donc on en a moins parlé. Aujourd'hui il y a encore une quinzaine de barrages dont le niveau de risque est jugé élevé », insiste-t-il évoquant un rapport d'évaluation daté de 2014 entre les mains du ministère des mines et de l'énergie.

D'après C. Gatinois, « Catastrophe écologique au Brésil à la suite de la coulée de boue toxique », *Le Monde.fr*, 17/11/2015.

4 Le barrage et les conséquences de sa rupture

a. Le barrage avant la rupture.

b. Les conséquences de la rupture à Bento Rodrigues.

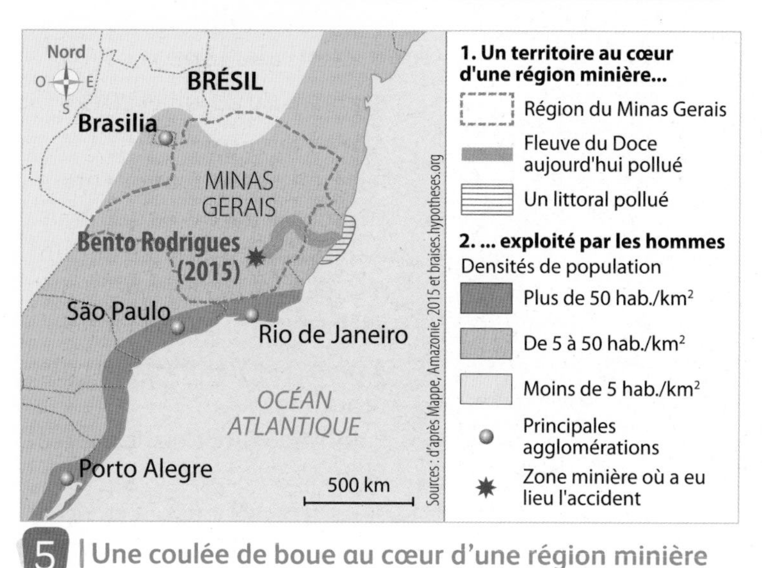

5 Une coulée de boue au cœur d'une région minière

Activités

Socle *Construire des repères géographiques*

1. **DOC. 1 ET 5** Où se localise le barrage qui a cédé ?
2. **DOC. 1** Décrivez la photographie. Qu'est-ce qui montre l'étendue des dégâts ?

Socle *Extraire des informations pertinentes*

3. **DOC. 2 ET 3** Quelles sont les causes de cette catastrophe ?
4. **DOC. 2, 3, 4 ET 5** Quelles sont les conséquences de cette coulée de boue ?
5. **DOC. 3** Donnez des solutions qui auraient pu limiter les dégâts.

Pour conclure Réalisez une production écrite organisée qui répond à la consigne suivante :

Rédigez un texte qui décrit cet accident technologique et ses conséquences, et qui explique comment la catastrophe aurait pu être évitée ou limitée.

Aide *Construisez deux paragraphes qui commencent par un alinéa :*
- *L'accident de Mariana s'est traduit par… Ces causes sont ...*
(reprendre les réponses aux questions 1 à 3).
- *Il a eu pour conséquences… Celles-ci auraient pu être réduites en …*
(reprendre les réponses aux questions 4 et 5).

Étude de cas

L'accident nucléaire de Fukushima

Comment une catastrophe naturelle s'est-elle transformée en un accident nucléaire ?

FUKUSHIMA, 11 MARS 2011

- Un tsunami dû à un tremblement de terre ravage la côte Est du Japon et provoque un accident nucléaire.
- 1 160 000 riverains doivent être évacués.

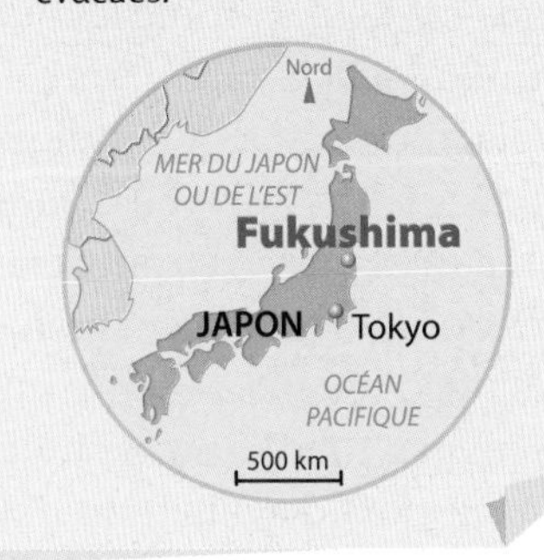

1 | Vue aérienne de la centrale de Fukushima

a. Avant la catastrophe

b. Après la catastrophe

2 Le témoignage du directeur de la centrale Tepco

Audition du 22 juillet 2011

Après la vague

Là, pour être franc, j'étais anéanti. Je me disais que nous étions face à une situation terrible. À l'évidence, nous allions vers un accident majeur.

Après la fusion des trois réacteurs

Pour refroidir, la seule source dont nous pouvons disposer sans limite, c'est la mer. Il fallait refroidir à tout prix, trouver un moyen d'abaisser la pression de l'enceinte de confinement. Ensuite, injecter, injecter, injecter de l'eau dans le réacteur.

D'après S. Pommier, « Fukushima : le témoignage posthume du directeur de la centrale », *L'Express*, 11/03/2015.

Vocabulaire

Accident nucléaire : événement survenant dans une installation nucléaire ou lors des transports de matières radioactives.

Tsunami : raz-de-marée dû à un tremblement de terre.

Vulnérabilité : fragilité face aux risques.

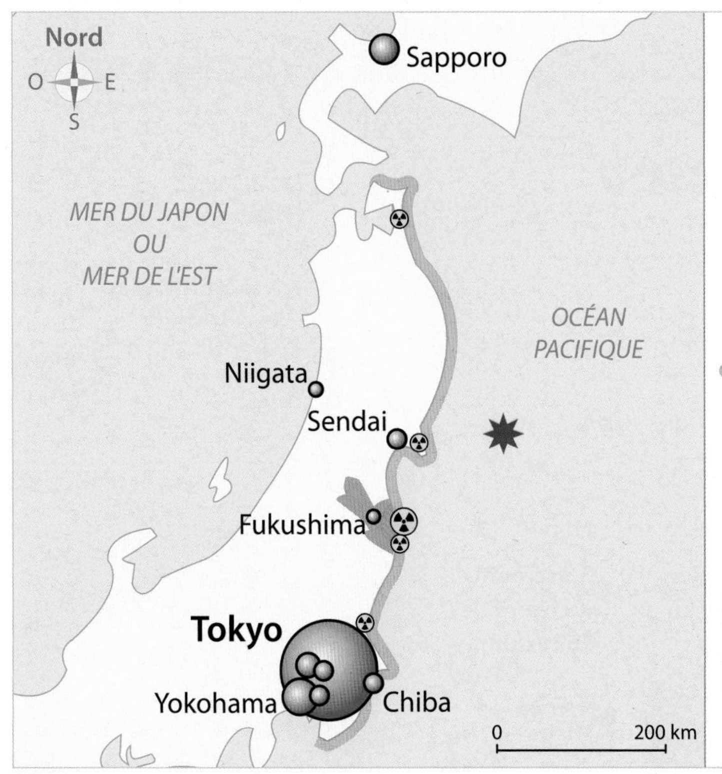

1. Un littoral touché par un tsunami...

Principales villes

Nombre d'habitants

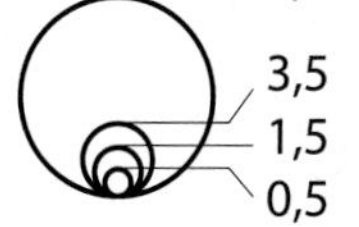

Épicentre (1er séisme)

Côtes frappées le plus durement

2. ... et contaminé par l'accident nucléaire

Centrales nucléaires

Sites ayant connu des incidents

Site de Fukushima n°1

Zone d'évacuation de la population

Zone de stockage des boues issues de la décontamination

Source : Ministère japonais de l'éducation, de la culture, des sports, des sciences et de la technologie, 2016.

3 | Une centrale littorale **vulnérable**

4 Les leçons de Fukushima en Europe

« Il faudra dix ans pour tirer tous les enseignements. Il y a deux niveaux d'actions sur lesquels nous avons déjà travaillé en France. Le premier prend en compte des événements extrêmes qui pourraient aller au-delà de ce qui est prévu actuellement. Il faut donc anticiper. Le deuxième aspect concerne la gestion de crise. Il faut pouvoir mieux répondre à l'urgence », explique le directeur adjoint de l'Institut de Radioprotection et de Sûreté Nucléaire. Après Fukushima, l'Union européenne a imposé des stress tests aux 143 réacteurs sur son territoire. Ils donnent lieu en France à des « évaluations complémentaires de sûreté ». « Jusque-là, on ne considérait pas Tchernobyl comme une catastrophe nucléaire, mais comme une catastrophe soviétique. Fukushima a fait entrer l'idée de la possibilité d'accident. Cela a été un choc pour les autorités », résume le président de l'Association pour le Contrôle de la Radioactivité dans l'Ouest.

D'après B. Binctin, « Fukushima, trois ans après : le bilan complet - mais provisoire », reporterre.net, 11/03/2014.

Activités

Socle *Construire des repères géographiques*

1. **DOC. 1 ET 3** Localisez la centrale nucléaire de Fukushima (site, situation) et décrivez les photographies.
2. **DOC. 1** Pour quelles raisons l'emplacement de la centrale présente-t-il un risque élevé ?

Socle *Extraire des informations pertinentes*

3. **DOC. 2** D'après le témoignage, les responsables semblaient-ils préparés à l'éventualité d'un accident ?
4. **DOC. 2 ET 3** Comment la crise a-t-elle été gérée ? Quels sont les acteurs mobilisés ?
5. **DOC. 3 ET 4** Identifiez les leçons et décisions prises après cette catastrophe technologique au Japon et à l'étranger : quelles pourraient être les mesures à adopter à l'avenir pour mieux prévenir ce genre de risque ?

Pour conclure En groupes, préparez une réponse orale à la question suivante pour la présenter à la classe :

➔ **Comment une catastrophe naturelle s'est-elle transformée en un accident technologique majeur ?**

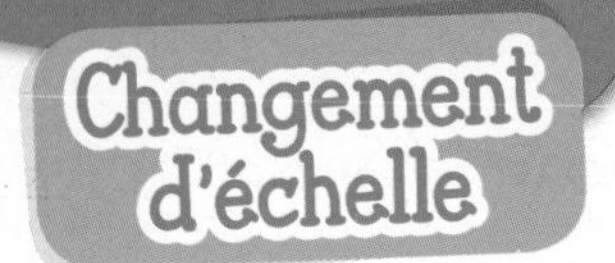

Socle *Se repérer dans l'espace*

Prévenir les risques industriels et technologiques

Recopiez les tableaux et répondez aux questions.

Des phénomènes et territoires étudiés…			
	Étude p. 316	Étude p. 320	Étude p. 322
	Un accident industriel à Tianjin	**Une coulée toxique au Brésil**	**L'accident nucléaire de Fukushima**
Quel est l'accident industriel étudié ?			
Où le phénomène se localise-t-il ?			
Quelles sont les conséquences pour les populations ?			

…au planisphère (à l'échelle mondiale)			
Quelles mesures peuvent être prises pour limiter ces risques ?			
Expliquez quelles sont les difficultés liées à cette prévention.			

1. Des accidents très diversifiés...

Accidents majeurs depuis 1950

- Marées noires
- Accidents industriels
- Accidents nucléaires

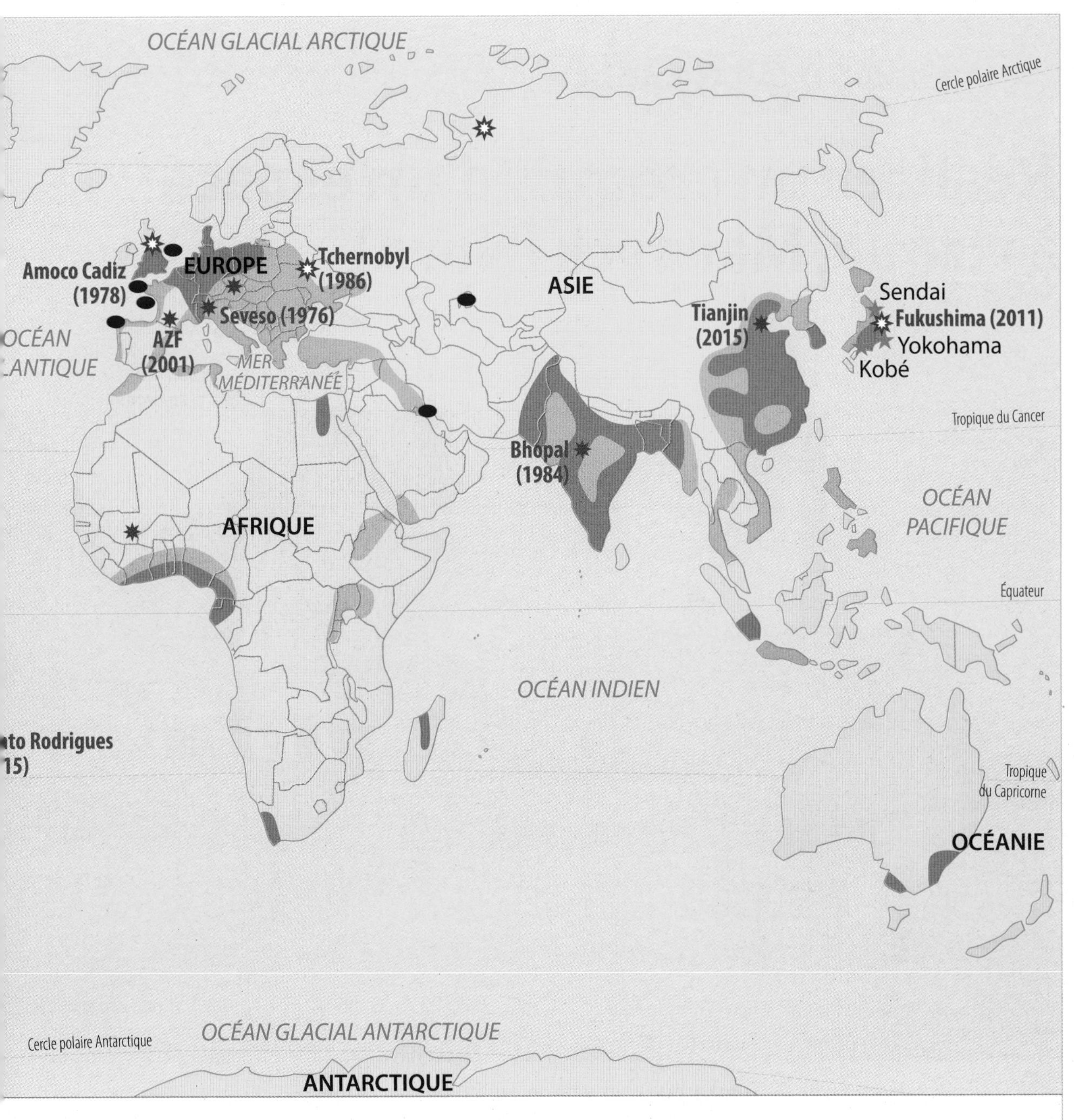

2. ... qui se situent à proximité des concentrations humaines

Densités humaines

- Supérieures à 100 hab./km²
- Entre 50 et 100 hab./km²
- Inférieures à 50 hab./km²

3. La prévention fait l'objet de réflexions à l'échelle mondiale

Conférences mondiales sur la prévention des catastrophes

★ 1994 : Yokohama
2005 : Kobé
2015 : Sendai

Sources : www.education.francetv.fr, www.risques.gouv.fr et www.prnewswire.com

L'atelier du géographe

Réaliser un croquis d'un espace à risque, Mardyck (Nord)

1 | Mardyck (commune de Dunkerque), un village au milieu des usines

2 Un PPRT[1] multisites pour la ZIP[2] de Dunkerque

Cette zone comprend 150 entreprises employant 10 000 salariés.
À Mardyck, les propriétaires dans la zone verte (aléas les plus faibles), feront l'objet de recommandations (renforcement de l'habitation). En zone jaune (aléas moyens), les propriétaires devront effectuer des travaux de renforcement ou auront la possibilité de se faire racheter leur propriété. Dans la zone rouge (aléas très forts), les propriétaires de sept maisons et d'un café seront expropriés[3]. Au prix du rachat de la maison s'ajoutera une indemnité.
Les entreprises participeront au financement du dispositif.

D'après B. Verheyde, « Prévention des risques tecÚologiques : le PPRT de Dunkerque, comme un "pavillon bleu de la sécurité" », *La Voix du Nord*, 21/02/2016.

1. Plan de prévention des risques tecÚologiques
2. Zone industrialo-portuaire
3. Déplacés contre indemnisation.

Réaliser un croquis de paysage

Étape 1 ▶ Caractériser un territoire

1. DOC. 1 Localisez ce paysage.
2. DOC. 1 ET 2 À quel risque la commune de Mardyck est-elle confrontée ?

Étape 2 ▶ Identifier différents espaces et en tirer des conclusions

3. DOC. 1 Décrivez le paysage par plans successifs (1er plan et arrière-plan).
4. DOC. 1 ET 2 À quelle zone du plan de prévention des risques technologiques (DOC. 2) le paysage présenté semble-t-il appartenir ? Justifiez.

Étape 3 ▶ Classer les informations

5. Recopiez le tableau suivant et complétez-le à l'aide de vos observations et des réponses aux questions 3 et 4.
6. Après avoir relu le point méthode, choisissez des figurés et des couleurs adaptés.

Les différents éléments du paysage	…
Figurés choisis	…

Point méthode

Figurés et couleurs

- Il existe trois grands types de figurés sur une carte :
  - des **figurés de surface** pour représenter des espaces plus ou moins étendus,
  - des **figurés ponctuels** pour représenter des lieux dans un espace,
  - des **figurés linéaires** pour représenter des flux et des axes de communication (route, voie ferrée par exemple).
- En géographie, **les couleurs ont un code**. Par exemple, on utilise :
  - **le bleu** pour les mers, les océans, les cours d'eau,
  - **le vert** pour les forêts, les espaces verts, les pâturages,
  - **le jaune** pour les cultures,
  - **le violet** pour l'industrie,
  - **le rouge** pour les habitations,
  - **le gris** et **le noir** pour les axes de communication…

Étape 4 ▶ Réaliser le croquis

7. Reproduisez le croquis ci-dessous et reportez-y les différents figurés choisis.
8. Construisez la légende de votre croquis.
9. N'oubliez pas de donner un titre à votre croquis.

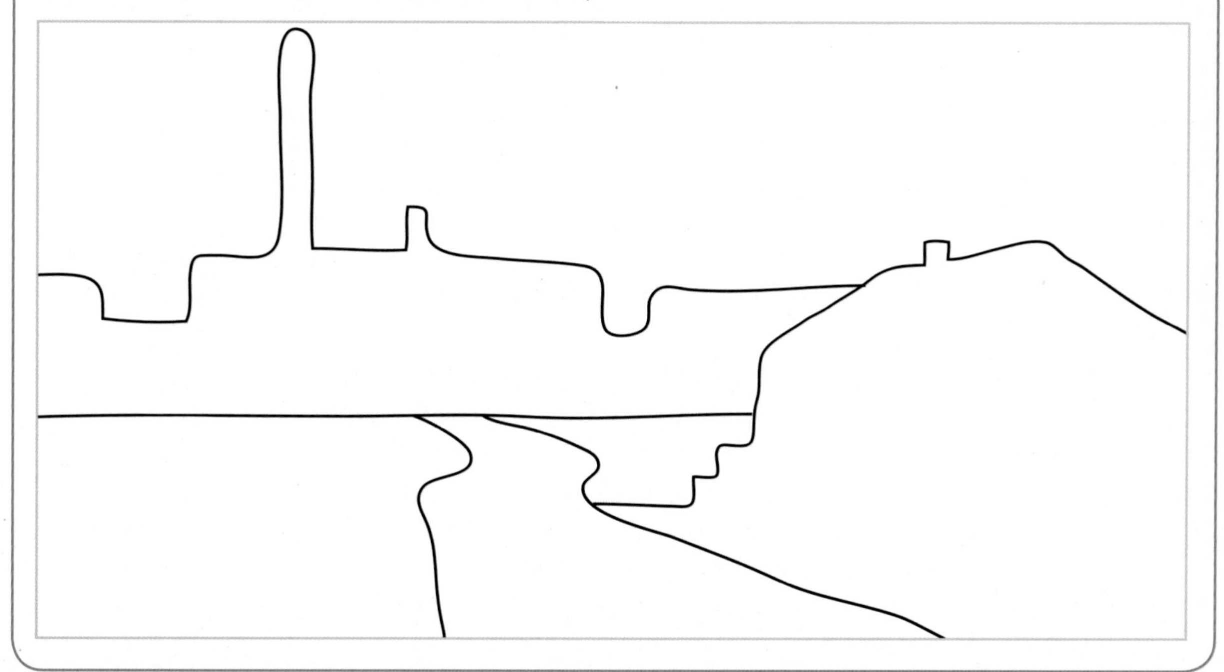

Prévenir les risques industriels et technologiques

Qu'est-ce que les risques industriels et technologiques ?
De quelle manière peut-on mieux les prévenir ?

I Comment définir les risques industriels et technologiques ?

- **Les risques technologiques sont liés aux activités humaines.** Ils peuvent être dus aux industries, aux transports ou au stockage de produits polluants et dangereux. L'explosion d'une usine survenue à Tianjin (Chine) et la coulée de boue toxique au Brésil rappellent la vulnérabilité des sociétés face aux risques.
- **Le développement industriel de toutes les régions du monde et les flux de matières premières de plus en plus importants ont contribué à augmenter les risques.** Par exemple, l'exploitation et le transport du pétrole ont parfois comme conséquence des marées noires, à l'image du golfe du Mexique en 2010.

II Prévenir des catastrophes de plus en plus importantes

- **Les aléas (explosions, marées noires, incendies...) sont à l'origine de catastrophes dont les coûts sont très élevés.** Cela est dû à la concentration des populations et des risques sur les littoraux, dans les plaines et dans les vallées. La prévention des risques nécessite donc la **vigilance de tous : entreprises, États, citoyens, associations**. En France des plans de prévention ont été institués pour résoudre les problèmes liés à la proximité des habitations et des usines à risques.
- **Les catastrophes industrielles ont des conséquences dramatiques pour les populations.** Plus d'un million de personnes ont été touchées dans le monde depuis 2001. L'environnement est parfois atteint pour plusieurs décennies. Le territoire concerné peut s'étendre sur plusieurs pays. La prévention doit donc aussi être pensée au niveau mondial en réglementant les transports de produits dangereux, en réduisant la corruption...

III Une prévention et des conséquences géographiques inégales

- **Les contrôles sont plus stricts dans les pays riches mais la catastrophe de Fukushima en 2011 au Japon montre qu'il est difficile de tout prévoir.** Il est nécessaire de prendre des mesures et de les faire appliquer.
- **Un même type d'accident aura souvent moins de conséquences dans un pays développé que dans un pays pauvre.** Dans les pays développés, les États consacrent beaucoup de moyens à la prévention : normes de protection (Seveso), plans d'évacuation des populations... Dans les pays pauvres, les autorités manquent parfois de moyens.

Vocabulaire

Aléa : élément à l'origine du risque.

Risque : danger potentiel qui pourrait affecter une société.

Risque industriel et technologique : risque généré par des activités industrielles chimiques et nucléaires ainsi que par le transport et le stockage des matières dangereuses.

Catastrophe : réalisation d'un danger potentiel. Une catastrophe a un caractère exceptionnel qui se traduit par d'importants dégâts matériels et de lourdes pertes humaines.

Prévention : dispositions prises pour prévenir un danger, un risque.

Vulnérabilité : fragilité face aux risques.

Je retiens l'essentiel

Les risques industriels et technologiques sont liés...

...aux installations industrielles et nucléaires...

Fukushima avant l'accident (Japon)

...aux grands barrages et transports de matières dangereuses

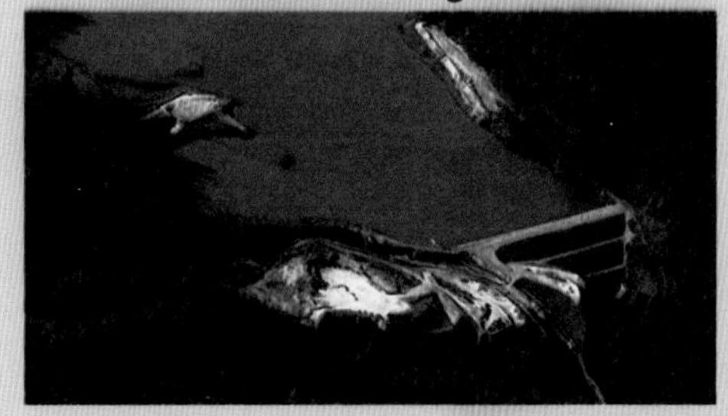

Le barrage en amont de Bento Rodrigues (Brésil)

Les risques industriels et technologiques peuvent être source d'accidents...

...parce qu'ils se situent dans des zones densément peuplées...

AZF avant l'explosion (France)

...parce que toutes les mesures de sécurité n'ont pas été prises

Le village de Bento Rodrigues
après la coulée de boue toxique (Brésil)

...d'où la nécessité d'améliorer la prévention...

...en prenant de nouvelles mesures de sécurité

L'héritage de Courrières :
de la sécurité minière
à la sécurité industrielle

...par l'intervention des citoyens

Manifestation contre la relance d'un réacteur nucléaire à la centrale de Sendai (Japon)

...avec l'aide des États, des Organisations internationales et des ONG.

J'apprends, je m'entraîne

▶ **Socle** *Méthodes et outils pour apprendre*

Prévenir les risques industriels et technologiques

1. Construire sa fiche de révision : notez le titre de la leçon sur votre feuille

Je connais...

Objectif 1 ▶ Connaître les repères géographiques

Sur le planisphère, localisez et nommez :

1. Les 10 catastrophes industrielles indiquées par un numéro.

Seveso (1976, Italie) – Amoco Cadiz (1978, France) – Bhopal (1984, Inde) – Tchernobyl (1986, Ukraine) – Exxon Valdez (1989, Alaska) – AZF (2001, France) – Deepwater Horizon (2010, golfe du Mexique) – Fukushima (2011, Japon) – Bento Rodrigues (2015, Brésil) – Tianjin (2015, Chine)

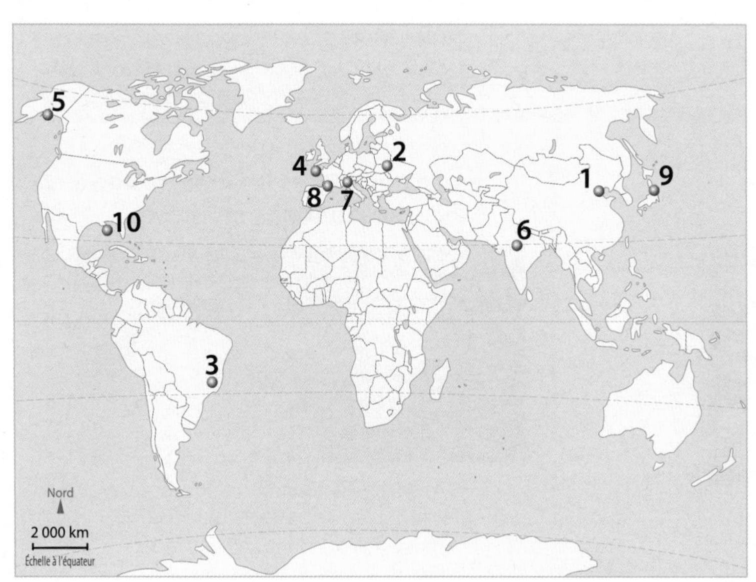

2. Le nom des cinq lignes imaginaires représentées.

Objectif 2 ▶ Connaître les mots-clés

Notez la définition des mots-clés demandés ci-dessous :

risque industriel et technologique – prévention – catastrophe – vulnérabilité – risque

Je suis capable de...

Pour chacun des objectifs suivants, répondez par une phrase courte.

Objectif 3 ▶ Expliquer ce qu'est un risque industriel et technologique

Aide (*Donnez des exemples de risques industriels et technologiques.*

Objectif 4 ▶ Montrer l'importance croissante de ces risques et des catastrophes qui leur sont liées

Aide (*Expliquez les causes de ces catastrophes et leurs conséquences.*

Objectif 5 ▶ Expliquer quelles sont les différences entre pays développés et en voie de développement face aux accidents technologiques

Aide (*Vous montrerez que la prévention diffère à travers le monde.*

2. S'entraîner

1 Construire des repères :
prévenir les risques industriels et technologiques

La centrale nucléaire de Fukushima

Le fleuve Doce au Brésil

1. D'après vos connaissances, identifiez les documents ci-dessus et expliquez quels risques technologiques et industriels ils symbolisent.
2. Comment chaque catastrophe aurait-elle pu être limitée si des préventions avaient été mises en place ?

2 Analyser et comprendre un document

Dessin de Chappatte paru dans *Le Temps* (Genève, Suisse, 17 mars 2011)

1. Présentez le document.
2. À quel événement l'auteur compare-t-il l'accident de Fukushima ?
   Aide : *Le 6 août 1945, une bombe atomique explose sur la ville d'Hiroshima (Japon).*
3. Cette comparaison vous semble-t-elle exagérée ?

Auto-évaluation **Je me positionne sur une marche :**

1.	2.	3.	4.
• **J'observe et j'identifie le document (nature, auteur, date).**	• J'observe et j'identifie le document (nature, auteur, date). • **Je le décris.**	• J'observe et j'identifie le document (nature, auteur, date). • Je le décris. • **J'utilise mes connaissances pour expliquer.**	• J'observe et j'identifie le document (nature, auteur, date). • Je le décris. • J'utilise mes connaissances pour expliquer. • **J'exerce mon esprit critique.**
Question 1	Questions 1 et 2	Questions 1 et 2	Questions 1, 2 et 3

Pour progresser, j'analyse mes axes de progrès. Que devrais-je améliorer ?

J'apprends, je m'entraîne

▶ **Socle** *Méthodes et outils pour apprendre*

3 Comprendre et analyser un document

Les conséquences de l'explosion d'une plate-forme pétrolière[1] dans le golfe du Mexique (2010)

Nettoyage du littoral du golfe du Mexique en Louisiane.

L'explosion, le 20 avril 2010, du Deepwater Horizon est à l'origine d'une fuite qui provoquera le plus important déversement de pétrole dans l'eau de l'histoire. La marée noire[2], qui progresse vers les côtes des États-Unis, pousse le gouvernement américain à intervenir et celui de la Louisiane à décréter l'état d'urgence. La British Petroleum, une grande entreprise pétrolière, tente différentes stratégies pour arrêter le flot de pétrole. Mais la nappe atteint les côtes des États-Unis en mai. Il en résulte un désastre écologique[3] le long du golfe du Mexique. BP devra verser d'importantes indemnisations. Le gouvernement est lui aussi critiqué : il a encouragé l'exploitation de puits en profondeur et il n'a pas fait respecter les normes de sécurité.

D'après « Déversement de pétrole dans le golfe du Mexique », *Perspective monde*, université de Sherbrooke, Canada, 22 avril 2010.

1. Construction marine permettant d'extraire du pétrole et du gaz en mer. – **2.** Catastrophe industrielle et écologique due au déversement de produits pétroliers. – **3.** Catastrophe qui détruit l'environnement.

Identifier le document

1. Présentez le document : son auteur, sa date, sa nature exacte, le sujet traité.
2. Localisez et situez le lieu de l'événement.

Extraire des informations pertinentes et utiliser ses connaissances pour expliciter

3. Quel est le problème qui touche le golfe du Mexique ?
4. Quelles sont les causes ?
5. Comment a évolué la situation ?
6. Quelles sont les conséquences ?

Confronter le document à ce que l'on sait du sujet

7. Rappelez un autre exemple de catastrophe industrielle étudiée en classe.
8. Quelles sont les similitudes que vous retrouvez avec l'exemple du golfe du Mexique ?

Auto-évaluation **Je me positionne sur une marche.**

1.	2.	3.	4.
• Je lis le texte. • Je présente le texte (auteur, date, nature, sujet).	• Je lis le texte. • Je présente le texte (auteur, date, nature, sujet). • **Je comprends l'idée principale et je localise le phénomène.**	• Je lis le texte. • Je présente le texte (auteur, date, nature, sujet). • Je comprends l'idée principale et je localise le phénomène. • **J'extrais des informations.**	• Je lis le texte. • Je présente le texte (auteur, date, nature, sujet). • Je comprends l'idée principale et je localise le phénomène. • J'extrais, **je reformule et j'explicite** des informations. • **Je confronte le document étudié à mes connaissances.**
Question 1	Questions 1, 2 et 3	Questions 1, 2, 3, 4, 5 et 6	Questions 1 à 8

Pour progresser, j'analyse mes axes de progrès. Que devrais-je améliorer ?

4 S'informer dans le monde numérique

Un accident industriel à Tianjin (Chine)

Dans un moteur de recherche, tapez les mots suivants : « drone – accident industriel – Tianjin ». Cliquez sur le site et lancez la vidéo.

1. Comment et quand cette scène a-t-elle été filmée ?
2. Relevez les éléments qui montrent l'ampleur des dégâts.

Enquêter Aspects positifs et négatifs du nucléaire

Les faits

1 Manifestation contre la relance d'un réacteur nucléaire

2 **Le retour du nucléaire, un enjeu économique et climatique**

La remise en service de plusieurs installations nucléaires a été décidée par le gouvernement japonais. Depuis 2011, les tarifs de l'électricité ont augmenté de plus de 20 %. Or, le Japon s'est engagé à réduire ses émissions de gaz à effet de serre. Aussi, le gouvernement vise-t-il 20 % d'électricité d'origine nuclaire.

D'après *Le Monde*, 11/08/2015.

Les indices

Indice n°1

Les atouts du nucléaire à travers le monde

- **Les atouts du nucléaire à travers le monde**
  - Faible part du coût du combustible (stabilité des prix)
  - Faibles émissions de CO_2
  - Réserves d'uranium importantes

Indice n°2

Développer l'expertise citoyenne

Pour Jean-Claude Delalonde, président de l'Anccli[1], la culture du risque doit entrer dans les mentalités, par le biais de l'éducation, de la télévision... « Nous souhaitons développer l'expertise citoyenne. À condition que le public soit renseigné. Ce qui est loin d'être le cas. »

D'après O. Gabriel, « Nucléaire, quatre ans après Fukushima , tout n'a pas changé en France », 20minutes.fr, 11/03/2015.

1. Association nationale des comités et commissions locales d'information.

Indice n°3

Les risques du nucléaire

Extrait de la BD *Le nucléaire n'est pas irremplaçable !* de F. Brunet, nucleaire-nonmerci.net, 2016.

Avez-vous pris connaissance des faits et indices ?
Quelle est votre conviction : quels sont les aspects positifs et négatifs du nucléaire ?

Par équipe, complétez le carnet de l'enquêteur.

1. Une prise de conscience : ...
2. Les avantages liés à cette énergie : ...
3. Les effets négatifs de la production nucléaire : ...
4. Les choix effectués : ...

Rédigez en quelques lignes le rapport d'enquête en utilisant vos réponses.

L'atelier d'écriture

Prévenir les risques industriels et technologiques en France

À l'aide de vos connaissances, rédigez un texte qui explique quelles mesures sont prises en France pour prévenir les risques industriels et technologiques.

Travail préparatoire (au brouillon)

1. Comprenez bien le sujet.

« Prévenir les risques industriels et technologiques en France »

- Prévenir : Que désigne ce terme ?
- risques industriels et technologiques : Que signifie « risques industriels et technologiques » ?
- France : N'oubliez pas le territoire étudié.

2. Notez toutes les informations qui vous viennent à l'esprit et qui évoquent les risques industriels et technologiques en France autour du « pense pas bête ».
3. N'oubliez pas de faire la même chose pour la prévention de ces risques.
4. Vérifiez avec votre cahier et votre manuel que vous n'avez pas oublié d'informations essentielles.

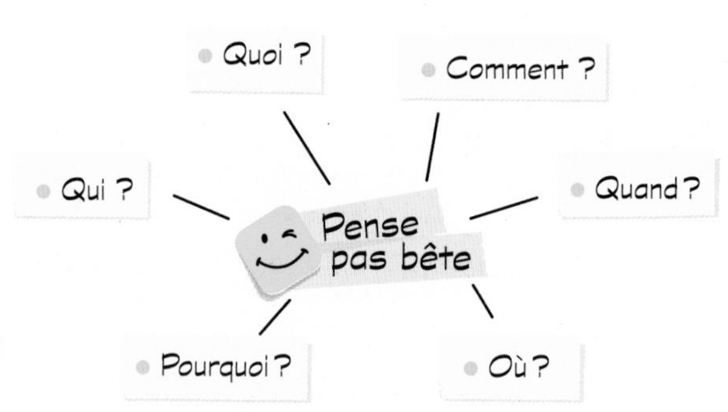

Travail de rédaction (au propre)

À vous de choisir votre niveau de difficulté et votre ceinture !

Soignez la présentation de votre texte et votre écriture. Évitez les ratures. N'oubliez pas de relire et de vérifier vos accords.

Je rédige un texte **sans aide.**

Rédigez votre texte en vérifiant que :
- Vous commencez votre texte par un alinéa ;
- Vous organisez vos idées en paragraphes.

Je rédige un texte **avec un guide.**

Rédigez votre texte en construisant deux paragraphes qui commencent par un alinéa :
- En France, … . Les risques industriels et technologiques sont … .
- En France, la prévention …

Je rédige un texte **en répondant à des questions.**

Rédigez votre texte en construisant deux paragraphes qui commencent par un alinéa et répondent à des questions.

Votre 1er paragraphe commence par « En France, … . Les risques industriels et technologiques sont … », puis il répond aux questions suivantes :
- Quelles définitions de risques industriels et technologiques pouvez-vous donner ?
- Quels exemples de risques industriels et technologiques connaissez-vous ?

Votre 2e paragraphe commence par « En France, la prévention », puis il répond aux questions suivantes :
- Qu'est-ce que la prévention ?
- Quels sont les moyens de prévenir les risques industriels et technologiques ?

Objet d'enseignement *Les responsabilités individuelles et collectives face aux risques majeurs*

Comment réagir en cas de risques majeurs ?

1 Un village simule un incident nucléaire

« Vous venez de ressentir une violente secousse. Des gens sont paniqués autour de vous. » Il est 9 h 05, mardi 17 janvier, dans les Bouches-du-Rhône. L'alerte qui vient d'être donnée fait partie d'une simulation grandeur nature d'un séisme induisant un risque nucléaire sur le site de Cadarache.

À Vinon-sur-Verdon, commune proche, la sirène de Cadarache n'est pas audible partout. Les télécommunications ayant été coupées, la mairie a rencontré des problèmes pour communiquer. « La mairie va devoir s'équiper de talkies-walkies, voire de téléphones satellitaires », admet le maire.

Au collège Yves-Montand de Vinon-sur-Verdon, au déclenchement de l'alarme « les élèves se sont instinctivement réfugiés sous les tables en attendant la fin de la secousse, avant de se réunir au centre de la cour », raconte la principale, puis ils ont été confinés pendant deux heures, sans angoisse apparente.

D'après H. Sallon, « Comment le centre nucléaire de Cadarache réagirait en cas de séisme ? », *Le Monde*, 25/01/2012.

La centrale de Cadarache (Bouches-du-Rhône).

Ensemble on peut mieux se préparer à faire face à un accident nucléaire.

A l'école :
Le plan particulier de mise en sûreté (PPMS) permet la mise à l'abri ou l'évacuation des élèves et de toute personne présente dans l'établissement scolaire.

Les parents sont informés de cette organisation et ne doivent en aucun cas « venir chercher leurs enfants à l'école » pendant la durée de l'alerte.

2 Les consignes à respecter

Extrait d'un panneau de l'exposition Gafforisk nucléaire proposée par l'Iffo-RME en partenariat avec l'Institut de radioprotection et de sûreté nucléaire, 2008 (IRSN).

Vocabulaire

Risques majeurs : risques rares, mais qui font beaucoup de victimes (séisme, accident nucléaire, inondation).

Le droit et la règle : des principes pour vivre avec les autres

1. DOC. 1 Pourquoi un exercice de simulation a-t-il été organisé autour de la centrale nucléaire de Cadarache ?
2. DOC. 2 Que doivent faire les élèves en cas d'accident nucléaire ? Pourquoi est-ce important de respecter les règles dans ce cas ?

L'engagement : agir individuellement et collectivement

3. Allez sur le site Internet http://macommune.prim.net ou regardez les documents fournis par le professeur. Quels sont les risques majeurs pour votre commune ? Choisissez-en un et faites une affiche qui donnera les consignes à vos camarades pour ce risque majeur. Vous pouvez vous aider des documents fournis par le professeur et du site www.risques.gouv.fr.

Propositions d'EPI

Disciplines associées
Géographie : La croissance démographique
Arts plastiques : La ressemblance, la narration visuelle

Votre mission EPI 1 Un recueil de caricatures

Thématique EPI **Information, communication et citoyenneté**

Sujet EPI **« Des caricatures pour informer sur la croissance démographique »**

→ chapitre 9 p. 206

Vous allez créer un recueil de caricatures pour décrire et expliquer la croissance démographique et ses effets.

Dessin de Plantu, *Le Monde*, 15 mai 1991

Caricature de Kal, parue dans le journal *Baltimore Sun* (États-Unis), septembre 1996

Point méthode

Réaliser un recueil de caricatures

Étape 1 ▶ Sélectionner les informations (en histoire géographie)

1. Par groupe, choisissez un des pays étudiés.
2. Décrivez et expliquez la croissance démographique.
3. Décrivez les effets d'une telle croissance sur la population du pays.
4. Décrivez les effets sur le territoire.
5. Faites un point sur les solutions préconisées.

Étape 2 ▶ Réaliser sa caricature (en arts plastiques)

6. Choisissez un ou deux aspects des phénomènes étudiés qui vous intéressent.
7. Choisissez un effet caricatural et le procédé à utiliser pour y parvenir.
   Par exemple : grossissement des traits, répétition...
8. Établissez plusieurs esquisses avant de choisir la plus aboutie et de passer à la réalisation.

Une autre piste EPI

Culture et création artistique
Les problèmes démographiques vus par la littérature d'anticipation.
Vous rédigerez en groupe une nouvelle d'anticipation en imaginant la vie sur Terre avec 14 milliards d'habitants en 2080

Disciplines associées

Géographie : Des ressources limitées, à gérer et à renouveler
Physique-Chimie : L'énergie et ses conversions

Votre mission EPI 2 Une enquête

Thématique EPI **Sciences, technologie et société**

Sujet EPI **« L'énergie et l'eau, des ressources à ménager »**

➔ chapitres 11 p. 250

Vous allez construire un reportage sur la consommation en eau et en énergie de votre établissement. Il s'agira ensuite de proposer des idées pour réduire les éventuels gaspillages.

Vous pouvez vous aider des thématiques suivantes étudiées en physique-chimie :
1. La qualité des eaux et leur traitement,
2. L'utilisation des énergies au quotidien,
3. Les moyens de réduire les consommations d'énergie.

Vous exposerez vos idées sous la forme d'affiches visant à informer et alerter les membres du collège.

Point méthode

Réaliser une enquête pour diffuser de l'information

Étape 1 S'informer sur le sujet (ouvrages, presse, sites internet, CDI...)

1. Reformulez le sujet en plusieurs questions.
2. Définissez les interlocuteurs (à l'échelle de l'établissement et à l'échelle de la commune).
3. Rédigez votre questionnaire.

Étape 2 Réaliser l'interview

4. Prenez rendez-vous avec vos interlocuteurs.
5. Posez-leur les questions et prenez en note leurs réponses, enregistrez-les avec leur accord.

Étape 3 Analyser les réponses et les propositions

6. À partir des réponses obtenues, proposez des idées pour réduire la consommation en eau et en énergie de votre établissement ou pour limiter les éventuels gaspillages.
7. Présentez vos résultats sous la forme d'une affiche.

Une autre piste EPI

Sciences, technologie et société
Imaginer un monde sans pétrole
Vous avez un rapport à faire pour un diplomate. Vous lui proposez des solutions pour se passer des hydrocarbures (pétrole et gaz).

Propositions d'EPI

Votre mission EPI 3 Un questionnaire

Thématique EPI **Corps, santé, bien-être et sécurité**

Sujet EPI **« Bien se nourrir »**

➔ chapitre 12 p. 272

Disciplines associées

Géographie : L'alimentation dans le monde

EPS : Sport et sciences : alimentation et entraînement

SVT : Aliments, alimentation

Vous avez décidé de vous engager dans la lutte contre les problèmes d'alimentation que connaissent les pays développés. Vous montez une exposition au collège afin de sensibiliser les élèves au problème de surpoids et d'obésité.

Vous vous appuyez sur ce que vous avez appris dans les différentes matières concernées.
Vous construisez un questionnaire sur les habitudes alimentaires afin que les élèves qui visitent l'exposition puissent prendre conscience de la manière dont ils se nourrissent.

Point méthode

Construire un questionnaire

Étape 1 ▶ **Sélectionner les thèmes abordés dans le questionnaire**

Les habitudes alimentaires, les aliments et boissons consommés, les activités sportives, les besoins alimentaires…

Étape 2 ▶ **Formuler les questions et préparer les réponses**

1. Choisissez uniquement des questions fermées (réponses attendues : oui ou non).
   Par exemple : Pour les habitudes alimentaires « Prenez-vous un petit-déjeuner ? »
2. Réfléchissez et choisissez la forme du questionnaire.
   Par exemple la réponse sera cochée, entourée…
3. Tapez sur un logiciel de traitement de texte les questions.

Étape 3 ▶ **Préparer le bilan des questionnaires**

4. Préparez les réponses de la « bonne conduite » en matière alimentaire.
   Par exemple : pour les habitudes alimentaires, indiquez celles qui sont bonnes pour la santé.

Une autre piste EPI

Information, communication et citoyenneté
À la découverte d'une ONG : Action contre la faim
Vous réaliserez un petit film ou un diaporama de présentation de cette organisation non gouvernementale.

Votre mission EPI 4 Un diaporama Pecha Kucha

Thématique EPI **Transition écologique et développement durable**

Sujet EPI **« Le changement global »**

➔ chapitres 13 p. 292

Disciplines associées

Géographie : Comprendre le changement global et ses principaux effets géographiques à différentes échelles.

Physique-chimie : Exploiter les informations recueillies en géographie pour mettre en œuvre des expériences et expliquer les phénomènes scientifiques.

Vous devez intervenir à la COP 51 (= Beijin 2045) pour montrer que le problème du changement global s'améliore. Expliquez quelles solutions ont été mises en place pour le limiter, l'améliorer ou s'adapter à une échelle choisie.
Pour cela, réalisez un Pecha Kucha (diaporama de 10 diapositives, avec une présentation de 10 secondes par diapositive) pour présenter les conséquences du changement global à une échelle particulière.

Le défrichement, l'exemple de l'Amazonie

Le réchauffement climatique, l'exemple de l'Arctique

L'urbanisation de Manaus, aéroport et zones industrielles au bord de l'Amazone

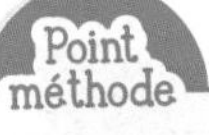

Réaliser un diaporama Pecha Kucha

Étape 1 ▶ L'analyse du sujet

1. Choisissez votre sujet parmi un des aspects du changement global (voir chapitre 13, p. 292-313)
2. Reformulez le sujet en plusieurs questions.
3. Définissez les termes importants.
4. Choisissez une échelle géographique (locale, nationale, mondiale) pour étudier votre sujet.

Étape 2 ▶ La recherche sur Internet

5. Répondez aux questions posées dans l'étape 1, en croisant les informations (au moins deux sites qui donnent la même information). Un site conseillé pour commencer : www.mtaterre.fr/
6. Pensez à noter les références des sites consultés.
7. Sélectionnez les illustrations en vérifiant qu'elles sont libres de droits ; commencez à prendre des notes pour rédiger votre texte explicatif.

Étape 3 ▶ La réalisation du diaporama

8. Réfléchissez à l'ordre de vos dix diapositives et donnez-leur un titre.
9. Rédigez le commentaire correspondant à chacune des diapositives choisies dans la partie « Ajouter des commentaires ».

Le titre

Une illustration bien choisie

Un commentaire pour faire la présentation orale

L'augmentation des températures par l'effet de serre

Une autre piste EPI

Culture et création artistique
L'urbanisation vue par la littérature
Vous ferez un recueil d'extraits d'œuvres littéraires qui montre les effets et les difficultés de l'urbanisation généralisée sur toute la planète.

Préserver ses données personnelles sur le Net

1 Des images qui ne disparaissent pas

Tous les jours 760 millions de snaps et 5 millions de vidéos sont partagés. Voir défiler la vie des autres dans les moindres détails. « Là, par exemple, Nina, elle est à la pharmacie. Voilà, je sais tout ce qu'elle a fait aujourd'hui. Elle a mangé un pain au chocolat, elle a vu un lapin, des chiens… » explique un jeune utilisateur de Snapchat. Pourtant, l'envoi de photos sur Snapchat n'est pas anodin. Contrairement aux promesses du réseau social, il n'y a rien d'éphémère : « La personne qui reçoit la photo peut très bien faire une capture d'écran et en garder une copie. Après, à part la loi, rien ne l'empêche de la diffuser sur Internet » explique Vincent Portier de l'Association e-enfance.

D'après « Snapchat, le réseau social qui fait fureur chez les adolescents », sur francetvinfo.fr le 07 février 2016.

2 | Sais-tu vraiment à qui tu parles ?

	Vrai	Faux	Nsp
• Les données que l'enfant met sur Internet ne sont accessibles qu'aux personnes qu'il a choisies	41 %	43 %	16 %
• Personne ne peut reconnaître l'enfant quand il utilise un pseudo/un avatar	39 %	41 %	20 %
• Les données que l'enfant met sur Internet ne sont accessibles que pendant une durée limitée	9 %	65 %	26 %
• Les données personnelles que l'enfant met sur Internet lui appartiennent	46 %	37 %	17 %
• Sur Facebook, les paramètres de confidentialité empêchent les informations de l'enfant d'être diffusées à des personnes qu'il ne connaît pas	49 %	28 %	23 %

Étude IFOP, réalisée en janvier 2013, auprès de 403 adolescents de 11 à 17 ans

3 | **Le partage des données personnelles**
Étude IFOP, réalisée en janvier 2013, auprès de 403 adolescents de 11 à 17 ans, publiée sur le site http://france.emc.com

4 Que dit la loi ?

Art. 1 L'informatique doit être au service de chaque citoyen. Elle ne doit porter atteinte ni à l'identité humaine, ni aux droits de l'homme, ni à la vie privée, ni aux libertés individuelles ou publiques.

Loi dite « Informatique et libertés », loi n° 78-17 du 6 janvier 1978 relative à l'informatique, aux fichiers et aux libertés.

¡SOYEZ NET SUR LE NET ! | LE TEST | LES FICHES PRATIQUES | LES LIENS UTILES |

¡SOYEZ NET SUR LE NET !

UN SITE CO-ÉDITÉ PAR : MAIRIE DE PARIS

AVEC ReputationSquad Stratèges en réputation

"La curiosité est un vilain défaut"
Sur Internet pas besoin d'attiser celle de nos amis.

L'E-RÉPUTATION EN QUELQUES MOTS

FICHES PRATIQUES
Des tutoriaux pour anticiper et résoudre les problèmes

LIENS UTILES
Pour contacter les autorités comptétentes en cas de souci

LE TEST
Jaugez votre e-réputation et définissez ce que vous assumez réellement (ou pas).

NOTEZ VOTRE E-RÉPUTATION

5 | Protéger sa e-réputation
Capture d'écran du site http://ereputation.paris.fr, 2016.

Activités

Le droit et la règle : des principes pour vivre avec les autres

1. **DOC. 1** Quel problème se pose avec Snapchat ? Qu'en pensez-vous ?
2. **DOC. 5** Comment comprenez-vous la légende de la photographie ? Qu'est-ce que l'e-réputation ? Comment peut-on préserver son e-réputation selon vous ?
4. **DOC. 2** Que dénonce cette affiche ?
5. **DOC. 3** Pour vous, quelles sont les bonnes réponses ?
6. **DOC. 5** Que cherche à protéger la loi Informatique et libertés ?
7. **Par groupes,** rédigez un code de bonnes conduites pour protéger sa vie privée sur le Net. N'hésitez pas à vous inspirer de la loi, de votre expérience et de vos connaissances personnelles.

Point méthode

Rédiger un texte
- Je liste ce qu'il faut faire/ce qu'il ne faut pas faire sur mon brouillon.
- J'essaie de bien organiser mes idées
- Je rédige des phrases courtes, pouvant être comprises par tous.
- Je cherche des illustrations ou je fais des dessins pour retenir l'attention de celui qui va me lire.

Je construis mon essentiel

Je ne dois pas :
– ....
– ....

← Pour préserver ma vie privée sur le Net et mon e-réputation →

Je peux :
– ....
– ....

Objet d'enseignement *Connaissance de soi et respect des autres*

Être une fille, être un garçon

1 La définition d'une princesse selon Nina

NINA : C'est nul les princesses.

ALYAN : Pourquoi ?

NINA : Une princesse, elle attend longtemps le type qui viendra lui donner un baiser et après elle est enfermée toute sa vie. Elle fait des enfants, elle lave le linge, elle fait à manger. Elle passe son temps à se friser les cheveux, à se mettre du rouge à lèvres, à essayer d'être mince. Elle bouffe que dalle. Elle a l'air d'une grosse imbécile, qui se croit jolie, alors qu'elle n'est rien d'autre qu'une fille qui s'ennuie et qui ne sait même pas lire. Au mieux, elle est sorcière.

ALYAN : C'est ça les princesses ? C'est pas trop bien.

D'après Catherine Zambon, *Mon frère, ma princesse*, théâtre l'École des loisirs, 2012.

2 L'étrange destin de Billy Eliott

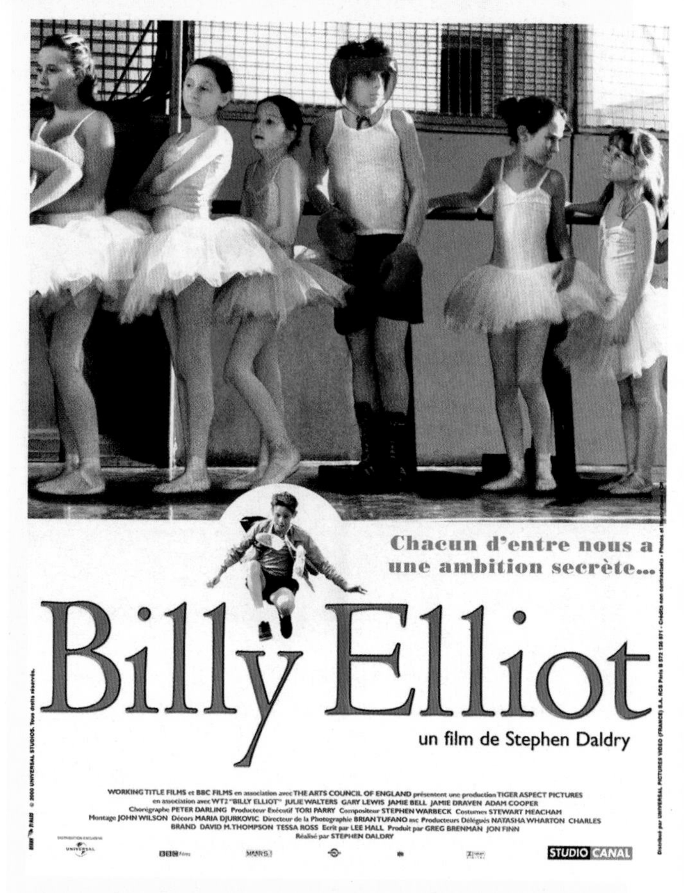

Le synopsis du film

Billy est fils de mineur. Son père le pousse à pratiquer la boxe, mais Billy n'aime pas ce sport. Il préfère rejoindre le cours de danse classique que suivent les filles à l'autre bout du gymnase. Sa professeure de danse repère son talent et le pousse à s'inscrire dans une grande école de danse. Le désir de Billy se heurte alors à l'incompréhension et au refus de sa famille.

Affiche du film *Billy Elliot* de Stephen Daldry, 2000.

3 L'éducation en question

Le garçon rivalise de dureté et d'indépendance avec les autres garçons, il méprise les filles. Grimpant aux arbres, se battant avec des camarades, les affrontant dans des jeux violents, il saisit son corps comme un moyen de dominer la nature et un instrument de combat ; en même temps, il connaît les leçons sévères de la violence ; il apprend à encaisser les coups, à mépriser la douleur, à refuser les larmes du premier âge. Il entreprend, il invente, il ose. Au contraire, chez la femme, on lui apprend que pour plaire il faut chercher à plaire, il faut se faire objet ; elle doit donc renoncer à son autonomie. On la traite comme une poupée vivante et on lui refuse la liberté.

D'après Simone de Beauvoir, *Le deuxième sexe*, Gallimard, 1949.

Qui est-elle ?

Simone de Beauvoir (1908-1986)

Philosophe et écrivaine française, elle a écrit des ouvrages très importants pour le féminisme.

Vocabulaire

Féminisme : mouvement dont l'objectif est d'améliorer la place des femmes dans la société.

Préjugé : jugement sur quelqu'un ou quelque chose formé avant de connaître.

4 | **Contre les préjugés : pompier, un métier pour les femmes**

Lætitia, 32 ans, femme, mère, judoka et sapeur-pompier.

5 Le garçon nouveau sexe faible

***L'article développe le point de vue du pédopsychiatre Stéphane Clerget, qui a écrit un livre appelé* Nos garçons en danger.**

L'échec scolaire est aujourd'hui essentiellement masculin. Les deux tiers des 150 000 adolescents qui quittent le système scolaire sans diplôme sont des garçons.
Nos garçons sont aussi menacés par des comportements destructeurs. Un chiffre est en effet parlant : 96 % des personnes incarcérées et 75% des morts par suicide sont des hommes. Usage de stupéfiants, conduites à risque... la liste fait frémir. Il est temps également de veiller au bon développement des garçons.

D'après « Dur, dur d'être un garçon », *le parisien.fr* du 27 février 2015.

Activités

La sensibilité : soi et les autres

1. **DOC. 1** Que pensez-vous de l'image que Nina a des princesses ?
2. **DOC. 1 ET 3** En quoi cette image rejoint-elle l'image de la femme que dénonce Simone de Beauvoir ? Et vous, quelle image avez-vous de la femme « idéale » ?
3. **DOC. 4** Quelle image de la femme donne cette photo ? La partagez-vous ?
4. **DOC. 2** En quoi l'affiche du film *Billy Elliot* est-elle représentative du synopsis du film ? Comprenez-vous le désir de Billy ?
5. **DOC. 5** Que dénonce le pédopsychiatre ? Comment pourrait-on changer les choses ?

Le jugement : penser par soi-même et avec les autres

6. **Avec la classe, je participe à un débat :** Faut-il changer l'image que la société a des filles et des garçons pour permettre à chacun de faire ce qu'il a envie ? Comment le faire ?

Comment préparer un débat ?

- Recopiez ce tableau et prenez quelques minutes pour réfléchir à la question et remplir le tableau.

Sujet du débat :	Pour	Contre	Comment faire ?
Mes idées			
Les idées de mes camarades			

- Vous pouvez aussi aller voir la méthode « participer à un débat » dans l'activité sur la liberté de la presse.

Objet d'enseignement *Les différentes formes de discrimination (raciales, antisémites, religieuses, xénophobes, sexistes, homophobes…)*

Combattre le racisme

Les êtres humains, malgré des différences, appartiennent à une seule humanité. Les scientifiques ont prouvé que les « races » n'existaient pas. En France, les actes racistes sont interdits par la loi.

1 Qu'est-ce que le racisme ?

C'est une attitude de rejet et de haine de l'autre. Tout simplement parce qu'il est différent !

Pour justifier leur point de vue, les racistes prétendent qu'il y a des races humaines et que certaines sont meilleures que d'autres. Le contraire ayant été démontré scientifiquement.

Collectif « Pour la Diversité », mars 2016.

Le racisme
n'est pas une opinion
c'est un délit

Victimes ou témoins
RÉAGISSEZ !

Contactez la licra
Assistance juridique gratuite
01 45 08 08 08
juridique@licra.org ou licra.org

LFP licra UCPF

3 | Code de bonne conduite dans les clubs de football

Pour aller plus loin :
Licra (Ligue internationale contre le racisme et l'antisémitisme) : http://www.licra.org.

2 Un témoignage : le racisme dans le football

« J'ai voulu entrer dans le wagon mais des supporteurs anglais me bloquaient et me repoussaient. J'ai compris qu'ils s'en prenaient à moi à cause de la couleur de ma peau. Je suis resté longtemps face à eux. Aucun usager n'a pris ma défense. Que pouvait-on faire ? Ensuite, le métro est reparti et, moi, j'ai attendu le métro suivant. Je suis rentré chez moi sans parler de cette histoire à personne. Vous êtes la première personne à qui j'en parle. Que dire à mes enfants ? Que papa s'est fait bousculer dans le métro parce qu'il est noir ? Je vais aller porter plainte à la police. »

D'après « PSG-Chelsea : le témoignage de la victime de l'incident raciste », rmcsport.bfmtv.com, 19/02/2015.

Vocabulaire

Association : groupement de personnes autour d'un projet ou d'un intérêt commun (sportif, culturel, humanitaire…).

Humanité : ensemble des êtres humains quelles que soient leurs origines.

Racisme : croyance que certains groupes d'humains seraient supérieurs aux autres.

4 | **Dépasser les préjugés**
Dessin de Samson.

5 Que dit la loi ?

Article 1

Constitue une discrimination directe la situation dans laquelle, sur le fondement de son appartenance ou de sa non-appartenance, vraie ou supposée, à une etÚie ou une race, sa religion, ses convictions, son âge, sa perte d'autonomie, son handicap, son orientation ou identité sexuelle, son sexe ou son lieu de résidence, une personne est traitée de manière moins favorable qu'une autre [...] dans une situation comparable.

Loi n° 2008-496 du 27 mai 2008 portant diverses dispositions d'adaptation au droit communautaire dans le domaine de la lutte contre les discriminations.

Activités

La sensibilité : soi et les autres

1. DOC. 1, 2 ET 3 Identifiez les problèmes dont il est question. Que ressentez-vous face à l'affiche de la Licra et au témoignage du footballeur ?
2. DOC. 3 Que pensez-vous du slogan de cette affiche de la Licra ?
3. DOC. 2, 3, 4 ET 5 Quels moyens sont mis en place pour lutter contre le racisme ?

L'engagement : agir individuellement et collectivement

Par groupes, faites une recherche sur une association luttant contre le racisme. Puis, écrivez un article pour la présenter. Vous pouvez écrire votre article dans l'ENT ou sur le journal papier du collège.

Point méthode

Comment écrire un article ?

- **Aller chercher l'information sur le terrain**
  – Aller à la rencontre de professionnels, d'experts, de témoins
  – Prendre un maximum de notes
- **Retenir l'essentiel** de ce que l'on a entendu, vu et ressenti
  – En classe ou en groupe rapporter ce que vous avez retenu, appris.
  – Regrouper ces informations en quelques idées principales
- **Le travail sur les titres est essentiel :**
  – Un adjectif, un adverbe, un signe de ponctuation peuvent provoquer l'intérêt du lecteur.

Je construis mon essentiel

Complétez le schéma ci-dessous en utilisant les réponses aux questions et votre travail de recherche et d'écriture. Vous pouvez ajouter des branches.

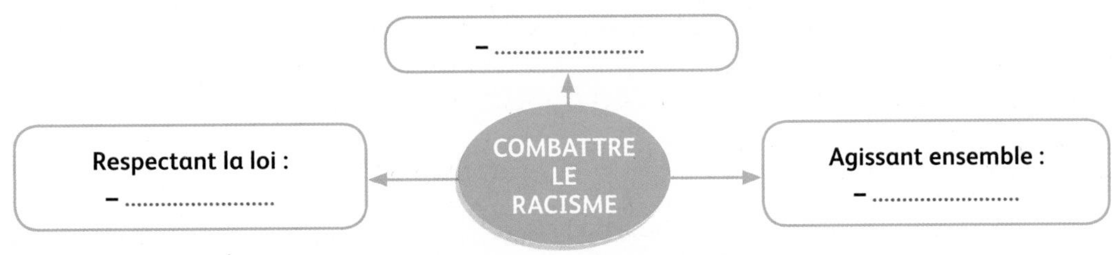

La fraternité, une valeur républicaine

1 | La fête de la fraternité
Affiche de la fête de la fraternité de Miramas (13)

2 La France, une république solidaire

1945 : Création de la Sécurité sociale qui donne aux salariés une retraite, une protection santé et des allocations familiales.

1950 : Instauration d'un salaire minimum.

1988 : Création du revenu minimum, une somme donnée aux personnes qui ont trop peu de revenus.

1999 : Création de la couverture maladie universelle (CMU) qui permet aux personnes à faibles revenus d'être remboursées des soins qu'elles reçoivent.

Vocabulaire

Solidaire : qui relie les gens parce qu'ils pensent qu'ils ont des responsabilités et des intérêts communs.

3 Une valeur réaffirmée lors des attentats de novembre 2015

Vendredi 13 novembre, ce jour que nous n'oublierons jamais, la France a été frappée lâchement, dans un acte de guerre organisé de loin et froidement exécuté.

Je vous l'affirme ici : nous ne changerons pas ; nous serons unis, unis sur l'essentiel. Et je salue, ici, devant vous, familles, ces innombrables gestes de tant de Français anonymes qui se sont pressés sur les lieux des drames pour allumer une bougie, déposer un bouquet, laisser un message, apporter un dessin. Et si l'on cherche un mot pour qualifier cet élan, ce mot existe dans la devise de la République : c'est la fraternité.

Et que dire de la mobilisation de tous les services publics pour porter secours et assistance aux victimes, pour accompagner les survivants, pour soutenir les proches. Ces personnels de santé, admirables. Leur action dit aussi ce que nous sommes : un pays solidaire.

Discours de François Hollande, le 27 novembre 2015, www.elysee.fr.

4 | Collecte de la banque alimentaire dans un supermarché

Activités

La sensibilité : soi et les autres

1. **DOC. 1** Choisissez les trois mots qui vous semblent correspondre le mieux à l'idée que vous vous faites de la fraternité. Expliquez pourquoi vous les avez choisis.
2. **DOC. 3** Quels sont les deux actes de solidarité lors des attentats mis en avant par le président de la République ?
3. **DOC. 4** Comment les clients du supermarché peuvent-ils exercer leur solidarité ? Qu'en pensez-vous ?

L'engagement : agir individuellement et collectivement

4. **DOC. 2** Montrez que la solidarité est une valeur importante en France.
5. **Par groupes,** réfléchissez à une action solidaire que la classe pourrait mettre en place.

Mener une action

- **Mettez-vous d'accord sur une action** qui vous paraît importante. Pour cela discutez entre vous et votez pour l'action qui vous paraît la plus intéressante par petits groupes.
- **Cherchez si une association proche de chez vous peut vous aider** à réaliser votre projet. Pour cela, vous pouvez regarder sur Internet ou demander à votre professeur.
- **Construisez ensuite votre projet.**
  – Je liste les avantages de mon projet.
  | ***Exemple :*** *sympa à faire, facilement réalisable, rapporte de l'argent pour l'association…*
  – Je liste aussi les défauts de mon projet pour me permettre de mieux choisir
  | ***Exemple :*** existe déjà dans un environnement proche, compliqué, ennuyeux, difficilement réalisable, trop cher…
- **Présentez ensuite votre projet à la classe.** Votez pour le meilleur projet.

Je construis mon essentiel

À l'aide de vos réponses et de votre réflexion, donnez votre propre définition de la fraternité sur votre cahier.

La laïcité en France

1 La laïcité selon les élèves

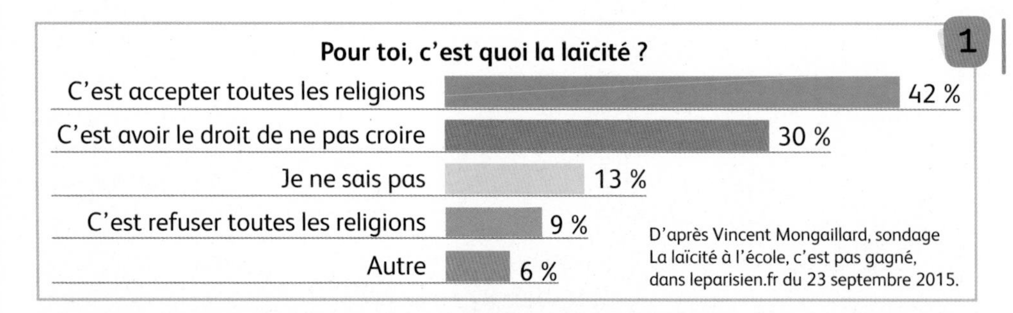

D'après Vincent Mongaillard, sondage La laïcité à l'école, c'est pas gagné, dans leparisien.fr du 23 septembre 2015.

2 La liberté religieuse en France

Vue satellite de la ville de Sarcelles dans le Val-d'Oise. Capture d'écran, google.map, 2016.

3 Le rôle de la laïcité

C'était il y a bientôt 110 ans. Des responsables éclairés, des hommes libres donnaient à la République l'une de ses plus grandes lois, l'une de ses fondations. La loi du 9 décembre 1905 a mis la religion à sa place, à sa juste place. La loi garantit cette liberté fondamentale de croire ou de ne pas croire. Elle dit que toutes les convictions religieuses méritent le même respect et la même considération. Les croyants n'ont pas à imposer leur croyance. Et ceux qui ne croient pas ne doivent pas empêcher les autres de pratiquer leur foi.

12 | **Les enseignements sont laïques.** Afin de garantir aux élèves l'ouverture la plus objective possible à la diversité des visions du monde ainsi qu'à l'étendue et à la précision des savoirs, **aucun sujet n'est a priori exclu du questionnement scientifique et pédagogique.** Aucun élève ne peut invoquer une conviction religieuse ou politique pour contester à un enseignant le droit de traiter une question au programme.

Extrait de la charte de la laïcité

Il n'y a ni exclusion, ni haine, ni violence dans la laïcité. C'est, au contraire, un cadre de sécurité et de paix pour chacun. La laïcité, c'est non pas « co-exister », mais vraiment « vivre ensemble », sans se renier, mais sans s'imposer.

Discours de Manuel Valls, Premier ministre, 26 octobre 2015,à l'occasion de la remise du prix de la laïcité.

4 Le témoignage de Laurence, professeure d'histoire-géographie dans un collège de Lille (59)

Dans le cadre des commémorations de la Première Guerre mondiale, nous avons proposé à nos élèves une sortie à la Nécropole nationale de Notre-Dame-de-Lorette, lieu où sont enterrés des soldats. Cette sortie était gratuite et sur le temps scolaire, donc obligatoire. Un de mes élèves a refusé d'y aller. Il a expliqué qu'il ne voulait pas entrer dans un édifice religieux qui n'appartenait pas à sa religion. C'était un élève étranger qui venait d'arriver en France. Le principal du collège s'est entretenu avec l'élève et sa famille. Il leur a expliqué que l'objectif de la sortie est uniquement d'ordre historique et que l'école publique respecte toutes les religions ; elle ne fait pas la promotion d'une religion en particulier. Un dialogue s'est installé et l'élève a compris ce qu'était la laïcité.

5 Que dit la loi ?

Article 1 La République assure la liberté de conscience. Elle garantit le libre exercice des cultes [...]

Article 2 La République ne reconnaît, ne salarie ni ne subventionne aucun culte.

Loi du 9 décembre 1905 concernant la séparation des Églises et de l'État.

Activités

Le droit et la règle, des principes pour vivre avec les autres

1. **DOC. 1** Avec quelle (s) affirmation(s) du sondage êtes-vous d'accord ? Avec laquelle ou lesquelles êtes-vous en désaccord ? Justifiez vos réponses.
2. **DOC. 2** Que montre ce document sur les religions en France ?
3. **DOC. 3** Depuis quand la France est-elle un pays laïc ? Que permet la laïcité, selon Manuel Valls ?
4. **DOC. 4** Pourquoi l'élève a-t-il refusé de participer à la sortie ? Comment le problème a-t-il été réglé ? Qu'en pensez-vous ?

Le jugement : penser par soi-même et avec les autres

5. **Par groupes,** recopiez ce tableau et remplissez-le.

La laïcité...	Vrai	Faux	Justifiez vos réponses
Me laisse avoir la religion que je veux ou être athée.			
Favorise certaines religions			
M'interdit de porter au collège certains vêtements et signes religieux trop voyants			
Me permet de refuser à la cantine des aliments interdits par ma religion			
Me permet de refuser d'étudier certains enseignements qui me semblent contredire mes croyances religieuses.			

6. **Par groupes,** rédigez votre propre charte de la laïcité.

Je construis mon essentiel

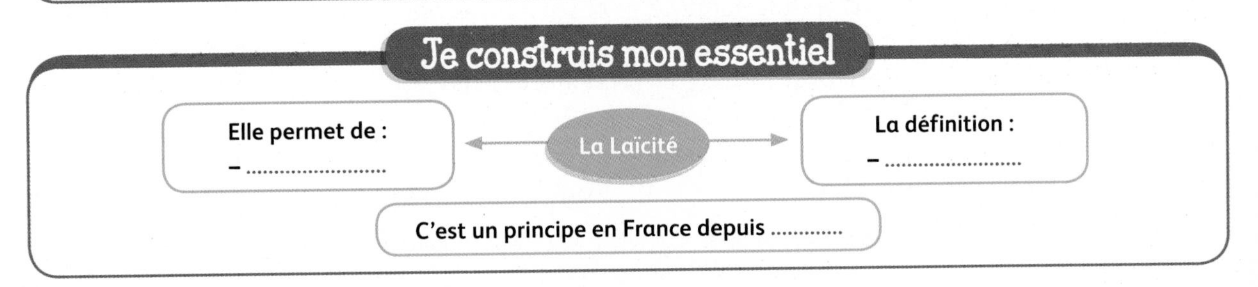

Objet d'enseignement *Expressions littéraires et artistiques et connaissance historique de l'aspiration à la liberté.*

Être libre

1 | Manifestation de soutien au blogueur Raif Badawi
Le blogueur saoudien a été condamné à 10 ans de prison et 1 000 coups de fouet, qui mettent sa vie en danger, pour avoir demandé l'application des droits de l'homme dans son pays. Ottawa, Canada, décembre 2015.

2 L'art, une expression de la liberté

Paul Eluard a écrit ce poème lors de l'occupation allemande pendant la Seconde Guerre mondiale.

Sur mes cahiers d'écolier
Sur mon pupitre et les arbres
Sur le sable sur la neige
J'écris ton nom
Sur mes refuges détruits
Sur mes phares écroulés
Sur les murs de mon ennui
J'écris ton nom
Sur l'absence sans désir
Sur la solitude nue
Sur les marches de la mort
J'écris ton nom
Sur la santé revenue
Sur le risque disparu
Sur l'espoir sans souvenir
J'écris ton nom
Et par le pouvoir d'un mot
Je recommence ma vie
Je suis né pour te connaître
Pour te nommer
Liberté.

Paul Eluard
Extrait du poème « Liberté »
Poésie et vérité 1942 (recueil clandestin) *Au rendez-vous allemand*
(Les Éditions de Minuit, 1945).

3 Une signification différente selon les gens

La journaliste interviewe des adolescents qui ont fui leur pays en guerre et qui se trouvent dans un camp de réfugiés en Grèce. Chacun donne sa définition de la liberté.

« Pour moi, il s'agit de pouvoir aller à l'école sans craindre d'être enlevé », dit Parvan, 17 ans. « Moi, c'est de pouvoir faire de la musique et épouser la fille que j'aime qui est en Allemagne », lance un autre adolescent. « La liberté, pour moi, c'est quand la porte de la cage s'ouvre et que tu peux déployer tes ailes. L'Afghanistan, c'est une cage aujourd'hui », intervient alors Chadab, un jeune garçon de 12 ans. La mort de son père, quatre mois avant sa naissance, a laissé sa famille dans la pauvreté. « À 6 ans, j'ai commencé à travailler comme berger ». L'école, Chadab en rêve, mais n'y a jamais mis les pieds. En septembre 2015, avec 17 autres jeunes de son village, il prend la route. « Nous avons entendu Angela Merkel déclarer qu'elle accueillerait 800 000 réfugiés, alors, nous avons aussitôt commencé le voyage », dit-il.

D'après Adéa Guillot, « La jeunesse sacrifiée des réfugiés mineurs », lemonde.fr du 12 février 2016.

4 | **Sa liberté, celle des autres**

5 Que dit la loi ?

La liberté consiste à pouvoir faire tout ce qui ne nuit pas à autrui. Ainsi l'exercice des droits naturels de chaque homme n'a de bornes que celles qui assurent aux autres membres de la société la jouissance des mêmes droits. Ces bornes ne peuvent être fixées que par la loi.

Déclaration des Droits de l'Homme et du citoyen, article 4, 1789.

Activités

La sensibilité, soi et les autres

1. **DOC. 1** Pourquoi Raif a-t-il été condamné ? Qu'en pensez-vous ?
2. **DOC. 2** Quel mode d'expression a choisi Paul Eluard ? Pourquoi, selon vous ?
3. **DOC. 3** Qu'est-ce qui représente la liberté pour chacun de ces adolescents ? Pouvez-vous expliquer pourquoi ? Réfléchissez à ce qui, pour vous, représenterait le mieux la liberté.
4. **DOC. 4 ET 5** Qu'est-ce qui limite la liberté personnelle ? Quelle définition de la liberté pourriez-vous donner ?

Réfléchir par soi-même et avec les autres

Par groupes, imaginez une œuvre qui mette en avant votre conception de la liberté : dessin, collage, poésie, chanson, slam…

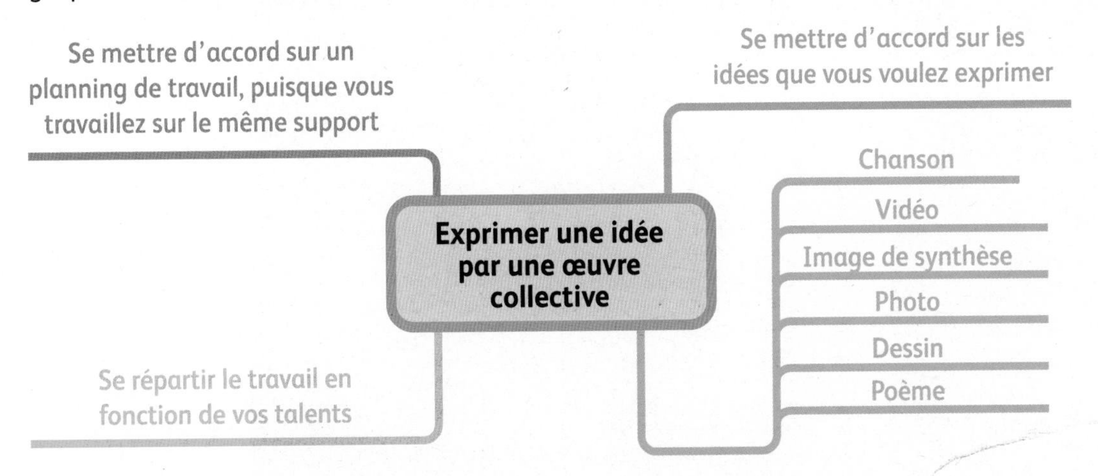

Je construis mon essentiel

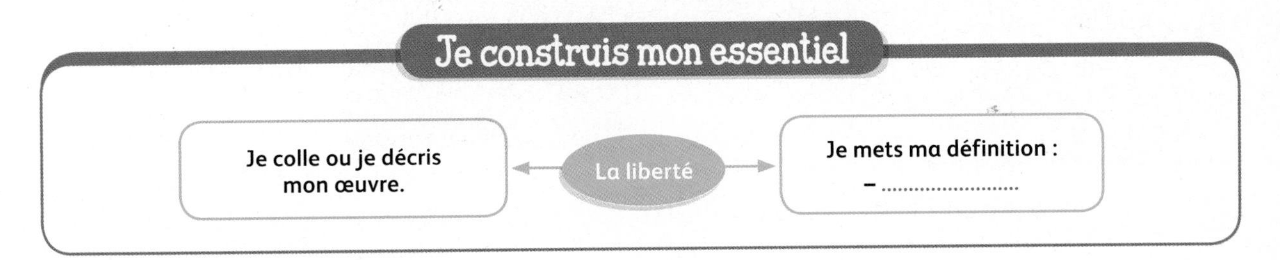

EMC

▶ **Objet d'enseignement** *Les libertés fondamentales (libertés de conscience, d'expression, d'association, de presse) et les droits fondamentaux de la personne*

Peut-on limiter les libertés fondamentales en démocratie ?

1 Sécurité ou libertés publiques : faut-il choisir ?

Au lendemain des attentats, François Hollande a endossé sans hésiter les habits du chef de guerre. En proclamant que la France devait se défendre contre une « armée djihadiste », en dénonçant les «actes de guerre» commis à Paris, en remettant au goût du jour une loi sur l'état d'urgence qui date de la guerre d'Algérie, le président de la République a donné le ton : la France, a-t-il déclaré, luttera avec une « détermination froide » contre ses « ennemis ». Nul ne conteste, bien sûr, que la France est en première ligne face à l'organisation État islamique (EI). Les attaques parisiennes de 2015, les attentats déjoués de ces derniers mois et l'épisode tragique du Thalys ont instauré un climat de gravité. Certains, en revanche, sont inquiets. Car l'EI enferme jour après jour la France dans un piège : devra-t-elle, au nom de la défense de la démocratie, abandonner un à un les principes qui la gouvernent depuis plus de deux siècles ?

D'après A. Chemin, « Sécurité ou libertés publiques : faut-il choisir ? », *Le monde culture et idées,* 26 novembre 2015.

2 | Des fouilles de sacs et de bagages plus fréquentes dans les lieux publics

Vocabulaire

Démocratie : régime politique dans lequel la souveraineté est exercée par le peuple.

Libertés fondamentales : ensemble des droits reconnus à chaque personne par la Constitution et la Déclaration des droits de l'homme et du citoyen de 1789.

Que dit la loi ?

L'état d'urgence est une disposition exceptionnelle. Celle-ci autorise les préfets[1], dans un contexte de trouble grave, à instaurer des couvre-feux[2] et élargit les possibilités de perquisition.

Dans tous les départements, les préfets peuvent ainsi :
– restreindre la liberté d'aller et venir en instaurant des zones de protection ou de sécurité particulières ;
– interdire le séjour dans certaines parties du territoire à toute personne susceptible de créer un trouble à l'ordre public ;
– réquisitionner des personnes ou moyens privés.

« État d'urgence, deuil national, réunion du Congrès : les mesures après les attentats de Paris », vie-publique.fr, 16/11/2015.

1. Représentant de l'État.
2. Mesure interdisant de sortir de chez soi après une certaine heure.

3 | **Un état d'urgence critiqué**
Dessin de Chaunu

Activités

Le droit et la règle : des principes pour vivre avec les autres

1. DOC. 2 Que ressentez-vous face à cette photographie ?
2. DOC. 1 ET 4 Qu'est-ce que l'état d'urgence ? Pourquoi a-t-il été mis en place ?
3. DOC. 1, 2, 3 ET 4 Quelles libertés peuvent être remises en question avec l'état d'urgence ?

Le jugement : penser par soi-même et avec les autres

4. **Par groupes,** répondez à la question sous la forme d'un débat : « Doit-on limiter les libertés fondamentales dans une démocratie ? ».

Point méthode

Méthode du débat
- **Préparer un débat**
  – Réfléchir au sujet.
  – Classer ses arguments.
- **Participer au débat**
  – Écouter et respecter les arguments des autres.
  – Demander la parole.
  – Exprimer son point de vue et le justifier.

Je construis mon essentiel

Reproduisez et complétez le tableau suivant à l'aide des arguments échangés pendant le débat.

Sujet du débat : Doit-on limiter les libertés fondamentales dans une démocratie ?		
	Mes arguments	**Les arguments des autres élèves**
Pour		
Contre		

▶ **Objet d'enseignement** *L'engagement politique, syndical, associatif, humanitaire : ses motivations, ses modalités, ses problèmes*

S'engager pour le développement durable

Le développement durable est la volonté de citoyens de construire un développement « qui répond aux besoins des générations actuelles sans compromettre la capacité des générations futures à répondre aux leurs » (rapport Brundland, 1987).

- 1972 Conférence des Nations unies sur l'environnement à Stockholm
- 1987 Rapport Brundtland « Notre avenir à tous »
- 1992 Déclaration de Rio (sur l'environnement et le développement)
- 1997 Protocole de Kyoto (pollution)
- 2002 Sommet de Johannesburg (Rio+10)
- 2012 Conférence des Nations unies sur le développement durable (Rio+20)
- 2015 COP 21 à Paris

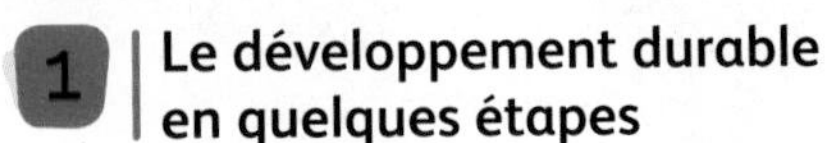

1 | Le développement durable en quelques étapes

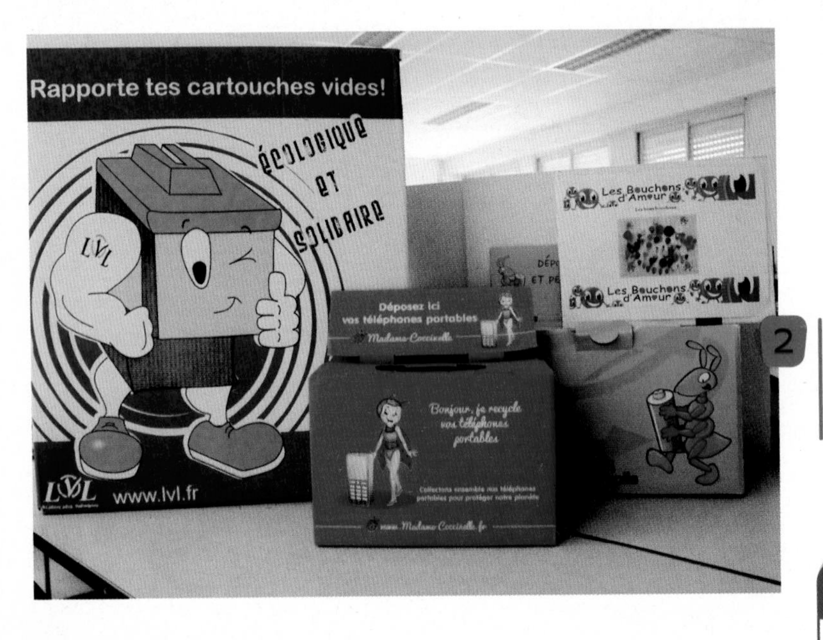

2 | Quelques actions de recyclage menées par les élèves du collège Kerallan de Plouzané (Finistère)

3 Que disent les textes ?

Principe 1 : Les êtres humains sont au centre des préoccupations du développement durable. Ils ont droit à une vie saine et productive en harmonie avec la nature.

Principe 3 : Le droit au développement doit être réalisé de façon à satisfaire équitablement les besoins relatifs au développement et à l'environnement des générations présentes et futures.

D'après la Déclaration de Rio – 1992.

Article 2-2 : Limiter ou réduire les émissions de gaz à effet de serre provenant des combustibles utilisés dans les transports aériens et maritimes.

D'après le Protocole de Kyoto – 1997.

Vocabulaire

Agenda 21 : programme qui met en place des actions pour lutter contre la pauvreté, et favoriser le développement de l'éducation, la gestion des ressources et des espaces naturels… dans des communes, agglomérations, départements, régions...

COP21 : 21e conférence internationale sur le climat, en 2015, à Paris.

Développement durable : mode de développement qui répond aux besoins des générations présentes sans compromettre la capacité des générations futures à répondre aux leurs.

S'engager dans la COP21, même quand on est élève

Des élèves de 3e du collège Saint-Exupéry de Montceau-les-Mines se mobilisent pour la COP21. Ils ont été sélectionnés pour présenter leur projet de lutte contre le réchauffement climatique. **Ces élèves ont travaillé sur le thème de l'habitat.** Leur cité futuriste flotterait sur l'eau et 2 000 personnes pourraient y vivre. Les adolescents sont encadrés par neuf professeurs depuis la rentrée. Les solutions proposées par ce collège et celles des **37 autres classes invitées** font l'objet d'un livre blanc de la jeunesse. Il a été remis aux organisateurs de la COP21.

D'après « COP21 : des collégiens de Montceau-les-Mines présentent leur projet à la maison de la Radio », France3-regions.francetvinfo.fr, 20/11/2015.

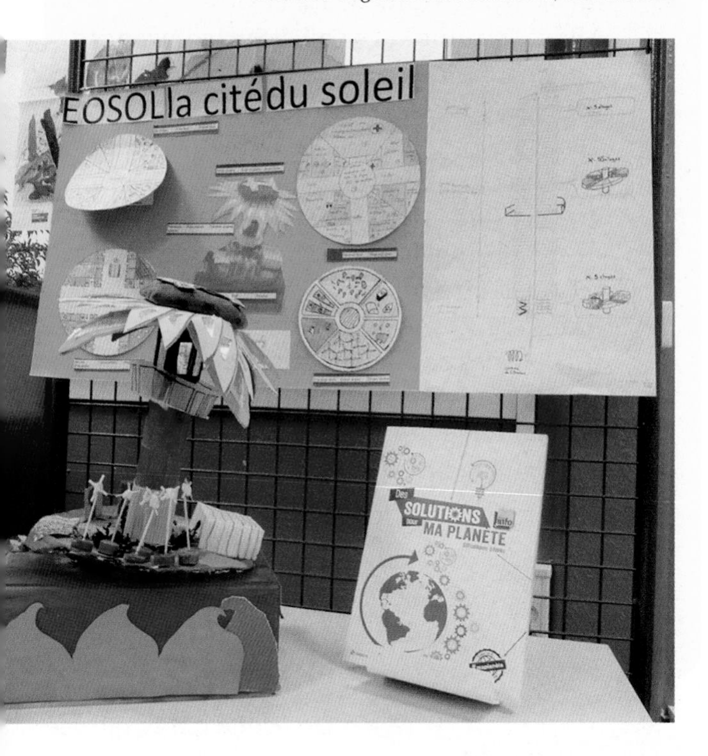

Activités

Le jugement : penser par soi-même et avec les autres

1. DOC. 4. Que pensez-vous de l'action menée par les élèves du collège Saint-Exupéry de Montceau-les-Mines ? Justifiez votre réponse.
2. DOC. 2 ET 3 Avez-vous déjà vu une des actions réalisées au collège de Kerallan à Plouzané ? Expliquez-en l'intérêt.
3. DOC. 2 ET 4 Pourquoi ces élèves s'investissent-ils dans ce type d'action ? Contre quoi luttent-ils ?
4. DOC. 1, 2, 3 ET 4 Quel sont les liens entre les grandes décisions prises à l'échelle de la planète et les actions menées par les élèves ?

L'engagement : agir individuellement et collectivement

À vous maintenant d'agir pour le développement durable au quotidien. Vous pouvez, par des gestes simples du quotidien, contribuer au développement durable de la planète (agenda 21) :
- le tri des déchets ;
- l'économie d'énergie (penser à éteindre une lumière) ou d'eau ;
- le recyclage ;
- une utilisation plus fréquente des transports en commun (limiter les émissions de gaz à effet de serre).

Je construis mon essentiel

En utilisant les documents et vos réponses aux questions, complétez le schéma ci-dessous en suivant l'exemple.

Un développement qui respecte l'environnement :
- ....

DÉVELOPPEMENT DURABLE

Un développement qui tient compte de toutes les populations :
- ....

Un développement qui crée des activités économiques :
- des emplois qui se développent dans l'habitat écologique
- des emplois dans le recyclage

Le virus Zika, un nouveau risque majeur

1 L'inquiétude face au virus Zika

Se propageant de manière explosive, le virus est soupçonné de causer des troubles neurologiques[1], le syndrome de Guillain-Barré, et des malformations congénitales, les microcéphalies[2].
L'Organisation mondiale de la santé (OMS) a décrété que l'épidémie constitue « une urgence de santé publique de portée mondiale ».

Pour l'OMS une des priorités est d'accroître la surveillance des cas de syndromes de Guillain-Barré et des microcéphalies dans les zones touchées par le virus Zika, afin de déterminer si celui-ci est directement en cause, ou s'il existe d'autres facteurs.

L'OMS prône également une intensification des recherches pour mettre au point des traitements, un vaccin et de nouveaux tests de diagnostic de cette infection.

D'après P. Santi et S. Cabut, « Zika : dix questions sur un virus qui inquiète », *Le Monde Science et TecÚo,* 3 février 2016.

1. Maladies du système nerveux.
2. Volume du crâne plus petit que la normale.

2 Vigilance maximale aux Antilles

« Nous pouvons dire que nous sommes en phase épidémique », constate le professeur Bruno Hoen, chef du service des maladies infectieuses du centre hospitalier universitaire de Pointe-à-Pitre. Plusieurs cas par jour lui sont signalés, sans qu'aucune forme grave n'ait encore été avérée.
Mais, l'équipe du professeur se prépare. Un groupe de recherches, commun à la Guadeloupe, la Martinique et la Guyane, s'active depuis le début de l'année. « Nous ne pouvons pas nous permettre d'être devant une complication neurologique ou un cas de microcéphalie et ne pas savoir répondre. Tout doit être prêt, que ce soit en termes de connaissances, mais aussi de prise en charge. »
Du côté des populations, on ne se laisse pas envahir pas la peur. Mickaël temporise : « Ça fait des années qu'on vit avec cette menace. » La semaine passée, une voiture répandant des jets d'insecticide passait dans sa rue.

D'après F. Méréo, « Zika, une vraie menace pour la santé », *Leparisien.fr,* 1er février 2016.

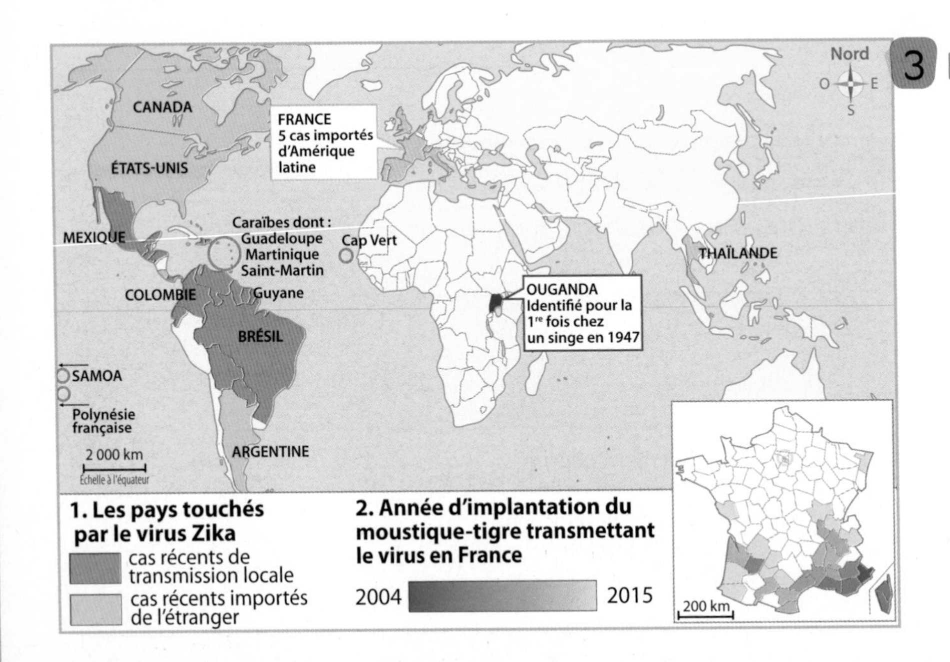

3 Un risque qui se diffuse

Vocabulaire

ARS : Agence régionale de santé.

Risque majeur : danger éventuel, plus ou moins prévisible, lié à une situation ou à une activité. Les effets peuvent mettre en jeu un grand nombre de personnes, occasionner des dégâts importants.

4 | **Des mesures préconisées par l'ARS**

Activités

La sensibilité : soi et les autres

1. DOC. 1 Quels risques peuvent toucher les populations avec le virus Zika ?
2. DOC. 1 ET 3 Où se diffuse Zika ? Pourquoi ce virus est-il dangereux ?

Le jugement : penser par soi-même et avec les autres

3. DOC. 1, 2 ET 4 Quels sont les moyens mis en place pour prévenir et lutter contre cette diffusion ?
4. DOC. 1, 2 ET 4 Quelles sont les mesures collectives ? Quelles sont les mesures individuelles ? Justifiez.
5. **Par groupes,** réfléchissez aux mesures à prendre en tant qu'apprentis citoyens pour lutter contre ce type de virus.
   Vous pouvez aller sur le site de l'ARS Guadeloupe et cliquer sur « Le guide en 42 questions/réponses » pour avoir des pistes supplémentaires.

Je construis mon essentiel

À l'aide de vos réponses, complétez le schéma ci-dessous.

Un danger :
– ....

Prévenir un risque majeur

Des mesures individuelles :
– ....
– ....

Des mesures collectives :
– ....
– ....

Encourager le vote

1 Le droit de vote dans l'histoire

Avant 1789 : pas de vote, la monarchie est absolue et de droit divin.

1791 : vote masculin **censitaire**

1792 : **vote universel** masculin

1795 : retour au vote masculin censitaire

1799 : retour au vote universel masculin, mais le Sénat choisit les membres des assemblées parmi une liste d'élus.

1815 : retour au vote masculin censitaire

1848 : retour au vote masculin universel. Le vote devient secret.

1944 : les femmes obtiennent le droit de vote

1945 : les militaires obtiennent le droit de vote

1974 : l'âge légal du vote passe de 21 ans à 18 ans

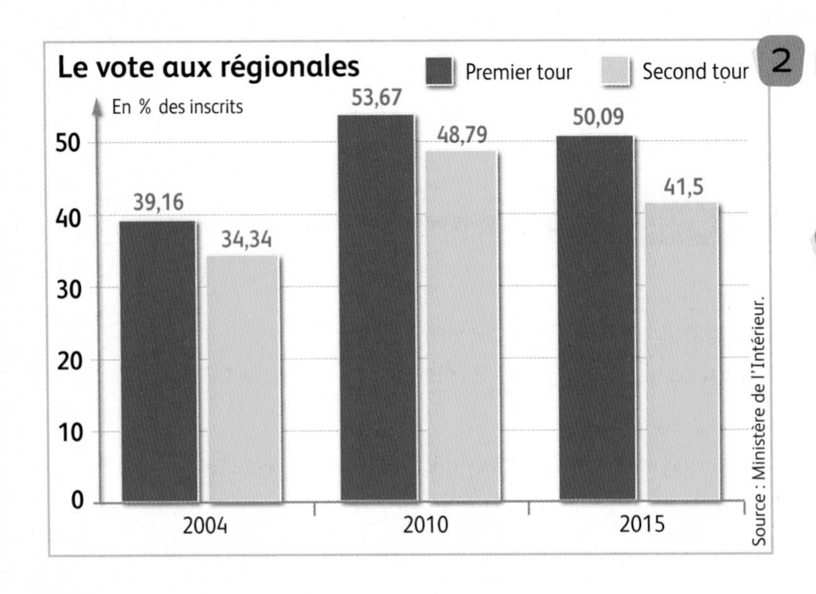

2 | Tous les électeurs ne votent pas

3 Les causes de l'abstentionnisme

« La politique, ça ne m'intéresse pas, ça ne répond pas à mes problèmes », « De toute façon, les élus, on les voit jamais » : ces phrases reviennent comme une rengaine dans la bouche des jeunes du quartier du Neuhof. Ils sont nombreux à exprimer leur défiance vis-à-vis de la politique. Une défiance qui se manifeste directement dans les urnes. L'**abstention** et le nombre de non-inscrits sur les listes électorales atteignent des records. Les partis, de leur propre aveu, n'investissent le Neuhof qu'en période électorale. Certains ne renoncent pas pour autant, comme Yazid qui, à 15 ans, envisage une carrière d'élu local. À l'instar de Youness et Younus, membres du mouvement des jeunes diplômés, d'autres prennent des initiatives pour rediriger le débat vers la vraie préoccupation de la jeunesse du quartier : l'emploi.

D'après « Jeunes du Neuhof, les désabusés de la cité », 22 octobre 2014, cuej.info.fr

4 L'appel au vote de Christine and the Queens, chanteuse

La corvée du bulletin semble presque faire oublier qu'un bulletin, c'est une voix – la tienne. Et en abandonnant les urnes, on abandonne l'action, la lutte. On croit punir une politique mais on se punit soi-même de ne pas faire un choix.

D'après « Aller voter dimanche, leur mot à dire », *libération.fr* publié le 04 décembre 2015.

Vocabulaire

Abstention : fait de ne pas participer au vote.

Vote censitaire : le vote n'est possible que pour les gens qui paient un certain montant d'impôt.

Vote universel : vote qui concerne toute la population au-dessus d'un certain âge.

VOUS ÊTES LE PRÉSENT
NOUS SOMMES L'AVENIR !

5 **Des jeunes contre l'abstention**

À l'initiative de la responsable du service jeunesse du quartier du Neuhof, un groupe d'adolescents a décidé de tourner une vidéo pour inciter les adultes à aller voter au second tour des régionales.

Activités

Le droit et la règle, des principes pour vivre avec les autres

1. DOC. 1 Que pensez-vous du vote censitaire ? Est-il juste ?
2. DOC. 1 Quand le vote universel est-il définitivement installé en France pour les hommes et pour les femmes ? Le droit de vote a-t-il été obtenu facilement selon vous ?

Le jugement, penser par soi-même et avec les autres

3. DOC. 2 Que pouvez-vous constater pour le vote aux élections régionales en 2015 ?
4. DOC. 4 ET 5 À quoi encouragent ces deux documents ? Pensez-vous que ce soit important ?
5. DOC. 1, 2. 3 À l'aide des documents et de vos réflexions : listez les raisons pour lesquelles les gens votent et celles pour lesquelles ils s'abstiennent.

Pourquoi il faut voter	Pourquoi certaines personnes ne votent pas

6. Imaginez une affiche qui encourage les gens à aller voter.

Comment construire une affiche ?

Votre affiche doit faire passer un message clair.

Votre affiche doit être visible de loin :
Des textes courts écrits en gros caractères. Une ou deux illustrations (cartes, croquis, schémas, photographies…) de grande taille.

L'affiche doit être marquante :
Elle doit rester dans la tête de celui qui l'a regardée. Pour cela, vous pouvez utiliser un slogan choc, l'humour…

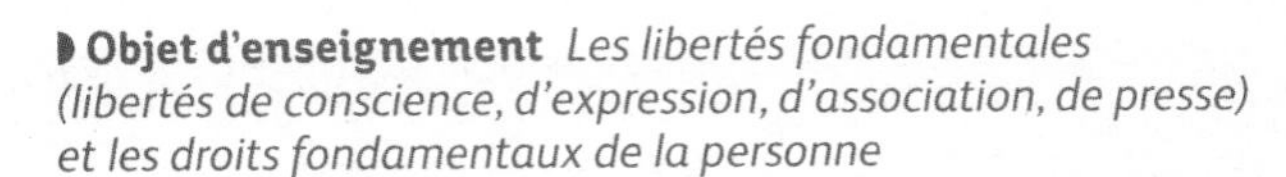

La liberté de la presse

XVIIe siècle	XVIIIe siècle		XIXe siècle		XXe siècle
1631 Premier périodique français, *La Gazette*	1777 Parution du premier quotidien français, *Le Journal de Paris*	1789 Déclaration des droits de l'homme et du citoyen, article 11 : « *[...] tout citoyen peut donc parler, écrire, imprimer librement* »	1800 Arrêté réduisant la liberté de la presse	1881 Loi sur la liberté de la presse	2002 Apparition de journaux d'information gratuite (*Métro*, *20 Minutes*)

1 | Les grandes étapes de la liberté de la presse en France

2 Témoigner pour sensibiliser

Nous avons rencontré un journaliste irakien Hussam Sadoun Salman, qui a fui son pays. Hussam travaillait pour un journal japonais en Irak. Il a écrit un article sur la vie dans son pays mais le gouvernement estimait que son article était une critique de son action, il a donc fait emprisonner Hussam pendant 6 ans sous prétexte de terrorisme. Libéré, Hussam s'est réfugié en France, il a choisi la France pour sa devise républicaine et sa réputation. Selon lui, il a trouvé ici ce qu'il espérait. Hussam nous a raconté son histoire pour dénoncer la situation de son pays où la démocratie n'est toujours pas réelle mais aussi pour nous sensibiliser à la chance d'être dans un pays libre où l'on respecte les droits universels.

D'après C. Jacquey, « La liberté de la presse : il y a un an, un journaliste irakien témoignait au Lycée Escoffier », site du lycée des Métiers Auguste Escoffier d'Éragny/Oise, visite du 2 février 2016.

3 Les journalistes en danger

- 71 journalistes tués
- 826 journalistes arrêtés
- 2 160 journalistes agressés ou menacés
- 87 journalistes enlevés
- 77 journalistes ont fui leur pays
- 6 journalistes assistants tués
- 39 net-citoyens et citoyens-journalistes tués
- 127 bloggeurs et net-citoyens arrêtés

Source : Reporters sans frontières, 2014.

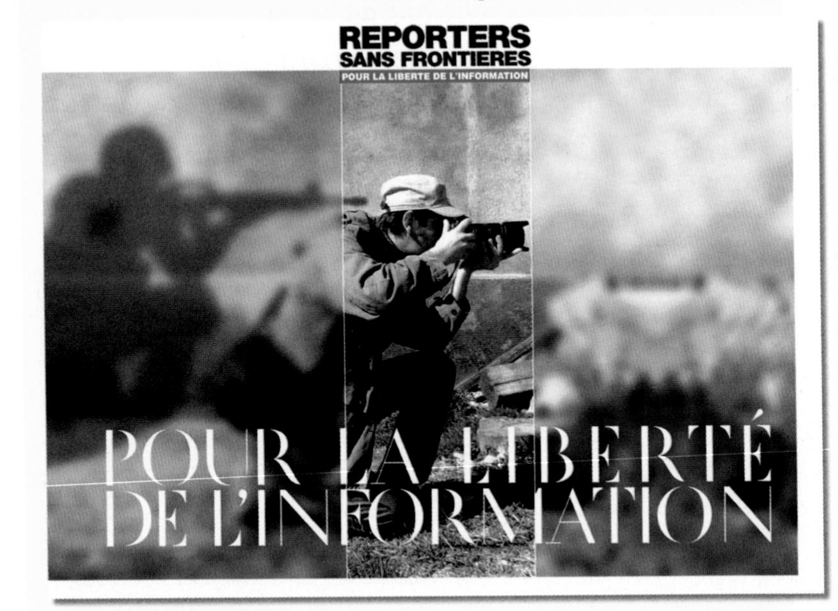

Vocabulaire

Presse : ensemble des médias (journaux, revues…) diffusés par écrit.

Démocratie : gouvernement du peuple, par le peuple, pour le peuple où les libertés sont respectées.

4 La liberté de la presse permet la démocratie

5 Promouvoir et protéger la liberté de la presse à travers le monde

Un journalisme de qualité permet aux citoyens de prendre des décisions éclairées quant au développement de la société. Il contribue également à dénoncer les injustices, la corruption et les abus de pouvoir. Pour cela, le journalisme doit être capable de s'épanouir dans un environnement permettant un travail indépendant, sans ingérence[1] excessive et dans des conditions de sécurité.

Message commun du secrétaire général des Nations unies, M. Ban Ki-moon, de la directrice générale de l'UNESCO, Mme Irina Bokova et du haut-commissaire aux droits de l'homme, Zeid Ra'ad Al Hussein.

1. Action de s'occuper d'une affaire sans en avoir le droit.

Point méthode

Méthode du débat

- **Préparer un débat**
  - Réfléchir au sujet.
  - Classer ses arguments.
- **Participer au débat**
  - Écouter et respecter les arguments des autres.
  - Demander la parole.
  - Exprimer son point de vue et le justifier.

Activités

Le droit et la règle : des principes pour vivre avec les autres

1. **DOC. 2 ET 3** Expliquez la situation d'Hussam Sadoun Salman. À quel chiffre donné par Reporters sans frontières pouvez-vous associer le parcours d'Hussam ?
2. **DOC. 1** Comment a évolué la liberté de la presse ?
3. **DOC. 1, 4 ET 5** Quels moyens sont mis en place pour soutenir cette liberté ? Pourquoi ?

Le jugement : penser par soi-même et avec les autres

4. Répondez à la question, lors d'un débat : pourquoi faut-il défendre la liberté de la presse ?

Je construis mon essentiel

Reproduisez et complétez le schéma suivant à l'aide des documents de la double page.

Menaces contre les journalistes :
- ....
- ....

← **Liberté de la presse** →

Lois qui garantissent cette liberté :
- ....
- ....

La définition :
- ....

Lexique

Lexique Histoire-Géographie-EMC

Abbaye : communauté des moines qui vivent dans le même monastère. Voir p. 72.

Abstention : fait de ne pas participer au vote. Voir p. 344.

Accident majeur : conséquence d'un aléa technologique, dont les effets peuvent mettre en jeu un grand nombre de personnes et occasionner des dégâts importants. Voir p. 318.

Accident nucléaire : événement survenant dans une installation nucléaire ou lors des transports de matières radioactives. Voir p. 322.

Actif : personne qui travaille ou qui est à la recherche d'un travail. Voir p. 229.

Adoubement : cérémonie religieuse au cours de laquelle on devient chevalier. Voir p. 117.

Agenda 21 : programme qui met en place des actions pour lutter contre la pauvreté, pour le développement de l'éducation, la gestion des ressources et des espaces naturels… dans des communes, agglomérations, départements, régions… Voir p. 354.

Agriculture biologique : agriculture durable respectant l'environnement en interdisant l'utilisation de produits chimiques (engrais, pesticides). Voir p. 274.

Agriculture intensive et productiviste : système de production agricole où les rendements sont élevés. Voir p. 274.

Agriculture vivrière : ensemble de productions destinées à la consommation personnelle du paysan et de sa famille. Voir p. 276.

Aide alimentaire : nourriture envoyée aux populations qui en manquent. Voir p. 282.

Aléa : facteur à l'origine du risque. Voir p. 318 et 328.

Allégorie : représentation par un personnage d'une idée, d'un sentiment ou d'un pays. Voir p. 182.

Amérindiens : Indiens d'Amérique. Voir p. 144.

Analphabétisme : incapacité à lire et à écrire pour une personne qui n'a jamais été scolarisée. Voir p. 238.

Aride : où les précipitations sont faibles. Voir p. 252 et 276.

Aridité : phénomène climatique caractérisé par de faibles précipitations (moins de 400 mm par an). Voir p. 254.

ARS : Agence régionale de santé. Voir p. 342.

Artificialisation : modification d'élément naturel (fleuve, forêt, etc.) par les êtres humains. Voir p. 252.

Association : groupement de personnes autour d'un projet ou d'un intérêt commun (sportif, culturel, humanitaire…). Voir p. 330.

Bailli : représentant du roi dans le royaume, chargé de rendre la justice et de lever les impôts. Voir p. 110.

Banalités : taxe que les paysans versent au seigneur pour utiliser des équipements. Voir p. 66.

Banquise : glace constituée d'eau de mer. Voir p. 294.

Barbares : peuples qui ne parlent ni le latin ni le grec. Voir p. 18.

Barrage : obstacle artificiel qui crée une retenue d'eau. Voir p. 320.

Basileus : titre donné à l'empereur byzantin, souverain sacré et tout-puissant. Voir p. 20.

Bidonville : quartier pauvre dont les maisons ont été construites par les habitants eux-mêmes, sans autorisation et avec des matériaux de récupération. Voir p. 208 et 242.

Biodiversité : diversité des organismes vivants. Voir p. 294 et 304.

Bourgeois : habitant d'une ville qui bénéficie de privilèges accordés par un seigneur. Voir p. 84, 96 et 98.

Calife : successeur du Prophète, il est le chef politique et religieux des musulmans. Voir p. 48 et 56.

Candélabre : chandelier à plusieurs branches. Voir p. 28.

Caricature : dessin qui accentue ou révèle des aspects qu'il cherche à critiquer ou dénoncer. Voir p. 173.

Carolingiens : nom de la seconde dynastie des rois francs ; ce sont les descendants de Charles Martel. Voir p. 32.

Carotte glaciaire : glaçon cylindrique prélevé dans la calotte glaciaire par forage profond. Voir p. 300.

Castes : divisions de la société en groupes héréditaires et hiérarchisés. Les mariages se font entre membres d'une même caste. Voir p. 236.

Catastrophe : réalisation d'un danger potentiel. Une catastrophe a un caractère exceptionnel qui se traduit par d'importants dégâts matériels et de lourdes pertes humaines. Voir p. 316, 320 et 328.

Cathédrale : église de l'évêque. Voir p. 94.

Catholique : chrétien reconnaissant l'autorité du pape. Voir p. 166.

Cens : taxe que les paysans versent au seigneur pour travailler ses terres. Voir p. 66.

Chancelier : ministre de la Justice. Voir p. 180.

Changement global : ensemble des modifications de l'environnement produit par les activités humaines, comme le réchauffement climatique, la diffusion de maladies, l'élévation du niveau des mers ou le développement de l'urbanisation. Voir p. 292 et 304.

Chapelle : église privée. Voir p. 28.

Charte de franchise : document par lequel un seigneur accorde des droits et privilèges garantissant une autonomie pour gérer la ville. Voir p. 96 et 98.

Circumnavigation : voyage maritime autour de la Terre qui prouve la connexion des mers et océans du monde. Voir p. 144.

Clergé : membres de l'Église par opposition aux laïcs qui sont les fidèles. Voir p. 18.

Climat : ensemble des caractéristiques atmosphériques (températures, précipitations, ensoleillement, vents, etc.). Voir p. 203.

Coalition : alliance militaire. Voir p. 110.

Code : ouvrage compilant des textes de lois. Voir p. 20.

Codex : manuscrit peint selon des formes et des styles très codifiés. Voir p. 140.

Colonie : territoire conquis, occupé et exploité économiquement par une puissance étrangère. Voir p. 138 et 144.

Commune : association de bourgeois d'une ville qui bénéficie de droits et privilèges accordés par un seigneur. Voir p. 88, 96 et 98.

Compagnie : groupe de personnes associées pour produire et/ou faire du commerce. Voir p. 90.

Concile : assemblée d'évêques qui se prononce sur des questions religieuses. Voir p. 166.

Conflit d'usage : conflit entre plusieurs acteurs pour l'utilisation d'une même ressource ou d'un même espace. Voir p. 252.

Conquistador : conquérant de l'Amérique centrale. Voir p. 128 et 144.

Conseil municipal : assemblée d'élus chargée de gérer les affaires d'une commune. Voir p. 105.

Continent : vaste étendue de terres entourée par des océans ou des mers. Voir p. 201.

Convers : personne qui, dans une abbaye, se consacre aux travaux manuels. Voir p. 72.

COP21 : 21e conférence internationale sur le climat tenue en décembre 2015 à Paris. Voir p. 300, 304 et 340.

Coran (« récitation », en arabe) : livre sacré des musulmans, il regroupe la parole révélée à Mahomet. Voir p. 42 et 56.

Corvées : travaux gratuits que le seigneur peut exiger des paysans de sa seigneurie. Voir p. 66.

Coupole : architecture formant un arrondi le plus souvent richement décoré. Voir p. 28.

Cour : personnes qui entourent le roi (famille, nobles…). Voir p. 184 et 188.

Covoiturage : utilisation d'une même voiture par plusieurs personnes pour un même trajet. Voir p. 313.

Croisade : expédition religieuse et militaire montée par les princes chrétiens pour reprendre Jérusalem aux musulmans. Voir p. 51.

Croissance démographique : augmentation de la population. Elle dépend de l'accroissement naturel et du solde migratoire. Voir p. 207 et 220.

Cultures : les productions artistiques et intellectuelles créées par des sociétés. Voir p. 40.

Cyclone : tempête très violente. Voir p. 302.

Damnés : ceux qui sont condamnés à l'Enfer. Voir p. 70.

Dauphin : héritier de la couronne de France. Voir p. 118.

Déforestation : destruction de la forêt. Voir p. 294.

Défrichement : opération de débroussaillage qui rend cultivables des terres qui ne le sont pas. Voir p. 72, 76 et 86.

Démocratie : régime politique dans lequel la souveraineté est exercée par le peuple. Voir p. 338 et 346.

Désertification : espace qui se transforme en désert. Voir p. 302.

Détroit : étroit passage maritime entre deux terres et reliant deux mers. Voir p. 136.

Développement : enrichissement d'un pays qui permet à sa population de satisfaire ses besoins essentiels (alimentation, santé, éducation, transports). Voir p. 208.

Développement durable et équitable : développement qui permet de répondre aux besoins actuels de tous, tout en permettant aux générations futures de pouvoir répondre aux leurs. Voir p. 220 et 340.

Dîme : taxe payée à l'Église. Voir p. 76.

Discrimination : traitement défavorable d'une personne ou d'un groupe par rapport aux autres. Voir p. 236.

Domaine bioclimatique : espace caractérisé par son climat et sa végétation naturelle. Voir p. 203.

Domaine royal : territoire sur lequel le roi a totalement le pouvoir. Voir p. 118.

Drap : pièce d'étoffe en laine pure ou mélangée à d'autres fibres (soie, lin, etc.). Voir p. 90 et 92.

Durabilité : mise en pratique du développement durable pour la gestion des ressources. Voir p. 262.

Durable : qui prend en compte les intérêts des populations actuelles et futures. Voir p. 273.

Dynastie : famille dont les membres se succèdent au pouvoir. Voir p. 118.

Éco quartier : quartier construit selon des objectifs de développement durable, en particulier la volonté de réduire les émissions de CO_2. Voir p. 309.

Édit : décision royale sur un problème précis qui a valeur de loi. Voir p. 176, 179 et 188.

Effet de serre : réchauffement du climat dû à l'augmentation du gaz carbonique dans l'atmosphère. Voir p. 294.

Église : avec un « É », désigne l'ensemble des chrétiens catholiques ainsi que l'institution exerçant l'autorité religieuse ; **église :** avec un « é », désigne le lieu de culte des chrétiens Voir p. 18, 64 et 76.

Église catholique : Église d'Occident, fidèle au pape qui la dirige depuis Rome. Voir p. 32.

Église orthodoxe : le mot renvoie à « authentique » et désigne l'Église chrétienne byzantine que dirige le patriarche de Constantinople. Voir p. 32.

Élus : ceux qui sont sauvés. Voir p. 70.

Empire byzantin : nom donné à l'Empire romain d'Orient en référence à « Byzance », l'ancien nom de Constantinople. Voir p. 16.

Lexique

Empire carolingien : nom de la seconde dynastie des rois francs ; ce sont les descendants de Charles Martel. Voir p. 16.

Énergie renouvelable : énergie issue de sources que la nature renouvelle en permanence (éolien, solaire…). Voir p. 262.

Énergie éolienne : énergie renouvelable produite par le vent. Voir p. 256.

Énergie fossile : énergie ne pouvant être renouvelée (comme les hydrocarbures : pétrole, gaz). Voir p. 262.

Enjeux : ce que l'on peut gagner en agissant. Voir p. 256.

Équateur : ligne imaginaire qui partage la Terre en deux hémisphères. Elle est située à égale distance des deux pôles. Voir p. 201.

État monarchique : territoire délimité par des frontières sur lequel s'impose le pouvoir d'un roi. Voir p. 106.

Exode rural : migration d'une population qui quitte la campagne pour s'installer en ville. Voir p. 238 et 242.

Explosion démographique : très forte augmentation de la population sur une période courte. Voir p. 214.

F

Famine : manque absolu de nourriture. Voir p. 282.

Féminisme : mouvement dont l'objectif est d'améliorer la place des femmes dans la société. Voir p. 328.

Fief : terre accordée par le seigneur à son vassal en échange de sa fidélité et de son aide. Voir p. 110, 117 et 118.

Foire : grand marché de plusieurs semaines se tenant à date fixe, souvent à l'occasion d'une fête religieuse. Voir p. 92.

G

Gaz à effet de serre : gaz à l'origine du changement climatique. Voir p. 262.

Généralité : portion du royaume dont l'administration est confiée à un intendant. Voir p. 180.

Ghetto : quartier dégradé d'une ville où se concentrent des populations pauvres et de même origine ethnique, souvent noire ou latino-américaine aux États-Unis. Voir p. 234.

GIEC : groupe d'experts intergouvernemental sur l'évolution du climat. Voir p. 304.

H

Hadith : textes rassemblant les gestes et paroles de Mahomet. Voir p. 56.

Hégire : exil de Mahomet de La Mecque vers Médine ; marque le point de départ du calendrier musulman. Voir p. 42.

Hommage : cérémonie par laquelle un vassal devient l'homme d'un seigneur. Voir p. 118.

Huguenot : nom donné aux protestants français. Voir p. 163.

Humanisme : courant de pensée du XVIe siècle qui étudie l'Antiquité et qui place l'Homme au centre de ses études. Voir p. 152 et 166.

Humaniste : personne qui étudie l'Antiquité et qui place l'homme au centre de ses études. Voir p. 154.

Humanité : ensemble des êtres humains quelles que soient leurs origines. Voir p. 330.

Hyperaridité : phénomène climatique caractérisé par de très faibles précipitations (moins de 200 mm par an). Voir p. 254.

I

Immigration : fait de s'installer dans un pays autre que le sien. Le contraire est l'émigration. Voir p. 217.

Indes : terme désignant l'Amérique au XVIe siècle. Voir p. 138.

Indice de développement humain (IDH) : indicateur qui mesure la capacité d'un pays à répondre aux besoins vitaux de sa population. Il est compris entre 0 et 1. Il prend en compte le niveau de richesse, de santé et l'accès à l'éducation. Voir p. 232 et 274.

Indice de fécondité : nombre moyen d'enfants par femme en âge d'en avoir. Voir p. 217.

Indulgences : pardon de ses péchés accordé à un chrétien. Voir p. 160.

Intouchables : population considérée comme en dehors du système des castes car pratiquant à l'origine des activités considérées comme impures. Voir p. 236.

Irrigation : apport artificiel d'eau. Voir p. 252.

Islam (« soumission à Dieu », en arabe) : écrit avec un « i », fait référence à la religion ; **Islam** avec un « I » renvoie à la civilisation. Voir p. 42.

Islam : religion révélée au prophète Mahomet. Voir p. 56.

J

Janissaire : jeune chrétien pris de force à sa famille, converti à l'islam puis entraîné pour devenir l'élite de l'infanterie ottomane. Voir p. 130.

L

Laïc : qui ne fait pas partie du clergé (contraire d'ecclésiastique, de clerc). Voir p. 64.

Liberté d'expression : liberté autorisant tout citoyen à exprimer ses opinions, son avis, même s'il est contraire à celui de la majorité. Elle peut être politique, religieuse... et est très souvent rattachée à la liberté de la presse. Voir p. 173.

Libertés fondamentales : ensemble des droits reconnus à chaque personne par la Constitution et la Déclaration des droits de l'homme et du citoyen de 1789. Voir p. 338.

Ligue : association catholique fondée pour s'opposer aux protestants. Voir p. 179 et 188.

Madrasa : école d'enseignement supérieur souvent proche d'une mosquée. Voir p. 48.

Maladie infectieuse : maladie causée par des bactéries, des virus, des parasites ou des champignons. Elle peut se transmettre d'une personne à l'autre. Voir p. 298 et 304.

Malgouvernance : mauvaise gestion d'un pays par son gouvernement. Voir p. 247.

Malnutrition : déséquilibre de la ration alimentaire (carence alimentaire ou suralimentation). Voir p. 247, 276 et 282.

Mécène : personne qui aide financièrement ou par des commandes des artistes ou écrivains. Voir p. 156.

Méridien : ligne imaginaire qui joint les deux pôles. Voir p. 201.

Métier : association de marchands ou d'artisans exerçant la même activité. On parle de corporation à partir du XVe siècle. Voir p. 92, 94 et 98.

Moine : celui qui consacre sa vie à Dieu. Il suit une règle de vie stricte. Voir p. 72.

Monarchie universelle : prétention d'une monarchie à dominer les quatre parties du monde connu (Europe, Afrique, Asie et Amérique). Voir p. 128 et 144.

Monarque absolu de droit divin : roi qui a tous les pouvoirs et dit tenir son pouvoir de Dieu. Voir p. 188.

Mondialisation : mise en relation de régions et de peuples. Elle se traduit par des échanges de marchandises, de capitaux et de populations. Voir p. 126, 142 et 144.

Mortalité infantile : décès d'enfants âgés de moins d'un an. Voir p. 238.

Mosquée : lieu de prière pour les musulmans. Voir p. 40 et 48.

Musulman : personne croyant en l'islam. Voir p. 56.

Nation : ensemble des citoyens d'un État. Voir p. 195.

Nouveau Monde : nom donné à l'Amérique pour la distinguer du monde connu avant 1492. Voir p. 128.

Obésité : excès de poids qui entraîne des problèmes pour la santé et réduit l'espérance de vie. Voir p. 274.

Océan : vaste étendue d'eau salée. Voir p. 201.

Œcuménique : mouvement qui veut un rapprochement de toutes les Églises chrétiennes. Voir p. 39.

Ordonnance : décision royale à portée générale qui a valeur de loi. Voir p. 176 et 188.

Ost : service militaire. Voir p. 117.

Pape : évêque de Rome et chef de l'Église chrétienne à partir du IVe siècle. Voir p. 18.

Parallèle : ligne imaginaire parallèle à l'équateur. Voir p. 201.

Parlement : cour de justice royale, qui vérifie les lois du roi avant leur publication. Voir p. 179.

Patriarche : jusqu'au Xe siècle, terme équivalent à celui d'évêque au sein du christianisme ; chef de l'Église orthodoxe après le schisme de 1054. Voir p. 30.

Pauvreté : situation où le manque de ressources ne permet pas de mener une vie décente ni de satisfaire ses besoins essentiels (alimentation, logement, santé…). Voir p. 230 et 242.

Pays développé : pays riche où la majorité de la population accède à tous ses besoins vitaux ainsi qu'à un certain confort. Voir p. 207 et 220.

Pays émergent : pays qui s'enrichit rapidement, ce qui permet de satisfaire progressivement les besoins essentiels de la population (alimentation, accès à l'eau, logement, éducation…). Voir p. 207 et 220.

Pergélisol : sol gelé depuis des milliers d'années. Voir p. 302.

PIB (produit intérieur brut) par habitant : indicateur qui mesure la richesse moyenne de la population d'un pays. Voir p. 232.

Piété : pratique sincère de la religion. Voir p. 70.

Planisphère : carte représentant le globe terrestre à plat. Voir p. 136.

Politique de l'enfant unique : de 1979 à 2015, obligation pour les couples de n'avoir qu'un enfant. Voir p. 210.

Précipitations : ensemble des chutes d'eau (pluie, neige, brouillard, etc.). Voir p. 203.

Préjugé : idée toute faite sur les gens ou les faits. Voir p. 151 et 328.

Presse : ensemble des médias (journaux, revues…) diffusés par écrit. Voir p. 346.

Prévention : dispositions prises pour prévenir un danger, un risque. Voir p. 314, 316, 318 et 328.

Prophète : celui qui parle au nom de Dieu. Voir p. 42.

Protestant : chrétien appartenant à l'une des Églises réformées et rejetant l'autorité du pape. Voir p. 166.

Racisme : attitude qui établit une différence entre les groupes humains notamment en raison de leur couleur de peau. Voir p. 151 et 330.

Réforme : mouvement religieux du XVIe siècle qui aboutit à la division entre catholiques et protestants. Voir p. 152 et 166.

Réfugié climatique : personne qui doit quitter son lieu de résidence en raison de la dégradation de l'environnement liée aux modifications du climat. Voir p. 296 et 304.

Régence : période pendant laquelle une personne exerce le pouvoir, en attendant la majorité du roi. Voir p. 188.

Règne personnel : roi qui gouverne et prend ses décisions seul. Voir p. 188.

Renaissance (XVe–XVIe siècles) : période de renouveau de la pensée européenne dans tous les domaines (culturels, artistiques, scientifiques). Voir p. 164 et 166.

Renaissance artistique : mouvement né en Italie à la fin du XVe siècle qui s'inspire de l'Antiquité. Voir p. 156.

Rendement : rapport entre ce qui est semé et ce qui est récolté. Voir p. 74

Lexique

Ressource naturelle : élément apporté par la nature et exploité par les êtres humains. Voir p. 250 et 262.

Retraite : somme d'argent versée tous les mois à une personne qui, après un nombre d'années fixé par la loi, a cessé de travailler. Voir p. 229.

Révolution industrielle : passage d'une société agricole à une société commerciale et industrielle. Voir p. 258.

Richesse : abondance de biens et de ressources. Voir p. 230.

Risque : danger éventuel, plus ou moins prévisible, lié à une situation ou à une activité. Les effets peuvent mettre en jeu un grand nombre de personnes, occasionner des dégâts importants. Voir p. 314, 318 et 328.

Risque industriel et technologique : risque généré par des activités industrielles chimiques et nucléaires ainsi que par le transport et le stockage des matières dangereuses. Voir p. 328.

Risque majeur : danger éventuel, plus ou moins prévisible, lié à une situation ou à une activité. Les effets peuvent mettre en jeu un grand nombre de personnes, occasionner des dégâts importants. Voir p. 335 et 342.

Roi absolu : roi qui détient les pouvoirs. Voir p. 174.

Sacre : cérémonie religieuse par laquelle un roi ou un empereur reçoit symboliquement ses pouvoirs de Dieu. Voir p. 24, 106 et 128.

Salut : fait d'être sauvé, de pouvoir gagner le Paradis pour un chrétien. Voir p. 70.

Sceau : cachet de cire ou de plomb qui donne un caractère officiel à un acte. Voir p. 110.

Schisme : du grec *schisma* qui veut dire « séparation » ; terme utilisé pour évoquer la séparation de l'Église en deux Églises – orthodoxe et catholique – à partir de 1054. Voir p. 30 et 32.

Secrétaire d'État : membre du gouvernement chargé de diriger une administration. Voir p. 180.

Sécurité alimentaire : accès à une alimentation suffisante et saine qui satisfait les besoins de la population. Voir p. 273 et 282.

Seigneur : maître des terres et des hommes sur l'espace qu'il contrôle, la seigneurie. Voir p. 64 et 110.

Seigneurie : espace où s'exerce la domination totale d'un seigneur sur les habitants, par le contrôle de la terre. Voir p. 66 et 76.

Sérigraphie : procédé semi-mécanique permettant d'imprimer un motif que l'on peut reproduire plusieurs fois. Voir p. 288.

Seuil de pauvreté absolue : limite de revenu au-dessous de laquelle une personne est considérée comme pauvre (moins de 1,80 € par jour). Voir p. 232.

Sexisme : discrimination à l'encontre du sexe opposé. Voir p. 125.

Sites Seveso : sites industriels présentant des risques d'accidents majeurs. Voir p. 318.

Société urbaine : ensemble des personnes habitant une même ville. Chaque société est organisée et hiérarchisée. Voir p. 84 et 98.

Sociétés : les hommes et femmes qui vivent ensemble. Voir p. 40.

Solde migratoire : différence entre les arrivées (immigration) et les départs (émigration) dans un pays. Voir p. 217.

Solidaire : qui relie les gens parce qu'ils pensent qu'ils ont des responsabilités et des intérêts communs. Voir p. 83 et 332.

Sommet de la Terre : conférence internationale pour lutter contre les effets du changement global. Voir p. 302.

Souk : marché de la ville musulmane. Voir p. 48.

Sous-nutrition : situation dans laquelle les apports alimentaires ne comblent pas les besoins. Voir p. 276 et 282.

Souveraineté : qualité de celui qui détient le pouvoir. Voir p. 195.

Stress hydrique : situation d'un espace dans lequel la demande en eau est supérieure à la ressource. Voir p. 260 et 262.

Sultan : souverain des Ottomans (Turcs). Voir p. 130.

Suzerain: seigneur qui accorde sa protection à un vassal. Voir p. 117 et 118.

Taux de mortalité : nombre de décès par an pour 1 000 habitants. Voir p. 227.

Taux de natalité : nombre de naissances par an pour 1 000 habitants. Voir p. 227.

Témoin : personne qui a assisté à l'événement. Voir p. 163.

Transition énergétique : abandon progressif des énergies fossiles au profit des énergies renouvelables. Voir p. 256 et 262.

Tsunami : raz-de-marée dû à un tremblement de terre. Voir p. 322.

Tympan : partie arrondie, sculptée au-dessus du portail d'une église. Voir p. 70.

Urbanisation : processus qui désigne à la fois l'augmentation de la population des villes et l'extension de l'espace urbain. Voir p. 86.

Vassal : guerrier au service d'un seigneur après lui avoir prêté hommage. Voir p. 110 et 118.

Vieillissement de la population : augmentation du nombre de personnes âgées dans une population. Voir p. 210 et 220.

Vilain : paysan. Voir p. 68.

Villeneuve : village nouveau fondé par un seigneur laïc ou religieux. Voir p. 72.

Vitrail : vaste fenêtre de lumière réalisée en assemblant des verres peints et colorés, insérés dans une structure de plomb. Voir p. 94.

Vote censitaire : le vote n'est possible que pour les gens qui paient un certain montant d'impôt. Voir p. 344.

Vote universel : vote qui concerne toute la population au-dessus d'un certain âge. Voir p. 344.

Vulnérabilité : fragilité face aux risques. Voir p. 322 et 328.

Lexique des verbes de consigne en histoire-géographie cycle 4

- **Caractériser**
  Donner les principaux aspects d'une personne, d'un phénomène, d'un lieu…
- **Classer**
  Ranger selon un ordre (logique, thématique, chronologique…).
- **Compléter**
  Apporter les éléments qui manquent.
- **Conclure**
  Récapituler les informations que l'on a trouvées.
- **Confronter les documents**
  Regarder si plusieurs documents partagent la même vision d'un fait, se complètent ou se contredisent.
- **Débattre**
  Échanger des arguments avec ses camarades.
- **Décrire**
  Exposer les particularité d'un événement, un paysage, un tableau, une personne...
- **Déduire**
  Donner la(es) conséquence(s) logique(s) d'un fait.
- **Émettre une hypothèse**
  Proposer des réponses qui pourraient expliquer un événement ou une situation.
- **Expliquer**
  Exposer les éléments qui permettent de comprendre un phénomène, une situation, un problème.
- **Exprimer sa sensibilité**
  Dire ce que vous ressentez à propos d'un événement ou d'une œuvre d'art : est-ce que vous le(a) trouvez beau/belle ou laid(e), agréable ou désagréable, choquant(e)…
- **Faire preuve d'esprit critique**
  Déterminer si les informations données sont fiables, si on peut leur faire confiance.
- **Hiérarchiser**
  Classer des éléments selon leur ordre d'importance.
- **Identifier**
  Reconnaitre et donner :
  – le nom d'une personne, d'un lieu et d'un phénomène,
  – la date et l'auteur d'un document.
- **Indiquer**
  Montrer de manière précise.
- **Justifier**
  Donner des arguments pour prouver sa réponse.
- **Localiser**
  Indiquer où se trouve un lieu, un espace ou une personne.
- **Nommer**
  Donner le nom d'un lieu, d'une personne, d'un phénomène...
- **Rédiger**
  Écrire des phrases complètes comportant au moins un sujet, un verbe et un ou plusieurs compléments.
- **Relever**
  Trouver une information dans un document.
- **Sélectionner**
  Choisir des informations.
- **Situer**
  Indiquer où se trouve un lieu, un espace ou une personne par rapport à un repère.

Crédits

Couverture : Haut : David Cannon/Getty Images/AFP
Bas : Akg-images / De Agostini / V. Pirozzi

8 hg : RMN-Grand Palais (musée du Louvre) / Franck Raux ; hd et **9** : Leemage / Luisa Ricciarini ; m et **10** : Akg-images ; bg : Leemage / De Agostini ; bd : RMN-Grand Palais (musée du Louvre) / Franck Raux ; **9** hg : © 2016. Scala, Florence. Courtesy of the Ministero Beni e Att ; hd et **10** : © 2016 Photo Scala, Florence / FMAE, Turin ; mg : Leemage / Godong ; md : AGE Fotostock / Paul M.R. Maeyaert ; mmg : © The British Museum, Londres. Dist. RMN-Grand Palais / The Trustees of the British Museum ; mmd : Bridgeman Images / British Museum, Londres ; bg : Leemage / De Agostini bd : La Collection / Interfoto ; **10** : Guido Alberto Rossi ; Facsimile Editions Limited, Londres ; **12** : Ministère de l'égalité des territoires et du logement ; **13** hg : Imaginechina/Corbis ; hd : Tuul and Bruno Morand ; mg : Jon Arnold/hemis.fr ; md : David Ball/ Photononstop ; bg : R. Hamilton Smith/AgStock Images/Photononstop ; bd : Amar Grover/John Warburton-Lee/Photononstop ; **15** : Christian Guy/hemis.fr ; **16** h : AGE Fotostock / Louis Dors ; **16** b : Paris, BnF ; **17** g et **33** hg : Paris, BnF ; **17** d et **196** h : AGE Fotostock / Zoonar / Jürgen Drewe ; **18** et **33** mg : Picture Desk / Gianni Dagli Orti ; **20** h et **33** hd : Leemage / Electa ; **20** b : Leemage / Luisa Ricciarini ; **21** : Akg-images / Erich Lessing ; **22** et **33** bg : byzantium1200.com ; **23** et **33** bd : Paris, BnF ; **24** g : Akg-images / Album / Prisma ; **24** m : Paris, BnF ; **24** d : RMN-Grand Palais (musée du Louvre) / Jean-Gilles Berizzi ; **25** : Paris, BnF ; **26** g : Akg-images / Erich Lessing ; **26** hd : Leemage / Photo Josse ; **26** bd : Akg-images / Album / Oronoz ; **28** g : Photononstop / SIME / Günter Gräfenhain ; **28** hd et **29** b : Andia / Robert Harding / Therin-Weise ; **28** bd : Akg-images / Bildarchiv Monheim ; **29** h : Leemage / Giorgio Albertini ; **30** et **33** md : Leemage / De Agostini ; **35** h : RMN-Grand Palais (musée du Louvre) / Jean-Gilles Berizzi ; **35** b : Leemage / Photo Josse ; **36** : Paris, BnF ; **37** h (Lothaire) : Paris, BnF ; **37** h (Charles le Chauve) : Paris, BnF ; **37** h (Louis le Germanique) : BPK, Berlin, Dist. RMN-Grand Palais / image BPK ; **37** b : The Pierpont Morgan Library, New York © 2016. Photo Pierpont Morgan Library / Art Resource / Scala, Florence ; **39** : AFP / Bulent Kilic ; **40** h : hemis.fr / Yann Arthus-Bertrand ; **40** b : Photo12 / Alamy / Robert Preston Photography ; **41** g , **41** d, **57** hd et **57** mg : Paris, BnF ; **42** et **57** hg : Paris, BnF ; **43** : Sipa Press / AP / Khalid Mohammed ; **46** : Bridgeman Images ; **47** h : Bridgeman Images / With kind permission of the University of Edinburgh ; **47** b : Paris, BnF ; **48** h : hemis.fr / Bertrand Orteo ; **48** b : Michel Neumeister ; **49** h : Photononstop / Yvan Travert ; **49** mg : Akg-images / Yvan Travert ; **49** md : Getty Images / iStock ; **49** b : Paris, BnF ; **50** g : Bridgeman Images / © British Library Board. All rights reserved ; **50** dh : Akg-images / British Library ; **50** db : Bridgeman Images / The Stapleton Collection ; **51** et **57** bd : Paris, BnF ; **52** et **57** bg : Akg-images / Album / Oronoz ; **53** : Bridgeman Images ; **54** g et **57** md : AGE Fotostock / Lucas Vallecillos ; **54** d : Akg-images / Gérard Degeorge ; **55** et **196** b : AGE Fotostock / Lucas Vallecillos ; **59** : hemis.fr / Yann Arthus-Bertrand ; **61** g : Paris, BnF ; **61** d : Coll. part. ; **63** : AFP / Citizenside.com / Yann Korbi. ; **64** : RMN-Grand Palais (domaine de Chantilly) / René-Gabriel Ojéda ; **65** : hemis.fr / Lionel Montico ; **66** h et **77** hm : Akg-images / De Agostini / Christian Sappa ; **66** b et **77** bg : Angers, Bibl. mun. (ms 384, fol 179) © Ville d'Angers. Photo IRHT ; **67** et **77** bm : Kharbine-Tapabor / British Library ; **68** et **69** : Paris, BnF ; **70** h et **70** b : hemis.fr / Jean-Paul Azam ; **71** hg : AGE Fotostock / Godong ; **71** hm et **71** hd : hemis.fr / Stéphane Lemaire ; **71** bg : hemis.fr / Hervé Lenain ; **71** bd : hemis.fr / Stéphane Lemaire ; **72** et **77** hd : AGE Fotostock / DEA / Pubbli Aer Foto ; **73** et **79** g : Cambridge University Library ; **74** h et **77** bd : Leemage / De Agostini ; **74** b : Christèle Ballut ; **75** h et **75** b : Bruxelles, Bibliothèque royale de Belgique ; **77** hg : Paris, BnF ; **79** m : Paris, BnF ; **79** d : Renaud Boulanger ; **80** : Paris, BnF ; **81** : Kharbine-Tapabor / British Library ; **83** : Paris, BnF ; **84** et **99** hg : Leemage / De Agostini ; **85** et **99** m : Leemage / Photo Josse ; **86** et **99** hd : Paris, BnF ; **88** h : © jarre ; **88** b : Leemage / Raffael ; **89** h et **99** bd : Leemage / Fine Art Images ; **89** b : Leemage / Raffael ; **90** h : Akg-images / Domingie-Rabatti ; **90** b : Paris, BnF ; **91** g : Bridgeman Images / De Agostini ; **91** d : Prato, Archivio Museo di Palazzo Pretorio / Photo A. Quattrone ; **92** : Leemage / Photo Josse ; **93** : © 2016. Photo Scala, Florence. Courtesy of the Ministero Beni e Att. Culturali ; **94** h : Akg-images / Bildarchiv Monheim ; **94** b : © aterrom ; **95** hg, **95** hd, **95** bg et **99** bg : Bridgeman Images ; **95** bm et **95** bd : La Collection / Jean-Paul Dumontier ; **96** : Paris, BnF ; **97** hg : Kharbine-Tapabor / Jean Vigne ; **97** hd : Bridgeman Images ; **97** b : © Archives nationales (France) ; **101** g, **101** m et **101** d : Kharbine-Tapabor / Jean Vigne ; **102** : Paris, BnF ; **103** h : © 2016. Photo Scala, Florence. Courtesy of the Ministero Belin e Att. Culturali ; **103** m : BPK, Berlin, Dist. RMN-Grand Palais / Jörg P. Anders ; **103** b : Paris, BnF ; **105** : Archives communales de Douai ; **106** g : Bridgeman Images / De Agostini / Gianni Dagli Orti ; **106** d : Akg-images / Bildarchiv Steffens ; **107** et **116** h : La Haye, Koninklijke Bibliotheek ; **108** h : Akg-images ; **108** b et **119** hg : Paris, BnF ; **109** h, **109** bg et **109** bd : Paris, BnF ; **110** : Paris, BnF ; **111** h et **119** hd : Paris, BnF ; **111** b : Kharbine-Tapabor / Jean Vigne ; **112**, **119** hm et **121** g : Kharbine-Tapabor / Coll. Jean Vigne ; **113** g, **113** m, **113** d et **121** d : Paris, BnF ; **114** : Akg-images / André Held ; **115** et **119** b : Paris, BnF ; **116** b : Akg-images ; **122** : Paris, BnF ; **123** h et **123** b : Paris, BnF ; **125** : Akg-images / François Guénet ; **126** : Bridgeman Images / Giraudon ; **127** : Kharbine Tapabor / British Library ; **128** g : © 2016. Photo Scala, Florence ; **128** d et **145** hg : Akg-images / Erich Lessing ; **129** : Bridgeman Images ; **130** g : Leemage / Luisa Ricciarini ; **130** d : Bridgeman Images ; **132** : Akg-images / Roland et Sabrina Michaud ; **133** et **145** m : Bridgeman Images / De Agostini / Gianni Dagli Orti ; **134** : Akg-images / Roland et Sabrina Michaud ; **135** g et **145** hd : La Collection / Imagno / Gerhard Trumler ; **135** d : Musée du Louvre, Dist. RMN-Grand Palais / Laurent Chastel ; **136** h : Bridgeman Images ; **136** b : Paris, BnF ; **137** et **145** bd : Washington, Library of Congress ; **138** : Leemage / Photo Josse ; **139** et **145** bg : Akg-images ; **140** : Akg-images ; **141** : © 2016. Photo Art Resource / Scala, Florence ; **142** : Akg-images / Nimatallah ; **147** hg : Akg-images / Erich Lessing ; **147** hd : Akg-images / Roland et Sabrina Michaud ; **147** b : Akg-images / De Agostini ; **148** : Akg-images / World History Archive ; **149** h : Akg-images / Album / Oronoz ; **149** b : Leemage / Aisa ; **151** g : Coll. Christophel / © Les Films du 24 / UGC Distribution ; **151** d : From Histoire-Geographie 5ème, by Hachette Livre © 2016 United Nations. Reprinted with the permission of the United Nations ; **152** : Leemage / Photo Josse ; **153** : Bridgeman Images / De Agostini / Alfredo Dagli Orti ; **154** g et **167** hg : Leemage / Fototeca ; **154** d : Akg-images ; **155** : RMN-Grand Palais (musée d'Orsay) / Hervé Lewandowski ; **156** h et **156** b : Leemage / Luisa Ricciarini ; **157** g : Leemage / Luisa Ricciarini ; **157** d : Akg-images / Bildarchiv Steffens ; **158** h : Leemage / Immagina ; **158** b et **167** hm : Leemage / Photo Josse ; **159** hg : Akg-images / **159** hd : Leemage / Fine Arts ; **159** b : Leemage / Luisa Ricciarini ; **160** hg, **160** b et **167** md : Akg-Images ; **160** hd, **165** m et **167** mg : Leemage / Raffael ; **161** : Akg-images ; **162-163** et **167** b: Leemage / De Agostini ; **164** et **167** hd : Paris, BnF ; **165** g : Akg ; **169** h : Bridgeman Images / Giraudon ; **169** b : Leemage / Luisa Ricciarini ; **171** g et **171** d : Leemage / Photo Josse ; **173** g : Leemage / Fototeca ; **173** d : Iconovox / Faujour ; **174** : Paris, BnF ; **175** : Leemage / Photo Josse ; **176** g : Leemage / Photo Josse ; **176** d et **192** : Akg-images / Erich Lessing ; **177** et **189** hd : hemis.fr / Patrick Escudero ; **178** hg : RMN-Grand Palais (musée Magnin) / Thierry Le Mage ; **178** hd, **189** mm et **191** g : Leemage / Photo Josse ; **178** b et **189** md : Leemage / Lylho ; **179** : Leemage / Lylho ; **180** g : RMN-Grand Palais (Château de Versailles) / Daniel Arnaudet ; **180** hd, **185** bm et **187** d : Akg-images / Visioars ; **180** bd : Paris, BnF ; **181** : Bridgeman Images / Giraudon ; **182** h : Akg-images ; **182** b : hemis.fr / Bertrand Rieger ; **183** h : RMN-Grand Palais (Château de Versailles) /René-Gabriel Ojéda et Franck Raux / montage Dominique Couto ; **183** b : Leemage / Jean Bernard ; **184** : RMN-Grand Palais (Château de Versailles) / Daniel Arnaudet ; **185** : Leemage / De Agostini ; **193** : Paris, BnF ; **195** : AFP / Laurence Saubadu PLD / PC / DMK ; **197** h : Akg- images ; **197** b : Leemage / Electa ; **198** h : Leemage / The British Library Board ; **198** b : hemis.fr / Patrick Escudero ; **199** h : Philippe Guillard / air-images.net ; **199** b : Photo12 / Alamy / ImageBroker ; **206** : Erik De Castro/Reuters ; **207** : Issei Kato/TPX/Reuters ; **208** : Pawel Kopcsnski/ Reuters ; **209** : Rafiq Maqbool/AP/SIPA ; **210** : ROPI/REA ; **211** : Aly Song/Reuters ; **212** : Bettman/Corbis ; **213** : International Institute of Social History ; Chaunu ; **214** : George Esiri/Reuters ; **215** : Marcus Matzel/ Ullstein Bild/Getty Images ; **216** : Jay Janner/AP/SIPA ; **217** : Fabrizio Bensch/Reuters ; **218** : Pawel Kopcsnski/Reuters ; George Esiri/Reuters ; **221** : Issei Kato/TPX/Reuters ; Marcus Matzel/Ullstein Bild/Getty Images ; Pawel Kopcsnski/Reuters ; Rafiq Maqbool/AP/SIPA ; Aly Song/Reuters ; **223** : Erik De Castro/Reuters ; **224** : Plantu ; **225** : Brazil Photos/Getty Images ; **226** : Kal ; **229** : Vidéo issue de http://www.dessine-moileco.com – Vidéos produites par Sydo, société de conseil en pédagogie http://www.sydo.fr ; **230** : Per-Anders Pettersson/Cosmos ; **231** : Mark Peterson/Redux/REA ; **234** : Bloomberg/Getty Images ; **235** : Richard Levine/Alamy/ Photo 12 ; **236** : Popperfoto/Getty Images ; **237** : Vivek Prakash/Reuters ; **238** : Nigel Pavitt/JAI/Corbis ; **239** : Bloomberg/Getty Images ; Noor Khamis/Reuters ; **240** : Noor Khamis/Reuters ; **243** : Bloomberg/Getty Images ; Nigel Pavitt/JAI/Corbis ; Per-Anders Pettersson/Getty Images ; ROPI/REA ; Bloomberg/Getty Images ; Per-Anders Pettersson/Cosmos ; **245** : Bloomberg/Getty Images ; Nigel Pavitt/ JAI/Corbis ; **247** : Per-Anders Pettersson/Getty Images ; **249** : Médecins sans Frontières ; **250** : Richard Schultz/Flirt/Photononstop ; **251** : Amit Dave AH/Reuters ; **252** : Jim Wark/AgStock Images/Corbis ; Charles E. Rotkin/Corbis ; **254** : David Cannon/Getty Images/AFP ; **255** : Ian Cumming/Design Pics/Photononstop ; **256** : Jean-Pierre Degas/hemis.fr ; **257** : Nenuphar ; **259** : adoc-photos ; Kevin Frayer/Getty Images/AFP ; **260** : Jim Wark/AgStock Images/Corbis ; David Cannon/Getty Images/AFP ; Jean-Pierre Degas/hemis.fr ; **263** : Richard Schultz/Flirt/Photononstop ; Amit Dave AH/Reuters ; Kevin Frayer/Getty Images/AFP ; Fadel Senna/AFP ; **266** : Kenta Mabuchi ; **267** : Fadel Senna/AFP ; Mauritius/Photononstop ; **268** : Gérard Labriet/Photononstop ; **271** : ACF-Tchad ; **272** : Ashley Cooper/Corbis ; **273** : Finbarr O'Reilly/Reuters ; **274** : euroluftbild/Andia.fr ; **275** : Peter Menzel/Cosmos ; **276** : Bernard Foubert/Photononstop ; **277** : Mauricio Abreu/John Warburton-Lee/Photononstop ; Peter Menzel/Cosmos ; **278** : BNF ; Lux-In-Fine/Leemage ; Philippe Huguen/AFP ; **279** : Yasuyoshi Shiba/AFP ; Pierre Huguet-Dubief/Biosphoto ; **280** : euroluftbild/Andia.fr ; Bernard Foubert/Photononstop ; **283** : euroluftbild/Andia.fr ; Bernard Foubert/Photononstop ; Peter Menzel/Cosmos ; **285** : euroluftbild/Andia.fr ; Bernard Foubert/Photononstop ; Plantu ; **286** : Peter Menzel/Cosmos ; **287** : Yann Arthus-Bertrand/hemis.fr ; Remko De Waal/Epa/Corbis ; **288** : © 2016 Andy Warhol Foundation/ARS, NY/Adagp Paris, Licensed by Campbell's Soup Co. All rights reserved/Corbis ; Bridgeman Images/©Adagp Paris 2016 ; **291** : Département de Saône-et-Loire ; Ministère de l'Agriculture ; **292** : K.Konrad/SIPA ; **293** : Picture Films/Earth under water ; **294** : Nacho Doce/Reuters ; age fotostock ; Saad Shalash/Reuters ; Patrick Forget/Sagaphoto ; **295** : Stringer/Cpressphoto/Corbis ; François Guillot/ AFP ; Rolf Hicker/Getty Images ; Dominique Faget/; AFP ; Joe Raedle/Getty Images/AFP ; **296** : SPC/AFP ; Getty Images/AFP ; **298** : Médecins sans Frontières ; **299** : Christophe Archambault/AFP ; **300** : British Antarctic Survey/SPL/Cosmos ; **301** : Neurdein/Roger-Viollet ; **302** : Getty Images/AFP ; Christophe Archambault/AFP ; **305** : Berndt-Joel Gunnarsson/NordicPhotos/Photononstop ; Getty Images/AFP ; Christophe Archambault/AFP ; British Antarctic Survey/SPL/Cosmos ; batphil.com-Galatée Films/Aurélien Gallier ; SPC/AFP ; Patrick Forget/Sagaphoto ; Pascal Le Segretain/Getty Images/AFP ; **307** : Picture Films/Earth under water ; Christophe Archambault/AFP ; Les Saisons-Galatée Films ; CNRS/sagascience ; **308** : ARS de Guyane ; **309** : Coalition Climat 21 ; Yann Arthus-Bertrand/hemis.fr ; IFP Energies Nouvelles ; **310** : Les Saisons-Galatée Films ; **311** : Hervé Théry ; **313** : www.developpement-durable.gouv.fr ; **314** : John Moore/Getty Images/AFP ; **315** : Peter Caton/Camerapress/Gamma ; Haley/SIPA ; **316** : Xinhua/REA ; **318** : Selva/ Leemage ; François Kollar/Bibliothèque Forney/Roger-Viollet ; **319** : AFP ; Eric Cabanis/AFP ; **320** : Ricardo Moraes/Reuters ; **321** : DR ; Christophe Simon/AFP ; **322** : Kyodo/Reuters ; **324** : Xinhua/REA ; Ricardo Moraes/Reuters ; Kyodo/Reuters ; **326** : Jean-Manuel Simoes/Divergence ; **329** : Kyodo/Reuters : DR ; AFP ; Christophe Simon/AFP ; François Kollar/Bibliothèque Forney/Roger-Viollet ; Jiji Press/AFP ; ONU ; **331** : Kyodo/Reuters ; Ricardo Moraes/Reuters ; Chappatte ; **332** : John Moore/Getty Images/AFP ; **333** : Jiji Press/AFP ; Faustine Brunet ; **335** : Boris Horvat/AFP ; IFFO-RME ; **336** : Plantu ; Kal ; Erik De Castro/Reuters ; Issei Kato/TPX/Reuters ; **337** : Richard Schultz/Flirt/Photononstop ; Jim Wark/AgStock Images/Corbis ; Mauritius/Photononstop ; **338** : Finbarr O'Reilly/Reuters ; Peter Menzel/Cosmos ; **339** : Ricardo Beliel/Brazil Photos/LightRocket/Getty Images ; Rolf Hicker/Getty Images ; Hervé Théry ; **340** : centre social de Grandvilliers ; **341** : Mairie de Paris ; **342** : Working Title/Tiger Aspect prod./DR ; **343** : Delphine Russeil/CotéToulouse ; **344** : © Licra (www.licra.org) ; **345** : Samson-Iconovox ; **346** : ©Ville de Miramas - Service Communication www.miramas.org ; **347** : AFP Photo/Johanna Leguerre ; **350** : REUTERS/Chris Wattie ; **351** : C. Benson/Getty Images ; **352** : V.Isore/IP3 PRESS/MAXPPP ; **353** : chaunu.fr ; **354** : Collège de Kerallan ; **355** : C. Bobin/Clg Saint-Exupéry Montceau-les-Mines ; **358** : Stephane ALLAMAN/GAMMA-RAPHO ; **360** : Reporters sans frontières ; **361** : Cambon-Iconovox.

Cartographie : Romuald Belzacq et Olivia Montagne (Légendes cartographie)
Infographies : Jean-Pierre Crivellari
Dessins : Stéphanie Lezziero, Jean-Pierre Crivellari (dessins au trait)
Maquette : Anne-Danielle Naname
Mise en pages : Anne-Danielle Naname, Laure Péraudin et Olivier Brunot, Barbara Caudrelier (pages Apprentis et EPI)
Recherche iconographique : Anne Mensior (Histoire), Laurence Blauwblomme (Géographie)
Relecture typographique : Bénédicte Gaillard, Alain Le Saux et Marie-Paule Rochelois

Responsables de projet : Delphine Renard et Maëlys Mandrou
Stagiaires : Aliénor Benzékri et Sara Pereira
Relecteurs pédagogiques : Jean-Marc Cardot (Académie d'Amiens), Wilfried Charrier (Académie de Clermont-Ferrand), Philippe Hamelin (Académie de Nantes), Séverin Ledru Milon (Académie de Créteil), Elsa Scheiff-Leconte (Académie de Créteil), Odile Vimpère (Académie de Créteil), Mélanie Weyl (Académie d'Amiens)

Achevé d'imprimer en Espagne par Macrolibros
Dépôt légal : Mai 2019 - Édition : 08
20/8045/0

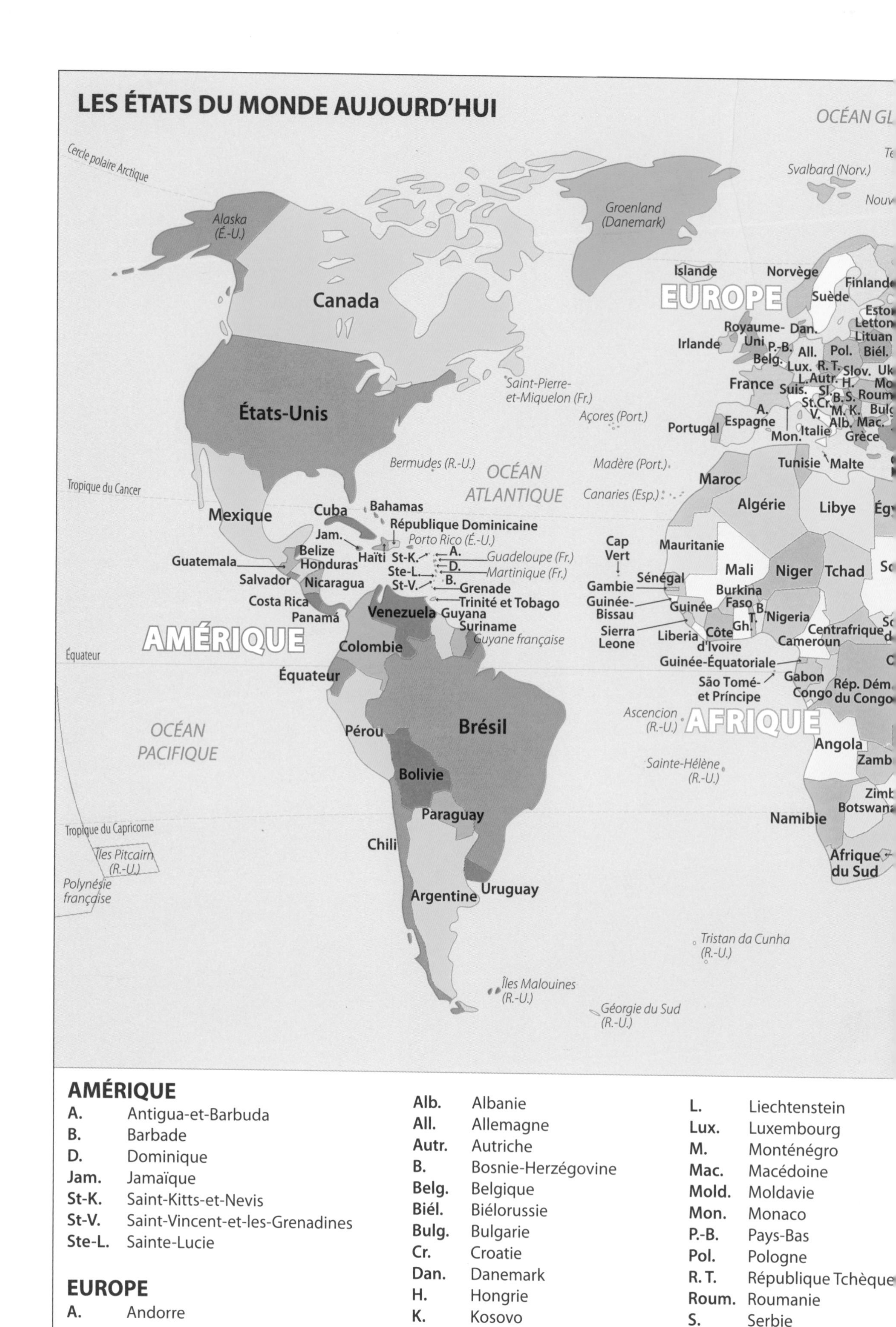

LES ÉTATS DU MONDE AUJOURD'HUI
Cercle polaire Arctique
Alaska (É.-U.)
Canada
Groenland (Danemark)
Svalbard (Norv.)
Islande
Norvège
Suède
EUROPE
Royaume-Uni
Irlande
Dan.
P.-B.
Belg.
Lux.
All.
Pol.
Biél.
R.T.
Slov.
L.
Autr.
H.
Suis.
Sl.
Cr.
B.
S.
M.
K.
Alb.
Mac.
Grèce
France
A.
Espagne
Portugal
Mon.
V.
St.
Italie
Malte
Tunisie
États-Unis
Saint-Pierre-et-Miquelon (Fr.)
Açores (Port.)
Madère (Port.)
Canaries (Esp.)
Bermudes (R.-U.)
OCÉAN ATLANTIQUE
Tropique du Cancer
Mexique
Cuba
Bahamas
République Dominicaine
Porto Rico (É.-U.)
Jam.
Haïti
St-K.
A.
Guadeloupe (Fr.)
D.
Martinique (Fr.)
Ste-L.
B.
St-V.
Grenade
Trinité et Tobago
Belize
Honduras
Guatemala
Salvador
Nicaragua
Costa Rica
Panamá
Venezuela
Guyana
Suriname
Guyane française
AMÉRIQUE
Colombie
Équateur
Équateur
Pérou
Brésil
Bolivie
Paraguay
Chili
Argentine
Uruguay
OCÉAN PACIFIQUE
Tropique du Capricorne
Îles Pitcairn (R.-U.)
Polynésie française
Îles Malouines (R.-U.)
Géorgie du Sud (R.-U.)
Tristan da Cunha (R.-U.)
Sainte-Hélène (R.-U.)
Ascencion (R.-U.)
Maroc
Algérie
Libye
Mauritanie
Mali
Niger
Tchad
Cap Vert
Sénégal
Gambie
Guinée-Bissau
Guinée
Sierra Leone
Liberia
Burkina Faso
B.
T.
Gh.
Côte d'Ivoire
Nigeria
Centrafrique
Cameroun
Guinée-Équatoriale
São Tomé-et Príncipe
Gabon
Congo
Rép. Dém. du Congo
AFRIQUE
Angola
Namibie
Afrique du Sud
AMÉRIQUE
A. Antigua-et-Barbuda
B. Barbade
D. Dominique
Jam. Jamaïque
St-K. Saint-Kitts-et-Nevis
St-V. Saint-Vincent-et-les-Grenadines
Ste-L. Sainte-Lucie
EUROPE
A. Andorre
Alb. Albanie
All. Allemagne
Autr. Autriche
B. Bosnie-Herzégovine
Belg. Belgique
Biél. Biélorussie
Bulg. Bulgarie
Cr. Croatie
Dan. Danemark
H. Hongrie
K. Kosovo
L. Liechtenstein
Lux. Luxembourg
M. Monténégro
Mac. Macédoine
Mold. Moldavie
Mon. Monaco
P.-B. Pays-Bas
Pol. Pologne
R. T. République Tchèque
Roum. Roumanie
S. Serbie